DOUBLE MIROIR

JONATHAN KELLERMAN

DOUBLE MIROIR

PLON

Titre original :
SILENT PARTNER

Traduit de l'américain
par Thierry ARSON

© Jonathan Kellerman, 1989
© Librairie Plon, 1994, pour la traduction française.
ISBN : 2-266-06684-6

Remerciements particuliers

*à Steve Rubin, Beverly Lewis, Stuart Vener,
David Aftergood et Al Katz.*

*Si les riches pouvaient payer les pauvres
pour mourir à leur place,
les pauvres gagneraient très bien leur vie.*

Dicton yiddish.

A Bob Elias

1

J'ai toujours détesté les réceptions et, dans des circonstances normales, je ne serais jamais allé à celle de ce samedi-là.

Mais mon existence n'était qu'un immense désordre. Je négligeais mes principes, et c'est ainsi que je plongeai dans le cauchemar.

Vendredi matin, j'étais encore le bon médecin uniquement préoccupé de la santé de ses patients, et déterminé à ne pas laisser ses propres problèmes interférer avec son travail.

J'observai attentivement le petit garçon.

Il n'en était pas encore arrivé à la phase où il arracherait la tête des poupées. Je le regardai prendre les voitures miniatures et les précipiter l'une contre l'autre, en une inéluctable collision.

– Cah !

Le grincement des jouets métalliques couvrit un instant le ronronnement de la caméra vidéo. Il repoussa les voitures avec brusquerie, comme si elles lui brûlaient les doigts. L'une d'elles se retourna et tangua sur son toit, telle une tortue en mauvaise posture. Il la toucha du doigt, leva les yeux vers moi, dans l'expectative.

J'acquiesçai, et il reprit aussitôt les voitures. Il les tourna entre ses mains, examina le dessous brillant, fit tourner les roues et imita le bruit d'un moteur.

– Vroum-vroum. Cah.

13

A deux ans passés, l'enfant était plutôt fort pour son âge, avec cette fluidité dans la coordination motrice qui signale les futurs héros du stade. Blond, les traits épatés, il avait les yeux sombres. Ses joues rebondies et son nez étaient ponctués de taches de rousseur ambrées. Un gamin digne de Norman Rockwell : le genre de fils dont n'importe quel Américain pur-sang serait fier.

Le sang de son père n'était plus qu'une petite mare sèche sur le terre-plein central de la Ventura Freeway.

– Vroum! Cah!

En six séances, il n'avait jamais rien dit de plus intelligible. Cet aspect de sa personnalité me donnait beaucoup à réfléchir, tout comme une certaine apathie dans son regard.

La seconde collision fut plus soudaine et brutale. La concentration de l'enfant était intense. Le tour des poupées viendrait bientôt.

Dans le coin de la pièce où elle était assise, sa mère lui jeta un regard fugace. Depuis dix minutes elle lisait la même page d'un livre de poche intitulé : *Ayez la volonté de réussir!* Tout dans son attitude démentait sa nonchalance affichée. Elle se tenait très droite sur sa chaise, se grattait le crâne, tirait sur les mèches de sa longue chevelure noire comme s'il s'agissait de fils de coton et ne cessait de les enrouler et les dérouler autour de ses doigts. Un de ses pieds marquait un rythme quatre-quatre parfait, et la vibration montait le long de sa cheville pâle et nue pour se perdre sous l'ourlet de sa robe d'été.

A la troisième collision, elle ne put réprimer une grimace. Elle délaissa son livre et me regarda en clignant plusieurs fois des paupières. Elle était presque jolie, avec ce genre de charme qui s'épanouit durant les années d'université pour se faner aussitôt après. Je lui souris. Elle baissa la tête et se replongea dans son livre.

– Cah! affirma encore l'enfant.

Il écrasa les deux voiturettes l'une contre l'autre à la façon de cymbales, puis les lâcha. Les deux jouets rebondirent dans des directions opposées sur le tapis. En soufflant très fort, le gamin alla les ramasser.

– Vroum! Cah!

Il les jeta violemment au sol, pour les reprendre aussi vite.

Il recommença plusieurs fois ainsi, puis laissa tomber les deux autos miniatures avec un geste de désintérêt pour fouiller la pièce d'un regard aigu, presque affamé. Il cherchait les poupées, alors que je les laissais toujours au même endroit.

14

Problème de mémoire ou simple comportement de rejet ? A cet âge, on ne pouvait avancer que par déductions.

Ce qui était exactement ce que j'avais répondu à Mal Worthy quand il m'avait décrit le cas et m'avait demandé conseil.

– Tu n'obtiendras pas de preuve décisive.

– Je n'essaie même pas, Alex. Donne-moi simplement quelque chose qui me permette de travailler.

– Et la mère ?

– Comme tu t'en doutes : complètement déboussolée.

– Qui s'en occupe ?

– Jusqu'ici, personne. J'ai tenté de la convaincre de voir quelqu'un, mais elle a refusé. Pour l'instant, fais ce que tu peux pour Darren, et si ça implique un brin de thérapie pour la mère, je n'y verrai aucune objection. Dieu sait qu'elle en a besoin. Un truc pareil qui arrive à une femme de son âge...

– A propos comment t'es-tu retrouvé mêlé à un cas d'accident de la route ?

– Second mariage. Le père était mon homme à tout faire. Je me suis occupé du divorce par sympathie. Elle était sa première femme, et nous avions conservé de bons contacts. En fait, au début de ma carrière je faisais pas mal d'identifications pour la police. Ça ne me déplaît pas de m'y remettre de temps à autre... Alors, dis-moi, comment te débrouilles-tu avec un client aussi jeune ?

– J'en ai déjà eu des plus jeunes. Quel niveau oral ?

– S'il parle, je ne l'ai pas entendu. Elle m'a assuré qu'avant l'accident il commençait à assembler quelques mots, mais je n'ai pas eu l'impression qu'ils épargnaient pour l'inscrire à l'Institut technologique de Californie. Si tu pouvais prouver une perte de QI, Alex, je n'aurais pas de problème à traduire ça en dollars...

– Mal...

Son rire grésilla dans l'écouteur.

– Je sais, je sais, M'sieu... mes excuses, docteur Tradition. Loin de moi l'idée de...

– Content de t'avoir eu au bout du fil, Mal. Dis à la mère de me téléphoner pour fixer un rendez-vous.

– ... chercher à influencer éhontément ton analyse d'expert. Mais puisque tu vas décortiquer la situation, tu pourrais peut-être prendre en considération l'avenir probable de cette femme qui va élever son gamin seule, sans formation ni ressources. A vivre avec ce souvenir... J'ai quelques clichés de l'accident. En les voyant j'ai failli rendre mon déjeuner, Alex. Et il y a dans cette affaire quelques poches bien pleines qui méritent d'être mises à contribution.

– Cah !

Il avait repéré les poupées. Trois hommes, une femme, un garçonnet. Petites, en plastique rose tendre, avec des visages souriants et candides, des corps anatomiquement corrects et démontables. A côté des personnages se trouvaient deux voitures de tailles correspondantes, une rouge et une bleue. Un siège pour bébé miniature était placé sur la banquette arrière du véhicule bleu.

Je me levai et réglai la caméra vidéo afin qu'elle cadre la table, puis je m'assis sur le sol, près de lui.

Il saisit la voiture bleue et y positionna les poupées selon un ordre qui lui était familier : un homme au volant, un autre à côté de lui, la femme derrière le conducteur, et l'enfant dans le siège. La voiture rouge était vide. Une poupée d'homme restait sur la table.

Il agita un peu les bras, se pinça le bout du nez. Il tenait la voiture bleue au bout de son bras tendu, sans la regarder.

Je lui tapotai gentiment l'épaule.

– C'est bien, Darren.

Il inspira violemment, souffla de même, prit la voiture rouge et plaça les deux sur le sol, à soixante centimètres d'écart, en face l'une de l'autre. Puis il emplit de nouveau ses poumons, gonfla ses joues et avec un cri précipita les deux voitures l'une contre l'autre.

Les poupées de l'homme et de la femme furent éjectées sur la moquette. L'enfant s'était affaissé dans son harnais.

Mais c'était le conducteur qui intéressait Darren. Un des pieds de la poupée s'était pris dans le volant, empêchant sa chute. Visiblement mécontent, l'enfant s'évertua à le libérer. Il tira sur la poupée, tourna le petit corps en grognant de frustration jusqu'à ce qu'il réussisse. Il le brandit alors loin de lui, examina son visage de plastique et lui ôta la tête. Puis il le plaça à côté de la poupée du petit garçon.

J'entendis un hoquet derrière moi et je me retournai à temps pour voir Denise Burkhalter repiquer du nez dans son livre.

Inconscient de la réaction maternelle, l'enfant laissa tomber la poupée de l'homme décapité et prit celle de la femme qu'il serra contre lui avant de la reposer. Il revint alors aux poupées d'hommes, le conducteur décapité et le passager du siège avant. Il les éleva au-dessus de sa tête et les jeta contre le mur, les regarda le percuter et retomber avec intérêt.

Il observa une seconde la poupée de l'enfant toujours dans son siège et prit la tête proche de lui. Après l'avoir fait rouler un moment sous sa paume, il la repoussa.

Il s'approcha ensuite de la poupée d'homme à laquelle il n'avait pas encore touché, celle représentant le conducteur de l'autre véhicule. Il fit un pas dans sa direction, puis se figea, recula.

La pièce était plongée dans le silence, à l'exception du ronronnement de la caméra. Une page tourna. Darren resta immobile un long moment avant d'être saisi d'une hyperactivité si frénétique et féroce qu'elle tendit aussitôt l'atmosphère.

En gloussant il se balança d'avant en arrière, se tordit les mains puis les agita en l'air en postillonnant d'abondance. Il se mit à courir d'un bout à l'autre de la pièce et donna des coups de pied dans les étagères, les chaises, le bureau, érafla les plinthes, griffa les murs et laissa des traces poisseuses sur le plâtre. Son rire monta encore dans les aigus avant de se muer en un aboiement étranglé suivi de sanglots serrés. Il se jeta sur le sol où il gigota un moment avant de se ramasser en une pose fœtale. Il resta ainsi, à sucer son pouce.

Sa mère était toujours cachée derrière son livre ouvert.

J'allai jusqu'à l'enfant et le soulevai dans mes bras.

Son corps était crispé et je vis qu'il mordillait son pouce. Je le tins ainsi en lui répétant à mi-voix que tout allait bien et qu'il était un gentil petit garçon. Il ouvrit les yeux une seconde, puis les referma. Son haleine sentant le lait sucré se mêlait à l'odeur pas forcément désagréable de sa transpiration.

– Tu veux aller avec Maman ?

Un hochement de tête somnolent.

Elle n'avait pas bougé d'un centimètre.

– Denise, dis-je, mais elle ne réagit pas et je dus répéter son prénom.

Elle glissa son livre de poche dans son sac à main, en passa la lanière à l'épaule, se leva et prit l'enfant.

Nous sortîmes du bureau et nous dirigeâmes vers l'avant de la maison. Quand nous atteignîmes l'entrée, Darren s'était endormi. J'ouvris la porte et un courant d'air frais vint à notre rencontre. L'été restait agréable mais menaçait toujours de tourner à la canicule. Au loin on percevait le ronronnement d'une tondeuse électrique.

– Vous avez des questions à me poser, Denise ?

– Non.

– Comment a-t-il dormi cette semaine ?

– Pareil.

– Six ou sept cauchemars ?

– A peu près. Je n'ai pas compté... Il faut que je continue à compter ?

– Savoir comment évoluent les choses serait utile, oui.

Pas de réponse.

– La partie légale de l'évaluation est terminée, Denise. J'ai assez d'éléments pour Mr. Worthy. Mais Darren résiste toujours, ce qui est tout à fait normal après ce qu'il a vécu.

Pas de réponse.

– Il a beaucoup progressé, poursuivis-je, mais il n'est pas encore capable de mettre en scène le rôle de... l'autre conducteur. Il garde encore en lui beaucoup de peur et de rage. Il serait bon qu'il parvienne à l'exprimer. J'aimerais le revoir encore.

Elle leva les yeux vers le plafond.

– Ces poupées... marmonna-t-elle.

– Je sais. Difficile à supporter.

Elle se mordit la lèvre inférieure.

– Mais c'est une aide réelle pour Darren, Denise. Nous pourrions vous faire attendre dans la pièce à côté, la prochaine fois. Il y est prêt.

– Ça fait loin pour venir ici, dit-elle.

– Des problèmes de circulation ?

– Le foutoir, oui.

– Combien de temps avez-vous mis ?

– Une heure trois quarts.

De Tujunga à Beverly Glen. Un trajet de quarante minutes par l'autoroute. Pour qui supportait les autoroutes.

– Ça bouchonnait dans les rues ?

– Uh-huh. Et vous avez des rues qui tournent dans tous les sens, par ici.

– Je sais, parfois même...

Soudain elle recula.

– Pourquoi vous rendez-vous si difficile à voir, en habitant ici ? Si vous voulez aider les gens, pourquoi est-ce que vous leur rendez les choses aussi difficiles, hein ?

18

J'attendis un moment avant de répondre :

– Je sais que ça a été dur, Denise. Si vous préférez que nous nous rencontrions chez Mr. Worthy...

– Oh, laissez tomber ! fit-elle, et elle se précipita dehors.

Je la regardai traverser la terrasse avec son fils dans les bras, puis descendre l'escalier. Le poids de Darren la fit chanceler une fraction de seconde, et j'eus l'envie de m'élancer à son secours, mais je restai immobile et la contemplai qui luttait pour regagner sa voiture de location. Elle éprouva d'autres difficultés pour ouvrir la portière arrière d'une seule main, et en se penchant elle parvint à mettre le corps mou de Darren sur le siège pour enfant. Elle claqua la portière, contourna la voiture et s'installa sur le siège du conducteur.

Elle glissa la clef dans le contact, puis se courba et appuya le front sur le volant. Elle resta ainsi un moment avant de se redresser et de démarrer.

De retour dans la bibliothèque j'éteignis la caméra vidéo, sortis la cassette, l'étiquetai et m'attelai à la rédaction de mon rapport. Je travaillai avec une lenteur et une précision encore plus grandes qu'à l'accoutumée.

Quelques heures plus tard la corvée était terminée. Relevé de mon rôle d'aide, j'étais de nouveau celui qui avait besoin d'aide. L'engourdissement déferla sur moi, aussi inévitable que le mouvement de la marée.

J'envisageai la possibilité d'appeler Robin, puis renonçai. Notre dernière conversation avait été tout sauf une réussite. Chacun s'était mordu la langue pour rester civil, jusqu'à ce que nos efforts soient torpillés par le ressentiment et la colère.

– ... La liberté, l'espace... Je croyais que nous étions au-dessus de ça.

– Eh bien non, je n'ai jamais été au-dessus de la liberté, Alex.

– Tu sais très bien ce que je veux dire.

– Pas vraiment, non.

– J'essaie simplement de définir ce que tu cherches, Robin.

– Je te l'ai expliqué cent fois. Que te dire de plus ?

– Si c'est de l'espace qu'il te faut, tu as plus de trois cents kilomètres d'espace entre nous. Ton sentiment de contentement en est-il accentué ?

– Le contentement n'est pas le problème.

19

– Alors quel est le problème?

– Oh, arrête, Alex. S'il te plaît.

– Arrêter quoi? De vouloir arranger les choses?

– Arrêter de me faire subir ce genre d'interrogatoire. Si tu entendais l'hostilité de ta voix...

– Et comment devrait-elle être, ma voix, après qu'une semaine se soit transformée en un mois? Où est la limite?

– Je... j'aimerais pouvoir répondre à cette question, Alex.

– Génial. Le mouvement pendulaire perpétuel. Et quel a été mon tort? De m'être trop impliqué dans notre relation? D'accord, je peux changer ça. Crois-moi, je peux être aussi froid qu'un bloc de glace. Pendant ma formation j'ai appris comment me détacher. Mais si je fais ça, dix contre un que je serai accusé d'indifférence typiquement masculine.

– Arrête, Alex! J'ai passé une nuit blanche avec Aaron, je ne suis pas en état de supporter ça maintenant.

– Supporter quoi?

– Toutes tes phrases. Ces mots que tu m'envoies comme des projectiles.

– Et comment pouvons-nous arriver à quoi que ce soit sans utiliser des mots?

– Nous n'arriverons à rien maintenant, de toute façon, alors autant mettre ça de côté. Au revoir.

– Robin...

– Dis-moi « au revoir », Alex. S'il te plaît. Je ne veux pas te raccrocher au nez comme ça.

– Alors ne raccroche pas.

Un silence.

– Au revoir, Robin.

– Au revoir, Alex. Je t'aime toujours.

Les cordonniers sont toujours les plus mal chaussés.

Et les psys s'étouffent avec leurs mots.

Mon humeur grise s'intensifia et passa au noir.

Avoir quelqu'un à qui parler m'aurait sans doute aidé. Mais ma liste de confidents était dramatiquement courte.

Robin en première position.

Ensuite Milo.

Il était parti avec Rick pour pêcher dans les sierras. Mais même si son épaule avait été disponible je ne serais pas allé pleurer dessus.

Avec les années, notre amitié s'était coulée dans un rythme

20

particulier : nous discutions de meurtres et de folie devant quelques bières et des bretzels et disséquions la condition humaine avec l'aplomb de deux anthropologues observant une colonie de babouins. Lorsque l'addition des horreurs dépassait la mesure, Milo se mettait à râler contre tout, et je l'écoutais. Quand il commençait à forcer sur l'alcool, je le raisonnais.

Le flic mal dans sa peau et le psy compréhensif. Je n'étais pas prêt à inverser les rôles.

Une semaine de courrier était entassée sur la table basse du salon. J'avais évité de l'ouvrir car je redoutais les amabilités superficielles des attrape-nigauds, coupons-réponse et autres propositions de bonheur instantané. Mais à cet instant précis j'avais besoin d'occuper mon esprit, de le tenir loin des périls de l'introspection.

J'emportai le paquet de lettres dans la chambre, approchai une corbeille à papiers du lit, m'assis sur celui-ci et commençai le tri. En bas de la pile se trouvait une enveloppe couleur chamois. Sur le rabat, l'adresse de l'expéditeur était gaufrée en lettres argentées.

De la belle ouvrage. Sans doute une offre de vente réservée à une clientèle riche. Je retournai l'enveloppe en m'attendant à voir mon adresse imprimée sur une étiquette autocollante, mais elle était rédigée en une calligraphie argentée assez extravagante. Quelqu'un avait pris le temps de bien faire les choses.

Le cachet de la poste était vieux de dix jours. J'ouvris l'enveloppe et en tirai un carton d'invitation de la même teinte chamois, à liséré argenté, portant la même calligraphie compliquée :

Cher DOCTEUR DELAWARE,

Vous êtes cordialement invité à vous joindre
à la garden-party et au cocktail
rassemblant les anciens élèves et membres
de la communauté universitaire
et donnés en l'honneur du

DOCTEUR PAUL PETER KRUSE,
Professeur de psychologie et de développement humain
à Blalock

pour sa nomination au poste de
directeur du Département de Psychologie

samedi 13 juin à partir de 16 heures
SKYLARK
LA MAR ROAD
LOS ANGELES, CALIFORNIA 90077

– Réponse appréciée au Département de Psychologie –

Kruse comme président. Un poste créé pour la circonstance, la récompense ultime pour une carrière exceptionnelle d'érudit.

Ça n'avait aucun sens. Ce type n'avait rien d'un érudit. Je n'avais certes plus eu de contact avec lui depuis des années, mais il n'y avait aucune raison de penser qu'il ait pu se muer en un être humain à peu près respectable.

A l'époque il était chroniqueur spécialisé et surtout un habitué des talk-shows, armé de la clientèle de Beverly Hills nécessaire et d'un répertoire de truismes brodés dans un jargon pseudo-scientifique.

Sa chronique paraissait chaque mois dans un magazine « féminin » distribué dans les supermarchés, le genre de torchon empli d'articles sur la dernière cure d'amaigrissement miracle, à côté de recettes pour des gâteaux au chocolat et qui combine les articles qui voudraient que vous « soyez vous-même ! » avec des tests définissant votre potentiel sexuel de telle façon que personne ne peut se sentir normal en lisant les résultats.

Professeur à vie. Il n'avait jamais produit que le minimum en fait de recherches, quelque chose en rapport avec la sexualité humaine qui n'avait jamais donné le moindre résultat.

Mais on ne lui avait demandé aucun travail scientifique car il ne faisait pas partie des titulaires de l'université. Il n'y était que consultant associé, un de ces innombrables praticiens qui recherchaient le cachet académique en collaborant avec l'université.

Ces consultants faisaient parfois des exposés sur leur spécialité – dans le cas de Kruse, l'hypnose et une forme de manipulation par psychothérapie qu'il avait baptisée Dynamique de communication – et ils servaient de thérapeutes et de patrons de thèse officieux pour les étudiants en fin de cycle. Une symbiose habile qui libérait les « vrais » professeurs pour d'autres tâches et des réunions de comité tandis que les consultants y gagnaient des emplacements de parking, des tickets de faveur pour les matchs de football et leur entrée au club de l'université.

Mais de là à devenir professeur à Blalock... Incroyable.

Je me remémorai ma dernière rencontre avec Kruse, quelque deux ans plus tôt. Nous nous étions croisés sur le campus par le plus grand des hasards, et chacun avait feint de ne pas remarquer l'autre.

Il marchait vers le bâtiment de psychologie, tout en tweed coupé sur mesure, coudes en cuir, pipe de bruyère, une étudiante de chaque côté. L'art d'être décontracté avec une certaine profondeur tout en engrangeant la popularité.

J'examinai le lettrage argenté. Cocktail à seize heures. Et acclamons le grand chef.

Le tout avait sans doute un rapport direct avec quelque relation à Holmby Hills, mais la nomination défiait quand même la compréhension.

Je vérifiai la date – dans deux jours – puis relus l'adresse en bas de l'invitation.

Skylark [1]. Ces richards baptisaient leurs maisons comme s'il s'agissait de leur progéniture.

La Mar Road, sans numéro. Traduction : Nous possédons tout La Mar Road, bouseux.

J'imaginai le spectacle, dans deux jours : grosses voitures, boissons trop légères, et un badinage assommant sur les pelouses d'un beau vert nuance dollar.

Pas vraiment ma tasse de thé. Je laissai tomber l'invitation dans la corbeille et ne pensai plus à Kruse ni au passé.

Mais pas pour longtemps.

1. Skylark : alouette (N.d.T.).

2

Je dormis mal et me réveillai avec le soleil le vendredi. Sans aucun patient de prévu, je me plongeai dans les tâches les plus fastidieuses. J'envoyai à Mal la vidéo de Darren, je terminai d'autres rapports, nettoyai le bassin et la maison jusqu'à ce qu'elle étincelle. J'en eus fini vers midi, ce qui me laissait le restant de la journée libre pour me vautrer dans ma misère.

Je n'avais absolument pas faim. J'essayai de courir un peu mais je ne réussis pas à desserrer la bande qui oppressait ma poitrine et renonçai après un kilomètre. Rentré à la maison j'avalai une bière si vite que le diaphragme me brûla. J'en bus une seconde et emportais ce qui restait du pack dans la chambre. Là je m'installai en sous-vêtements sur le lit et regardai avec une attention bovine les images qui flottaient sur l'écran de la télévision. Des soap operas : des gens parfaits d'apparence qui souffraient. Des jeux télévisés : des gens réels qui regressaient.

Mon esprit vagabonda. Un long moment je fixai des yeux le téléphone, finis par tendre la main pour décrocher, interrompis mon geste.

Les cordonniers...

Tout d'abord, j'avais cru que le problème était lié à son travail, le fait qu'elle eût renoncé au monde de la technologie pour celui de l'artisanat, sans beaucoup d'autres compensations que des crampes aux mains.

Un industriel japonais fabricant d'instruments de musique avait approché Robin et lui avait proposé d'adapter plusieurs de ses modèles de guitares afin d'en faire des prototypes pour une production en série. Elle devait définir les caractéristiques techniques de chaque instrument, et une armée de robots informatisés se chargerait du reste.

Ils lui offrirent le trajet d'avion jusqu'au Japon en première classe, l'installèrent dans une suite de l'hôtel Okura, la gavèrent de sushis et de saké, puis la renvoyèrent au pays chargée de présents exquis, d'une liasse de contrats imprimés sur papier de riz et avec la promesse d'un poste très lucratif d'expert-conseil.

Malgré ce déploiement de séduction, elle refusa leur offre sans jamais expliquer pourquoi. Pour ma part je soupçonnais une réaction atavique. Fille unique d'un ébéniste au perfectionnisme intransigeant qui vénérait le travail manuel et d'une ex-girl qui ne vénérait pas grand-chose, elle avait surtout été la fille de son père et avait utilisé ses mains pour donner un sens au monde. Elle avait suivi des études à contrecœur, jusqu'à la mort de son père, pour ensuite abandonner et se lancer dans l'ébénisterie, une manière d'hommage au défunt. Elle avait finalement trouvé sa voie dans la lutherie, et elle s'était mise à fabriquer des guitares et des mandolines sur mesure.

Nous avions été amants deux ans avant qu'elle accepte de vivre avec moi. Même alors elle garda son studio de Venice. Après son retour du Japon, elle s'y réfugia de plus en plus souvent. Quand je lui demandai la raison de ce comportement elle me répondit qu'elle avait besoin de retrouver ses marques.

J'acceptai. Nous n'avions jamais passé tout notre temps ensemble. Dotés chacun d'un caractère affirmé, nous avions bataillé dur pour notre indépendance, nous évoluions dans deux univers différents, et parfois – en certains occasions même c'était presque dû au hasard – nos routes se croisaient dans une collision passionnée.

Mais ces collisions se raréfiaient. Elle commença à rester plusieurs nuits de suite au studio, en prétextant la fatigue, refusant mes propositions de venir la chercher en voiture. J'étais assez occupé pour ne pas trop réfléchir à cet aspect de notre relation.

A trente-trois ans j'avais abandonné ma carrière de psychologue pour enfants, après une overdose de misère humaine, et pendant un temps j'avais vécu confortablement des dividendes de placements fonciers judicieusement effectués en Basse-Californie. Mais le travail médical n'avait pas tardé à me manquer, même si j'exécrais toujours les implications des psycho-thérapies de longue durée. Je résolus le problème en me limitant au rôle de consultant légal auprès des avocats et des juges. J'effectuai des évaluations psychologiques pour divers inculpés, ainsi que pour les traumatismes infantiles, et un cas criminel récent m'avait beaucoup appris sur les racines de la folie.

C'était du boulot à court terme, sans suivi ou presque : le côté chirurgical de la psychologie, néanmoins suffisant pour me donner l'impression de jouer mon rôle de guérisseur.

Un creux après Pâques me laissa désœuvré, et seul. Je pris conscience de la distance qui s'était installée entre Robin et moi, et je me demandai si je n'avais pas commis une erreur. Espérant une guérison spontanée, j'attendis qu'elle réapparaisse. Comme elle ne le faisait pas, je finis par la coincer.

Elle balaya mes appréhensions et se souvint subitement de quelque chose qu'elle avait oublié au studio. L'instant suivant, elle s'était envolée. Par la suite je la vis encore moins. Mes appels à Venice déclenchaient son répondeur, et mes passages à l'improviste étaient terriblement insatisfaisants. La plupart du temps elle était entourée de musiciens aux yeux tristes qui couvaient leur instrument mutilé ou jouaient du blues, musical ou non. Quand je parvenais à la voir seule, elle se servait du grondement des scies et des tours ou du sifflement du pistolet à peinture pour saboter toute possibilité de dialogue.

Je serrais les dents, battis en retraite en me disant que ma patience finirait par payer. Je m'adaptai en me surchargeant de tâches. Pendant le printemps je fis expertise sur expertise, rédigeai des rapports et déposai en qualité d'expert à un rythme fou. Je déjeunais avec des avocats, me retrouvais bloqué dans les encombrements de la circulation. Je gagnais beaucoup d'argent et je n'avais personne avec qui le dépenser.

L'été approchait et Robin et moi étions devenus deux étrangers courtois l'un envers l'autre. Il fallait que quelque chose arrive. Au début du mois de mai, quelque chose arriva.

C'était un dimanche matin plein de promesses. La veille dans l'après-midi elle était venue à la maison pour prendre de vieux croquis, et finalement nous avions passé la nuit ensemble. Elle avait fait l'amour avec un sérieux qui m'avait apeuré mais qui valait mieux que rien.

En m'éveillant j'étendis le bras sur le lit pour l'atteindre, mais en vain. Des bruits venaient du salon. Je sautai hors du lit et la trouvai habillée, sac en bandoulière, en route vers la porte d'entrée.

– Salut, chérie.

– Salut, Alex.

– Tu pars déjà ?

Elle acquiesça.

– Tu es si pressée ?

– J'ai beaucoup de trucs à faire.

– Un dimanche ?

– Dimanche, lundi, aucune importance, fit-elle en posant la main sur le bouton de la porte. Je t'ai fait un pichet de jus d'orange. Il est dans le frigo.

Je m'approchai et enserrai son poignet d'une main.

– Reste encore un peu.

Elle se dégagea.

– Il faut vraiment que j'y aille.

– Allons, prends le temps de souffler.

– Je n'ai pas besoin de souffler, Alex.

– Tu pourrais au moins rester un peu pour que nous discutions.

– Discuter de quoi ?

– De nous.

– Il n'y a pas à en discuter.

Son apathie était forcée, mais elle me fit réagir quand même. Des mois de frustration se cristallisèrent en moi sous la forme de quelques moments d'un monologue enflammé : elle était égoïste, obsédée par elle-même. Comment pensait-elle que je prenais mon nouveau statut d'ermite ? Qu'avais-je donc fait pour mériter pareil traitement ?

Après une liste exhaustive de mes qualités, je lui énumérai jusqu'au moindre service que j'avais pu lui rendre depuis notre rencontre.

Quand j'en eus fini elle posa son sac et s'assit sur le canapé.

– Tu as raison. Il faut que nous discutions.

Elle regardait fixement par la fenêtre.

– Je t'écoute, dis-je.

– J'essaie de rassembler mes souvenirs. Les mots c'est ton travail, Alex. Je ne peux pas me mesurer à toi sur ce terrain-là.

– Personne n'a besoin de se mesurer à personne. Je te demande juste de me parler. De me dire ce que tu as dans la tête.

– Je ne sais pas comment l'exprimer sans être blessante.

– Ne t'inquiète pas pour ça. Crache le morceau, c'est tout.

– Si vous le dites, Docteur... Désolée, c'est assez difficile.

J'attendis.

Elle crispa les mains, les décrispa puis désigna la pièce d'un geste large.

— Regarde cet endroit, les meubles, la décoration… Tout y est exactement identique à la première fois où je suis venue ici. Une perfection de photographie, ton idée de la perfection. Pendant cinq ans, je n'ai été qu'une pensionnaire.

— Comment peux-tu dire ça ? C'est chez toi aussi !

Elle ouvrit la bouche pour répondre, renonça et secoua la tête en se détournant.

Je me déplaçai pour être dans son champ de vision et désignai la grande table à tréteaux marquée de brûlures de cigarettes.

— Le seul meuble auquel je tienne ici est celui-là. Parce que c'est toi qui l'a fait.

Un silence.

— Un mot et je réduis tout en petit bois, Robin. Nous repartirons de zéro. Ensemble.

Elle s'assit et enfouit son visage dans ses mains. Après un moment elle releva la tête. Ses yeux étaient humides.

— Ce n'est pas un problème de décoration intérieure, Alex.

— Alors quel est le problème ?

— C'est toi. Le genre de personne que tu es. Irrésistible, étouffant. C'est le fait que tu n'aies jamais pensé à me demander si j'aimerais quelque chose de différent. Si j'avais des goûts et des idées personnels.

— Je ne pensais pas que ce genre de détail avait une telle importance pour toi.

— Je ne te l'ai jamais laissé entendre non plus, Alex. Je me sens coupable moi aussi. J'ai toujours accepté, suivi, je me suis toujours rangée à ton avis. Et pendant tout ce temps j'ai vécu dans le mensonge, en me croyant forte et indépendante.

— Tu es forte.

Elle eut un rire sans joie.

— C'était l'avis de Papa aussi : « Tu es une fille forte, une jolie fille forte. » Il s'emportait après moi dès que ma confiance vacillait un peu, et il criait et me répétait encore et encore que j'étais différente des autres filles. Plus forte qu'elles. Pour lui, être fort signifiait savoir utiliser ses mains pour créer, et quand les autres gamines jouaient avec leurs poupées Barbie, moi j'apprenais à charger une scie à ruban. Et je m'écorchais les doigts à force de poncer. Et j'apprenais à réussir un assemblage à onglet. J'apprenais à être forte. Pendant des années j'ai marché. Et maintenant, après m'être bien regardée dans une glace, je ne vois qu'une autre faible femme qui vit aux crochets d'un homme.

– La proposition de Tokyo a-t-elle un rapport avec tout ça?

– La proposition de Tokyo m'a fait réfléchir à ce que je voulais faire de mon existence, et j'ai compris que j'en étais très loin. Je suis toujours beaucoup trop redevable à quelqu'un.

– Bébé, je n'ai jamais voulu t'étouffer...

– Voilà le problème! Je suis un bébé! Un foutu bébé! sans défense et qui attend d'être soigné par le bon Dr Alex!

– Je ne te vois pas comme une patiente, dis-je. Bon sang, Robin, je t'aime.

– L'amour... marmonna-t-elle. On finirait par se demander ce que ce foutu mot veut dire.

– Moi je sais ce qu'il veut dire pour moi.

– Alors tu es quelqu'un de mieux que moi, d'accord? Et c'est bien le nœud du problème, non? Dr Perfection! Diplôme supérieur de résolution de problèmes. Une gueule, un cerveau, du charme et de l'argent, et toute une flopée de patients qui te prennent pour le Bon Dieu.

Elle se leva et arpenta la pièce.

– Oh, Alex, quand je t'ai rencontré tu avais des problèmes, des doutes. Tu étais un mortel et je pouvais m'inquiéter pour toi. Je t'ai aidé à surmonter ces épreuves, j'ai été un des principaux facteurs de ton rétablissement, je le sais.

– C'est vrai, et j'ai toujours besoin de toi.

Elle sourit.

– Non. Maintenant tes problèmes sont réglés, tu es réglé, mon chéri. Réglé au micron près. Et moi je n'ai plus aucune utilité.

– C'est idiot. Ton absence m'a laissé comme une loque.

– Réaction temporaire, dit-elle. Tu t'en remettras.

– Tu dois me trouver très superficiel...

Elle marcha encore un peu, fit une moue.

– Tiens, j'entends ce que j'ai dit et je me rends compte que tout ça vient de ma jalousie, tu ne crois pas? Une jalousie stupide et enfantine, comme celle que je ressentais envers les filles plus populaires que moi. Mais je ne peux pas m'en empêcher. Tu as tout. Tout est organisé selon une petite routine bien calculée : tu cours tes cinq kilomètres à pied, ensuite une douche, tu travailles un peu, tu encaisses tes chèques, tu joues un peu de guitare, tu lis les journaux. Tu me baises jusqu'à ce que nous atteignions l'orgasme, et ensuite dodo, en souriant. Tu achètes des billets pour Hawaï, nous partons en vacances. Tu arrives avec un panier de pique-nique, et nous allons déjeuner. C'est comme une chaîne de montage, Alex, avec toi derrière le panneau de contrôle, qui appuies sur les boutons. Et il y a une chose que mon voyage à Tokyo m'a apprise : je ne veux pas fréquenter une chaîne de montage. Ce qu'il y a de dingue, c'est que cette vie est super! Si je te laissais faire tu prendrais soin de moi jusqu'à ma vieillesse, et tu transformerais ma vie en un rêve parfait, plein de sucre glace chaque jour. Je connais un tas de femmes qui tueraient pour la moitié de ça, mais moi ce n'est pas ce qu'il me faut.

Nos regards se rencontrèrent. Piqué au vif, je tournai la tête.

— Oh non, dit-elle. Je t'ai blessé. Je déteste tout ça.

— Je vais très bien. Continue.

— C'est tout, Alex. Tu es un homme merveilleux, mais vivre avec toi commence à me faire peur. Je cours le danger de disparaître. Tu as fait allusion au mariage; mais si nous nous mariions, je perdrais encore un peu plus de moi-même. Nos enfants finiraient par voir en moi quelqu'un de fade et d'aigri, et pendant ce temps Papa sillonnerait le vaste monde en jouant ses mélodrames. J'ai besoin de temps, Alex. Et d'un peu d'espace pour respirer. Pour faire la part des choses.

Elle se dirigea vers la porte.

— Il faut que je parte, maintenant. S'il te plaît.

— Prends tout le temps nécessaire, Robin, lui dis-je. Et tout l'espace. Ne me rejette pas de ta vie, c'est tout ce que je te demande.

Elle s'immobilisa, tremblante, sur le seuil de l'appartement. Puis elle se précipita vers moi, déposa un baiser sur mon front et sortit.

Deux jours plus tard je trouvai en rentrant un mot sur la table aux tréteaux :

Alex chéri,

Je suis partie à San Luis. Ma cousine Terry vient d'accoucher. Je vais l'aider un peu. Je reviens dans une semaine à peu près. Ne me déteste pas.

Je t'aime,
R.

3

Un des derniers cas dont je m'étais occupé impliquait une enfant de cinq ans dont la garde représentait l'enjeu d'un procès vicieux opposant un producteur de Hollywood et sa quatrième épouse.

Deux ans durant, les parents encouragés à l'affrontement par leurs avocats respectifs avaient été incapables de trouver un arrangement. Le juge avait fini par être écœuré de la situation et m'avait demandé une expertise et mes recommandations. J'avais évalué l'état psychologique de l'enfant et requis l'aide d'un autre psychologue pour faire de même avec les parents.

Le consultant que j'avais recommandé était un ancien condisciple d'études nommé Larry Daschoff, dont je respectais les diagnostics et l'éthique professionnelle. Nous étions restés amis depuis l'université, échangeant parfois des clients. A l'occasion nous dînions ou faisions un peu de sport ensemble. Larry était quelqu'un d'assez routinier, et je fus surpris quand il m'appela ce vendredi à dix heures du soir.

– Dr D. ? Ici le Dr D. ! rugit-il avec son habituelle jovialité.

Derrière lui je perçus une tempête sonore faite de crissements de pneus et de détonations issus d'un téléviseur et de l'équivalent d'une cour de récréation surpeuplée.

– Salut, Larry. Quoi de neuf ?

– Ce qu'il y a de neuf, c'est que Brenda se trouve en ce moment même à la bibliothèque où elle bosse comme une

31

dingue sur ses cours de droit civil. En conséquence j'ai les cinq monstres pour moi tout seul.

– Les joies de la paternité.

– Oh ouais...

Le niveau sonore augmenta encore un peu, et une petite voix se mit à hurler :

– Papa! Papa! Papa!

– Excuse-moi une seconde, Alex... – Une paume sur le récepteur ne parvint pas à complètement étouffer ce qu'il disait à l'enfant : Tu attends que je ne sois plus au téléphone, d'accord ? Non, non, pas maintenant. Tu attends... Eh bien, s'il t'ennuie ne reste pas auprès de lui... Pas maintenant, Jeremy. Je parle au téléphone, Jeremy. Si tu ne te calmes pas c'est : privé de Cocoa Puffs et au lit vingt minutes plus tôt! Il revint enfin en ligne : Je suis devenu adepte inconditionnel de la thérapie par aversion, Anna Freud et Bruno Bettelheim peuvent aller se faire foutre. Tous les deux devaient s'enfermer dans leur bureau pour écrire leurs bouquins pendant que quelqu'un d'autre s'occupait de leurs gosses. Cette vieille Anna a-t-elle eu des enfants, d'ailleurs? Non, elle est restée mariée à Papa. Bref, lundi à la première heure je passe commande d'une demi-douzaine de badines. Une pour chacun de ces monstres et une pour moi, pour m'autoflageller en punition de mes encouragements à Brenda pour qu'elle reprenne des études. Si Robin te sort jamais ce genre d'idée hautement créative, un conseil : change de sujet vite fait!

– Je le ferai sans faute.

– Ça va, D.?

– Juste un peu crevé.

Mais Larry était trop bon thérapeute pour ne pas saisir le non-dit. Trop bon aussi pour s'appesantir sur la question.

– J'ai lu ton rapport dans l'affaire Featherbaugh, et je suis d'accord sur toute la ligne. Avec des parents comme ça, le gosse aurait tout à gagner au statut d'orphelin. Sinon j'approuve l'idée d'un arrangement bancal de garde alternée. C'est probablement la moins mauvaise solution. On prend des paris sur les chances de succès de cette proposition?

– Seulement si je peux miser sur la case échec.

– Interdit, ça.

Il s'excusa de nouveau, hurla à un des enfants de baisser le son du téléviseur, sans aucun succès, puis me dit :

– Les gens pataugent vraiment dans leur caca, tu ne trouves

pas, D.? Ça ne résume pas parfaitement treize ans d'ancienneté dans l'exploration de l'esprit humain, ça? Personne ne veut plus se donner de mal pour rien. Dieu sait que je ne vais jamais à la plage, ni Brenda. Si nous avons pu tenir toutes ces années, tout le monde devrait en être capable, non?

– Je vous ai toujours considérés comme le couple idéal.

– Je tombe constamment dans le panneau, gloussa-t-il. C'est le mariage à l'italienne : mucho passione, mucho gueulante. Mais au fond elle me supporte à cause de mes prouesses sexuelles.

– Vraiment?

– Vraiment? répéta-t-il en m'imitant. D., tu parles comme un psy moyen, pas du tout ton habituelle repartie pétillante d'humour. Tu es sûr que ça va?

– Ça baigne, vraiment.

– Si tu le dis. Bon, j'en viens à la principale raison de mon coup de fil. Tu as reçu l'invitation pour la surboum de Kruse?

– Elle tapisse le fond de la corbeille à papier. C'est assez pétillant, comme repartie?

– Pas l'ombre d'une bulle. Tu ne comptes pas y aller?

– Tu dois plaisanter, Larry.

– Je ne sais pas. Ça pourrait être marrant dans le style *mondo bizarro*. On observerait la façon dont les autres vivent, on resterait en retrait et on ferait des commentaires pleins de méchancetés analytiques tout en réprimant nos envies bourgeoises.

– Au fait, tu n'as pas été étudiant auprès de Kruse pendant un certain temps?

– Pas un certain temps, D. Un seul semestre... Ce type était un minable. Ma seule excuse est ma pauvreté de l'époque. Je venais de me marier, je peinais sur mon mémoire et ma bourse universitaire s'arrêtait à mi-semestre.

– Allons donc, Larry. C'était un boulot en or, oui. Vous restiez assis toute la journée à visionner des films pornos.

– Tu es injuste, Delaware. Nous explorions les frontières de la sexualité humaine. – Il éclata de rire : En fait nous restions assis toute la journée à observer des étudiants visionner des films pornos! Ah, ces licencieuses années soixante-dix... On ne laisserait pas passer ça de nos jours!

– C'est une régression tragique pour la science, en effet.

– Catastrophique, oui. Pour être franc, D., tout ce programme était une vaste fumisterie. Kruse s'en est bien tiré parce qu'il avait apporté de l'argent – un don privé – pour étudier les effets de la pornographie sur l'excitation sexuelle.

– Et il est arrivé à quelque chose ?

– Donnée primordiale : les films de cul filent des envies aux étudiants de seconde année.

– Ça, je le savais déjà quand j'étais en seconde année.

– Tu t'es épanoui tardivement, D.

– Il a publié ses résultats ?

– Où ? Dans *Penthouse* ? Non, mais il s'en est servi pour squatter les talk-shows et promotionner l'idée de la pornographie comme exutoire sexuel sain, etc. Ensuite, dans ces années quatre-vingt très collet monté, il a fait une volte-face complète, en prétendant qu'il avait « ré-analysé » ses hypothèses. Il a commencé à donner des conférences sur la pornographie comme facteur d'accroissement de la violence contre les femmes.

– D'une grande intégrité, notre nouveau directeur de département...

– Holà, oui.

– Mais comment est-il arrivé aussi haut, Larry ? Il n'était que consultant à temps partiel, à l'époque.

– Consultant à temps partiel avec des relations à plein temps.

– Le nom du généreux donateur... Blalock ?

– Bingo. Vieille fortune – dans les aciers et les chemins de fer –, une de ces familles qui ramassent un dollar chaque fois que quelqu'un respire à l'est du Mississippi.

– Le rapport avec Kruse ?

– D'après ce que j'ai entendu, Mrs. Blalock avait un enfant à problèmes, et Kruse a été son thérapeute. Il a dû bien arranger l'état du gosse car Maman a donné de grosses sommes au département, pendant des années. A la seule condition que Kruse les gère. Bien sûr il a été promu et on lui a accordé tout ce qu'il voulait. Son dernier caprice étant le poste de directeur du département, voilà le résultat.

– La titularisation aux enchères... Je ne savais pas que les choses s'étaient dégradées à ce point.

– C'est même pire, Alex. Je fais toujours ces conférences sur la thérapie familiale, et je suis donc assez au fait de ce qui se passe dans le département pour savoir que la situation financière pue. Tu te souviens comment ils nous incitaient à faire de la recherche pure, et comment ils méprisaient tout ce qui pouvait être même partiellement appliqué ? Et comment Frazier le Rat nous répétait que « significatif » était un terme vulgaire ?

34

Eh bien ça a fini par se retourner contre eux. Plus personne ne veut filer du fric pour faire étudier les réflexes oculaires chez les homards en période de rut. Pour couronner le tout, les inscriptions d'étudiants sont en baisse. La psycho n'est plus à la mode. Maintenant tout le monde, y compris mon aîné, veut un diplôme de commerce pour mieux tracer son parcours vers la richesse et le bonheur. Ce qui signifie des coupes budgétaires, des licenciements, des classes vides. Ils ont gelé toute embauche pendant dix-huit mois. Même les profs à plein temps craignaient pour leur boulot. Kruse amène l'argent de Blalock, il peut être titularisé tous les matins s'il le désire. Comme dirait mon aîné : L'argent décide, les idées défilent. Même Frazier a suivi le mouvement. Aux dernières nouvelles il fait dans la vente par correspondance de cassettes pour arrêter de fumer.

— Tu plaisantes, là ?

— Pas du tout.

— Et que sait Frazier sur la façon d'arrêter de fumer ? Que sait-il sur quoi que ce soit d'humain, d'ailleurs ?

— Depuis quand est-ce important ? En tout cas c'est la situation à l'heure actuelle. En ce qui concerne samedi, maintenant : j'ai réussi à faire garder mes cinq anges pendant trois heures demain. Je pourrais utiliser ce répit pour me faire une séance de muscu, ou bien regarder un bon match à la télé ou faire quelque chose de tout aussi passionnant, mais l'idée d'aller m'empiffrer de petits fours et de m'imbiber de cocktails gratuits dans une quelconque résidence paradisiaque de Holmby Hills me paraît bien tentante.

— Les cocktails seront dégueulasses, Larry.

— Ce sera toujours mieux que ce que je bois en ce moment. Du jus de pomme allongé d'eau calcaire. On dirait de la pisse. C'est tout ce qui reste à la maison, j'ai oublié de faire les courses. Depuis deux jours je bourre les gosses de céréales sucrées... — Il soupira : Je suis un homme pris au piège, D. Viens donc à cette foutue réception échanger des vacheries avec moi pendant une paire d'heures. Je répondrai à l'invitation pour nous deux. Amène Robin, fais-la parader pour montrer à tous ces vieux richards que l'argent n'achète pas tout.

— Robin ne pourra pas venir. Elle n'est pas en ville.

— Boulot ?

— Mouais.

Un court silence.

– Écoute, D., si tu es vraiment trop pris, je comprendrai.

Je réfléchis une poignée de secondes, envisageai une autre journée de solitude et me décidai :

– Non, je suis libre, Larry.

Et c'est ainsi que je mis la machine en marche.

Holmby Hills est le coin le plus cher de L.A., une enclave réservée aux richissimes et coincée entre Beverly Hills et Bel Air. D'un point de vue financier, c'est à des années-lumière de mon quartier, mais géographiquement à un peu plus d'un kilomètre au sud seulement.

Sur mon plan, La Mar se trouvait au centre de cet îlot pour multimillionnaires, une petite rue tortueuse se terminant en cul-de-sac sur les hauteurs dominant le L.A. Country Club. Pas très éloignée de la Playboy Mansion, mais je supposai que Hef [1] n'avait pas été invité à notre petite sauterie.

À quatre heures et quart je passai un costume léger et partit à pied. Sur Sunset la circulation était dense : surfers et adorateurs du soleil revenaient de la plage, les badauds se dirigeaient vers l'est en se fiant à leur carte des maisons de stars. Mais dès qu'on entrait de cinquante mètres à l'intérieur de Holmby Hills, tout devenait d'un calme pastoral.

Les propriétés étaient immenses, les demeures dissimulées derrière de hauts murs et des grilles de sécurité, adossées à de petits bois. Seuls un pignon en ardoise ou une tour au toit de tuiles espagnoles émergeant de la verdure suggéraient la présence d'une habitation, avec ça et là le grondement rauque des chiens d'attaque invisibles.

1. Hef : Hugh Heffner, patron du magazine *Playboy* (N.d.T.).

La Mar apparut à un détour de la route, ruban d'asphalte qui grimpait une colline entre une double haie d'eucalyptus de quinze mètres de haut. En guise de plaque un rectangle de pin verni avait été cloué au premier tronc de la route, au-dessus des emblèmes de trois compagnies de sécurité et le badge rouge et blanc de la Bel Air Patrol. Un lettrage pyrogravé rustique annonçait LA MAR – PROPRIÉTÉ PRIVÉE – VOIE SANS ISSUE. A soixante kilomètres à l'heure, il était aisé de ne pas le voir. Pourtant une Rolls-Royce Corniche me dépassa et s'engagea dans la rue sans hésitation.

Je suivis la piste formée par les gaz d'échappement de la Rolls. Une dizaine de mètres plus loin, deux piliers de pierre portant de nouveau la pancarte PROPRIÉTÉ PRIVÉE encadraient la grille qui s'ouvrait dans un mur de deux mètres cinquante de haut surmonté de motifs en fer forgé d'un mètre se terminant par des pointes dorées tournées vers l'extérieur. Le fer forgé était entrelacé de lierre anglais, de passiflores, de chèvrefeuille, de glycine. Une profusion soigneusement agencée pour paraître naturelle.

Au-delà de cette première enceinte se déroulait une autre étendue de verdure avec la double rangée d'eucalyptus bordant la voie privée. Quatre cents mètres plus loin les frondaisons se firent plus serrées, l'atmosphère plus fraîche, chargée d'une humidité mentholée. Un oiseau gazouilla timidement, puis cessa de troubler le calme de l'endroit.

La route s'incurva, puis continua en une ultime ligne droite jusqu'à sa conclusion : une arche de pierre de grande taille fermée par des grilles de fer forgé. Plusieurs dizaines de voitures étaient garées devant, en une double ligne de chromes et de carrosseries brillantes.

En approchant je notai une subtile séparation parmi les véhicules : voitures de luxe d'un côté, petites cylindrées, breaks et autres moyens de transport aussi plébéiens de l'autre côté. La file des voitures de riches commençait par un coupé Mercedes d'un blanc immaculé, un de ces trucs sur commande avec moteur gonflé, protège-pare-chocs, etc. La plaque d'immatriculation dorée indiquait PPK PHD.

Des valets en livrée rouge s'agitaient comme des abeilles industrieuses autour des derniers véhicules arrivés, ouvrant les portières et empochant les clefs de contact. Je marchai jusqu'à la grille, que je trouvai fermée. Sur un des piliers de l'arche je repérai un haut-parleur, un clavier à code, une serrure et un appareil téléphonique.

Un des valets en rouge me vit et tendit sa main ouverte.

– Clefs?

– Pas de clefs. Je suis venu à pied.

Ses yeux s'étrécirent. Dans son autre main il tenait une clef d'acier énorme à laquelle était attachée par une chaîne un rectangle de bois verni. Il y était inscrit en pyrographie : GRILLE.

– Nous garons les voitures, insista-t-il.

Il était mat, épais, le visage rond et la barbe crépue. Il parlait avec un accent méditerranéen marqué. Il tendit de nouveau sa paume ouverte.

– Pas de voiture, répondis-je. J'ai marché.

Comme il ne semblait pas comprendre, je mimais la marche avec deux doigts.

Il se retourna vers un autre valet, un gamin noir petit et maigre, lui murmura quelque chose. Ils me dévisagèrent en silence.

Je levai les yeux vers le haut des grilles et vit les lettres dorées qui y étaient accrochées : SKYLARK.

– C'est bien la résidence de Mr. Blalock, non?

Pas de réponse.

– La réception d'universitaires? Dr Kruse?

Le barbu haussa les épaules et trottina jusqu'à une Cadillac gris perle. Le gamin noir avança vers moi.

– Z'avez une invitation, M'sieu?

– Non. Est-ce nécessaire?

– Eh bien... fit-il en souriant et en paraissant réfléchir furieusement. Z'avez pas de voiture, et z'avez pas d'invitation...

– Je ne savais pas qu'il fallait absolument apporter l'une ou l'autre.

Il fit claquer sa langue.

– Une voiture est donc indispensable? demandai-je.

Le sourire disparut de son visage.

– Z'êtes venu à pied?

– Exact.

– Où vous z'habitez?

– Pas très loin d'ici.

– Voisin?

– Invité. Je m'appelle Alex Delaware. Dr Delaware.

– Une minute.

Il alla jusqu'au téléphone, le décrocha et parla un moment. Puis il raccrocha et courut ouvrir les portières d'une Lincoln blanche interminable.

J'attendis en jetant un coup d'œil alentour. Une forme sombre et familière retint mon regard : un véhicule réellement pathétique poussé sur le bord de la route, à l'écart des autres. En quarantaine.

Il était aisé de comprendre pourquoi. C'était un break Chevrolet d'âge canonique à la carrosserie constellée de taches de rouille et d'apprêt. Ses pneus auraient eu besoin d'être regonflés, son espace arrière était encombré de cartons, de vêtements en tas, de chaussures, de gobelets en plastique froissés, d'emballages de hamburgers. Sur le hayon était apposé un autocollant jaune vif en losange, sur lequel se lisait : MUTANTS À BORD.

Je souris et notai que la guimbarde avait été garée d'une façon qui interdisait tout départ. Il faudrait bouger plusieurs autres véhicules pour la libérer.

Un couple d'âge mûr à la sveltesse de bon aloi sortit de la Lincoln blanche et fut escorté jusqu'aux grilles par le valet barbu. Celui-ci introduisit la grosse clef dans la serrure, tapota un code sur le clavier et ouvrit un des battants. Je me glissai à la suite du couple et entrai sur une allée dallée de pierres noires taillées en écailles de poisson. Alors que je passais à côté de lui, le valet m'interpella sans enthousiasme mais ne fit aucun effort pour m'arrêter.

La grille refermée entre nous, je me retournai vers lui et désignai la Chevrolet.

— Ce break marron, là. Je vais vous donner un bon tuyau à son sujet.

— Oui ? Quoi ? fit-il en s'approchant un peu plus de la grille.

— Cette voiture appartient à un excentrique, l'invité le plus riche de toute la réception. Prenez-en soin : ce type est réputé pour donner de gros pourboires.

Le valet barbu contempla le break avec un intérêt tout neuf. En m'éloignant je jetai un œil par-dessus mon épaule. Il jouait déjà aux chaises musicales avec les véhicules pour dégager le passage à la Chevrolet.

Une centaine de mètres plus loin les eucalyptus disparaissaient pour ouvrir sur une vaste pelouse digne d'un golf, frangée de cyprès italiens et de massifs de plantes vivaces. Ensuite le paysage avait été travaillé au bulldozer pour créer des tertres, des vallées. Les hauteurs les plus importantes se situaient aux limites de la propriété, coiffées de quelques sapins noirs et de genévriers de Californie taillés pour donner l'impression qu'ils étaient giflés par les vents.

L'allée aux écailles de pierre noire grimpait la pente. De l'autre côté de la crête parvenait des bribes de musique, un orchestre à cordes jouant quelque composition baroque. Alors que j'atteignais le sommet de la butte je vis un homme de grande taille et d'un âge certain venir à ma rencontre. Il portait une livrée de majordome.

– Docteur Delaware, Monsieur ?

Son accent se situait quelque part entre Londres et Boston. Ses traits étaient doux, généreux, et sa peau un peu détendue avait la couleur du saumon en boîte. Des touffes de cheveux blancs ceignaient un crâne bronzé. Un œillet blanc décorait sa boutonnière.

Jeeves échappé de la distribution habituelle.

– Oui ?

– Je suis Ramey, monsieur Delaware. Je venais vous accueillir et vous demander de pardonner le petit désagrément à la grille.

– Aucun problème. Je suppose qu'on n'est pas habitué aux piétons, par ici.

Nous passâmes la crête et je pus contempler la propriété de Blalock. Là-bas, une douzaine de toits de tuiles cuivrées couvraient trois étages de stuc blanc et de volets verts, avec portiques à colonnades, balcons et vérandas, portes en ogives et fenêtres à imposte. Un gâteau de mariage géant posé sur un immense glaçage vert. Des jardins à la française s'étendaient devant la maison : allées de gravier, d'autres cyprès, un dédale de haies de buis, des fontaines à bassins en pierre blanche, des dizaines de parterres de roses tellement éblouissants de couleur qu'ils en semblaient fluorescents. Leur verre à la main, les invités déambulaient dans les allées et admiraient les fleurs. Ou bien ils s'admiraient dans le miroir des bassins.

Le majordome et moi marchions en silence, en soulevant de petites gerbes de gravier. Le soleil était assez fort, la lumière épaisse comme du beurre fondu. A l'ombre de la plus haute fontaine était installé un groupe de musiciens sérieux et en habit, en nombre philharmonique. Leur chef, un jeune Asiatique à cheveux longs, leva sa baguette et l'orchestre attaqua une composition de Bach.

A l'harmonie des instruments se joignit le tintement des verres et la basse informe des conversations. Sur la gauche des jardins un vaste patio dallé était occupé par de nombreuses tables blanches abritées par des parasols de toile jaune. Au

41

milieu de chaque table était disposé un bouquet de lis tigrés, iris pourpre et œillets blancs. Une tente de toile rayée jaune et blanc, assez grande pour couvrir un cirque, signalait le long bar verni blanc où officiaient une douzaine de barmen très efficaces. Environ trois cents personnes étaient attablées et sirotaient un verre. Moitié moins s'agglutinaient le long du comptoir. Des serveurs sillonnaient le patio avec des plateaux de consommations et de canapés.

– Désirez-vous boire quelque chose, Monsieur ? s'enquit le majordome.

– Une eau de Seltz serait parfaite.

– Très bien. Veuillez m'excuser un instant, Monsieur.

Ramey allongea le pas et me distança, disparut dans la foule assaillant le bar et en émergea quelques instants plus tard porteur d'un verre glacé et d'une serviette de table en lin jaune. Il me les tendit alors que j'arrivais sur le patio.

– Voilà, Monsieur. Et encore désolé pour le petit ennui à la grille.

– Pas de problème. Merci.

– Désirez-vous manger quelque chose ?

– Rien pour l'instant.

Avec une petite inclinaison du buste en guise de salut, il s'éloigna. Je restai donc seul avec mon verre d'eau gazeuse, à scruter la multitude à la recherche d'un visage connu.

Très vite je remarquai une séparation sociologique très nette de la foule en deux clans discrets, qui paraissait faire écho à celle du parking.

Le centre du patio était dominé par les riches, une assemblée de cygnes, au hâle marqué et aux gestes déliés, portant des tenues étiquetées *haute couture* [1]. Ils se saluaient par des baisers sur les joues, riaient discrètement, buvaient moins discrètement et ne prêtaient aucune attention à l'autre catégorie d'invités disséminée à la périphérie de leur groupe.

Les gens de l'université formaient l'assemblée des pies, intenses, vigilantes, lancées dans des discussions animées. Par réflexe ils s'étaient agglutinés en petits groupes et parlaient derrière leur main en surveillant les alentours de regards acérés. Certains avaient visiblement soigné leur mise en sortant leur meilleur costume de confection ou leur robe réservée aux grandes occasions. D'autres avaient mis un point d'honneur à mal s'habiller. Quelques-uns ne pouvaient s'empêcher de béer

1. En français dans le texte (N.d.T.).

42

devant tout ce luxe, mais la plupart se contentaient d'observer les rituels des cygnes avec un mélange d'envie pure et de mépris analytique.

J'avais bu la moitié de mon eau quand une vague passa sur le patio, touchant les deux clans. Paul Kruse apparut, se taillant habilement un chemin entre les universitaires et les millionnaires. Une blonde platine menue et plutôt jolie était pendue à son bras. Elle portait une robe noire sans bretelles et avançait tant bien que mal sur des talons aiguilles hauts d'une dizaine de centimètres. Elle devait avoir une trentaine d'années. Ses cheveux tombaient sur ses reins et étaient ondulés et crantés au bout de façon extravagante. Sa robe la moulait comme une seconde peau. Un collier de diamants entourait son cou. Elle gardait les yeux fixés sur Kruse, lequel souriait et s'occupait de son public en bon professionnel.

Je pris le temps de détailler le nouveau président du département. Il devait maintenant approcher la soixantaine et luttait contre les ans avec des pilules et un bon maintien. Il avait gardé les cheveux longs, d'un blond jaune paille douteux, dont la coupe était celle en vogue chez les surfers, raie au milieu et cheveux redescendant en rideau ouvert sur chaque œil. A une certaine époque il avait tout eu du mannequin, avec cette beauté brute que les photographies ne peuvent capturer qu'en partie. Son charme était toujours là, mais ses traits s'étaient empâtés. La ligne de la mâchoire avait perdu de sa fermeté, son bronzage était tellement prononcé qu'il en paraissait excessif, même si cela le mettait au diapason du groupe des millionnaires, tout comme son costume taillé sur mesure. Le tissu était à l'évidence un tweed surfin. Je le regardai tandis qu'il décochait des sourires éblouissants, serrait la main des hommes et baisait les joues tendues des dames sans cesser sa progression vers le groupe suivant.

– Fortiche, hein? fit une voix dans mon dos.

Je me retournai pour découvrir cent kilos de chair humaine agrémentés d'un nez cassé et d'une moustache broussailleuse culminant à un mètre soixante-dix, le tout – mal – empaqueté dans un costume écossais marron sur une chemise rose avec une cravate noire en laine tricotée. Il était chaussé de mocassins sombres usés.

– Salut, Larry.

J'allais lui tendre la main mais arrêtai mon geste en voyant que les siennes étaient prises : dans l'une il tenait un verre de bière et dans l'autre une assiette d'ailes de poulet, de pâtés impériaux et de travers de porc partiellement rongés.

— J'étais allé admirer les roses, dit Daschoff, et je me demandais comment ils se débrouillent pour les faire fleurir comme ça. Ils doivent utiliser des coupures de dix dollars en guise d'engrais. — Il haussa les sourcils et désigna la demeure de la tête : Jolie petite bicoque, hein ?

— Coquet, oui.

Il jeta un coup d'œil au chef d'orchestre.

— C'est Narahara, le génie musical. Dieu sait combien il coûte...

Il but une gorgée de bière, et frangea le bas de ses moustaches de mousse.

— De la Budweiser, commenta-t-il avec une moue. J'espérais quelque chose d'un peu plus exotique, mais au moins je suis sûr qu'elle n'est pas coupée d'eau.

Nous nous assîmes à une table libre. Larry croisa les jambes avec effort et avala encore un peu de bière. Le mouvement dilata son torse et tendit son veston, qu'il déboutonna. Un beeper était accroché à sa ceinture.

Larry est à peu près aussi large que haut, et il marche comme un canard. La conclusion logique est l'obésité. Mais en maillot de bain il est aussi ferme qu'un steak de bœuf surgelé. Larry est un très curieux alliage de musculature hypertrophiée marbrée de graisse, la seule personne connue qui mesure moins d'un mètre quatre-vingt-dix et ait joué plaqueur en défense à l'université d'Arizona. Un jour, en année de licence, je le vis soulever deux fois son poids sans donner l'impression de forcer. Il avait d'ailleurs exécuté une série de pompes sur une seule main.

Il passa ses doigts carrés dans sa chevelure gris acier puis essuya sa moustache d'un revers de main en surveillant Kruse qui continuait son chemin dans la foule. Le nouveau chef de département venait dans notre direction et il passa assez près de notre table pour que nous puissions observer son art de la conversation de cocktail, sans entendre ce qu'il disait. C'était comme regarder un numéro de mime.

— Ton mentor a l'air en pleine forme, glissai-je.

Larry avala une gorgée de bière puis eut un geste d'impuissance.

— Je t'ai dit que j'étais dans la panade, D. J'aurais accepté de bosser pour le diable en personne... Finalement, j'ai pris un engagement du style Faust.

— Inutile de te justifier, Toubib.

— Et pourquoi pas? Ça me titille toujours, tu sais, de faire partie de ce merdier. Tout le semestre a été une perte de temps. Kruse et moi n'avions virtuellement rien à faire ensemble. Je ne suis pas sûr que nous ayons échangé dix phrases depuis le début. Je ne l'aimais pas parce que je ne voyais en lui qu'un faux derche et un magouilleur. Et il me détestait parce que j'étais un homme : tous ses autres assistants étaient des assistantes...

— Alors pourquoi t'a-t-il engagé?

— Parce que ses sujets d'études étaient des hommes, donc peu susceptibles de se décontracter en regardant des pornos avec une flopée de nanas alentour en train de prendre des notes. Quant à répondre aux questions, hein... « Fréquence des masturbations? », « Fantasme principal durant la masturbation? », « Vous faites ça dans des toilettes publiques? », « Fréquence des rapports sexuels, durée des rapports sexuels », etc.

— Les frontières de la sexualité humaine, dis-je.

Il secoua la tête, l'air dépité.

— Ce qu'il y a de triste dans cette affaire, c'est qu'elle aurait pu être valable. Regarde les données cliniques amassées par Master et Johnson. Mais Kruse se contrefichait de collecter des données. C'était comme s'il passait le temps, rien de plus.

— Et l'organisme qui subventionnait les recherches n'a pas réagi?

— Il n'y avait pas d'organisme, seulement quelques riches connards, des mabouls de porno. Il avait promis de leur assurer un vernis de respectabilité en accordant l'imprimatur académique à leur lubie.

Je me tournai pour regarder Kruse. La blonde dans la robe noire vacillait sur ses hauts talons.

— Qui est la femme avec lui?

— Mrs. K. Tu ne te souviens pas? Suzanne?

— Non.

— Suzy Straddle? On ne parlait que d'elle dans tout le département, pourtant.

— Je devais dormir quand on la citait.

— Tu devais être comateux, alors, D.! C'était une célébrité sur le campus. Ancienne actrice de porno. Kruse l'a rencontrée à Hollywood, au cours d'une de ses « recherches ». Elle ne devait pas avoir plus de dix-huit ou dix-neuf ans. Il a quitté sa seconde femme pour elle, ou la troisième... Aucune importance, hein? Il l'a fait entrer à l'université en section anglais. Je crois qu'elle a tenu trois semaines. Ça ne te rappelle rien?

– Rien du tout. En quelle année?

– 74.

– Ah, en 74 j'étais à San Francisco, à Langley Porter.

– Ah oui, coup double: l'internat et la thèse la même année. Eh bien, D., ta précocité t'a peut-être lancé sur le marché du travail un an plus tôt que nous, mais tu as raté Suzy. Elle avait vraiment une réputation d'enfer. J'ai travaillé avec elle, juste une semaine. Kruse l'avait casée dans son programme de recherches pour faire un peu de secrétariat. Mais elle ne savait pas taper à la machine, elle mélangeait les dossiers. Une gentille fille, sinon. Un rien limitée, quoi.

Le promu et son épouse s'étaient rapprochés. Suzanne Kruse s'agrippait à son mari comme une aveugle à sa canne. D'apparence elle était fragile, avec des épaules osseuses, un cou mince et noueux stoppé par le collier de diamants, une poitrine presque inexistante, des joues creuses et un menton pointu. Ses bras étaient bien proportionnés mais nerveux, ses mains maigres terminées par de longs doigts aux ongles rouges crispés sur la manche de tweed du veston de son mari.

– Ça doit être ça, le véritable amour, fis-je. Il est resté avec elle toutes ces années...

– Ne parie pas trop sur la monogamie avec lui. Kruse a la réputation d'être un collectionneur de femmes, et Suzy est connue pour sa tolérance... – il se racla la gorge – et pour sa soumission.

– Dans le sens littéral du terme?

Il acquiesça.

– Tu te souviens de ces soirées que Kruse organisait chez lui, à Mandeville Canyon, lors de sa première année avec nous? Oh, j'oubliais, toi tu étais à Frisco à l'époque... – Il s'interrompit pour manger un pâté impérial: Attends une minute, je crois bien qu'ils continuaient en 75. Tu étais revenu, en 75, non?

– Diplômé, oui. Je bossais à l'hôpital. J'ai dû le rencontrer une fois. Le courant n'est pas passé entre nous. Il ne m'aurait pas invité.

– Personne n'était invité, Alex. C'était des soirées porte ouverte. Dans tous les sens du terme.

D'un air paternel, il passa un doigt sous mon menton.

– Bah, tu n'y serais probablement pas allé, de toute façon.

Tu étais un bon gars, tellement sérieux. Moi-même je ne suis jamais allé plus loin que le seuil de la maison. Brenda a jeté un coup d'œil à l'intérieur, les a vus enduire le sol d'huile Wesson et m'a tiré de là vite fait. Mais ceux qui y allaient racontaient qu'il y avait des parties carrées, pour qui acceptait de baiser d'autres psys. Et Suzy Straddle était une des grandes attractions de ces soirées. Attachée, enchaînée, bâillonnée. Et fouettée.

– Comment sais-tu tout cela ?

– Les blablas de campus. Tout le monde était au courant, ce n'était vraiment pas un secret. Mais à l'époque, personne ne voyait rien de bizarre à ce genre de truc, souviens-toi. C'était avant les problèmes de virus. Libération sexuelle, libération de la personnalité, repousser les limites de la perception, etc. Même les plus pincés de notre classe jugeaient Kruse sur le point de découvrir quelque chose d'important. A moins que le fait de dominer n'ait vaincu leurs quelques résistances. D'une façon ou d'une autre il était philosophiquement acceptable de fouetter Suzy puisqu'elle satisfaisait ainsi un désir personnel.

– C'est Kruse qui la fouettait ?

– Tout le monde le faisait. Elle n'opérait aucune discrimination. Tiens, regarde comment elle s'agrippe à lui, comme si sa vie en dépendait. Elle n'a pas l'air soumise ? Personnalité passive dépendante, le complément parfait d'un affamé du pouvoir comme Kruse.

Pour moi elle avait seulement l'air effarouchée. Elle collait certes à son mari mais restait très effacée. Je la vis avancer d'un pas et sourire quand on la saluait, puis reprendre une position de retrait. Elle rejetait ses longs cheveux en arrière d'un geste absent, vérifiait le rouge de ses ongles. Son sourire était aussi plat que s'il avait été décalqué sur son visage, et je trouvais à ses yeux noirs un éclat très peu naturel.

Le soleil accrocha son collier qui lança des éclats aveuglants. Je pensai soudain à un chien.

Kruse se tourna brusquement pour serrer la main de quelqu'un, et dans son mouvement il bouscula sa femme. Elle saisit sa manche des deux mains et le serra un peu plus, s'enroula autour de lui comme une naufragée à sa planche. Il massa doucement son épaule nue, mais sans vraiment lui manifester d'attention.

L'amour. Quel que soit le sens de ce foutu mot.

– Peu d'amour-propre, commenta Larry. Il ne faut pas en avoir beaucoup pour baiser dans des films.

47

– Peut-être, oui.

Il vida son verre.

– Je vais en chercher un autre. Tu veux quelque chose ?

Je lui montrai mon verre encore à moitié plein d'eau de Seltz.

– Il me reste de quoi faire.

Larry haussa les épaules et partit en direction du bar.

Les Kruse avaient contourné notre table et approchaient d'une autre occupée par des pies. Échange de politesses et de propos badins. Puis je l'entendis rire, d'un rire satisfait. Il dit quelque chose à un étudiant en lui serrant la main, mais son regard ne quittait pas la jolie femme du jeune diplômé. Le sourire de Suzanne Kruse ne faiblissait pas.

Larry revint avec sa bière.

– Alors, dit-il en se rasseyant, comment ça marche pour toi ?

– Impec.

– Ouais, pour moi aussi. C'est pour ça que nous sommes ici sans nos femmes, pas vrai ?

Je bus une gorgée en le considérant. Il soutint mon regard un instant tout en dévorant une aile de poulet.

Le coup d'œil du thérapeute, toujours attentif et un peu inquiet. Une inquiétude sincère, mais dont je ne voulais pas. Soudain j'eus envie de filer d'ici au plus vite. Un petit sprint jusqu'à l'arche de pierre, et bye-bye à Gatsbyland.

Au lieu de quoi je fouillai dans mon sac à malices de psychologue et parai la question par une autre question.

– Comment se débrouille Brenda avec ses études de droit ?

Il comprit très bien l'esquive mais répondit sans hésiter.

– Elle est dans le peloton de tête de sa classe pour la deuxième année consécutive.

– Tu dois être fier d'elle.

– Sûr. Mais elle a encore une pleine année de cours devant elle. Viens me voir dans un an pour t'assurer que je fonctionne toujours aussi bien.

J'acquiesçai.

– J'ai entendu dire que c'est un truc assez dur, ces études. Son sourire fut plus bref.

– Tout ce qui donne des spécialistes du droit l'est, bien sûr. C'est comme transformer de la bavette d'aloyau en semelle. Ce que je préfère, c'est quand elle rentre et qu'elle m'interroge comme un témoin sur la maison et les gosses.

Il s'essuya la bouche d'un revers de main et se pencha vers moi.

48

– Une partie de moi-même le comprend très bien. Elle est intelligente, bien plus que moi. J'ai toujours pensé qu'elle ferait autre chose que tenir une maison. C'est elle qui au début refusait en disant que sa mère avait travaillé à plein temps à l'extérieur et qu'elle lui en voulait encore d'une jeunesse passée avec des gardes d'enfant. Tu sais, je l'ai mise enceinte durant notre lune de miel, neuf mois plus tard nous avions Steven, et les autres ont suivi. Et puis tout d'un coup elle a eu besoin de se trouver, comme elle dit... Bah, le problème réside dans le moment choisi. J'en suis à un point où enfin je n'ai plus à chercher des expertises. J'ai des associés de confiance, la clientèle est stable. Le petit entre en cours préparatoire cette année, nous pourrions nous accorder enfin des vacances, voyager un peu. Et elle est absente vingt heures par jour pendant que je joue les Mr. Nounou... Ah! Sois prudent, mon ami, même si avec Robin ce sera sans doute différent, puisqu'elle a déjà une carrière. Elle voudra peut-être s'installer.

– Robin et moi sommes séparés, dis-je d'un ton posé.

Il me regarda fixement quelques secondes, puis secoua la tête en se pinçant le menton, soupira.

– Merde. Je suis désolé, Alex. Ça fait longtemps?

– Cinq semaines. Vacances temporaires qui se sont éternisées.

Il but une rasade de bière.

– C'est vraiment trop bête. J'ai toujours trouvé que vous formiez un couple parfait.

– Je le pensais aussi, Larry.

Ma gorge s'était serrée et une brûlure oppressait ma poitrine. Certain que tout le monde me dévisageait, je risquai un coup d'œil autour de moi. Personne ne m'accordait la moindre attention, à part Larry dont le regard avait la douceur de celui d'un épagneul.

– J'espère que ça s'arrangera, dit-il.

Je m'absorbai dans la contemplation de mon verre. La glace avait fondu dans l'eau gazeuse.

– Je crois que je vais prendre quelque chose d'un peu plus corsé.

Je dus jouer des coudes pour atteindre le bar où je commandai un double gin-tonic qui se révéla n'avoir la force que d'un simple gin-tonic. Alors que je retournais vers la table je me retrouvai face à Kruse. Ses yeux étaient d'un marron clair tacheté de vert, les iris anormalement dilatés. Ils s'agrandirent un peu plus encore à ma vue, puis son regard glissa pour se fixer sur un point derrière mon épaule. Simultanément il tendait sa main, saisissait la mienne d'une poigne ferme et la couvrait de son autre main. Il agita l'ensemble plusieurs fois, en disant : « Content que vous ayez pu venir ! » et, avant que j'aie pu répondre, il utilisa sa prise pour se propulser derrière moi, ne lâchant ma main qu'après m'avoir fait à demi virevolter.

La manière d'un homme politique. J'avais été expertement manipulé.

Une fois de plus.

Je me retournai, vit son dos qui s'éloignait dans la foule, suivi par la tache argentée de la chevelure de sa femme qui oscillait en contrepoint de son postérieur étroit.

Le couple n'avança que de quelques mètres avant d'être arrêté par une grande femme élégante, d'un certain âge.

Mince, impeccablement sanglée dans un tailleur jaune moutarde et un corsage rose pâle, parée de quelques diamants, elle aurait pu êre la Première Dame de n'importe quel président. Ses cheveux châtains étaient ramenés en un chignon qui couronnait un long visage à la mâchoire assez forte. Ses lèvres étaient ourlées sur un demi-sourire.

Extériorité quasi génétique.

J'entendis ce que lui disait Kruse :

— Bonjour, Hope. Tout est absolument magnifique.

— Merci, Paul. Si vous avez un moment, j'aimerais vous présenter quelques personnes.

— Mais bien sûr, ma chère.

L'échange ressemblait à une scène récitée sans chaleur, dont Suzanne Kruse était exclue. Le trio quitta le patio, Kruse et la Première Dame devant, l'ex-Suzy Straddle derrière, comme une domestique. Ils se dirigèrent vers un groupe de cygnes qui posaient près d'un bassin à la surface miroitante. Leur arrivée fut saluée par l'arrêt immédiat de leur bavardage et on fit cercle autour d'eux. En quelques secondes tous écoutaient religieusement Kruse. Mais la femme en jaune paraissait froissée, irritée même.

Je retournai à la table et bus une bonne gorgée de gin. Larry leva son verre pour trinquer avec moi.

— Aux femmes d'autrefois, D. Et longue vie à elles.

Je finis mon verre d'un trait et suçai le glaçon. Je n'avais rien mangé de la journée, et je commençais à éprouver un certain étourdissement. Je secouai la tête pour chasser cette sensation.

Le mouvement me fit entrevoir un éclair de robe jaune moutarde.

La Première Dame avait délaissé Kruse. Elle s'éloigna du groupe de quelques pas, regarda autour d'elle, se figea en voyant une tache jaune sur le vert de la pelouse, à deux mètres de ses pieds. Une serviette de table tombée là. Un serveur se précipita pour la ramasser. Dans un geste de capitaine de frégate à la proue de son navire, la femme mit une main en visière et scruta la foule. Elle s'approcha d'un massif de roses et considéra une fleur à peine éclose avec intérêt. La seconde suivante, un autre serveur la coupait avec des ciseaux d'horticulteur. Elle mit la rose dans ses cheveux et reprit sa déambulation.

– C'est notre hôtesse? demandai-je. La femme vêtue d'une robe jaune, là-bas?

– Aucune idée, D. Ce n'est pas exactement mon cercle social habituel.

– Kruse l'a appelé Hope.

– Alors c'est elle. Hope Blalock. Éternel printemps... Curieuse hôtesse, d'ailleurs. Tu as vu comment nous sommes tous parqués à l'extérieur? Personne n'est autorisé à entrer dans la maison.

– Comme des chiens qui n'ont pas été dressés à être propres.

Il éclata de rire, leva une jambe de la chaise et émit un sifflement évocateur. Puis il pencha la tête en observant une table voisine.

– Puisqu'on parle d'animaux, regarde un peu ce groupe qui joue au labyrinthe avec électrodes.

Huit ou neuf étudiants de troisième cycle étaient assis autour d'un homme approchant la soixantaine. Ils affectionnaient les jeans, les pantalons en velours côtelé et les chemises de coton, avaient les cheveux raides et ternes, des lunettes à monture d'acier.

Leur mentor avait les épaules voûtées, une belle calvitie et une barbe blanche taillée. Son costume sans véritable coupe était couleur boue et deux tailles trop grand pour lui, au point de prendre des allures de robe de bure. Il parlait sans discontinuer et agitait beaucoup son index. Les étudiants l'écoutaient, le regard vague.

– Le Rat en personne, murmura Larry, avec sa bande de joyeux Rat-Quêteurs. Il est sans doute lancé dans un exposé très excitant comme la corrélation existant entre la défécation provoquée par électrochocs et un voltage de stimulation suivant la frustration expérimentalement créée par une réponse de fuite partiellement forcée et acquise sous contrainte. En baisant les écureuils.

Je saluai sa tirade d'un petit rire.

— On dirait qu'il a perdu un peu de poids. Peut-être qu'il fait aussi des cassettes pour maigrir ?

— Non. Une crise cardiaque l'année dernière. Raison pour laquelle il a abandonné la direction du département et l'a refilée à Kruse. Son business de cassettes a commencé juste après. Foutu hypocrite. Tu te souviens de la façon dont il rabaissait les étudiants en disant que nous ne devions pas considérer nos doctorats comme une carte syndicale ouvrant à la pratique privée ? Quel connard. Tu devrais voir les pubs qu'il fait passer pour son racket.

— Où les passe-t-il ?

— Dans des magazines de merde. Des annonces minuscules en noir et blanc sur les pages où on voit des propositions pour entrer dans les écoles militaires, pour faire fortune ou pour avoir des correspondants asiatiques. Un de mes patients avait répondu à l'annonce et m'a fait écouter la cassette. « Utilisez l'approche comportementale pour cesser de fumer », avec le nom du Rat imprimé sur le plastique, plus la liste de ses titres académiques sur le dépliant ronéotypé. C'est lui qui lit son foutu texte, D., avec son phrasé pompeux et monotone. Il essaie de paraître compatissant, comme s'il avait travaillé avec des gens et non avec des rongeurs durant toutes ces années... — Il eut une moue écœurée : Des cartes syndicales...

— Et il gagne de l'argent ?

— S'il en gagne, il ne l'investit pas dans sa garde-robe !

Le beeper de Larry se déclencha. Il le coupa d'un geste.

— Aïe, le service. Excuse-moi un moment, D.

Il arrêta un serveur, lui demanda où se trouvait le téléphone le plus proche et fut dirigé vers la grande maison blanche. Je le regardai s'éloigner dans le jardin à la française, puis je me levai moi aussi et allai commander un autre gin-tonic au bar. Je restai là à siroter mon verre en profitant de mon anonymat, et je me laissais aller à un flou agréable quand j'entendis quelque chose qui déclencha une alarme interne.

Un phrasé, un timbre familiers.

Une voix surgie du passé.

Un tour de mon imagination, me dis-je. Mais je perçus de nouveau la voix, et je cherchai dans la foule.

52

Je la repérai sans difficulté, derrière un flot d'épaules et de têtes.

Une embardée de la machine à remonter le temps. Je voulus détourner les yeux, mais j'en étais incapable.

Sharon, éblouissante comme toujours.

Je savais son âge sans avoir besoin de calculer. Trente-quatre ans. Anniversaire en mai. Le 15. Bizarre que je me souvienne aussi bien.

Je m'approchai pour mieux voir. Elle avait gagné en maturité sans perdre en beauté.

Un visage de camée.

Un ovale à l'ossature délicate, encadré par une chevelure épaisse et ondulante, d'un noir luisant comme du caviar, coiffée en arrière, ce qui découvrait un front haut et sans défaut, pour retomber sur ses épaules bien découplées. Un teint de lait, peu ami avec le soleil, comme dans l'ancien temps. Les pommettes hautes étaient dessinées sans excès, teintées d'une roseur naturelle, les oreilles étaient petites, collées au crâne, portant chacune une simple perle. Des sourcils s'arquant au-dessus d'yeux écartés d'un bleu profond. Un nez fin et droit, aux narines dispensant une pointe de sensualité...

Je me souvenais du toucher de sa peau... pâle comme de la porcelaine mais chaude, toujours chaude. Je tendis le cou pour avoir une meilleure vue.

Elle portait une robe de lin bleu marine qui s'arrêtait aux genoux, ample, avec des manches courtes. Mais le camouflage était raté : les contours de son corps combattaient le flou du tissu et s'imposaient subtilement. Des seins pleins et doux, une taille de guêpe, le décroché parfait des hanches se perdant en de longues jambes, jusqu'aux chevilles ciselées. Ses bras étaient d'une blancheur d'albâtre. Elle ne portait ni bague ni bracelet, seuls ces perles aux oreilles et un simple rang coordonné qui descendait en arrondi sur ses seins. Des chaussures bleues à hauts talons ajoutaient cinq centimètres à son mètre soixante-douze. Dans une main elle tenait un sac bleu qu'elle caressait de l'autre.

Pas d'alliance.

Et alors ?

Avec Robin à mon côté, je l'aurais à peine remarquée.

Du moins j'essayai de m'en convaincre.

Je ne pouvais détacher mes yeux d'elle.

Elle avait les siens fixés sur un homme – un des cygnes –

assez âgé pour être son père. Un visage carré, taillé dans le bronze et marqué de rides profondes, des yeux étroits et pâles, une chevelure coupée en brosse, couleur limaille de fer. Un corps d'athlète malgré les ans, portant très bien un veston croisé bleu sur un pantalon de flanelle gris.

Il paraissait étonnamment jeune, un de ces types d'un certain âge qui peuplent les meilleurs clubs et les endroits les plus huppés et sont capables de sortir avec des femmes beaucoup plus jeunes qu'eux sans provoquer de sourires moqueurs ou de sarcasmes.

Son amant?

Qu'est-ce que cela pouvait bien me faire?

Je continuai de les observer. L'amour ne semblait pas être ce qui captivait l'attention de Sharon. Ils étaient tous les deux un peu en retrait, dans un coin, et elle s'adressait à lui avec une véhémence visible, pour le convaincre de quelque chose. Elle remuait à peine les lèvres et faisait effort pour paraître détendue. Lui se contentait d'écouter, sans bouger.

Sharon à un cocktail. Ça ne cadrait pas. Elle détestait ce genre de manifestations autant que je les détestais.

Mais c'était dans le passé. Les gens changent, et Dieu sait que cela pouvait s'appliquer à elle.

Je portai mon verre à mes lèvres, la vis se pincer distraitement le lobe d'une oreille. Certaines choses ne changeaient pas.

Je m'approchai encore, heurtai la hanche rembourrée d'une matrone qui me fusilla du regard. Tout en marmonnant des excuses je poursuivis ma percée. Le mur des buveurs ne cédait qu'à regret, mais j'atteignis quand même une position parfaite de voyeur, délicieusement près mais prudemment hors de vue. Je me répétais que je n'agissais ainsi que par pure curiosité.

Soudain elle tourna la tête et me vit. En me reconnaissant elle rosit et ses lèvres s'entrouvrirent. Nos regards se rivèrent l'un à l'autre. Comme dans une danse.

Une danse sur une terrasse, avec au loin un nid de lumières. Sans poids, sans forme...

Je me sentais étourdi, me cognai à quelqu'un d'autre. M'excusai encore.

Sharon me regardait toujours fixement. Son interlocuteur me tournait le dos.

Je battis en retraite, fut happé par la foule et revins à la table, le souffle court et le verre serré si fort dans ma main que mes

54

doigts en étaient douloureux. Je comptai les brins d'herbe jusqu'au retour de Larry.

— L'appel était à propos de la petite, expliqua-t-il. Elle et son camarade de jeu se sont battues. Elle a piqué une crise et insiste pour qu'on la ramène à la maison. La mère de l'autre gamine dit qu'elles sont toutes les deux quasi hystériques. Désolé de t'abandonner, D., mais il faut que j'aille la chercher.

— Pas de problème. J'étais sur le point de partir moi-même.

— Ouais, c'était assez frime, pas vrai? Mais au moins j'ai réussi à jeter un œil à l'intérieur de la Grande Maison, enfin dans le hall d'entrée. Il est d'une taille qui pousserait à utiliser des patins à roulettes. Nous avons choisi la mauvaise branche, D.

— Et quelle est la bonne branche?

— Il faut épouser tôt une richissime quelconque, et ensuite tu passes le restant de ta vie à dépenser sa fortune.

Il regarda une nouvelle fois la demeure, puis le parc et la foule.

— Écoute, Alex, ça m'a fait plaisir de te revoir, de jouer les retrouvailles des deux mâles qui se défoulent un peu sur l'entourage. Que dirais-tu d'une soirée ensemble d'ici une quinzaine? Nous pourrions faire quelques parties de billard au Faculty Club et augmenter un peu notre taux de cholestérol.

— La proposition m'a l'air très séduisante.

— Impeccable. Je te téléphone, okay?

— J'attendrai ton coup de fil avec impatience, Larry.

Réconfortés par nos mensonges, nous quittâmes les lieux.

Il était pressé de partir, néanmoins il offrit de me ramener en voiture. Je lui assurai que je préférais marcher, mais j'attendis avec lui pendant que le valet barbu allait chercher ses clefs. Le break avait été garé de manière à pouvoir repartir aisément, et il avait été lavé. Le valet lui tint la portière ouverte et toussota un flot de « Monsieur » en attendant que Larry s'installe derrière le volant. Quand Larry mit le contact, le valet referma doucement la porte et tendit la main paume ouverte vers le ciel, en souriant.

Larry me jeta un regard complice, et je lui lançai un clin d'œil. Avec un sourire il remonta la vitre et démarra. Je longeai l'alignement de voitures et perçus le grondement de la Chevrolet qu'accompagnait un chapelet de jurons murmurés en quelque langue méditerranéenne. Le break me dépassa, et Larry me fit un signe de la main avant de disparaître dans l'allée.

J'avais parcouru plusieurs dizaines de mètres quand j'entendis quelqu'un appeler. Ne me pensant pas concerné, je continuai de marcher du même pas.

La voix gagna en volume et en clarté.

– Alex!

Je regardai par-dessus mon épaule. Une robe bleu marine. Une cascade de cheveux noirs. De longues jambes blanches qui couraient.

Elle arriva à mon niveau, sa poitrine soulevée par un souffle court, de la transpiration perlant à sa lèvre supérieure.

– Alex! C'est vraiment toi, je n'arrive pas à y croire!

– Bonjour, Sharon. Comment vas-tu?

Dr Spirituel.

– Ça va bien... – Elle s'effleura le lobe de l'oreille des doigts, secoua la tête : Non, tu es quelqu'un avec qui je n'ai pas à mentir. Non, ça ne va pas. Pas du tout.

La facilité avec laquelle Sharon avait sauté d'une intimité de ton certaine, cet effacement sans effort de ce qui s'était passé entre nous me mirent sur la défensive.

Elle avança encore, et je sentis son parfum, savon et eau, avec des effluves d'herbe fraîchement coupée et de fleurs printanières.

– Désolé de l'apprendre, dis-je.

– Oh, Alex...

Elle plaça deux doigts sur mon poignet, les laissa là.

La tiédeur de son toucher provoqua une réaction immédiate en moi, et en trois secondes je me retrouvai en pleine érection et furieux de cet état. Furieux mais vivant, pour la première fois depuis bien longtemps.

– C'est tellement bon de te revoir, Alex.

Cette voix, douce et agréable...

– C'est bon de te revoir aussi.

J'avais parlé avec une intensité complètement opposée à l'indifférence polie que je désirais montrer. Ses doigts brûlaient mon poignet. Je m'écartai d'un pas, dégageai ma main que j'enfonçai dans ma poche.

Si elle sentit mon retrait elle n'en montra rien. Son bras retomba naturellement le long de son corps et elle ne cessa pas de sourire.

– C'est bizarre que nous nous rencontrions comme ça, dit-elle. Ça doit être de la perception extrasensorielle : je voulais justement t'appeler.

– A quel propos ?

Le triangle de sa langue passa sur sa lèvre supérieure et lécha la transpiration que j'avais convoitée.

– Certains sujets qui ont... reparu. Le moment est mal choisi, mais si tu pouvais m'accorder un peu de temps pour parler plus tard, je t'en serais reconnaissante.

– De quels sujets pourrions-nous parler après toutes ces années ?

Son sourire était un croissant lumineux. Trop immédiat. Et trop large.

– J'espérais que tu ne m'en voudrais plus, après tout ce temps, justement.

– Je ne t'en veux pas, Sharon. Je suis un peu surpris, c'est tout.

Elle se pinça le lobe de l'oreille, et sa main vint effleurer ma joue avant de retomber.

– Tu es quelqu'un de bien, Delaware. Tu l'as toujours été. Prends soin de toi.

Elle tourna les talons et fit mine de s'éloigner, mais je lui saisis une main et elle s'arrêta.

– Sharon, je suis réellement désolé que les choses n'aillent pas aussi bien que tu le souhaiterais.

Elle eut un rire bref, et se mordit la lèvre.

– Non, les choses ne vont vraiment pas bien pour moi. Mais ce n'est pas ton problème.

En disant cela elle s'était rapprochée et se rapprochait encore. Je me rendis soudain compte que c'était moi qui la tirais dans un geste inconscient et presque imperceptible. Et elle se laissait faire.

A cet instant je sus qu'elle ferait tout ce que je pouvais vouloir, et sa passivité éveilla en moi un curieux mélange de réactions. Pitié. Gratitude. La joie d'être désiré, enfin.

La tension à mon entrejambe devint intolérable, et je relâchai sa main.

Nos visages étaient à moins de vingt centimètres de distance. Ma langue pressait contre mes dents comme un serpent dans son panier, prêt à mordre.

Un inconnu avec ma voix dit :

– Si c'est d'une telle importance pour toi, nous pouvons convenir d'un rendez-vous pour discuter.

– C'est très important pour moi, oui, répondit-elle.

Nous décidâmes de déjeuner ensemble le lundi suivant.

5

Au moment où elle disparut derrière les grilles, je compris que j'avais commis une erreur. Mais je n'étais pas certain de la regretter.

De retour chez moi je téléphonai à mon service de répondeur en espérant un message de Robin, quelque chose qui me permettrait de la regretter, elle.

– Rien pour vous, docteur Delaware, répondit l'opératrice.

Je crus détecter une pointe de commisération dans sa voix, mais je me dis que je devenais paranoïaque.

Cette nuit-là j'allai me coucher avec la tête emplie d'images érotiques. Aux alentours de l'aube j'eus une éjaculation nocturne. Je me réveillai poisseux et de méchante humeur et je sus alors, sans raison aucune, que j'allais annuler le rendez-vous avec Sharon. Sans entrain je m'absorbai dans la routine des tâches matinales – douche, rasage, un café, dictée des rapports. Je passai deux heures de plus à remplir et feuilleter des dossiers. Vers midi Mal Worthy appela et me demanda de réserver mon mercredi pour une déposition sur le cas Darren Burkhalter.

– Au travail le dimanche, Mal ?

– Petit déjeuner tardif, en fait. Le diable ne se repose jamais. Les anges non plus, d'ailleurs. Il y aura sept avocats de l'autre côté, Alex. Tu as intérêt à bien régler ton détecteur de conneries.

– Pourquoi toute cette armée ?

– C'est une affaire à tiroirs. La compagnie d'assurances de l'autre conducteur a envoyé deux de ses stars du barreau, l'État envoie la sienne. Le saoulard qui les a emboutis est un entrepreneur assez coté, il y a un sacré paquet en jeu. Je t'ai parlé des freins, ce qui explique la présence du représentant du fabricant automobile, et ajoute le vendeur qui assurait les révisions. Plus un type pour le restaurant qui lui a servi l'alcool, ça fait six. Et un avocat du comté puisque nous incriminons un éclairage insuffisant et une signalisation du fossé déficiente. Voilà : sept, *in toto*. Impressionné ?

– Je devrais ?

– Non. C'est la qualité qui compte, pas la quantité, pas vrai ? Nous ferons la réunion à mon bureau, ça nous donnera le petit avantage du terrain. Je commencerai en lisant tes qualifications professionnelles, et comme d'habitude il y en aura un qui coupera le baratin et qui acceptera ton expertise. Les autres suivront. Tu as déjà fait ce genre de truc auparavant, tu sais comment ça se passe. On est censés rassembler les faits, le tout avec courtoisie. Mais je serai là pour te couvrir au cas où ça deviendrait mauvais. Les types de l'assurance seront sans doute ceux qui rueront le plus dans les brancards. Leur responsabilité est la plus claire et c'est eux qui ont le plus à perdre. J'ai comme l'idée qu'ils ne s'en prendront pas directement à ton analyse mais qu'ils mettront en doute la validité du traumatisme infantile en tant que tel : est-ce scientifique ou simplement une de ces théories fumeuses des psys ? Et même si c'est réel, combien de temps ces traumatismes durent-ils ? Pouvez-vous prouver qu'en ayant subi une expérience traumatique à dix-huit mois le pauvre petit Darren en souffrira toute son existence ?

– Je n'ai jamais dit que je pouvais le prouver.

– Je le sais aussi bien que toi, mais essaie d'être plus subtil mercredi. L'important, c'est qu'eux ne peuvent pas prouver qu'il s'en remettra. Et si on en vient à un procès, fais-moi confiance, je m'arrangerai pour que la charge de la démonstration leur revienne. N'importe quel jury sera du côté d'un gentil gamin qui se réveille d'un petit somme en voiture pour voir la tête de son papa atterrir à côté de lui sur la banquette arrière. L'idée de filmer en vidéo tes séances avec lui tient du grand art, Alex. Le gamin y apparaît vulnérable à souhait. Dans le cas d'un procès, je passerai chaque mètre de bande et des Polaroïds de l'accident. Rien de tel qu'une tête ensanglantée pour faire dégouliner la sympathie, pas vrai ?

— Hem, rien de tel, en effet.

— Un jury croira à la validité de ces foutus traumatismes, Alex, c'est sûr. Ils n'imagineront pas que le gosse puisse vivre normalement après une expérience pareille. Et soyons honnêtes, nous ne pouvons pas affirmer non plus qu'on peut guérir d'un tel choc. L'autre côté le sait. Ils ont déjà suggéré une offre de dédommagement. Donc la question est simplement de savoir combien et quand. Ton boulot sera de décrire l'état de Darren tel qu'il est, mais essaie de ne pas faire trop théorique. Restes-en à la ligne « selon mes connaissances en psychologie », et tout ira bien. J'ai mon actuaire qui travaille d'arrache-pied. Je veux les accrocher si bien qu'ils paieront encore une rente à Darren quand il sera à l'hospice pour vieillards. — Il marqua une pause, puis ajouta : Et ce n'est que justice, Alex. La vie de Denise est brisée. Pour quelqu'un comme elle, c'est la seule façon de battre le système.

— Tu es un preux chevalier, Mal.

— Quelque chose qui ne va pas ?

Il paraissait sincèrement vexé de mon sous-entendu.

— Non, tout va bien. Juste un peu de fatigue, c'est tout.

— Sûr ?

— Certain.

Pendant un moment, de nouveau, il ne dit rien.

— Bon, tant que nous continuons à communiquer...

— Nous communiquons parfaitement, Mal. La qualité, pas la quantité.

— Très bien. Repose-toi un peu et prends soin de toi, Doc. Je te veux au summum de ta forme quand tu seras face aux sept nains.

J'appelai Sharon en tout début d'après-midi. J'eus droit à un répondeur. Mon année sous le signe des répondeurs (« Bonjour, vous êtes bien chez le Dr Ransom. Je ne suis pas présente mais je suis très intéressée par le message que vous allez me laisser... »).

Même sur l'enregistrement le son de sa voix ranima chez moi un flot de souvenirs... La sensation de ses doigts caressant ma joue...

Subitement je fus possédé par la nécessité de couper les ponts avec elle, et je décidai de le faire sur-le-champ. J'attendis le numéro d'appel d'urgence du beeper que les thérapeutes ajoutent généralement à la fin de leur message. Mais Sharon n'en mentionna aucun.

Bip.

– Sharon, dis-je. Ici Alex. Je ne serai pas libre lundi. Désolé. Bonne chance.

En douceur et sans traîner.

Dr Brise-Cœur.

Une heure plus tard son visage hantait encore mon esprit, un joli masque pâle qui errait aux frontières de ma conscience.

Je fis des efforts pour chasser cette image et ne réussit qu'à la rendre plus vivace. Je me rendis à cette réminiscence en me traitant d'abruti obsédé qui laissait son sexe penser à la place de sa tête. Mais je m'enfonçai dans les souvenirs au point que j'en vins à me demander si j'avais bien fait d'annuler notre rendez-vous.

A une heure et dans l'espoir de remplacer un joli masque par un autre, je téléphonai à San Luis Obispo. C'est la mère de Robin qui décrocha.

– Oui ?

– C'est Alex, Rosalie.

– Oh ! Bonjour.

– Robin est là ?

– Non.

– Savez-vous quand elle sera de retour ?

– Elle est sortie. Avec des amis.

– Je vois.

Silence.

– Et sinon, Rosalie, comment va le bébé ?

– Bien.

– Ah, très bien. Dites-lui que j'ai appelé, s'il vous plaît.

– D'accord.

– Au revoir.

Clic.

Le privilège d'avoir une belle-mère sans avoir signé de papier.

Le lundi je lus de bout en bout le journal du matin, avec l'espoir que la vénalité et la vulgarité de la politique inter- nationale projetteraient sur mes problèmes un peu d'insigni- fiance. La recette fonctionna très bien tant que je lus. Dès que je refermai le journal, ce vieux sentiment de vide revint.

Je donnai à manger au poisson, fit une machine, puis je pris la Seville et me rendis dans South West pour faire quelques emplettes. Entre le rayon des surgelés et celui des conserves je constatai que mon panier était vide. Je sortis du magasin sans rien acheter.

Il y avait un cinéma multisalles un peu plus haut. Je choisis un film au hasard, payai ma place et m'installai dans la salle occupée par quelques couples d'adolescents glousseurs et d'autres hommes seuls. Le film était un pseudo-thriller sans dialogue cohérent ni véritable scénario. Je quittai la salle durant la scène d'amour torride entre l'héroïne et le magnifique psychopathe qui allait tenter de la poignarder en guise de dessert post-coïtal.

Dehors il faisait déjà sombre. Une autre journée vaincue. Je me forçai à avaler un hamburger dans un fast-food avant de prendre le chemin du retour. Je me souvins alors de l'effet thérapeutique momentané du journal.

On était en début de soirée, la dernière édition devait donc être en vente. Un vendeur aveugle beuglait sur le trottoir de Wilshire Boulevard. J'arrêtai la Seville et lui achetai un exemplaire du *Times* avec un billet d'un dollar, sans attendre la monnaie.

De retour chez moi j'appelai mon service de répondeur – pas de machine impersonnelle pour ce vieux Alex. Mais il n'y avait pas de message.

Je me mis en caleçon, et m'installai sur le lit avec le *Times* et une tasse de café instantané.

La journée avait été calme. La majeure partie de l'édition du soir reprenait le contenu de celle du matin. Je me plongeai dans les vols et autres faits divers. Ma vue ne tarda pas à se brouiller. Parfait.

Mais brusquement, à la page vingt, je fus tiré de ma somnolence.

Ce n'était qu'un court article bouche-trou, à côté d'une dépêche sur la structure sociologique des fourmis rouges d'Amérique du Sud.

Mais le titre retint mon attention.

DÉCÈS D'UNE PSYCHOLOGUE – SUICIDE PROBABLE
par Maura Bannon

(Los Angeles) De sources policières, la mort d'une psychologue locale dont le corps a été trouvé ce matin dans sa résidence de

Hollywood Hills est sans doute due à une blessure par balle qu'elle s'est elle-même infligée. Le cadavre de Sharon Ransom, trente-quatre ans, a été découvert ce matin dans la chambre de sa maison de Nichols Canyon. Elle serait décédée dans la nuit de dimanche à lundi.

Ransom vivait seule dans sa maison de Jalmia Drive qui lui servait également de bureau et de cabinet de consultation. Native de New York City, elle avait grandi et fait ses études à Los Angeles où elle avait obtenu son diplôme en 1981. Aucun parent n'a été localisé.

Dans la nuit de dimanche. Peu de temps après que je lui eus laissé mon message.

Quelque chose de froid et d'aigre comme une exhalaison d'égout monta dans ma gorge. Je m'obligeai à relire l'article encore. Et encore.

Deux colonnes dans un coin de page. Un article bouche-trou... Je revis une chevelure noire, des yeux bleus, une robe bleue, des perles. Ce visage marquant, tellement vivant.

Non, tu es quelqu'un avec qui je n'ai pas à tricher. Non, ça ne va pas. Pas du tout.

Un appel au secours? L'intimité implicite de la phrase m'avait irrité. Cette réaction m'avait-elle empêché de voir ce qu'il y avait vraiment derrière les mots?

Elle n'avait pourtant pas paru désespérée.

Et pourquoi moi? Qu'avait-elle vu par-dessus l'épaule d'inconnus qui lui avait fait penser que j'étais celui à qui il fallait parler?

Erreur grossière... Ce bon vieil Alex n'avait réagi que selon ses propres besoins, à des cuisses blanches et une poitrine confortable.

Non, ça ne va pas. Pas du tout.

Désolé de l'apprendre.

Une dose d'empathie automatique.

Je l'avais ferrée sans me poser de question, et j'avais savouré le sentiment de puissance de la voir flotter vers moi, passive.

Si c'est d'une telle importance pour toi, nous pouvons convenir d'un rendez-vous pour en discuter... Tu parles...

C'est très important pour moi, oui.

Je déchirai la page du journal, la froissai en une boule que je jetai de l'autre côté de la pièce.

Paupières closes, j'essayai de me laisser aller aux larmes.

Pour elle, pour Robin... Pour ces familles qui se déchirent, pour un monde qui s'écroule, des gamins qui voient leur père mourir sous leurs yeux. N'importe qui au monde qui le mérite.

Les larmes ne vinrent pas.

Attendre le bip sonore.

Ensuite appuyer sur la détente.

6

Plus tard, une fois le choc passé, je me rendis compte que je lui avais porté secours une fois déjà, naguère. Peut-être s'en était-elle souvenu et avait-elle construit un délire de machine à remonter le temps.

C'était à l'automne 1974. J'avais vingt-quatre ans et un diplôme tout neuf en poche. Je m'étonnais encore quand on m'appelait « Docteur », mais j'étais aussi pauvre que lorsque j'étais étudiant.

Je revenais du Langley Porter Institute pour bénéficier à Los Angeles d'une bourse de recherches au Western Pediatric Hospital. Ma position exacte avait un nom à rallonge : le National Institute of Mental Health Postdoctoral Scholar in Clinical Psychology and Human Development, installé près de l'hôpital et de l'école de médecine. Mon emploi comprenait le traitement des enfants, la formation des internes et la rédaction d'un ou deux rapports que le psychologue en chef signerait comme coauteur.

Je gagnais cinq cents dollars par mois, somme que le fisc avait jugée imposable. Il me restait tout juste assez pour louer un appartement minable de célibataire sur Overland Avenue et payer les charges, me nourrir de conserves, me vêtir en profitant des soldes, acheter des livres d'occasion et maintenir en état une Nash Rambler agonisante. En revanche j'avais toujours huit ans d'accumulation de prêts étudiants et de dettes inscrits trop longtemps à ma rubrique « Divers ». Un certain nombre d'organismes bancaires se faisaient un plaisir de me relancer chaque mois.

Pour arrondir mes revenus je jouais de la guitare dans des groupes certains soirs, dans des dancings, comme je l'avais fait à San Francisco. C'était un emploi parfaitement irrégulier, mal payé, mais je pouvais consommer comme je le voulais pendant les pauses. Je fis également savoir au département de psychologie de l'université que leur illustre diplômé était disponible pour tout enseignement de remplacement.

Cette dernière offre fut totalement ignorée jusqu'à cet après-midi de novembre, quand une des secrétaires me fit appeler à l'hôpital.

— Le Dr Delaware, s'il vous plaît.

— Lui-même.

— Alice Delaware ?

— Alex.

— Oh, il y a « Alice » sur ma fiche. Je croyais que vous étiez une femme.

— Pas la dernière fois que j'ai vérifié, en tout cas.

— Euh, sans doute... Eh bien, je sais que le délai est un peu court, mais si vous êtes libre ce soir à huit heures, nous pourrions user de vos services.

— Usez et abusez.

— Vous ne voulez pas savoir de quoi il retourne ?

— Pourquoi pas ?

— Okay, nous avons besoin de quelqu'un pour diriger le cours 305A. Des étudiants de seconde année. Le professeur qui assure le cours a dû s'absenter et aucun de ses remplaçants habituels n'est disponible.

Il fallait prendre une décision sur-le-champ.

— Ça me va, affirmai-je.

— Parfait. Vous avez votre licence d'enseignant, bien sûr ?

— Pas avant l'année prochaine.

— Oh! Alors je ne sais pas si... Un moment, je vous prie.

Après une brève attente, elle reprit la communication :

— Bien. Si vous n'avez pas votre licence c'est huit dollars l'heure au lieu de quinze, avec possibilité de retenue. Et il y a quelques papiers que vous devrez remplir d'abord.

— Vous ne me laissez pas tellement le choix.

— Pardon ?

— Je serai chez vous à l'heure.

66

En théorie, la pratique clinique est l'étape intermédiaire entre le savoir livresque et le monde réel, une bonne manière d'initier les thérapeutes en formation à la mise en œuvre de leurs connaissances dans un environnement protégé.

A mon alma mater, la chose commençait tôt. Pendant leur premier semestre les étudiants diplômés en stage se voyaient confier un groupe de patients, des étudiants envoyés par le service d'assistance universitaire ou des gens démunis recherchant un traitement gratuit au centre médical de l'université. Les étudiants diplômés et en stage diagnostiquaient et donnaient un traitement sous le contrôle d'un membre licencié de l'université. Une fois par semaine ils devaient présenter leurs progrès – ou leurs manques de progrès – à leurs pairs et instructeurs. Parfois les choses restaient à un niveau purement intellectuel. Parfois elles prenaient une tournure plus personnelle.

La classe psy-305A se tenait dans un grenier sans fenêtre au troisième étage de la demeure de style Tudor qui abritait le programme clinique. La pièce était nue, peinte d'un gris bleuté, le sol couvert d'une moquette ocre à la propreté relative. Dans un coin étaient empilées les pièces d'un détecteur de mensonges.

J'arrivai avec cinq minutes de retard à cause des « quelques papiers » à remplir qui s'étaient révélés constituer un plein dossier de formulaires. Sept ou huit étudiants attendaient déjà. Ils s'étaient déchaussés et s'étaient éparpillés dans la pièce contre les murs. Certains bavardaient, d'autres lisaient, fumaient, somnolaient. Tous m'ignorèrent. La pièce sentait la chaussette sale, le tabac et la moisissure.

C'était un groupe plus âgé que la moyenne et d'aspect plus expérimenté aussi, des rescapés des années soixante en ponchos mexicains, jeans délavés, sweat-shirts, portant des bijoux indiens. Quelques-uns étaient vêtus de costumes trois pièces. Tous arboraient une expression sérieuse et accablée, le visage d'étudiants doués se demandant si le déplacement vaudrait le coup.

– Bonjour, je suis le Dr Delaware.

Je laissai le titre rouler sur ma langue avec délectation et très peu de culpabilité. Je me sentais un peu dans la peau d'un imposteur. Les étudiants me jetèrent un coup d'œil sans paraître impressionnés le moins du monde.

– Alex, ajoutai-je. Le Dr Kruse ne pouvait assurer ce cours, c'est pourquoi je le remplace ce soir.

– Où est Paul? demanda une femme approchant la trentaine.

Elle était de petite taille, la chevelure prématurément grisonnante, des lunettes de grand-mère, une bouche mince à la moue désapprobatrice.

– Il n'est pas en ville.

– Hollywood est pourtant en ville, fit un grand étudiant barbu vêtu d'une salopette et d'une chemise écossaise; il fumait une pipe courte.

– Vous êtes un de ses assistants? s'enquit la femme aux cheveux gris.

Elle ne manquait pas de charme mais gardait une extériorité pincée, et ses yeux brillaient d'une nervosité coléreuse. Une puritaine en jeans. Elle m'avait jaugé d'un regard et semblait prompte à la condamnation.

– Non, je ne l'ai jamais rencontré. Je suis...

– Nouveau membre de l'université! s'exclama le géant barbu comme s'il découvrait une conspiration.

Je secouai la tête.

– Récemment diplômé. Doctorat d'État en juin dernier.

– Félicitations, lança le barbu en battant silencieusement des mains.

Quelques autres l'imitèrent. Je leur répondis d'un sourire, m'accroupis et me mis en lotus près de la porte.

– Quelles sont vos habitudes pour procéder? demandai-je.

– Présentation du cas, dit une Noire. A moins que quelqu'un n'ait une crise à exposer.

– Il y en a? demandai-je.

Un silence. Quelques bâillements.

– Très bien. A qui le tour de présenter son cas?

– A moi, dit la Noire.

C'était une femme trapue dont la coiffure afro teintée au henné entourait un visage rond couleur chocolat. Elle portait un poncho noir, un jean et des bottes de vinyle rouge. Un sac informe de dimensions respectables était posé sur ses genoux.

– Aurora Bogardus, se nomma-t-elle. En seconde année. La semaine dernière j'ai présenté le cas d'un enfant de neuf ans affligé de tics multiples. Paul a fait des suggestions. J'ai quelques éléments complémentaires.

– Continuez.

68

– Dans un premier temps je n'ai obtenu aucun résultat. L'état du gamin se dégradait.

Du sac elle sortit un dossier, le feuilleta et fit à mon intention un bref historique du suivi de ce cas. Ensuite elle décrivit son plan initial de traitement, lequel me parut correctement conçu, bien qu'il se soit révélé inefficace.

– Et nous en sommes là pour l'instant, dit-elle. Des questions ?

Une discussion de vingt minutes s'ensuivit. Les suggestions des étudiants s'appuyaient sur des facteurs sociaux – la pauvreté de la famille et les fréquents changements de domicile, l'anxiété probablement ressentie par l'enfant à cause du manque d'amis durables, etc. Quelqu'un glissa un commentaire sur le fait qu'être un enfant noir dans une société raciste constituait une cause de stress majeure.

Aurora Bogardus eut une moue dégoûtée.

– Je crois être bien placée pour parler de ce sujet. En attendant je dois toujours m'occuper de ces satanés tics sur un plan comportemental. Plus il a de tics, plus il encourt l'hostilité de son entourage.

– Alors c'est son entourage qui doit apprendre à maîtriser son hostilité, dit le barbu.

– Épatant, rétorqua Aurora. Pendant ce temps, le gamin subit l'ostracisme des autres. J'ai besoin d'un plan d'action.

– La méthode de conditionnement du sujet...

– Si vous écoutiez, Julian, vous m'auriez entendu dire que la méthode de conditionnement du sujet n'a pas fonctionné. Pas plus que la manipulation de rôles suggérée par Paul la semaine dernière.

– Quelle sorte de manipulation de rôles ? m'enquis-je.

– Changer le programme. Ça fait partie de son approche de la thérapie, la dynamique de communication. Bouleverser la structure familiale, amener ses membres à changer leurs positions de puissance afin de s'ouvrir à de nouveaux comportements.

– Les changer de quelle façon ?

Elle me lança un regard las.

– Paul m'avait dit de demander aux parents et aux proches du sujet de se mettre à simuler des tics eux aussi. De manière très exagérée. Il pensait qu'en intégrant ainsi le symptôme aux normes familiales celui-ci cesserait d'avoir valeur de rébellion pour le gamin, qui tout naturellement l'exclurait de son répertoire comportemental.

– Et pourquoi donc?

– C'est sa théorie, pas la mienne.

Je ne répondis pas mais gardai une expression étonnée.

– D'accord, d'accord, fit-elle. D'après Paul, les symptômes sont une forme de communication. Si la communication par les tics n'avait plus rien de personnel, le gamin chercherait une autre manière d'extérioriser sa rébellion.

La théorie me semblait bancale et potentiellement cruelle. Je commençai à me poser des questions sur le Dr Paul Kruse.

– Je vois.

– Eh, moi aussi j'ai trouvé que l'idée ne valait rien, fit Aurora. Et c'est ce que je vais dire à Paul cette semaine.

– Sûr, que vous le ferez, lança quelqu'un, ironique.

– Vous verrez, répliqua-t-elle en remettant le dossier dans son sac. Pour l'instant ce pauvre gamin continue à être secoué de tics et son amour-propre est en chute libre.

– Avez-vous envisagé le syndrome de Tourette? fis-je.

Elle repoussa la proposition d'une moue.

– Bien sûr. Mais il ne jure pas.

– Tous les patients présentant le syndrome de Tourette ne jurent pas.

– Paul a dit que les symptômes ne correspondaient pas au canevas typique du syndrome de Tourette.

– A quel niveau?

Un autre regard las. Sa réponse dura cinq bonnes minutes et resta très imparfaite. Mes doutes au sujet de Kruse s'accentuèrent.

– Je persiste à penser qu'il ne faut pas rejeter l'hypothèse du syndrome de Tourette, dis-je. Nous n'en savons pas assez sur ce syndrome pour exclure des cas qui peuvent être simplement atypiques. A mon avis, il faut adresser le sujet à un neuropédiatre. Haldol me semble tout indiqué.

– Le vieux modèle médical, commenta Julian en tassant sa pipe avant de la rallumer.

Aurora eut un mouvement de la mâchoire, comme si elle s'acharnait sur un chewing-gum.

– Que ressentez-vous en ce moment? demanda un autre étudiant. Faites-nous partager vos impressions, Aurora.

Il était mince, étroit d'épaules, avec les cheveux roux ramenés en une queue de cheval et une moustache indisciplinée aux pointes tombantes. Il portait un costume de velours côtelé froissé, une chemise très stricte, une cravate large, des baskets sales. Il avait parlé d'une voix douce et musicale, débordante de compréhension, mielleuse, digne d'un confesseur ou d'un présentateur d'émissions télévisées pour enfants.

– Oh! bon sang, souffla Aurora en se tournant vers moi. D'accord, j'essaierai ce que vous dites. S'il faut en passer par le modèle médical, on en passera par là.

– Vous avez l'air frustrée, fit la femme aux cheveux gris.

Aurora la regarda droit dans les yeux.

– Laissons tomber ce jeu-là et continuons, d'accord?

Avant que Cheveux-Gris puisse répondre, la porte s'ouvrit. Tous les yeux se braquèrent dans cette direction. Et les regards se durcirent instantanément.

Une très jolie fille brune se tenait sur le seuil de la salle, les bras chargés de livres. Une fille, et non une femme, car elle avait un air juvénile qui aurait pu la faire passer pour une étudiante de premier cycle, et pendant un instant je crus qu'elle s'était trompée d'endroit.

Elle entra dans la pièce.

Ma première pensée fut celle d'un saut dans le temps. C'était une beauté brune blessée, pareille à une actrice dans un de ces vieux films policiers en noir et blanc où le bien et le mal se brouillent et l'image lutte contre un morceau de jazz insinuant, le tout finissant en général dans l'ambiguïté.

Elle portait une robe de laine rose serrée à la taille par une ceinture de cuir blanche, des chaussures à talons roses également. Sa chevelure était enroulée dans une coiffure stricte, son visage poudré, les yeux maquillés de mascara, les lèvres d'un rose humide. La robe lui arrivait aux genoux et dévoilait de jolies jambes gainées de nylon extra-fin. Ses bijoux étaient en or, ses ongles longs et vernis dans la même teinte que la robe, mais un peu plus sombre.

Et je sentis son parfum qui balaya l'odeur de renfermé de la pièce : savon et eau, herbe fraîchement coupée, fleurs printanières.

Tout en courbes, un teint de porcelaine sur un écrin de vieux rose, le tout impeccablement conjugué. Elle était presque douloureusement déplacée dans cet univers de jeans et de fadeur délibérée.

– Miss Socquettes-Blanches, murmura quelqu'un.

Elle entendit la réflexion et se crispa une seconde tout en cherchant une place où s'asseoir. Il n'y avait pas d'endroit libre, et personne ne bougea. Je me déplaçai.

71

– Installez-vous ici, proposai-je.

Elle me dévisagea.

– C'est le Dr Delaware, dit Julian. Alex. Il s'est tiré apparemment indemne des rites et rituels du département.

Elle m'accorda un sourire poli et s'assit auprès de moi, jambes repliées sous elle. Un morceau blanc de cuisse apparut, qu'elle masqua aussitôt en ramenant sa robe sur ses genoux. Le mouvement eut pour effet de tendre un peu plus le tissu sur sa poitrine et d'accentuer sa rondeur. Ses yeux étaient très grands, brillants, d'un bleu marine si sombre que les pupilles semblaient se mêler aux iris.

– Désolée d'être en retard, dit-elle.

Sa voix était douce, veloutée.

– Rien de neuf, commenta Cheveux-Gris.

– D'autres études complémentaires à présenter ? demandai-je.

Personne ne répondit.

– Dans ce cas je pense que nous allons pouvoir passer à autre chose.

– Et Sharon ? fit Queue-de-Cheval avec un rictus à l'adresse de l'arrivante. Vous n'avez rien partagé avec nous de tout le semestre, Sharon.

– C'est que je n'ai rien préparé, Walter, dit la fille brune.

– Qu'y a-t-il à préparer ? Prenez juste un cas et donnez-nous le bénéfice de votre expertise.

– Ou au moins celle de Paul, enchaîna Julian.

Ricanements, hochements de tête approbateurs.

Elle se pinça le lobe de l'oreille, se tourna vers moi pour quémander un sursis.

L'allusion à Kruse m'éclaira sur la raison de la tension ayant accompagné l'apparition de la jeune fille. Quelles que soient ses capacités thérapeutiques avec ses méthodes, ce directeur de thèse avait laissé le favoritisme infecter son groupe. Mais j'étais là en remplacement, pas pour tout remettre en place.

– Avez-vous présenté un cas depuis le début du semestre ? demandai-je à Sharon.

– Non, répondit-elle, effarouchée.

– En avez-vous un dont nous pourrions discuter ?

– Je... je pense que oui.

Elle me lança un regard plus compatissant qu'irrité. *Vous me mettez dans l'embarras mais ce n'est pas votre faute,* disaient ses yeux. Un peu perturbé, je la priai d'exposer le sujet.

– La personne dont je pourrais parler est une femme que je vois depuis deux mois. Une étudiante de dix-neuf ans, en seconde année. Les tests préliminaires la situent dans les limites normales. Son ami est un étudiant de licence. Ils se sont rencontrés la première semaine du semestre et sortent ensemble depuis. Elle s'est d'elle-même adressée au service d'assistance universitaire à cause des problèmes qui touchent leur relation.

– Quelle sorte de problème ? interrogea Cheveux-Gris.

– Une rupture de communication. Au début ils pouvaient parler ensemble. Ensuite les choses ont changé. Et maintenant elles sont assez mauvaises.

– Soyez plus précise, fit Cheveux-Gris.

Sharon réfléchit un instant.

– Je ne suis pas sûre de ce que vous voulez...

– Est-ce qu'ils baisent ? s'enquit Walter Queue-de-Cheval.

Sharon rougit violemment et baissa les yeux vers la moquette. C'était une manière de rougir à l'ancienne mode, et je ne savais pas que cela existait encore. Quelques-uns des étudiants parurent embarrassés pour elle. Les autres semblaient se délecter de son trouble.

– Alors ? insista Walter. Ils baisent ?

Elle se mordit la lèvre inférieure.

– Ils ont des rapports, oui.

– Selon quelle fréquence ?

– Je n'ai pas vraiment noté ces détails...

– Pourquoi donc ? Ce pourrait être un paramètre important de...

– Attendez, intervins-je. Laissez-lui le temps de terminer.

– Elle ne terminera jamais, rétorqua Cheveux-Gris. Nous sommes déjà passés par là. Blocage de défense intégrale. Si nous ne le dénonçons pas dès qu'il apparaît, pour le couper à la racine, nous passerons toute la séance à tourner en rond.

– Il n'y a rien à dénoncer, dis-je. Laissez-la exposer les faits, ensuite nous en discuterons.

– Bravo, fit Cheveux-Gris. Encore une réaction de mâle protecteur. Vous savez faire ressortir ce trait de caractère chez les hommes, Princesse Sharon.

– Vas-y plus doucement, Maddy, fit Aurora Bogardus. Laisse-la parler.

– Bien sûr, bien sûr, grommela Cheveux-Gris.

Elle croisa les bras sur sa poitrine, se renfonça dans son siège et attendit, le regard dur.

73

— Allez-y, dis-je à Sharon.

Elle était restée silencieuse, en retrait comme un parent attendant la fin d'une prise de bec entre deux enfants. Elle reprit où elle avait été interrompue. Avec calme me sembla-t-il. Où avait-elle les nerfs à vif?

— Il y a eu rupture de communication. La patiente dit qu'elle aime son ami mais qu'ils s'éloignent l'un de l'autre. Ils ne peuvent plus parler de sujets dont ils avaient l'habitude de discuter.

— Par exemple? demanda Julian à travers un nuage de fumée.

— A peu près tout.

— Tout? Que mangera-t-on pour le déjeuner? Des pâtes ou des pommes de terre?

— C'est à ce point, oui. Il y a une rupture complète de communication et...

— Rupture, répéta Maddy. Vous avez employé ce mot trois fois sans expliquer dans quel sens vous l'utilisiez. Essayez de clarifier plutôt que de répéter. Fonctionnalisez le terme rupture.

— Leurs rapports se sont détériorés, dit Sharon comme si elle posait une question.

Maddy eut un rire acerbe.

— Magnifique. Tout devient parfaitement clair, en effet.

Sharon baissa la voix:

— Je ne vois pas où vous voulez en venir, Maddy.

Celle-ci secoua la tête d'un air dégoûté et dit, sans s'adresser à qui que ce soit en particulier:

— Pourquoi perdre du temps avec ces conneries?

— J'approuve, lança quelqu'un.

— Restons-en au cas traité, dis-je. Sharon, comment la fille explique-t-elle que leurs rapports se soient détériorés?

— Nous en avons discuté à de multiples reprises. Elle affirme n'en rien savoir. Tout d'abord elle a cru qu'elle ne lui plaisait plus et qu'il fréquentait une autre femme. Mais il le nie. Par ailleurs il passe tout son temps libre avec elle, et elle croit qu'il dit la vérité. Mais lorsqu'ils sont ensemble il refuse de parler et elle a l'impression qu'il lui en veut. Ce comportement est arrivé d'un coup, et depuis il s'accentue.

— S'est-il produit quelque chose de spécifique à la même période? dis-je. Un événement engendrant un stress?

Nouveau rougissement instantané.

74

– Ont-ils débuté leurs rapports sexuels à cette époque, Sharon?

Un hochement de tête.

– A peu près, oui.

– Et ils ont rencontré des problèmes sexuels?

– C'est difficile à savoir.

– Foutaises, lâcha Maddy. Ce serait facile à savoir si vous aviez fait votre travail correctement.

Je me tournai vers elle.

– Comment vous y prendriez-vous pour obtenir ce genre d'informations, Maddy?

– Je procéderais par ordre. J'établirais d'abord le rapport, dit-elle en appuyant chaque assertion d'un index dressé. J'apprendrais à connaître les défenses particulières du patient afin de me préparer à ses blocages et à les balayer. Si cela ne marche pas, je l'affronterais jusqu'à ce qu'il sache que je suis sérieuse. Ensuite j'aborderais le sujet, tout simplement. Elle voit cette fille depuis deux mois, elle aurait dû faire ça depuis longtemps déjà.

J'interrogeai Sharon du regard.

– C'est ce que j'ai fait, répondit-elle, le visage toujours rouge. Nous avons parlé de ses blocages et de ses défenses. Ça prend du temps. Il y a des problèmes.

– Évidemment, soupira Julian.

– Des problèmes sèk-su-hail, articula Maddy. Prononcez donc ce mot, chérie. Vous verrez, la prochaine fois ce sera plus facile.

Quelques rires moqueurs. Sharon paraissait prendre l'affront avec calme. Mais je gardai un œil sur elle.

– Partagez les problèmes avec nous, la pressa Walter en jouant avec sa queue de cheval.

– Ils... Elle n'est pas satisfaite, dit Sharon.

– Est-ce qu'elle parvient à l'orgasme? demanda Julian.

– Je ne crois pas.

– Vous ne croyez pas?

– Non. Non, elle n'y parvient pas.

– Alors que faites-vous pour l'aider à y parvenir?

Elle se mordit la lèvre une nouvelle fois.

– Allez-y, dites-le-nous, fit Maddy.

Les mains de Sharon s'étaient mises à trembler. Elle enlaça ses doigts entre eux pour le cacher.

– Nous avons... Nous avons parlé de... réduire son anxiété, la détendre.

– Oh, bon sang, c'est encore la femme qui est coupable a priori! fit Maddy. Qui dit que le problème vient d'elle? Et si c'était lui? Peut-être est-il impuissant, ou éjaculateur précoce?

– Elle dit qu'il est... bien. C'est elle qui est trop nerveuse.

– Avez-vous fait des séances de relaxation musculaire profonde? demanda Aurora. De la désensibilisation systématique?

– Non, rien d'aussi structuré. Elle a encore du mal à aborder le sujet.

– On se demande pourquoi, lâcha Julian.

– Nous travaillons juste à rester calmes, dit Sharon, et sa phrase semblait décrire ses efforts actuels.

– Difficile de rester calme avec des problèmes primordiaux, dit Walter d'un ton suave. Ont-ils essayé les méthodes bucco-génitales?

– Hum, oui.

– Hum, de quelle façon?

Elle contempla de nouveau la moquette.

– La façon habituelle.

– Je ne sais pas ce que ça signifie, Sharon, fit-il en lançant un regard de connivence aux autres. L'un de vous le sait-il?

Sourires orchestrés et mouvements de tête négatifs. Une troupe de prédateurs. Je les imaginai en thérapeutes installés, dans quelques années. L'image avait de quoi faire frissonner.

Sharon fixait le sol des yeux et combattait sans grand espoir la nervosité de ses doigts.

Je pensai à intervenir et me demandai si cela violait ou non les normes du groupe. Je décidai que je m'en contrefichais, tout en sachant que me montrer protecteur à l'excès serait plus dommageable pour elle, à long terme.

Alors que je m'interrogeais, Walter reprit l'offensive:

– Quelle méthode bucco-génitale?

– Je crois que nous savons tous ce que sont les méthodes bucco-génitales, dis-je.

Walter eut un haussement de sourcils surpris.

– Ah oui? Je me le demande. Suis-je le seul?

– Tout ça, c'est de la foutaise, déclara Aurora. J'ai un tas d'autres choses plus importantes à faire, moi.

Elle se leva, prit son sac et sortit d'un pas décidé de la salle, suivi rapidement par trois autres.

La porte claqua sur eux. Un silence tendu suivit. Les yeux de Sharon étaient humides et le lobe de son oreille rougi à force d'avoir été pincé.

76

– Passons à autre chose, proposai-je.

– Pas question! s'insurgea Maddy. Paul dit que tous les coups sont permis. Pourquoi devrait-elle faire exception ? – Sa colère paraissait la soulever de son siège : Pourquoi diable est-elle sauve chaque fois qu'elle entre dans son mode défensif et qu'elle nous rejette! – Et à Sharon : C'est la réalité, chérie, pas une de ces conneries de jeu de sororité.

– Une connerie de jeu de sororité ne serait pas moitié aussi mauvaise, dit Julian d'un ton songeur en suçotant sa pipe avec ostentation.

– Inutile d'insister, dis-je.

Il sourit comme s'il ne m'avait pas entendu, déplia ses jambes puis les recroisa.

– Désolé, Alex, on a le droit d'insister, m'informa Walter. Ce sont les règles de Paul.

Une larme coula sur la joue de Sharon, qu'elle essuya d'un geste nerveux.

– Ils font normalement, dit-elle.

– C'est-à-dire ?

– Ils sucent.

– Ah, dit Walter, voilà qui est mieux... – Il leva une main, index et majeur croisés : Allez, continuez.

Le geste avait une connotation lascive qui ne pouvait échapper à Sharon. Elle détourna les yeux et dit :

– C'est tout, Walter.

– Tss-tss, fit Julian en agitant sa pipe d'un air professoral. Fonctionnalisons l'information. Est-ce elle qui le suce ? Ou lui qui la suce ? Ou bien en sont-ils à se sucer mutuellement, dans ce bon vieux soixante-neuf ?

Les mains de Sharon volèrent jusqu'à son visage. Elle toussa pour s'empêcher de pleurer.

– Lamentable, commenta Maddy.

– Ça suffit! aboyai-je.

Le visage de Maddy s'assombrit.

– Encore un comportement paternaliste autoritaire, lâcha-t-elle.

– Calmez-vous, tous, fit un des autres.

Sharon se leva brusquement, ramassa ses livres et un instant se battit pour n'en laisser tomber aucun, tout en jambes blanches et crissements de nylon.

– Je suis désolée, veuillez m'excuser.

Elle agrippa le bouton de la porte, le tourna et sortit en courant.

– Catharsis, dit Walter. Ça pourrait être une bonne ouverture.

Je le considérai un instant, puis regardai les autres. Je vis des sourires de vautours, une suffisance affichée. Et autre chose, aussi : une peur latente.

– Le cours est terminé, laissai-je tomber.

Je la rattrapai sur le trottoir.

– Sharon ?

Elle ne ralentit pas sa fuite.

– Attendez une minute. S'il vous plaît.

Elle s'arrêta mais continua de me tourner le dos. Je me campai devant elle et la vis contempler le trottoir, puis lever les yeux au ciel. La nuit était noire, sans étoile, et sa chevelure se confondait avec l'obscurité, ne laissant visible que son visage. Un masque de pâleur.

– Je suis désolé, dis-je.

– Non, c'était ma faute, dit-elle. Je me suis conduite comme une gamine, de façon complètement inappropriée.

– Il n'y a rien d'inapproprié à refuser de se faire houspiller de la sorte. Ils forment un drôle de groupe. J'aurais dû surveiller de plus près les choses et voir ce qui se passait.

Elle finit par croiser mon regard, sourit.

– Ça n'est pas grave. Personne n'aurait pu s'en douter.

– C'est comme ça à chaque fois ?

– Ça arrive.

– Et le Dr Kruse approuve ces méthodes ?

– Le Dr Kruse dit que nous devons affronter nos propres systèmes de défense avant d'être capables d'aider les autres.

Un petit rire nerveux, puis :

– Je crois que j'ai encore des progrès à faire.

– Vous y parviendrez, lui assurai-je. A long terme, ce genre de détails n'a pas d'importance.

– C'est gentil de votre part de me parler ainsi, docteur Delaware.

– Alex.

Le sourire s'affirma.

– Merci de vous être soucié de moi, Alex. Je crois que vous feriez mieux de retourner à votre classe.

– Le cours est terminé. Vous êtes sûre que tout ira bien ?

– Ça ira.

Elle fit passer son poids d'une hanche sur l'autre et tenta de mieux tenir ses livres.

78

– Je vais vous aider.

Quelque chose en elle faisait ressortir mon côté Lancelot.

– Non, non, ça va aller, fit-elle.

Mais elle ne m'empêcha pas de lui prendre les livres.

– Où est votre voiture ? m'enquis-je.

– Je rentre à pied. A la résidence universitaire. Curtis Hall.

– Je peux vous amener à Curtis d'un coup de voiture.

– Ce n'est pas nécessaire, vraiment.

– Ça me ferait plaisir.

– Alors ça me ferait plaisir aussi, dit-elle.

Je la déposai à la résidence universitaire, non sans avoir conclu d'un rendez-vous pour le samedi suivant.

Elle attendait sur le trottoir quand je vins la prendre. Elle portait un pull en cachemire jaune, une jupe écossaise jaune et noire, des chaussettes noires s'arrêtant sous le genou, des mocassins. Elle me laissa lui ouvrir la portière. Quand je reposai ma main sur le volant, la sienne vint la caresser un instant.

Nous dînâmes dans une de ces pizzerias enfumées et bruyantes qu'on trouve toujours près d'une université, le meilleur établissement que je pouvais lui offrir. Nous nous installâmes à une table dans un coin, regardâmes des dessins animés de Bip-bip et Vil Coyote, mangeâmes notre pizza en sirotant une bière, nous sourîmes.

Je ne pouvais détacher mon regard d'elle. J'aurais voulu tout savoir d'elle, forger une intimité impossible, immédiate. Elle ne me donna que des fragments d'informations à son propos. Elle avait vingt et un ans, avait grandi sur la Côte Est et était venue dans l'ouest pour son troisième cycle d'études. Elle poursuivit sur ce sujet et passa en revue les problèmes universitaires.

Les insinuations des autres étudiants n'avaient pas quitté mon esprit, et je l'interrogeai sur son association avec Kruse. Elle m'expliqua qu'il était son directeur de thèse sur un ton qui minimisait son rôle. Quand je lui demandai des détails sur sa personnalité, elle le qualifia de dynamique et créatif, puis changea de sujet.

Je n'insistai pas, malgré ma curiosité. Après ce cours assez éprouvant, je m'étais renseigné sur Kruse et avais appris qu'il était nouveau venu et s'était déjà gagné une réputation de coureur de jupons et de poseur.

Pas exactement le style de mentor que j'aurais conseillé à

quelqu'un comme Sharon. Mais que savais-je d'elle, au juste ? Et que savais-je de ce qui était bon ou non pour elle ?

J'essayai donc d'en apprendre plus. Elle éluda mes questions et recentra la conversation sur moi.

J'expérimentai alors une frustration certaine et pendant un moment je crus comprendre le ressentiment des autres étudiants. Puis je me rappelai que nous commencions tout juste à faire connaissance et que je me montrais assez arrogant en exigeant trop et trop vite. Son comportement suggérait une fortune familiale, une éducation protégée, conservatrice. Exactement le genre qui apprend à se méfier de toute intimité trop rapide.

Pourtant je ne pouvais oublier le contact délibéré de sa main sur la mienne, ni l'affection évidente de son sourire. Il n'y avait là rien de très réservé.

Nous discutâmes psychologie. Elle connaissait bien son sujet mais ne cessait de s'en remettre à mon savoir qu'elle estimait supérieur. Je détectai une réelle profondeur derrière son apparence de Miss Socquettes-Blanches. Et autre chose : un caractère agréable. Une délicatesse de lady qui me fut une plaisante surprise dans cette époque où les jeunes femmes maniaient volontiers le juron et confondaient colère et libération.

Mon diplôme assurait que j'étais un médecin de l'esprit, un sage à vingt-quatre ans, grand arbitre des relations humaines. Mais les relations humaines m'effrayaient toujours. Les femmes m'effrayaient toujours. Depuis l'adolescence je m'étais absorbé dans les études et le travail, et tous mes efforts avaient tendu à me hisser hors du purgatoire des cols bleus en pensant que le facteur humain s'adapterait à mes objectifs de carrière. Or de nouveaux objectifs n'avaient cessé de m'apparaître et à vingt-quatre ans je continuais de me hisser toujours plus haut, ce qui limitait ma vie sociale à des relations de travail, et ma vie sexuelle à une gymnastique nécessaire.

Ma dernière aventure, ou plutôt mésaventure, remontait à deux mois, avec une jolie interne blonde venue du Kansas qui me fit sa déclaration alors que nous faisions la queue devant la cafétéria de l'hôpital. Elle proposa que nous allions au restaurant, paya son repas, s'invita chez moi et s'allongea sur le lit dès son entrée. Elle prit un Quaalude et devint franchement maussade quand je refusai de l'imiter. Mais sa mauvaise humeur ne dura pas. Un instant plus tard elle s'était dévêtue et désignait son entrejambe en souriant.

– Nous sommes à L.A., mon pote. Mange-moi la chatte.

Et maintenant j'étais assis en face d'une beauté pleine de réserve qui me donnait l'impression d'être Einstein et essuyait sa bouche même lorsqu'elle était propre. Je ne perdais pas une miette de sa présence. Dans cette pizzeria, à la lumière de la bougie fichée dans une bouteille de chianti, tout ce qu'elle faisait me sembla spécial : son refus d'une bière pour préférer du Seven-Up, son rire d'enfant devant les infortunes de Vil Coyote, sa manière d'entortiller un fil de fromage chaud autour de son index avant de le prendre entre ses dents parfaites.

La vision fugitive d'une langue rose.

Je lui inventai un passé chargé d'images de la haute-bourgeoisie blanche protestante et conservatrice : résidences d'été, quadrilles, bal des débutantes, parties de chasse. Une escouade de prétendants...

Le scientifique en moi se révolta contre ce tableau : ce n'était qu'un tissu de conjectures sans aucune réalité démontrée. Elle avait laissé beaucoup de blancs dans son passé, et je les remplissais à ma guise.

Je revins à la charge et cherchai à savoir qui elle était vraiment. Elle me répondit sans rien me dévoiler et réussit à me faire parler de moi, une fois de plus.

Je m'abandonnai au plaisir facile de l'autobiographie. Elle me rendit la chose encore plus aisée par l'attention qu'elle me montra. Coudes sur la table et menton posé sur ses mains jointes, elle buvait mes propos comme s'ils étaient dignes de passer à la postérité, sans jamais me quitter de ses immenses yeux bleus. Puis elle joua avec mes doigts, rit de mes traits d'humour, repoussa ses cheveux en arrière de sorte que la lumière fit étinceler ses boucles d'oreilles.

A cet instant historique j'étais un don du ciel pour Sharon Ransom, et c'était une sensation incomparable, bien meilleure que tout ce que j'avais pu connaître.

Même sans ce rapport particulier entre nous, son physique seul m'aurait sans doute attiré. Dans un endroit aussi bruyant et regorgeant de jeunes beautés, son charme agissait comme un aimant. Il était évident que chaque homme passant près de notre table la caressait du regard et que chaque femme la toisait avec une acuité féroce. Elle semblait inconsciente de ces examens et restait totalement concentrée sur moi.

Je m'entendis m'ouvrir et parler de sujets auxquels je n'avais pas pensé depuis des années.

Quels que soient les problèmes qu'elle puisse avoir, elle réussirait très bien dans la carrière de thérapeute.

Dès le premier instant je la désirai physiquement avec une intensité qui m'étonna. Mais quelque chose en elle me retint, une fragilité particulière que je sentais. Ou que j'imaginais.

Pendant une demi-douzaine de rencontres nos rapports restèrent chastes. Nous nous tenions par la main et nous embrassions sur la joue en nous séparant, et je me contentais de ce parfum frais. Je rentrai chez moi étrangement satisfait bien que follement excité, et je me nourrissais de souvenirs.

Après la septième soirée ensemble et alors que je la raccompagnais jusqu'à la résidence universitaire, elle prit la parole :

— Ne me dépose pas encore, Alex. Roule jusqu'au coin de la rue.

Elle me dirigea dans une rue sombre adjacente à un des terrains de sport. Je me garai. Elle se pencha vers moi, coupa le contact, ôta ses chaussures et passa par-dessus le siège, à l'arrière de la Rambler.

— Viens, dit-elle.

Je la rejoignis, me félicitant d'avoir lavé la voiture. Je m'assis à côté d'elle et la pris dans mes bras. Je couvris de baisers ses lèvres, ses yeux, son cou. Elle frissonna, se tortilla. J'effleurai sa poitrine, sentis les battements précipités de son cœur. Nous nous embrassâmes encore, longuement. Je posai ma main sur son genou et elle trembla. Je crus le regard qu'elle me jeta chargé de peur et je retirai ma main. Mais elle la reprit et la glissa entre ses genoux, plus haut. Puis elle écarta les jambes et je remontai le long de ces deux colonnes de marbre blanc. Tête rejetée en arrière, paupières closes, elle s'offrait à moi. Elle respirait par la bouche. Pas de sous-vêtement. Je retroussai sa jupe, vis le triangle doux de sa toison noire.

— Oh, bon Dieu, marmonnai-je avant de lui donner du plaisir.

Elle me retint d'une main, de l'autre fit descendre la fermeture Éclair de mon pantalon. Mon sexe jaillit à l'air libre, raidi par le désir.

— Viens en moi, dit-elle.

J'obéis.

Milo absent de la ville, mon seul autre contact à la police avait pour nom Delano Hardy, un fringant inspecteur noir qui travaillait parfois avec Milo. Quelques années plus tôt, il m'avait sauvé la vie. Je lui avais offert une guitare, une Fender Stratocaster que Robin avait restaurée. La dette restait claire, mais je l'appelai quand même.

Le réceptionniste de L.A. Ouest m'apprit que l'inspecteur Hardy ne repasserait pas avant le lendemain matin. J'hésitai à l'appeler chez lui mais me souvins qu'il était très « famille » et qu'il faisait tout pour consacrer le plus de temps possible à ses enfants. Je me contentai donc de lui laisser un message pour qu'il me recontacte à son retour.

Je pensai à quelqu'un qui ne se formaliserait pas qu'on lui téléphone à son domicile. Ned Biondi était un de ces journalistes qui vivaient pour une bonne histoire à raconter. Il tenait la rubrique des chiens écrasés quand j'avais fait sa connaissance, et maintenant il était rédacteur en chef adjoint, mais il ne dédaignait pas de se pencher en personne sur un bon sujet, à l'occasion.

Ned avait une dette envers moi. J'avais largement contribué à inverser la dégringolade anorexique de sa fille. Il avait mis un an et demi pour me payer, et avait ajouté à sa dette personnelle en profitant d'une ou deux grosses histoires que je lui avais communiquées.

Je le joignis chez lui, à Woodland Hills, juste après neuf heures du soir.

– Salut, Doc. J'allais vous appeler.

– Ah oui ?

– Ouais, je reviens tout juste de Boston. Anne-Marie vous envoie ses amitiés.

– Comment va-t-elle ?

– Toujours plus maigre que ce que nous aimerions, mais autrement elle va bien. Elle a débuté ses cours d'assistante sociale au début de l'automne, trouvé un boulot à mi-temps et un nouveau petit ami pour remplacer le salopard qui l'avait plaquée.

– Envoyez-lui toutes mes amitiés aussi.

– Je n'y manquerai pas. Que me vaut le plaisir ?

– Je voulais vous demander des tuyaux sur une histoire parue dans la dernière édition. Le suicide d'une psychologue. C'est en page...

– Vingt. Eh bien ?

– Je connaissais cette femme, Ned.

– Oh, bon sang... Ça c'est moche.

– Vous avez autre chose que ce que vous avez imprimé ?

– Aucune raison pour, Doc. Et ce n'était pas vraiment un scoop. Je crois bien qu'on a eu la nouvelle par téléphone, un communiqué de la police. Personne ne s'est rendu sur les lieux. Y a-t-il quelque chose que vous savez et que je devrais savoir ?

– Rien du tout, non. Qui est Maura Bannon ?

– Une gamine, une étudiante stagiaire. Une amie d'Anne-Marie, en fait. Elle fait un semestre en entreprise. C'est elle qui a poussé le truc. Un rien naïve, elle pensait que le suicide de la psy valait un article. Nous qui sommes plus rôdés au monde réel, nous l'avons laissée mettre la nouvelle dans l'ordinateur. Et finalement on l'a prise pour boucher un blanc. La gamine est aux anges, évidemment. Vous voulez que je lui dise de vous contacter ?

– Si elle a quelque chose de plus à m'apprendre.

– Ça, j'en doute un peu... Dites, Doc, la dame en question, vous la connaissiez bien ?

Je mentis par pur réflexe :

– Pas vraiment. Ça m'a juste fait un choc de voir imprimé le nom de quelqu'un que j'ai connu comme ça.

– J'imagine, fit Ned, mais sa voix s'était faite circonspecte. Vous avez appelé Sturgis d'abord, je suppose ?

84

– Il n'est pas en ville.

– Aha. Écoutez, Doc, je ne voudrais pas vous paraître insensible, mais si vous appreniez quelque chose sur la dame qui pourrait donner un éclairage différent sur son suicide, je serais très heureux que vous me mettiez dans la confidence...

– Il n'y a rien, Ned.

– Okay. Désolé de fouiner comme ça. Déformation professionnelle.

– Ça n'est pas grave, Ned. Je vous rappelle bientôt.

A onze heures et demie j'allai faire un tour dans l'obscurité. Je gravis la pente avec difficulté en direction de Mulholland, en écoutant les grillons et les oiseaux de nuit. Quand je rentrai une heure plus tard, le téléphone sonnait.

– Allô ?

– Docteur Delaware, ici Yvette. Heureuse de vous avoir joint. Il y a une vingtaine de minutes un appel est arrivé pour vous, de votre épouse à San Luis Obispo. Elle a laissé un message et a insisté pour que vous le receviez au plus tôt.

Votre épouse. De temps en temps ils commettaient l'erreur, depuis des années. A une époque j'avais jugé l'erreur amusante. Moins maintenant.

– Quel est ce message ?

– Elle doit partir en déplacement et sera difficile à contacter. Elle vous appellera dès que possible.

– A-t-elle laissé un numéro ?

– Non, docteur Delaware. Vous avez l'air fatigué. Vous travaillez trop ?

– Quelque chose comme ça.

– Prenez soin de vous.

– De même.

En déplacement. Difficile à contacter. J'aurais dû en être blessé, or je me sentais soulagé.

Depuis samedi j'avais très peu pensé à Robin. Mon esprit était accaparé par Sharon.

J'éprouvais de bizarres sensations d'adultère, honte et joie mêlées.

Je m'écroulai dans mon lit et me pelotonnai dans un coin pour dormir. A deux heures quarante-cinq je me réveillai, tendu, nerveux. Après avoir enfilé mes vêtements je titubai jusqu'à l'auvent sous lequel était garé la Seville, m'installai au volant et démarrai. Je roulai au sud jusqu'à Sunset Boulevard, puis à l'est à travers Beverly Hills vers l'extrémité ouest de Hollywood et Nichols Canyon.

A cette heure, même le Strip était désert. Je gardai les vitres baissées pour profiter de la morsure froide de la nuit. A Fairfax je pris sur la gauche, vers le nord jusqu'à Hollywood Boulevard.

Mentionnez cette artère à la plupart des gens et, inévitablement, on vous ressort l'image du bon vieux temps : le *Walk of Fame*, les premières avec smokings et robes de soirée, la nuit illuminée de néons ; ou bien on vous parle de l'artère telle qu'elle est maintenant, hantée par une violence vicieuse et aveugle.

Mais plus à l'ouest encore, après La Brea, Hollywood Boulevard prend un autre aspect. Il devient sur plus d'un kilomètre et demi une simple artère résidentielle bordée d'arbres, avec des immeubles d'appartements bien entretenus, de vieilles églises et des demeures de deux étages à peine ternies par les ans et trônant en haut d'élévations tapissées de pelouses nettes. Dominant cette banlieue aérée, une partie de la montagne de Santa Monica s'infiltre dans L.A. comme une épine dorsale brisée. Dans ce secteur de Hollywood, la montagne donne l'impression de s'élever de façon menaçante et de repousser les preuves fragiles de la civilisation.

Nichols Canyon commence deux blocs et demi à l'est de Fairfax Avenue, une route bordée de broussailles qui dissimulent de petites maisons rustiques accessibles seulement par des passerelles. Je passai devant une station hydro-électrique éclairée crûment de lampadaires à arc. Au-delà s'étendait une zone marécageuse utilisée pour la prévention des inondations et grillagée, puis des habitations plus imposantes et dispersées quand le sol redevenait plus plat.

Une forme sauvage et vive traversa la route en deux bonds et se coula dans les buissons. Un coyote ? Naguère Sharon avait prétendu en avoir vu un, bien que je n'en aie jamais repéré.

Naguère...

Que diable pouvais-je bien espérer à exhumer ces souvenirs ? A aller passer en voiture devant sa maison, comme un adolescent amoureux qui cherche à entrevoir sa bien-aimée ?

C'était stupide. Et névrotique.

Mais il me fallait absolument quelque chose de tangible, quelque chose qui me prouve qu'elle avait bien été réelle. Que j'étais réel. Je continuai à conduire.

Nichols s'infléchissait sur la droite. Dans le prolongement naissait Jalmia Drive, comprimée en une voie unique qu'ombrageaient des arbres. La route décrivait tours et détours avant de se terminer brutalement en cul-de-sac sur une palissade de bambous, laquelle n'était percée que d'étroits passages donnant sur des allées privées. Celle que je cherchais était signalée par une boîte à lettres blanche juchée sur un pied de même couleur et un portail à claire-voie s'affaissant sur ses piliers.

Je me garai à l'écart, coupai le contact et descendis de voiture. L'air frais était chargé des bruits de la nuit. Toujours aussi fragile, le portail n'était pas fermé. Je le soulevai légèrement en le poussant, pour éviter de racler le ciment. Personne alentour. Je refermai le portail derrière moi et commençai à gravir l'allée bordée de bananiers géants, de palmiers et de yuccas. Paysage californien classique des années cinquante. Rien n'avait changé.

Je poursuivis ma progression sans être inquiété ni hélé, un peu étonné de l'absence de la police. Officiellement le LAPD traitait les suicides comme des homicides, et il n'était pas réputé pour sa rapidité bureaucratique. Si vite après le décès, le dossier devait encore être ouvert, la paperasserie à peine commencée.

J'aurais dû rencontrer des affiches d'avertissement, un cordon isolant le lieu, une marque quelconque.

Rien.

Soudain je perçus le grondement d'un moteur au démarrage. Un moteur puissant, qui rugit brièvement. Je me dissimulai derrière un palmier et surveillai l'allée.

Une Porsche Carrera blanche apparut en haut de l'allée et la descendit à régime réduit, phares éteints. La voiture passa à quelques dizaines de centimètres et je vis très bien le conducteur : la quarantaine, un visage taillé à la hache dont la peau me sembla étrangement marbrée, les yeux étrécis. Une épaisse moustache noire s'étendait au-dessus de lèvres minces en un contraste saisissant avec une chevelure et des sourcils d'un blanc de neige.

Une physionomie qu'on n'oubliait pas de sitôt.

Cyril Trapp. Capitaine Cyril Trapp, section homicides pour L.A. Ouest. Le patron de Milo, ex-noceur-buveur aux principes flexibles ressuscité à la morale religieuse et à la haine de tout ce qu'il jugeait irrégulier.

Depuis un an Trapp faisait tout pour miner Milo. Un flic homosexuel était tout ce qu'il y avait d'irrégulier pour lui. L'esprit buté mais loin d'être stupide, il persécutait son subordonné avec une certaine subtilité, ne cédant jamais au dénigrement ouvert de l'homosexualité. Il avait par exemple décidé que Milo était « spécialiste en crimes sexuels » et lui confiait tout meurtre d'homosexuel de L.A. Ouest. Et exclusivement à lui.

Mon ami s'en était trouvé isolé, sa vie limitée, et il avait plongé dans un univers de sang et de tristesse humaine, prostitués masculins qui détruisaient ou se détruisaient, cadavres pourrissant sur place parce que les chauffeurs de la morgue refusaient de venir les enlever, par crainte d'attraper le sida.

Quand Milo finit par se plaindre, Trapp expliqua qu'il utilisait seulement ses connaissances approfondies dans le domaine de la « subculture déviante ». La seconde réclamation valut à Milo un rapport d'insubordination dans son dossier.

Insister aurait signifié le passage devant une commission interne, le choix d'un avocat, or la Police Benevolent Association n'accepterait jamais de couvrir les frais d'une telle démarche. De plus Milo ne gagnerait que l'attention opiniâtre des médias qui le transformeraient en symbole, le Policier croisé de l'homosexualité. Et c'était une situation que Milo n'était pas – et ne serait sans doute jamais – prêt à assumer. C'est pourquoi il continuait de patauger dans la boue, s'abrutissait de travail et s'était remis à boire.

La Porsche disparut en bas de l'allée mais j'entendais toujours le grondement de son moteur. Puis il mourut, il y eut le déclic d'une portière qu'on ouvre, le grincement du portail sur le ciment. Finalement Trapp s'éloigna dans un tel silence que je le devinai en roue libre.

Je patientai encore quelques minutes avant de sortir de ma cache. Ce que je venais de voir me laissait songeur.

Un capitaine venant sur les lieux d'un suicide très ordinaire ? Un capitaine affecté à L.A. Ouest venant sur les lieux d'un suicide intéressant la police de Hollywood ? Cela n'avait aucun sens.

A moins que cette visite ait eu un caractère personnel. L'utilisation de la Porsche plutôt que d'un véhicule de la police banalisé semblait confirmer cette hypothèse.

Une liaison entre Trapp et Sharon? C'était trop grotesque à imaginer.

Mais trop logique pour être exclu.

Je repris mon ascension de l'allée. Là-haut, rien n'avait changé. Il y avait toujours les grands murs chargés de lierre, si hauts qu'ils paraissaient envelopper la construction, l'étendue bétonnée en place d'une pelouse, avec en son centre un parterre surélevé de roches volcaniques d'où jaillissaient deux cocotiers.

Au-delà des arbres, la maison d'un étage étalait sa structure basse de stuc gris, avec sa façade aveugle derrière le lattage vertical de bois. Le toit presque plat était couvert de galets blancs. Sur un côté se trouvait un auvent à voiture. Pas de véhicule, aucun signe d'habitation.

Au premier coup d'œil, l'ensemble était assez laid, une de ces constructions « modernes » comme on en avait édifié tant à Los Angeles après la guerre et qui vieillissait mal. Mais je savais l'intérieur de toute beauté, en particulier une piscine de forme souple qui enveloppait le coin nord de la maison et surplombait la vallée, donnant l'impression de s'écouler dans le vide, ou ces murs de verre qui offraient du canyon une vue panoramique à couper le souffle.

Cette demeure m'avait beaucoup impressionné, bien que je n'en aie mesuré l'impact que des années plus tard, lorsque vint le moment pour moi d'acheter une maison. Je me surpris alors à favoriser les mêmes choix: situation isolée, en hauteur, bois et verre pour la construction, ce mélange des côtés intérieur-extérieur dans l'ambiance.

La porte d'entrée était très discrète, une autre section en lattes de la façade. Je l'essayai. Fermée. Je jetai un coup d'œil aux alentours et je remarquai alors une différence définitive: une pancarte attachée au tronc d'un des palmiers proches.

Je m'approchai et malgré le peu de luminosité je réussis à déchiffrer ce qui y était inscrit: A VENDRE.

Suivait le nom d'une agence immobilière dont les bureaux se trouvaient sur North Vermont, dans le district de Los Feliz. En dessous, une autre pancarte, plus petite, avec le nom et le téléphone du vendeur. Mickey Mehrabian.

Sur le marché avant que le cadavre n'ait refroidi.

Malgré cette histoire de suicide très anodin, ce devait être l'homologation la plus rapide de toute l'histoire de la Californie.

A moins que la maison ne lui ait pas appartenu. Mais elle m'avait assuré être propriétaire.

Elle m'avait assuré beaucoup de choses.

Je mémorisai le numéro de Mickey Mehrabian. Dès que je fus remonté dans la Seville, je le notai.

8

Le matin suivant j'appelai l'agence immobilière. Mickey Mehrabian était une femme avec une voix à la Lauren Bacall rehaussée d'une pointe d'accent. Je pris rendez-vous pour visiter la maison à onze heures et passai l'heure qui suivit à me remémorer la première fois que je l'avais vue.

J'ai quelque chose à te montrer, Alex.

Surprise, surprise... Elle en avait toujours eu en réserve.

Je m'attendais à ce qu'elle soit assiégée par une armée de prétendants, mais elle était toujours disponible pour moi quand je l'invitais, même au dernier moment. Et lorsqu'un patient en crise me forçait à annuler un de nos rendez-vous, elle ne se plaignait jamais, comme jamais elle ne me pressa de prendre le moindre engagement envers elle. Sharon était l'être humain le moins exigeant que j'aie connu.

Nous faisions l'amour presque à chacune de nos rencontres, bien que nous ne passions jamais la nuit ensemble.

Tout d'abord elle refusa avec insistance d'aller chez moi, préférant savourer nos ébats dans la voiture, sur la banquette arrière. Après plusieurs mois elle se laissa fléchir mais utilisa le lit comme s'il s'agissait toujours de la banquette arrière de ma voiture, ne se dévêtant pas complètement et ne s'y endormant jamais. Après m'être éveillé à maintes reprises de mon assoupissement post-coïtal pour la trouver qui se pinçait le lobe de

91

l'oreille, assise au bord du lit, je lui demandai ce qui la préoccupait.

– Rien. Je suis juste agitée. Je l'ai toujours été. J'ai du mal à dormir autre part que dans mon lit. Tu m'en veux?

– Non, bien sûr. Est-ce que je peux faire quelque chose?

– Oui. Me ramener chez moi. Quand tu seras prêt.

Je m'accommodai de ses particularités, ce qui parfois rognait un peu sur mon plaisir. Mais celui-ci restait très suffisant pour que je demande à recommencer.

En revanche son plaisir, ou plutôt son absence de plaisir me posait un très sérieux problème. Elle passait par des moments de passion charnelle évidente, et montrait une énergie dont je doutais du caractère uniquement érotique. Mais jamais elle n'atteignait l'orgasme.

Elle ne présentait pourtant aucun signe d'insensibilité. Elle était aisément excitée, toujours disposée à l'acte qu'elle paraissait d'ailleurs beaucoup apprécier. Mais d'orgasme, aucun. Elle me donnait sans rien s'accorder.

J'étais conscient de l'anormalité de la chose, mais sa douceur et sa beauté, le frisson égoïste de posséder une femme que tous désiraient, j'en avais la certitude, me poussait à continuer notre relation. C'était sans aucun doute une vision très adolescente, mais je n'avais pas abandonné cet âge depuis très longtemps, après tout.

Son bras passé autour de ma taille suffisait à déclencher chez moi une érection. Dans mes moments d'oisiveté, je ne cessais de penser à elle et à ses attraits. Je mettais mes doutes en sommeil.

Mais cela n'eut qu'un temps. Parce que je l'aimais vraiment je voulus lui offrir autant que ce qu'elle m'offrait.

Bien sûr, mon ego de mâle s'inquiétait lui aussi et voulait être rassuré. N'étais-je pas trop rapide? Je travaillais mon endurance. Elle me chevaucha longuement, comme si nous étions engagés dans quelque compétition athlétique. J'essayai la douceur, n'arrivai à rien et passai à la rudesse de l'homme des cavernes. J'expérimentai des positions nouvelles, la fis vibrer comme une guitare, me donnai jusqu'à être couvert de sueur et exténué.

Rien n'y fit.

Je me souvenais des inhibitions sexuelles qu'elle avait laissé transparaître lors du cours, et du sujet qui l'avait coincée: la rupture de communication. *Le Dr Kruse dit que nous devons*

affronter nos propres systèmes de défense avant d'être capables
d'aider les autres.

L'attaque de ses défenses l'avait amenée au bord des larmes. Je m'évertuai donc à trouver un moyen de communiquer sans qu'elle se sente agressée. J'imaginai plusieurs discours avant de me rabattre sur un monologue qui me semblait sans danger.

Je décidai de le réciter alors que nous gisions à l'arrière de la Rambler, encore unis, mon front reposant sur sa poitrine moite de transpiration, ses mains dans mes cheveux. Elle continua de me caresser en m'écoutant, puis m'embrassa et dit :

– Ne t'inquiète pas pour moi, Alex. Je vais bien.

– Mais je veux que tu y prennes du plaisir, toi aussi.

– Oh, mais j'en prends, Alex. Et j'adore ça.

Elle se mit alors à bouger son bassin pour me réveiller, m'enserra dans ses bras tandis que je reprenais mon va-et-vient en elle. Elle m'embrassa violemment, accentua la pression de son pelvis et l'étau de ses bras, m'emprisonnant. Elle arqua son corps, s'empala en tournant selon un rythme qui allait crescendo, jusqu'à ce que le plaisir monte en moi en longues vagues convulsives. Je criai ma jouissance, heureux et passif, en sentant l'explosion de mon corps. Quand enfin je me détendis, elle se mit à me caresser les cheveux, de nouveau.

J'étais encore en érection et j'allais recommencer mais elle se dégagea doucement de moi, lissa sa jupe et sortit de son sac son nécessaire à maquillage.

– Sharon...

Elle barra mes lèvres de son index.

– Tu es si gentil avec moi, murmura-t-elle. Merveilleux.

Je fermai les yeux et me laissai glisser dans la somnolence. Quand je les rouvris elle regardait dans le vide, droit devant elle, sans paraître consciente de ma présence.

A partir de cette nuit j'abandonnai l'espoir d'un amour parfait et la possédai égoïstement. Elle récompensa ma complaisance par une attention touchant presque à la servilité.

Le thérapeute que j'étais savait que tout cela n'était pas sain, en conséquence j'employai une argumentation de thérapeute pour faire taire mes scrupules : il était inutile de la pousser, elle changerait quand elle y serait prête.

L'été vint et avec lui la fin de ma bourse. Sharon avait terminé sa première année de troisième cycle avec des notes excellentes dans les matières comptant pour son examen. Quant à moi je venais de passer mon examen final et j'avais déniché un poste au Western Pediatric dès l'automne. L'heure aurait été à fêter ces réussites, mais en attendant septembre je ne pouvais espérer aucun revenu, et le ton des missives de mes créanciers se faisait de plus en plus menaçant. Aussi, quand la possibilité de gagner une jolie somme se présenta, je la saisis au vol : il s'agissait d'une place dans un orchestre jouant trois sessions tous les soirs pendant huit soirs d'affilée à San Francisco, au Mark Hopkins. Quatre mille dollars plus chambre avec pension complète dans un motel sur Lombard Street.

Je lui demandai de m'accompagner dans le nord en insistant sur des visions de petit déjeuner à Sausalito, de bonnes pièces de théâtre, le Palace of Fine Arts, une virée jusqu'au mont Tamalpais.

– J'aimerais beaucoup, Alex, me répondit-elle, mais je dois m'occuper de certaines choses.

– Quelle sorte de choses?

– Des affaires de famille.

– Des problèmes chez toi?

– Non, répondit-elle très vite, rien que l'ordinaire.

– Ça ne me renseigne pas vraiment, répliquai-je. Je n'ai aucune idée de ce qu'est « l'ordinaire » dans ta famille, puisque tu ne me parles jamais d'elle...

Elle éluda d'un baiser léger et d'un haussement d'épaules insouciant.

– Ce n'est qu'une famille comme n'importe quelle autre.

– Laisse-moi deviner : ils veulent te faire revenir chez eux pour te trouver un descendant du cru à marier.

Elle éclata de rire et m'embrassa une fois encore.

– Ça m'étonnerait beaucoup!

Je passai un bras autour de sa taille, fis courir mes lèvres à la jonction de son cou et de son épaule.

– Oh oui, je sais maintenant. Dans quelques semaines je verrai ta photo dans le journal, dans le carnet mondain, fiancée à un de ces types avec un nom à rallonge et une carrière assurée dans une banque.

Ma boutade la fit glousser.

– Je ne crois pas, mon cher.

– Et pour quelle raison?

– Parce que mon cœur t'appartient, mon cher.

Je pris son visage entre mes mains et la regardai droit dans les yeux.

– C'est bien vrai, Sharon?

94

– Bien sûr, Alex. Qu'y a-t-il?

– Il y a qu'après tout ce temps je ne te connais pas très bien.

– Tu me connais mieux que n'importe qui d'autre.

– Ça ne fait toujours pas beaucoup.

Elle se pinça le lobe de l'oreille.

– Je tiens beaucoup à toi, Alex. Vraiment.

– Alors viens vivre avec moi quand nous serons revenus ici tous les deux. Je trouverai un appartement plus grand, et plus agréable.

Le baiser qu'elle m'offrit était tellement passionné que je l'interprétai comme une approbation. Mais quand elle recula, sa réponse me détrompa :

– Ce n'est pas aussi simple.

– Pourquoi?

– Les choses sont... un peu compliquées, c'est tout. Mais je t'en prie, je préférerais ne pas en discuter maintenant.

– D'accord. Mais réfléchis-y.

Elle passa une langue sensuelle sous la pointe de mon menton.

– Miam. Et si tu réfléchissais à ça?

Nous nous caressâmes mutuellement. Je la pressai contre moi, enfouis mon visage dans ses cheveux. Mes doigts déboutonnèrent son chemisier.

– Tu vas vraiment me manquer. Tu me manques déjà.

– C'est gentil, dit-elle. Nous nous amuserons encore plus en septembre.

Et d'un geste vif elle ouvrit ma braguette.

A dix heures quarante je partis pour rencontrer l'agent immobilier.

Comparé à Hollywood, Nichols Canyon conservait une fraîcheur presque campagnarde. Lorsque j'arrivai le portail de bois était ouvert et je pus amener la Seville devant la maison. Je la garai derrière une grosse Fleetwood Brougham rouge sombre.

Une grande brune au teint mat sortit aussitôt du véhicule. La quarantaine aérobiquée, elle était vêtue de jeans moulants délavés à l'acide, de bottes à talons aiguilles et d'un spencer de daim noir boutonné haut et au col décoré de faux diamants. Elle portait à la bretelle un sac en peau de serpent et abritait son regard derrière des lunettes à montures hexagonales et verres bleutés.

– Docteur? Je m'appelle Mickey.

Un large sourire s'étendit automatiquement sous les verres teintés.

– Alex Delaware.

– C'est bien le Dr Delaware ?

– Oui.

Elle releva ses lunettes sur son front et contempla non sans scepticisme la poussière sur la Seville, puis ma mise – pantalon en velours côtelé usé, chemise ample sans forme, sandales mexicaines.

Je pouvais presque l'entendre penser : « Il se prétend médecin mais la ville est pleine de menteurs. Il conduit une Cadillac, mais vieille de huit ans... Encore un bluffeur qui fait de l'épate ? Ou bien un type qui a subi des revers de fortune ? »

– La journée est magnifique, lança-t-elle d'un ton badin.

Elle avait gardé la main sur la poignée de la portière et continuait de me considérer d'un regard méfiant. Une femme exerçant son métier se devait d'être prudente avec les hommes rencontrés dans des endroits déserts.

Je lui adressai mon sourire le plus pacifique, approuvai sa remarque puis tournai mon attention vers la maison. En plein jour, la sensation de déjà-vu était encore plus forte. Cette maison était mon morceau intime de ville fantôme. C'était assez effrayant.

Elle prit mon silence pour de la déception et fit aussitôt l'article :

– On a une vue fabuleuse à l'intérieur. C'est vraiment une maison de caractère, unique. Je crois qu'elle est l'œuvre d'un des élèves de Neutra.

– Intéressant.

– Elle vient tout juste de se retrouver sur le marché, Docteur. Nous n'avons pas encore passé d'annonce... Au fait, comment avez-vous su qu'elle était libre ?

– J'ai toujours apprécié Nichols Canyon, répondis-je d'un ton décontracté. Un ami qui habite près d'ici m'a prévenu que la maison était libre.

– Oh. Et quelle sorte de médecin êtes-vous ?

– Psychologue.

– Un jour de congé ?

– Une demi-journée seulement. Une des rares.

Je consultai ma montre en me donnant un air préoccupé, ce qui parut la rassurer un peu. Son sourire revint timidement.

– Ma nièce veut devenir psychologue. C'est une petite fille très intelligente.

96

– C'est très bien. Je lui souhaite bonne chance.

– Oh, je crois que nous nous créons nous-même notre chance. Ce n'est pas votre avis, Docteur ?

Elle tira un trousseau de clefs de son sac et nous allâmes jusqu'à la porte ardoisée. Elle ouvrait sur une minuscule cour décorée de quelques plantes en pot. Pendant du linteau le carillon éolien en verre restait immobile dans l'air tiède.

Nous pénétrâmes dans la maison et elle se mit à débiter son boniment sans accroc. Je fis semblant de l'écouter et grognai mon appréciation aux bons moments, tout en prenant garde à la suivre et non la précéder. Pourtant je connaissais les lieux mieux qu'elle...

A l'intérieur planait une odeur de nettoyant pour moquettes et de désinfectant au pin. Tout était d'une impeccable propreté, débarrassé de toute trace de mort et de désordre. Mais à mes yeux ces lieux étaient lugubres.

La partie avant de la maison était constituée d'une vaste pièce réunissant le salon, un coin repas, le bureau et la cuisine. La cuisine était une torture visuelle de style déco, avec des placards vert avocat, des dessus en formica corail à bords arrondis et un coin petit déjeuner couvert d'un vinyle coordonné. Le mobilier était un mélange malheureux de bois blond, de tissus synthétiques aux couleurs fades et de tubulures métalliques chromées. Les murs plastifiés de beige étaient décorés d'arlequins et de marines paisibles. Des rayonnages étaient encombrés de livres de psychologie. Les mêmes qu'à l'époque.

Une pièce fade, neutre, mais où le regard était irrésistiblement attiré vers le mur est. La paroi vitrée était si propre qu'elle en paraissait invisible. Les panneaux de verre étaient segmentés en portes coulissantes.

De l'autre côté s'ouvrait une terrasse au sol de mosaïque délimitée par une balustrade métallique blanche. Au-delà s'étendait un panorama magnifique de canyons, de pics, de verdures estivales et de ciel bleu.

– C'est quelque chose, n'est-ce pas ? fit Mickey Mehrabian en désignant le paysage du même geste que si elle venait de le peindre.

– Oui, c'est quelque chose.

Nous sortîmes sur la terrasse. Les souvenirs me montaient à la tête et m'étourdissaient. Je me remémorai une soirée de danse et de musique brésilienne...

J'ai quelque chose à te montrer, Alex.

C'était vers la fin du mois de septembre. J'étais revenu à L.A. avant Sharon, avec en poche quatre mille dollars, et ma solitude en bandoulière. Elle était partie sans laisser d'adresse ni même de numéro de téléphone, et nous n'avions même pas échangé une carte postale. J'aurais dû en éprouver de la colère, pourtant je ne pouvais penser qu'à elle alors que je descendais la côte dans ma guimbarde.

J'allai directement au Curtis Hall. Le conseiller d'étage m'apprit qu'elle avait quitté le dortoir et ne reviendrait pas du semestre. Ici non plus elle n'avait pas donné d'indications pour la joindre.

Je repris la voiture en oscillant entre la rage et la tristesse. J'étais certain de savoir ce qui s'était passé : elle s'était laissé séduire par la vie facile et fréquentait des fils de riches. Jamais elle ne reviendrait.

Mon appartement me sembla encore plus minable qu'auparavant. J'y séjournai le moins possible et passai le plus clair de mon temps à l'hôpital où les défis de mon nouveau poste me changeaient les idées. Je pris un paquet de dossiers sociaux en souffrance et me portai volontaire pour les permanences de nuit au service des urgences. Le troisième jour après mon retour, elle fit irruption dans mon bureau. Elle paraissait heureuse, presque fiévreuse de joie.

Elle referma la porte. Il y eut de longs baisers et des étreintes sans équivoque. Elle balbutia des propos décousus où il était question de mon absence, de la souffrance de la séparation, tandis qu'elle laissait mes mains s'égarer sur les courbes de son corps. Puis elle se dégagea, rougit et finit par rire gaiement.

– Vous êtes libre pour déjeuner, Docteur ?

Elle m'emmena dans le parking de l'hôpital jusqu'à une Alfa Romeo Spider décapotable flambant neuve, d'un rouge éclatant.

– Elle te plaît ?

– Bien sûr, elle est superbe.

Elle me mit les clefs dans la main.

– Alors conduis.

Nous déjeunâmes dans un restaurant italien sur Los Feliz, avec de l'opéra en fond sonore et des cannoli en dessert. De retour dans la voiture, elle me dit :

– J'ai quelque chose à te montrer, Alex.

Et elle me guida vers l'ouest et Nichols Canyon.

Alors que j'engageais l'Alfa dans l'allée menant à la maison grise, elle se tourna vers moi.

– Alors, Doc, qu'en pensez-vous ?
– Qui habite ici ?
– Devine !
– Tu la loues ?
– Non, elle est à moi !

Elle bondit hors de la voiture et courut jusqu'à la porte.

L'ameublement me surprit, moins cependant que le style années cinquante de l'endroit. Tout y était agencé selon le goût organique de cette époque : tons naturels, bougies artisanales, batiks. Cet ameublement privilégiant l'aluminium et le plastique, ces couleurs froides m'apparurent datées, un peu ridicules.

Elle paradait d'un pas de propriétaire autour de la grande pièce en effleurant les meubles. Elle ouvrit les rideaux et découvrit la baie vitrée. J'en oubliai la laideur de l'aluminium.

L'endroit n'avait vraiment aucun rapport avec une chambre d'étudiant, pensai-je. Ce ne pouvait être qu'un arrangement avec quelqu'un d'assez âgé pour avoir acheté du mobilier dans les années cinquante.

Kruse ? Elle n'avait jamais clarifié leurs relations...

– Alors Doc, qu'en penses-tu ?
– Vraiment quelque chose. Comment as-tu dégoté ça ?

Elle était passée dans la cuisine et emplissait deux verres de Seven-Up.

– Ça ne te plaît pas, dit-elle d'un ton de reproche.
– Non, non, je trouve ça super.
– Ton intonation dit le contraire, Alex.
– Je me demandais juste comment tu te débrouillais pour avoir un truc aussi somptueux. Financièrement.

Elle me lança un regard noir théâtral et répondit, d'une voix digne de Mata Hari :

– J'ai une fie zecrète...
– Aha.
– Oh, Alex, ne sois pas aussi lugubre. Ce n'est pas comme si j'avais couché avec quelqu'un pour avoir cette maison.

Je ne m'attendais pas à cette réflexion et j'en fus secoué.

– Ce n'est pas ce que je voulais suggérer.

Elle eut un sourire malicieux.

– Mais cette idée t'a traversé l'esprit, n'est-ce pas, mon doux prince ?

– Jamais, dis-je en contemplant le panorama.

Au-delà des montagnes, le ciel était d'un bleu très pâle allant

99

en dégradé jusqu'à un brun rosé. Le paysage s'accordait très bien à l'ambiance années cinquante.

– Rien ne m'a traversé l'esprit, dis-je après un moment. Je ne m'attendais pas à ça, voilà tout. Je n'ai pas de nouvelles de toi de tout l'été, et d'un seul coup... *ça.*

Elle me tendit un verre de soda et appuya sa tête contre mon épaule.

– C'est magnifique, dis-je. Pas aussi magnifique que toi, mais magnifique quand même. Il faut en profiter.

– Merci, Alex. Tu es si gentil.

Nous restâmes là plusieurs minutes, à contempler le paysage en sirotant nos sodas. Puis elle fit coulisser un panneau de verre et nous passâmes sur la terrasse. C'était un espace étroit et blanc surplombant le vide, et s'y aventurer donnait l'impression de marcher sur un nuage. L'odeur sèche de la broussaille montait des canyons. Au loin, le grand signe HOLLYWOOD se découpait de guingois à flanc de colline, telle une gigantesque affiche pour les rêves brisés.

– Il y a une piscine aussi, dit-elle. De l'autre côté de la maison.

– Tu veux une petite trempette en nu intégral ?

Elle me sourit et s'accouda à la balustrade. Je caressai ses cheveux, passai une main sous son pull et massai doucement son dos.

Elle poussa un soupir de contentement, se retourna et se colla à moi.

– Je suppose que je devrais expliquer, dit-elle. Mais c'est tellement compliqué...

– J'ai le temps.

– C'est vrai ? fit-elle, soudainement excitée, et elle prit mon visage entre ses deux mains. Tu ne dois pas rentrer à l'hôpital tout de suite ?

– Rien que des conférences jusqu'à six heures, mais je dois être au service des urgences à huit heures.

– Super ! Nous pouvons rester ici tranquillement et regarder le coucher de soleil. Ensuite je te reconduirai.

– Tu allais expliquer, lui rappelai-je.

Mais elle était déjà rentrée et allumait la chaîne stéréo. Une musique brésilienne douce s'éleva dans la pièce, une mélodie à la guitare accompagnée de percussions discrètes.

Elle revint sur la terrasse et m'entoura de ses bras.

– Conduis-moi, dit-elle. En danse, c'est l'homme qui doit conduire.

100

Nous tanguâmes ensemble, corps contre corps, bouches soudées. Quand la musique se tut elle me prit par la main et m'emmena dans la chambre.

Le mobilier était dans le même style que celui de la pièce principale. Deux fenêtres étroites s'ouvraient haut dans un seul mur. Sur les autres étaient accrochés des dessins étranges, au pastel et au crayon : des représentations enfantines de pommes sur du mauvais papier, mais sous verre et encadrées luxueusement.

C'était étrange mais je ne perdis pas de temps à me poser des questions. Sharon avait ôté ses chaussures et je l'imitai. Elle tira des rideaux sombres devant les fenêtres, et la chambre se trouva plongée dans l'obscurité. Avec une force surprenante elle m'attira à elle et me bascula sur le lit. Sans même nous déshabiller nous fîmes l'amour, avec une passion proche de la violence. Puis elle se dégagea de mon étreinte avec douceur.

– Maintenant je vais expliquer, dit-elle. Je suis orpheline. Mes parents sont morts l'année dernière, tous les deux.

Mon cœur battait toujours la chamade.

– Je suis désolé, murmurai-je.

– C'étaient des gens merveilleux, Alex. Très séduisants, très gracieux. Et tellement chics.

Une façon très froide de parler de ses parents disparus, mais le chagrin pouvait s'habiller de bien des artifices différents. Et l'important était qu'elle parle, qu'elle s'ouvre.

– Papa était directeur artistique dans une des grandes maisons d'édition de New York. Maman était décoratrice d'intérieur. Nous habitions à Manhattan, sur Park Avenue, et nous avions une maison à Palm Beach, et une autre sur Long Island, à Southampton. J'étais leur petite fille unique.

Elle avait murmuré cette dernière révélation avec une solennité particulière, comme si le fait de n'avoir ni frère ni sœur était un honneur de première importance.

– C'étaient des gens très actifs, et ils étaient souvent partis en voyage sans moi. Mais ça ne m'ennuyait pas du tout parce que je savais qu'ils m'aimaient énormément. L'année dernière ils étaient en Espagne, en vacances près de Majorque. Ils rentraient d'une soirée et leur voiture est tombée de la route qui longeait une falaise.

Je la serrai dans mes bras. Elle restait détendue et aurait aussi bien pu parler du temps qu'il avait fait la veille. Incapable de déchiffrer son expression dans l'obscurité, je me concentrai sur sa voix, y cherchant un accent douloureux, une accélération de la respiration, un signe quelconque de chagrin. Rien.

— Je suis vraiment désolé pour toi, Sharon.

— Merci. Ça a été très dur. C'est pourquoi je ne voulais pas parler d'eux. C'était trop douloureux d'aborder ce sujet. Intellectuellement je sais bien que ce n'est pas la meilleure manière de traiter le problème, et que garder en soi ces choses amène souvent des réactions pathologiques et peut créer un tas de symptômes. Mais affectivement je ne pouvais tout simplement pas parler d'eux. Chaque fois que j'essayais, j'échouais.

— Ne te force pas. Chacun va à son propre rythme.

— Oui. Oui, c'est vrai. Je voulais juste que tu comprennes pourquoi je ne tenais pas à parler d'eux, Alex. Pourquoi je n'y tiens toujours pas.

— Je comprends.

— Je le sais... — Elle me tendit ses lèvres pour un long baiser, puis : Tu es tellement bon avec moi, Alex.

— Vraiment ?

— Oh, mon Dieu, oui. Paul...

Elle s'interrompit.

— Paul quoi ?

— Rien.

— Paul a bonne opinion de moi ?

— Ce n'est pas comme ça, Alex. Mais oui, il a une bonne opinion de toi. Je lui dis souvent combien tu es merveilleux, et il me dit qu'il est très content que j'aie trouvé quelqu'un comme toi. Oui, il t'apprécie.

— Mais nous ne nous sommes jamais rencontrés.

Elle marqua un silence avant d'expliquer :

— Il t'apprécie d'après ce que je lui ai dit de toi.

— Je vois.

— Qu'y a-t-il, Alex ?

— On dirait que toi et Paul avez de longues discussions.

Je sentis sa main se poser sur mon sexe et le presser légèrement, mais je ne réagis pas. Elle n'insista pas.

— C'est mon conseiller pédagogique, Alex. Il supervise mes travaux. Alors bien sûr nous discutons beaucoup ensemble. — Sa main revint me caresser un instant : Ne parlons plus de lui ni de personne maintenant, d'accord ?

— D'accord. Mais je suis toujours curieux de savoir d'où te vient cette maison.

— La maison ? répéta-t-elle, surprise. Oh, oui, la maison...

C'est l'héritage, bien sûr. Elle leur appartenait. A mes parents. Ils étaient natifs de Californie, et ils ont habité ici avant de partir dans l'Est. C'était avant ma naissance. J'étais leur petite fille unique, et donc la maison me revient, maintenant. La succession a pris du temps, il y a eu tellement de papiers à faire. C'est la raison pour laquelle je ne pouvais pas venir avec toi à San Francisco, il fallait que je règle tout ça. Bref, maintenant j'ai cette maison et un peu d'argent. Il y a des fonds en fidéicommis qui sont gérés pour moi dans l'Est. C'est comme ça que je me suis acheté l'Alfa. Je sais qu'elle est un peu voyante, mais elle m'a tout de suite plu. Qu'en penses-tu ?

— Elle est très jolie.

Elle continua ainsi, un temps, à parler de la voiture et de tous les endroits où nous pourrions nous rendre avec elle.

Mais je ne pouvais penser à autre chose qu'à cette maison. Ici, nous pouvions vivre ensemble. Je gagnais bien ma vie, à présent, et je pouvais payer tous les frais d'un foyer.

— Ça te fait beaucoup plus de place, maintenant, dis-je. Assez de place pour deux.

— Oh oui. Après la chambre du dortoir, j'ai hâte de pouvoir m'étaler. Et tu pourras me rendre visite aussi souvent que tu en auras envie. On va bien s'amuser, Alex.

— ... spacieuse, surtout selon les normes actuelles.

Mickey Mehrabian avait trouvé son rythme.

— Le potentiel de la maison est fabuleux, avec un bon décorateur. Et le prix inclut tout le mobilier. Il y a là des pièces qui sont de vrais classiques de la période déco. Vous pourriez les garder ou les revendre. Tout est de premier choix. Cette maison est une vraie perle, Docteur.

Nous visitâmes la cuisine, repassâmes dans le vestibule pour aller vers les chambres. La première porte était fermée, Mickey Mehrabian la dépassa. Mais je l'ouvris et entrai dans la pièce.

— Oh oui, dit-elle en me rejoignant. C'était la chambre principale.

L'odeur de désinfectant était plus forte ici, mêlée à celle d'autres produits chimiques, nettoyant pour vitres, insecticide, détergent. Un cocktail toxique. Les rideaux avaient été ôtés et seuls subsistaient les tringles et les cordons. Le mobilier avait disparu, de même que la moquette, laissant nu un plancher en bois de feuillu constellé de broquettes. Les deux fenêtres hautes dévoilaient des branches d'arbres et un bout de ciel.

Aux murs manquaient les dessins d'enfant somptueusement encadrés.

Je perçus un bourdonnement en même temps que l'agent immobilier. Nous en trouvâmes la source immédiatement.

Un essaim de moucherons voletait à ras du sol au centre de la pièce, créant un nuage fluctuant.

Juste au-dessus de l'endroit.

Malgré les efforts entrepris pour éradiquer chimiquement l'aura de la mort, les insectes savaient, avaient su très exactement ce qui s'était passé dans cette pièce. A cet endroit très précis.

Je me souvins alors de ce que m'avait dit un jour Milo : les femmes tuent dans la cuisine et meurent dans la chambre.

Mickey Mehrabian remarqua mon expression et crut que j'étais rebuté par la vue des insectes.

— Les fenêtres ouvertes, à cette époque de l'année, expliqua-t-elle. Mais c'est un petit problème facile à régler. Et le vendeur est très motivé et prêt à des arrangements.

— Pourquoi vend-il? Ou vend-elle?

Le large sourire commercial reparut comme par magie.

— Ni une femme ni un homme, Docteur. Une société. Ils possèdent beaucoup de propriétés et en revendent régulièrement.

— Des spéculateurs?

Le sourire se figea.

— Quel vilain mot, Docteur... Des investisseurs, plutôt.

— Et qui vit ici actuellement?

— Personne. La maison a été libérée récemment.

— Libérée du lit aussi.

— Oui. Seul le mobilier de la chambre lui appartenait. Je crois qu'il s'agissait d'une femme... — Elle baissa la voix jusqu'à un murmure de conspiratrice : Vous savez comment c'est à L.A., les gens vont et viennent... Passons donc à l'autre chambre.

Nous sortîmes de la pièce et elle me demanda si je vivais seul. Je dus réfléchir une seconde avant de répondre par l'affirmative.

— Alors vous pourriez utiliser une des chambres comme bureau, ou même pour recevoir vos patients.

Mes patients. D'après le journal, Sharon avait reçu *ses* patients ici.

Je m'interrogeai sur les gens qu'elle soignait et l'impact que sa mort aurait sur eux.

Et soudain je me rendis compte qu'il y avait quelqu'un d'autre dans sa vie. Quelqu'un sur qui la disparition de Sharon aurait un effet énorme.

Mon esprit s'emballa aussitôt. Il fallait que je parte au plus tôt d'ici.

Pourtant je laissai Mickey Mehrabian me montrer le reste de la maison avant de jeter un coup d'œil à ma montre.

— Holà! m'exclamai-je d'un ton ennuyé en feignant la surprise. Désolé, il faut que j'y aille.

— Pensez-vous faire une offre, Docteur?

— Il me faut un peu de temps pour y réfléchir. Merci pour la visite.

— Si vous cherchez une maison avec ce genre de vue, j'ai d'autres propriétés que je peux vous montrer.

Je tapotai ma montre.

— J'aimerais beaucoup, mais cela m'est impossible maintenant.

— Dans ce cas nous pourrions peut-être convenir d'un rendez-vous pour un jour prochain? proposa-t-elle.

— Je ne saurais vous dire quand avec certitude. Je vous rappellerai pour vous dire quand je suis libre.

— Parfait, approuva-t-elle avec une certaine froideur.

Nous sortîmes de la maison, qu'elle referma, et nous nous dirigeâmes chacun vers notre Cadillac. Alors qu'elle allait monter dans sa Fleetwood un mouvement attira notre attention. Les feuillages frémirent. Un animal curieux?

Un homme jaillit du rideau de verdure et s'éloigna en courant.

— Excusez-moi! lança Mickey Mehrabian en gardant difficilement son calme.

L'inconnu regarda par-dessus son épaule, trébucha et tomba lourdement. Il se releva aussitôt et reprit sa fuite. C'était un individu jeune, aux cheveux ébouriffés, les yeux exorbités, la bouche ouverte sur un cri muet. Il était terrifié, ou fou. Ou les deux.

Les patients...

— Ce portail a besoin d'être réparé, dit l'agent immobilier toujours très professionnel. Mais ensuite la sécurité sera complète.

Je suivais l'homme des yeux.

— Attendez! lui criai-je soudain.

— Vous le connaissez? me demanda Mickey Mehrabian.

L'homme accéléra sa course et disparut dans le tournant. Il y eut le grondement d'un moteur qui démarre, et je m'élançai en bas de l'allée moi aussi. J'arrivai au portail juste au moment où une vieille camionnette verte s'éloignait en zigzaguant trop vite. J'eus le temps d'apercevoir des lettres blanches sur la portière, mais sans pouvoir les lire.

Je rebroussai chemin en courant jusqu'à ma voiture, et me précipitai derrière le volant. Mickey Mehrabian s'approcha.

– Qui est-ce? Vous le connaissez?

– Non, mais ça ne va pas tarder.

9

Je réussis à le rattraper, multipliai les appels de phares et les coups de klaxon, mais il m'ignora, zigzagua en accélérant. Puis il voulut changer de vitesse et la camionnette cala. Il ralentit en roue libre, voulut redémarrer, noya à moitié le moteur, freina brutalement et s'arrêta enfin. Prudent, je stoppai quelques mètres derrière lui et surveillai sa silhouette que j'apercevais par la vitre arrière de la camionnette. Il semblait se débattre et s'énerver.

La camionnette fit une embardée, démarra, cala de nouveau. Il laissa le véhicule descendre la pente en roue libre. La camionnette prit un peu de vitesse, mais il freina par à-coups.

En arrivant au bord du marais il lâcha le volant et leva les mains devant lui. La camionnette partit en biais, tourna et roula droit vers la barrière.

Le véhicule la heurta mais sans force. L'aile n'en fut même pas bosselée. J'arrivai à son niveau. Les roues patinèrent un instant, puis le moteur s'arrêta.

Avant que j'aie pu descendre de voiture, il avait surgi de la camionnette et approchait, voûté, bras pendant comme ceux d'un gorille, une main tenant une bouteille. Je verrouillai les portières en hâte. Il arriva de mon côté, décocha quelques coups de pied dans le pneu avant gauche puis voulut ouvrir ma portière. La bouteille était vide. Gatorade. Il la leva et je crus qu'il allait en frapper la vitre, mais elle lui échappa et tomba sur le sol. Il la regarda d'un air stupide, renonça à la ramasser et reporta son attention sur moi. Ses yeux étaient larmoyants, gonflés, leurs bords rougis.

– Vais... t'éclater... la gueule, mec.

Voix empâtée. Grimaces menaçantes.

– Foutais... à me suivre ?

Il ferma les yeux, tituba, pencha dangereusement en avant et se cogna le front contre le toit de la voiture.

Les dommages d'une vie d'alcoolisme. Mais sa vie n'avait pas été très longue. Quel âge pouvait-il avoir ? Vingt-deux, vingt-trois ans au maximum ?

Il décocha un coup de pied dans la portière, saisit la poignée, la lâcha, trébucha. A peine plus qu'un gamin, avec un visage de chiot bouledogue. Pas très grand – un mètre soixante-cinq tout au plus – mais puissamment bâti, les épaules tombantes et les bras épais, brûlés par le soleil. Des cheveux d'un roux flamboyant mi-longs, raides et gras, une moustache et une barbe clairsemées, le front et les joues envahis d'acné. Il portait un tee-shirt taché par la transpiration, des shorts taillés dans un vieux jean, des tennis sans chaussettes.

– Merde, mec, grogna-t-il en se grattant une aisselle.

Ses mains étaient larges, marquées de cicatrices et d'escarres, incrustées de crasse.

Il oscilla sur ses talons, finit par perdre l'équilibre et se reçut lourdement sur le postérieur.

Il resta ainsi un moment que je mis à profit pour sortir par le côté passager. Il me regarda faire sans bouger, puis il ferma les yeux comme s'il n'avait plus la force de les garder ouverts.

J'allai jusqu'à sa camionnette. C'était une Ford vieille de trente ans et plutôt mal entretenue. Sur la porte un lettrage blanc tremblé annonçait D. J. RASMUSSEN – CHARPENTERIE ET MENUISERIE. En dessous, une boîte postale à Newhall. A l'arrière de la camionnette je vis deux échelles, une boîte à outils, quelques couvertures maintenues par des pièces métalliques, et un nombre impressionnant de bouteilles vides – Gatorade, mais aussi Southern Comfort, bourbon...

J'empochai les clefs de contact, ôtai la tête de delco et revins jusqu'à l'endroit où il était assis.

– D. J., c'est vous ?

Un regard vague. De près il empestait la sueur et la vomissure.

108

– Que faisiez-vous ici ?

Pas de réponse.

– Vous veniez lui présentrer vos derniers respects ? Au Dr Ransom ?

Le regard se fit plus net. La piste était bonne.

– Moi aussi, dis-je.

– Va te f-faire...

Suivi d'un renvoi putride qui me fit reculer d'un pas. Il marmonna quelque chose, essaya de bouger un bras, en parut incapable et ferma les yeux de nouveau. Il semblait souffrir.

– J'étais un de ses amis, fis-je.

Un nouveau rot, accompagné d'un raclement de gorge qui pouvait très bien signifier un vomissement imminent. Je fis deux pas de plus en arrière et attendis. Mais c'était une fausse alerte. Il ouvrit les yeux, regarda dans le vide.

– J'étais son ami, répétai-je. Et vous ?

Il grogna. Un autre renvoi.

– D.J. ?

– Oh mec... Tu ...

– Quoi ?

– Me prends... la tête.

– Ce n'est pas mon but. J'essaie seulement de comprendre pourquoi elle est morte.

Un grognement. Il passa la langue sur ses lèvres, voulut cracher et dut se contenter de baver lamentablement.

– Si elle était plus qu'une amie pour vous, c'est peut-être plus dur. Perdre un thérapeute peut être comme perdre un parent.

– Va te faire foutre.

– Elle était votre médecin, D.J. ?

– Va te faire foutre!

Avec beaucoup d'effort il parvint à se remettre debout. Il fonça sur moi aussitôt, de toute sa masse. Mais il était aussi mou qu'un tas de chiffons et n'avait aucune force. Je l'arrêtai sans difficulté d'une main contre sa poitrine. Puis je bloquai son poing, le pris par le bras et le remis en position assise.

Je lui montrai les clefs et la tête de delco.

– Eh mec... Qu'est-ce que...

– Vous n'êtes pas en état de conduire. Je garde ça jusqu'à ce que vous me démontriez que vous vous êtes ressaisi.

– Va te faire foutre, me proposa-t-il une nouvelle fois, mais avec moins de conviction.

– Parlez-moi, D. J. Et je vous laisserai tranquille.

– De... quoi ?

– De vous. Vous étiez un des patients du Dr Ramson, non ?

Il eut un mouvement de tête négatif exagéré.

– Suis pas... dingue...

– Quel rapport avec elle, alors ?

– Mal au dos.

– Très mal ?

– Putain... de boulot, grogna-t-il, et le souvenir le fit grimacer.

– Le Dr Ramson vous aidait à soulager la douleur ?

Il acquiesça.

– Et... après... – Il fit un geste imprécis pour reprendre les clefs : Donne-moi ça, merde !

– Et après qu'elle vous avait soulagé de la douleur, quoi ?

– Va te faire foutre ! hurla-t-il.

Les tendons de son cou saillirent, il me lança un coup de poing, me rata, voulut se lever mais ne le put.

J'avais touché un point sensible, et ce fait me mit en alerte.

– Après, rien, merde ! Bordel, rien, après !

– Qui vous a adressé au Dr Ransom, D. J. ?

Silence. Je réitérai la question. Un juron.

– Il y a peut-être d'autres patients qui souffrent autant que vous, D. J.

Il m'offrit un rictus incertain, secoua faiblement la tête.

– Non-non.

– Si nous savions qui les a adressés au Dr Ransom, nous pourrions les retrouver. Les aider.

– Pas... possible.

– Quelqu'un doit les contacter, D. J.

– Je... T'es un... putain de Robin des Bois ?

– Un ami. Un psychologue. Comme elle.

Il regarda autour de lui et parut remarquer les alentours pour la première fois.

– Où on est, là ?

– Au bord de la route. En bas de chez le Dr Ransom.

– Mais t'es qui, mec ? Un putain de... Robin des Bois ?

– Un ami. Qui vous a envoyé voir le Dr Ransom, D. J. ?

– Toubib...
– Quel toubib?
– Carmen...
– Le Dr Carmen?

Il gloussa.

– Le docteur de Carmen?

Il approuva d'un hochement de tête.

– Et qui est Carmen?
– Va te faire foutre.
– Quel est le nom du docteur de Carmen, D.J.?

Je me vis proposer une demi-douzaine de fois encore son amabilité sexuelle avant qu'il ne me réponde : le Dr Weingarden.

Ensuite il s'écroula sur le flanc et ne bougea plus.

Je le secouai, mais il resta aussi inerte qu'un tas de bois. Après avoir relevé le numéro de boîte postale sur la portière de la camionnette, je fouillai l'arrière du véhicule. Je trouvai une bouteille d'alcool encore à moitié pleine et la vidai sur le sol. Ensuite je dégonflai deux pneus, pris une des couvertures pour en recouvrir D. J., cachai les clefs de contact sous les autres et la tête de delco dans le compartiment du fond de la boîte à outils. S'il retrouvait ces deux éléments, je supposais qu'il aurait assez dessoûlé pour conduire.

Je le laissai là et partis en me disant que j'utiliserais la boîte postale pour le contacter, dans quelques jours. Et l'encourager à se faire suivre par un autre thérapeute, car il en avait grand besoin. Le brouillard de l'alcool n'avait pu dissimuler sa violence potentielle, une violence trop longtemps contenue qui risquait un jour d'exploser à coups de poing, de couteau ou de fusil.

Pas exactement le genre de client qu'on choisit pour sa clientèle privée. Où Sharon l'avait-elle déniché? Et combien d'autres dans son genre avait-elle traités? Combien de personnalités aussi fragiles se trouvaient maintenant sur le point de se briser parce qu'elle n'était plus là pour les maintenir en l'état?

Je me souvins de la poussée de rage qui avait saisi Rasmussen quand je lui avais demandé ce qui s'était passé après la fin du traitement de ses douleurs...

Une intuition très laide et injustifiable s'imposa à moi et refusa de disparaître. Sa relation avec Sharon avait-elle dépassé le simple stade du traitement? Cela aurait expliqué une attraction assez forte pour le faire revenir chez elle. Pour chercher quoi ?

Dans les pas de Trapp...

Se pouvait-il qu'elle ait couché avec les deux ? Je me rendis compte que je m'étais posé la même question à propos du vieux séducteur au cocktail. Et à propos de Kruse, des années plus tôt.

Peut-être me laissais-je aller à projeter mes propres craintes, en supposant des liens sexuels qui n'avaient jamais existé simplement parce que mes rapports avec Sharon avaient été charnels.

Comme Milo l'aurait dit : Raisonnement limité, mon gars.

Limité ou non, je ne pouvais pourtant m'en débarrasser.

Je rentrai vers une heure et demie et trouvai des messages de Maura Bannon, l'étudiante en journalisme, et de l'inspecteur Delano Hardy. Del était en ligne quand j'appelai, et j'en profitai pour chercher dans l'annuaire les coordonnées d'un Dr Weingarden à Beverly Hills.

Il y avait deux Weingarden, un Isaac sur Bedford Drive et un Leslie, sur Roxbury.

Isaac Weingarden répondit lui-même. Il avait la voix d'un vieil homme, un timbre doux avec un accent de Vienne. Quand il m'apprit qu'il était effectivement psychiatre j'eus la conviction d'être tombé juste. Mais il nia connaître Sharon ou Rasmussen.

— Vous paraissez contrarié, jeune homme. Je peux quelque chose pour vous ?

— Non. Merci.

Je fis ensuite le numéro du bureau de Leslie Weingarden. La secrétaire me répondit que le docteur était avec un patient.

— Pouvez-vous lui dire que c'est à propos du Dr Sharon Ransom, je vous prie ? Je pense qu'il sera intéressé.

— Elle, et non il. Veuillez patienter.

J'écoutai Mantovani pendant plusieurs minutes, puis la secrétaire revint au bout du fil :

— Le docteur ne peut être dérangée pour l'instant. Elle m'a demandé de prendre vos coordonnées. Elle vous rappellera.

A deux heures moins le quart j'eus Del Hardy.

— Salut, Del. Comment va ?

112

– C'est chargé. Et avec la vague de chaleur qui arrive, ça va être encore pire. Qu'est-ce que je peux pour toi ?

Je lui expliquai le cas de Sharon, la visite de Cyril Trapp à sa maison, la vente très rapide de cette propriété.

– Trapp, hein ? Intéressant...

Mais il ne semblait pas particulièrement intéressé. Bien qu'étant un des rares inspecteurs à se montrer cordial avec Milo, cette amabilité n'était pas de l'amitié, et Trapp était un fardeau qu'il n'avait aucune envie de partager.

– Nichols Canyon dépend du secteur de Hollywood, me rappela-t-il. Je ne pourrai même pas savoir qui s'en occupe. Et avec le boulot que nous avons, tous les secteurs essaient d'emballer les affaires de routine aussi vite que possible. On bosse beaucoup par téléphone.

– A ce point ?

– Pas d'habitude. Mais en ce moment... Tu dis que tu étais un de ses amis ?

– Oui.

– Bon, je crois que je pourrai me renseigner un peu.

– Je t'en serais vraiment reconnaissant, Del. D'après le journal, aucun proche parent n'a été localisé. Mais je sais qu'elle a une sœur – une sœur jumelle. Je l'ai rencontrée il y a six ans.

J'étais leur petite fille unique. Une autre surprise.

– Son prénom ?

– Shirlee. Avec deux E. Elle était infirme, placée à demeure dans une institution spécialisée dans Glendale. A peu près à un kilomètre et demi de la Galleria.

– Le nom de l'établissement ?

– Je n'y suis allé qu'une fois, je ne l'ai pas retenu.

– Je vais vérifier. – Il baissa le ton pour ajouter : Écoute, à propos de Trapp. Il ne travaillerait pas sur le suicide de quelqu'un d'inconnu. Donc sa présence chez la morte doit avoir une raison personnelle, peut-être en rapport avec l'immobilier. Certains types sont à l'affût des propriétés qui viennent en vente pour les avoir le moins cher possible. Ça n'est pas de très bon goût, mais tu sais comment est la vie...

– Des Donald Trump de la scène criminelle.

Il eut un petit rire appréciateur.

– En plein dans le mille. Il y a une autre possibilité. La victime était riche ?

– Elle venait d'un milieu fortuné.

– Ça pourrait être ça, fit-il d'un ton où je crus discerner une nuance de soulagement. Quelqu'un a poussé un bouton, l'ordre est venu d'en haut d'étouffer l'affaire, vite et bien. Trapp a travaillé dans le secteur Hollywood. Peut-être que quelqu'un s'en est souvenu et lui a demandé une faveur.

– Service personnalisé ?

– Ça arrive tout le temps. Ce qui différencie les riches des autres, c'est qu'ils ont ce que les autres ne peuvent pas s'offrir, d'accord ? Mais de nos jours n'importe qui peut se payer une Mercedes à crédit. La drogue, les fringues, idem. Mais préserver son intimité... voilà le luxe ultime dans cette ville.

– Je vois, fis-je.

En fait je me demandais qui avait fait pression. L'image du vieux séducteur à la garden-party me vint aussitôt à l'esprit, mais je ne pouvais en parler à Del. Aussi le remerciai-je de nouveau.

– Pas de quoi, répondit-il. Des nouvelles de Milo ?

– Non. Et toi ? Je crois qu'il doit revenir lundi, non ?

– Pas un mot de lui. D'après le tableau de service, il doit être au bureau lundi, oui. Mais connaissant Milo, ça signifie qu'il sera en ville samedi ou dimanche, à vadrouiller. Et ce ne sera pas trop tôt, en ce qui me concerne. La vermine est de retour, et en force.

Après qu'il eut raccroché, je cherchai dans les pages jaunes du bottin une maison de repos sur South Brand, mais sans succès. Quelques minutes plus tard Mal Worthy me téléphonait pour me rappeler la déposition à faire le lendemain. Il parut soucieux de mon état d'esprit au point de me demander plusieurs fois si tout allait bien.

– Tout va bien, Mal. Perry Mason ne me ferait même pas ciller.

– Mason n'était qu'une mauviette. Méfie-toi de ces types de l'assurance. Au fait, Denise refuse d'emmener Darren à d'autres séances. Elle veut s'occuper seule de lui. Mais c'est officieux pour l'instant. Pour nos adversaires, le gamin restera en traitement toute son existence. Et même après.

– Comment se comporte Darren ?

– Pas d'évolution notable.

– Persuade-la de poursuivre le traitement, Mal. Si elle veut continuer avec quelqu'un d'autre, je peux lui recommander des collègues.

– Elle m'a eu l'air très décidée, Alex. Mais j'essaierai. Je t'avouerai que pour l'instant, je cherche surtout à l'aider à mettre quelque chose dans son assiette. Ciao.

Je passai les deux heures suivantes à préparer mon intervention du lendemain. Je fus interrompu par le téléphone.

– Dr Delaware? Ici Maura Bannon, du *L.A. Times*.

A sa voix on lui aurait donné treize ans. Le timbre en était haut perché et affligé d'un zozotement qui se mêlait à son accent très Nouvelle-Angleterre.

– Bonjour, Ms. Bannon.

– Ned Biondi m'a donné votre numéro. Je suis si contente de vous trouver chez vous. Je me demandais si nous pourrions nous voir.

– A quel sujet?

– Vous connaissiez le Dr Ransom, n'est-ce pas? J'ai pensé que peut-être vous pourriez me fournir quelques détails sur elle.

– Je ne crois pas être en mesure de vous aider.

– Oh! fit-elle, apparemment très déçue par ma réponse.

– Je n'avais pas revu le Dr Ransom depuis des années.

– Oh, je croyais... Eh bien, voyez-vous, j'essaie de dresser un portrait en perspective de la disparue, de définir son milieu, son entourage. C'est tellement bizarre, une psychologue se suicidant comme ça. Un peu comme si un homme mordait un chien, vous voyez ce que je veux dire? Les lecteurs seraient intéressés de comprendre pourquoi.

– Auriez-vous découvert d'autres éléments que ceux que vous avez mis dans votre premier article?

– Non, docteur Delaware. Y aurait-il plus à découvrir? Parce que si c'est le cas, j'aimerais beaucoup le savoir. Je pense que la police m'a caché certains faits. J'ai appelé plusieurs fois, mais ils n'ont pas répondu... – Une pause, puis : J'ai l'impression qu'ils ne me prennent pas très au sérieux.

Préserver son intimité, voilà le luxe ultime dans cette ville.

– J'aimerais vous aider, dis-je, mais je n'ai vraiment rien à vous apprendre d'autre.

– Mr. Biondi m'avait laissé entendre...

– Si mon attitude a fait croire à Mr. Biondi que j'en savais plus, j'en suis désolé, Ms. Bannon.

– D'accord, fit-elle. Mais si vous découvriez quelque chose, n'importe quoi, vous me le communiqueriez? S'il vous plaît?

115

– Je ferai de mon mieux.

– Merci, docteur Delaware.

Je raccrochai et me renversai dans mon fauteuil, en fixant la fenêtre. La solitude déferla sur moi et je pensai à un autre solitaire. J'appelai les renseignements de Newhall et demandai le numéro de D.J. Rasmussen. Il n'était pas listé. Mon seul autre contact avec le jeune ivrogne était le Dr Leslie Weingarden. Je téléphonai donc à son cabinet.

– J'allais vous appeler, me dit sa secrétaire. Le docteur peut vous voir après son dernier patient, à partir de six heures.

– Je n'ai pas vraiment besoin d'un rendez-vous. Je voulais simplement lui parler par téléphone.

– Je vous répète ce qu'elle m'a dit, docteur Delaware.

– Très bien. D'accord pour six heures.

10

Le bâtiment où travaillait Leslie Weingarden était de brique rouge, à trois étages, avec des corniches de pierre, et situé en plein cœur du quartier médical de Beverly Hills. A l'intérieur les murs étaient plaqués de chêne doré, le sol couvert d'une moquette verte et rose. Le tableau des occupants révélait plusieurs médecins généralistes, spécialistes et autres dentistes.

Un des généralistes retint mon attention : *P.P. KRUSE, APP. 300.* Logique. Mais des années plus tôt il avait eu une autre adresse.

Le cabinet de Leslie Weingarden se trouvait au rez-de-chaussée, à l'arrière du bâtiment. Sa salle d'attente était petite, meublée simplement. Aucun patient ne s'y trouvait. Je frappai à la porte vitrée et patientai un bon moment avant qu'elle s'entrouvre. Une femme d'une cinquantaine d'années, de type espagnol, me détailla d'un regard insondable.

– Oui ?

– Je suis le docteur Delaware. J'ai rendez-vous avec le docteur Weingarden.

– Je vais la prévenir que vous êtes là.

Je passai la demi-heure suivante à feuilleter les revues dans la salle d'attente, en me demandant si l'une de ces publications avait profité des lumières de Paul Kruse. A six heures et demie, la porte du bureau s'ouvrit et une jolie femme d'une trentaine d'années en sortit.

Elle était de taille moyenne, fine, les cheveux courts et le

117

visage mince et alerte. A ses oreilles pendaient de grosses boucles en argent. Elle portait une blouse blanche en soie sur un pantalon gris perle et des chaussures un ton plus sombre. Un stéthoscope était passé à son cou, sur une chaîne en or à gros maillons. Ses traits dégageaient une régularité délicate, et ses yeux en amande étaient du même brun sombre que ceux de Robin. Son maquillage était des plus légers, mais elle n'en avait pas réellement besoin.

Je me levai.

– Monsieur Delaware? Je suis le docteur Weingarden, dit-elle en me tendant la main, que je serrai.

Sa poigne était ferme et sèche. Elle plaça ses deux mains sur ses hanches.

– Que puis-je pour vous?

– Vous avez adressé certains de vos patients à une psychologue du nom de Sharon Ransom. Je ne sais pas si vous êtes au courant, mais elle est morte. Elle s'est suicidée dimanche. Je désirerais parler d'elle avec vous, et si possible entrer en contact avec ses patients.

Elle ne marqua aucun signe d'étonnement devant ces nouvelles.

– Oui, j'ai vu ça dans le journal. Quel rapport avez-vous avec elle, et ses patients?

– En grande partie un rapport personnel, mais aussi professionnel, fis-je en lui tendant ma carte.

Elle la lut sans hâte.

– Ah, vous êtes psychologue vous aussi. C'est donc docteur Delaware. Bea m'a dit monsieur... – Elle empocha le bristol : Vous étiez son thérapeute?

La question me surprit.

– Non.

– Parce qu'elle en avait besoin d'un, cela ne fait aucun doute. – Elle fronça les sourcils et demanda d'un ton soupçonneux : Pourquoi vous intéressez-vous à ses patients?

– J'ai rencontré par hasard l'un d'eux, aujourd'hui. D.J. Rasmussen. C'est lui qui m'a donné votre nom.

Elle accusa le coup mais ne dit rien.

– Il était ivre, continuai-je. Complètement. J'ai supposé que sa personnalité manquait déjà d'équilibre auparavant, et que maintenant il risquait de très mal prendre le choc. Peut-être en tombant dans la violence. Perdre un thérapeute peut être aussi grave que perdre un parent, pour certains. Je me suis demandé combien d'autres patients à elle...

118

– Oui, oui, bien sûr. Je comprends. Ce que je comprends moins, c'est votre intérêt dans tout cela. Quel est votre rapport avec cette situation?

Je réfléchis à la meilleure façon de répondre.

– Probablement la culpabilité, en bonne partie. Sharon et moi nous connaissions depuis l'université. Je ne l'avais pas revue depuis des années, et je l'ai croisée par hasard à une réception, samedi dernier. Elle paraissait soucieuse et m'a demandé de la voir pour me parler. Nous avons fixé un rendez-vous, mais après coup je me suis ravisé et j'ai annulé le lendemain. Et elle s'est tuée. Je crois que je me demande toujours si j'aurais pu l'empêcher de se suicider. J'aimerais prévenir d'autres remords, si je le peux.

Elle joua avec son stéthoscope un instant en me considérant.

– C'est vrai, n'est-ce pas? Vous ne travaillez pas pour un avocat véreux ou quelque chose de ce genre?

– Je le devrais?

Elle me sourit enfin.

– Bien. Donc vous voudriez que je contacte tous les patients que j'ai pu lui envoyer?

– Et que vous me disiez si vous connaissez d'autres praticiens qui lui auraient envoyé des patients.

Le sourire se figea.

– Ça me semble assez difficile, docteur Delaware. Et une très mauvaise idée. Je ne pense pas qu'elle se soit vu recommander beaucoup de patients, de toute façon. Et je ne vois pas qui d'autre aurait pu lui en envoyer. Mais dans cette hypothèse je serais désolée pour eux.

Elle s'interrompit, parut chercher ses mots.

– Sharon Ransom était une... Elle et moi... Bon, vous d'abord. Pourquoi avez-vous annulé votre rendez-vous?

– Je ne voulais pas me trouver mêlé à ses affaires. C'était... C'était une femme compliquée.

– C'est certain, répondit-elle en consultant sa montre. Écoutez, je vais passer un coup de fil pour vérifier vos dires. Et si vous êtes bien celui que vous prétendez être, nous discuterons. Mais il faudra d'abord que je mange quelque chose.

Elle me laissa dans la salle d'attente et ne revint qu'une dizaine de minutes plus tard.

– C'est bon, dit-elle sans m'accorder un regard.

Nous sortîmes et marchâmes jusqu'à un café sur Brighton. Elle commanda un sandwich au thon et une infusion. J'optai

119

pour des œufs brouillés que je poussai dans mon assiette sans trop vouloir y goûter.

Elle mangea rapidement, sans cérémonie. En dessert elle prit une coupe glacée Chantilly avec du caramel chaud mais n'en engloutit que la moitié.

Elle repoussa la coupe, s'essuya les lèvres et s'adressa enfin à moi :

– Quand on m'a dit que quelqu'un voulait me voir à propos de Sharon, franchement ça m'a crispée. Elle m'a causé quelques problèmes. Nous n'avons pas travaillé ensemble très longtemps.

– Quelle sorte de problèmes ?

– Une seconde.

Elle appela la serveuse et demanda une autre infusion. Je commandai un café. L'addition arriva en même temps que les consommations. Je la pris d'autorité.

– C'est pour moi.

– Vous achetez les informations ?

La réflexion me fit sourire.

– Vous me parliez des problèmes qu'elle avait créés...

– Eh bien... Je ne sais pas si je dois vraiment entrer dans tous ces détails.

– Confidentiel, promis-je.

– Légalement ? Comme si vous étiez mon thérapeute ?

– Si cela peut vous rassurer, oui.

– Vous parlez comme un vrai psy. Mais oui, ça me rassure. Nous abordons un sujet épineux, l'éthique du métier... – Son regard se durcit brusquement : Je n'avais aucun moyen d'empêcher cela, à part en la traînant devant un jury de la profession pour faute professionnelle grave. Quand un escroc tombe sur ce genre de cas, il remonte les archives et harponne tous les toubibs qui ont eu le malheur de lui passer un client.

– Déclencher des poursuites judiciaires est la dernière chose à laquelle je pense, lui assurai-je.

– Moi aussi. – Elle frappa la table du plat de la main avec assez de force pour faire tressauter la salière : Bon sang! Elle m'a utilisée! Rien que d'y repenser je sens la colère monter en moi. Je suis désolée qu'elle soit morte, mais je ne peux rien éprouver pour elle. Elle s'est servie de moi.

Elle s'accorda une gorgée de thé. J'attendis.

– Je ne l'ai rencontrée que l'année dernière. Elle est entrée, s'est présentée et m'a invitée à déjeuner. Je savais bien ce

120

qu'elle faisait : elle cherchait une clientèle. Rien de mal à ça. Je n'étais établie que depuis un peu plus d'un an, et moi aussi, j'ai dû faire ma part de démarchage. De plus elle était brillante, elle s'exprimait clairement, elle m'avait l'air d'avoir tous les atouts pour elle. Son curriculum vitae était éblouissant, elle disposait déjà d'une expérience clinique très diversifiée. Et en plus elle se trouvait dans ce bâtiment, et c'est toujours bon pour la clientèle, la mienne étant majoritairement composée de femmes qui se sentiraient sans doute plus à l'aise avec une thérapeute. J'ai donc dit pourquoi pas. La seule réserve que j'ai émise concernait son apparence physique. Elle était si jolie que j'ai craint la réaction de certaines femmes. Et puis je me suis dit que c'était un point de vue très sexiste et j'ai commencé à lui envoyer des clients. Pas beaucoup, Dieu merci...

– Son cabinet se trouve au troisième ? Avec le Dr Kruse ?

– Oui. Mais lui n'était jamais là. Il n'y avait qu'elle seule. Elle m'a fait monter une fois. Il y a une très petite salle d'attente et un cabinet de consultation très simple. Elle se disait psychologue assistante de Kruse ou quelque chose dans ce genre, et elle avait le numéro de licence.

– Un certificat d'assistante.

– En tout cas, tout était en règle.

Psychologue assistante. Une position temporaire, qui sert en général à donner un peu d'expérience pratique aux nouveaux diplômés sous la surveillance d'un psychologue établi. Sharon avait décroché son doctorat six ans plus tôt, elle était donc en droit d'exercer depuis longtemps. Pourquoi n'en avait-elle pas profité ? Et qu'avait-elle fait durant ces six années ?

– Kruse lui avait écrit une lettre de recommandation absolument dithyrambique, continuait le Dr Weingarden. Il était membre de l'université, et je me suis dit que ce genre de parrainage devait aider. Je croyais vraiment que ça marcherait. Mais ça a été un fiasco. Ça m'a beaucoup étonnée.

– Vous avez toujours cette lettre ?

– Non.

– Vous vous rappelez des détails marquants du texte ?

– Ce que je vous ai dit, en gros. Pourquoi ?

– J'essaie de revenir en arrière. Comment vous a-t-elle utilisée ?

Elle me lança un regard aigu.

– Vous voulez dire que vous n'avez pas encore deviné ?

– Je peux supposer qu'il y a eu inconduite sur un plan

121

sexuel. Peut-être a-t-elle couché avec la clientèle. Mais la plupart étaient des femmes. Était-elle homosexuelle ?

Le Dr Weingarden éclata de rire.

– Elle, homosexuelle ? Ah, je comprends votre hypothèse. Franchement, je ne sais pas ce qu'elle était. J'ai grandi à Chicago, et rien dans cette ville ne me surprend vraiment. Mais non, elle ne couchait pas avec les femmes, pour ce que je sais. Nous parlons d'hommes, des maris de patientes, ou de leurs petits amis. S'ils n'y sont pas encouragés, les hommes entreprennent rarement une thérapie. Les femmes doivent tout faire. Obtenir l'accord d'un thérapeute, convenir du rendez-vous. Mes patientes me demandaient de les diriger vers un thérapeute pour leur mari, et j'en ai envoyé une demi-douzaine vers Sharon. Elle les a remerciées en couchant avec les hommes.

– Comment l'avez-vous découvert ?

Elle prit une expression dégoûtée.

– En faisant ma comptabilité, un beau jour. Je me suis rendu compte que les séances non payées émanaient presque en totalité de femmes dont j'avais envoyé les maris chez Ransom. C'était évident car en dehors de ces impayés-là mes comptes étaient quasiment parfaits. Je me suis donc mise à les appeler pour savoir ce qui s'était passé. La plupart de ces clientes ont refusé de me parler, certaines m'ont même raccroché au nez. Deux seulement m'ont répondu. La première sans aménité. Apparemment son mari avait vu Sharon pendant quelques séances, pour un problème en rapport avec son stress professionnel. Elle lui avait appris à se décontracter, et rien de plus. Mais quelques semaines plus tard elle lui avait téléphoné pour lui proposer une visite de contrôle gratuite. Quand il est arrivé elle a essayé de le séduire sans faire dans la demi-mesure : elle s'est déshabillée devant lui, dans le bureau. Il est sorti aussitôt, est retourné chez lui et a tout raconté à sa femme. Laquelle m'a hurlé au téléphone que je devrais avoir honte de m'acoquiner avec pareille putain. La deuxième patiente qui m'a répondu n'a fait que pleurer.

Elle se massa les tempes du bout des doigts, prit un cachet d'aspirine dans son sac à main et l'avala avec une gorgée de son infusion.

– Incroyable, n'est-ce pas ? Des *visites de contrôle gratuites*. Je redoute une possible suite, qu'on me traîne devant les tribunaux par exemple... J'ai perdu pas mal d'heures de sommeil sur cette histoire.

– Je suis désolé, dis-je.

– Pas autant que moi. Et maintenant vous me dites que Rasmussen est en train de perdre les pédales. De mieux en mieux...

– Il était du lot ?

– Oh oui, et en bonne position. Sa petite amie est celle qui n'a fait que pleurer au téléphone. Une patiente se plaignant vaguement de troubles psychosomatiques. En fait elle avait surtout besoin d'attention. Nous avons sympathisé et elle a commencé à me parler de lui, comment il buvait trop, prenait de la drogue, la brusquait. J'ai passé pas mal de temps à la conseiller, en tentant de lui montrer qu'il n'était qu'un perdant, pour qu'elle le quitte. Ça n'a rien donné, bien sûr. Elle est du type passif, avec un père abusif qu'elle cherche dans ses relations adultes avec les hommes. Et un jour elle m'a dit que son ami s'était blessé à son travail, quelque chose au dos, et qu'il pensait faire un procès. C'est son avocat qui lui avait conseillé de voir un psychologue, est-ce que j'en connaissais un ? Je l'ai envoyé à Sharon en lui expliquant ses autres problèmes. Et bon sang, elle l'a aidé... Comment l'avez-vous rencontré ?

– Il est venu à sa maison ce matin.

– Chez elle ? Elle a donné son adresse personnelle à un taré pareil ?

– Elle avait un cabinet chez elle aussi.

– Oh, c'est vrai, l'article en parlait. C'est assez logique, en fait : elle a déménagé de ce bâtiment après que je suis allée la voir à propos de son petit manège. Quel diagnostic feriez-vous à Rasmussen ?

– Léger dérèglement de la personnalité. Tendances violentes possibles.

– En d'autres termes, un fauteur de troubles en puissance. Magnifique. Il représente le maillon le plus faible, un misogyne sans beaucoup de maîtrise sur ses impulsions. Et il a déjà un avocat, qui est véreux. Vraiment magnifique, oui...

– Il ne poursuivra personne pour harcèlement sexuel, dis-je. Peu d'hommes le feraient. C'est trop embarrassant.

– A cause de ce bon vieux machisme ? J'espère que vous voyez juste. Jusqu'ici, personne n'a fait aucune démarche dans cette direction, mais ça ne veut pas dire qu'elles ne se produiront pas. Et même si je n'ai pas de problèmes légaux Sharon m'a déjà fait perdre beaucoup, en réputation et en revenus.

Une patiente mécontente fait de l'antipub auprès de dix autres. Et aucune de celles qui m'ont lâchées ne m'ont payée. Ça atteint une somme à quatre chiffres, rien que pour le travail de labo. Je ne suis pas établie depuis assez longtemps pour renoncer à ce genre de perte sans souffrir un peu. Il y a surabondance de médecins ici, du côté ouest. Où travaillez-vous, à propos ?

– Ici, du côté ouest. Mais je travaille avec les enfants.

– Oh. – Des ongles elle tambourina sur le bord de sa tasse : Je dois vous paraître bassement matérialiste, hein ? Vous parlez d'altruisme et de toutes ces bonnes données hippocratiques tandis que je ne me soucie que de me couvrir. Mais si je ne le fais pas, personne ne le fera à ma place. J'ai travaillé trop dur pour voir une nymphomane tout foutre par terre. Alors non, je ne contacterai pas ces hommes séduits par Sharon pour les remettre d'aplomb. La plupart l'ont sans doute déjà fait en transformant la réalité. Ils doivent maintenant se prendre pour des don Juan irrésistibles. Laissez tout ça enterré, docteur Delaware, avec elle.

Elle avait élevé la voix et quelques clients commençaient à la regarder. Elle s'en rendit compte et baissa le ton pour continuer :

– Mais comment quelqu'un comme elle peut-il devenir thérapeute ? Vous n'opérez donc aucune sélection ?

– Pas suffisante, en tout cas. Quelle a été sa réaction lorsque vous êtes allée la voir ?

– Curieuse. Elle m'a simplement regardé de ses grands yeux bleus avec un air de totale innocence, comme si elle ne savait même pas de quoi je parlais. Ensuite elle s'est mise à jouer la thérapeute avec moi, l'air concentré sur ce que je disais. Quand j'ai eu fini elle a seulement dit : « Je suis désolée » et elle est partie. Pas d'explication, rien. Le lendemain je l'ai vue qui transportait des cartons hors de son cabinet.

– En qualité de directeur de thèse, Kruse était légalement responsable d'elle. Vous lui avez parlé ?

– J'ai essayé. J'ai bien dû lui téléphoner une vingtaine de fois. J'ai même glissé des messages écrits sous la porte. Il n'a jamais répondu. J'ai fini par m'énerver et j'étais sur le point de porter plainte. Et puis, avec les derniers événements, j'ai décidé de tout laisser tomber et d'oublier. C'est aussi bien.

– Son nom figure toujours sur le tableau-répertoire de l'entrée. Il pratique ici ?

— Comme je l'ai dit, je ne l'ai jamais vu. Et, quand je cherchais à le contacter, je n'ai jamais eu que le concierge, et lui m'a assuré ne l'avoir jamais vu non plus. A dix contre un je vous parie que Kruse a pris ce cabinet pour y installer Sharon. Elle devait coucher avec lui aussi.

— Pourquoi dites-vous cela?

— Parce que coucher avec les hommes était son truc, non? C'est ce qu'elle faisait. Et je ne serais pas étonnée que ce soit de cette façon qu'elle ait obtenu son doctorat.

Je réfléchis un moment, me perdis dans mes pensées.

— Vous n'allez pas continuer cette recherche de témoins, n'est-ce pas?

— Non, répondis-je en prenant ma décision sur l'instant. Ce que vous m'avez appris donne un éclairage différent à l'ensemble. Mais il faudrait faire quelque chose au sujet de Rasmussen. Ce type est une bombe à retardement.

— Laissez-le exploser. On n'y peut rien non plus.

— Et s'il blesse quelqu'un d'autre?

— Que pourriez-vous faire pour prévenir ce genre d'éventualité?

Je n'avais pas de réponse et dus le reconnaître.

— Écoutez, me dit-elle, je tiens à être très claire. Je ne veux rien avoir à faire avec toute cette histoire. Rien du tout. Compris?

— Compris.

— J'espère que vous êtes sincère. Si vous utilisez le moindre de mes propos pour établir un lien entre elle et moi, je nierai avoir tenu ce propos. Les dossiers de tous les patients qu'elle a vus ont été détruits. Et je vous préviens : si vous mentionnez seulement mon nom, je vous attaque pour violation du secret professionnel.

— Calmez-vous, dis-je. Vous avez été très claire.

— C'était bien mon intention, fit-elle, et elle m'arracha la note des doigts en se levant : Je paierai ma part, merci.

11

Visites de contrôle. La formule me rappela quelque chose que je m'étais pourtant efforcé d'oublier.

Sur le chemin du retour, je me demandai combien d'hommes Sharon avait ainsi pris pour victimes, et depuis combien de temps. Il m'était maintenant impossible d'imaginer un homme jouant un rôle dans sa vie sans l'existence d'un lien charnel.

Trapp. Le vieux séducteur. D.J. Rasmussen. Tous victimes ?

Je me posai particulièrement la question à propos de Rasmussen. Maintenait-il une liaison avec elle au moment de sa mort ? Cela expliquerait la force de sa réaction, pourquoi il s'était enivré follement avant de faire un pèlerinage chez elle.

Où il avait rencontré un autre pèlerin : moi.

Comment quelqu'un comme elle peut-il devenir thérapeute ? Vous n'effectuez donc aucune sélection ?

En ce qui concerne ma vie privée, je n'avais pas non plus été assez sélectif, mais depuis longtemps j'avais rationalisé ma position en mettant cela sur le compte de ma naïveté, de ma jeunesse et de mon manque d'expérience. Pourtant, trois jours plus tôt seulement j'étais prêt à la revoir. Prêt à tenter... A tenter quoi ?

Certes j'avais annulé le rendez-vous, mais c'était un bien mince réconfort. Que se serait-il passé si elle m'avait téléphoné, avec ses accents qu'elle savait irrésistibles, en me disant qu'elle me trouvait toujours aussi merveilleux ? N'aurais-je pas flanché ? Pris pour prétexte la possibilité de l'entendre exposer son « problème », et peut-être d'y apporter une solution ?

Je n'avais pas de réponse certaine. Ce qui en disait long sur mon jugement. Et ma santé mentale.

Je m'abîmai dans des interrogations sur moi-même auxquelles je croyais avoir répondu pendant ma thérapie d'entraînement : quel droit avais-je de façonner la vie d'autrui quand j'étais incapable de démêler les nœuds de la mienne ? Comment pouvais-je jouer à l'autorité en matière d'enfants alors que je n'en avais jamais élevé un ?

Dr Expert. Mais de qui me moquais-je vraiment ?

Je me souvins du sourire maternel de ma formatrice en thérapie, Ada Small. Une voix douce, avec un accent de Brooklyn. Un regard doux. Une approbation inconditionnelle. Les messages les plus durs étaient désamorcés par sa gentillesse...

... *Ton besoin très net de toujours maîtriser la situation, Alex. Ce n'est pas forcément un défaut, loin de là, mais il faudra que nous nous penchions sur cet aspect un jour ou l'autre...*

Ada m'avait beaucoup fait progresser. J'avais eu de la chance de profiter de sa formation. A présent nous étions collègues et nous échangions des patients et des avis sur ceux-ci. Cela faisait bien longtemps que je ne m'étais adressé à elle en tant que patient. Pouvais-je encore lui montrer mes cicatrices ?

Sharon n'avait pas été aussi chanceuse avec son formateur. Paul Peter Kruse. Affamé de pouvoir. Pornographe. Adepte à l'occasion de la flagellation. Je préférais ne pas imaginer le genre de thérapie qu'il avait préconisée. Pourtant elle était devenue son assistante au lieu de s'établir à son propre compte.

Et elle faisait son sale boulot dans un endroit qu'il louait, ce qui en révélait autant sur elle que sur lui. Je commençais à me demander qui tirait les marrons du feu dans leur relation.

Exploiteurs. Victimes.

Elle s'était donné le rôle de sa propre dernière victime. Pourquoi ?

Je m'efforçai de ne plus y penser, et m'imposai l'image mentale de Robin. Malgré la suite, ce que nous avions vécu avait bien existé.

Dès que j'arrivai chez moi j'appelai San Luis Obispo.

— Allô ?

— Bonjour, Robin.

— Alex ? Maman a dit que tu avais téléphoné. J'ai essayé de te joindre plusieurs fois.

– Je viens tout juste de rentrer. J'ai eu avec ta chère maman une conversation délicieuse.

– Oh! Elle s'est montrée désagréable avec toi?

– Rien que de très ordinaire. L'important, c'est comment elle est avec toi.

– J'arrive à la supporter, dit-elle en riant.

– Tu en es bien sûre? Tu as l'air exténuée.

– Je suis exténuée, mais elle n'y est pour rien. Aaron s'est révélé un braillard de première force. Terry n'en dormait plus, alors je l'ai relayée. Résultat je n'ai jamais été aussi fatiguée de ma vie!

– Bien. Peut-être finiras-tu par regretter le bon vieux temps et reviendras-tu...

Un silence.

– Enfin, j'appelais juste pour savoir comment tu t'en tirais.

– Je tiens le coup. Et toi, Alex, comment vas-tu?

– Impeccable.

– Vraiment?

– A demi impeccable te paraîtrait plus plausible?

– Que se passe-t-il, Alex?

– Rien.

– Tu donnes l'impression d'être accablé par quelque chose.

– Ce n'est rien, fis-je. La semaine n'a pas été très agréable, jusqu'ici, c'est tout.

– Je suis désolée, Alex. Je sais que tu t'es montré patient et...

– Non, ça n'a rien à voir avec toi.

– Ah?

Elle paraissait vexée plutôt que soulagée.

– Une ancienne connaissance de l'université s'est suicidée.

– C'est horrible.

– En effet.

– Tu la connaissais bien?

Je mis un petit temps avant de répondre.

– Non, pas vraiment.

– Ça n'empêche. C'est le genre de nouvelle qui vous remue...

– Et si nous changions de sujet?

– Oui, bien sûr. Ai-je dit quelque chose d'inconvenant?

– Non, rien. Je préférerais ne pas en parler, rien de plus.

– D'accord, fit-elle.

– De toute façon, je vais peut-être te laisser à tes occupations...

128

– Je n'ai aucune occupation à l'instant présent.

– Ah, très bien...

Mais nous trouvâmes peu de choses à nous dire et je raccrochai bientôt avec un sentiment de vide. Un vide que je comblai avec les souvenirs de Sharon.

Ce deuxième automne notre liaison se poursuivit, du moins d'une certaine façon. Quand je réussissais à la contacter elle était toujours d'accord et elle avait toujours des mots affectueux pour moi, ainsi que des informations stimulantes dans nos domaines d'intérêt commun. Elle murmurait à mon oreille, me massait le dos, m'ouvrait ses jambes avec autant de naturel que pour se mettre du rouge aux lèvres, insistait sur le fait que j'étais son homme, le seul dans sa vie. Mais l'atteindre était un défi continuel. Elle se trouvait rarement chez elle et ne laissait jamais d'indice sur ses déplacements.

Non que je me sois torturé à tenter de la retrouver. L'hôpital m'accaparait cinquante heures par semaine et j'avais pris des patients privés le soir dans le but d'économiser pour me payer le premier acompte d'une maison bien à moi. En guise d'alibi, je me disais que j'étais trop occupé à résoudre les problèmes des autres pour me pencher sur les miens.

Deux ou trois fois je me rendis chez elle sans prévenir, mais je ne fis la route jusqu'à Jalmia que pour découvrir la maison fermée, sans aucune voiture devant. Pourtant, tard un samedi soir, je me retrouvai dans les embouteillages sur Sunset après une soirée très éprouvante en compagnie des parents d'un nouveau-né irrémédiablement difforme. Soudain j'eus envie de pouvoir moi aussi m'épancher sur une épaule amie, et comme un pigeon rentrant au bercail je tournai au nord sur Hollywood Boulevard, puis vers Nichols Canyon. Quand j'engageai ma voiture sur l'allée, l'Alfa Roméo y était garée.

La porte de la maison n'était pas verrouillée. J'entrai.

Le salon était brillamment éclairé, mais désert. Je l'appelai plusieurs fois. Pas de réponse.

Je jetai un coup d'œil dans la chambre, m'attendant à moitié à la trouver avec un autre homme. Le désirant à moitié.

Elle était bien là, mais seule, assise en tailleur sur le lit, totalement nue, les yeux clos, comme en pleine méditation.

J'avais pénétré ce corps si souvent, et pourtant c'était la première fois que je le voyais dénudé. Il était sans défaut, incroyablement attirant. Je réprimai mon envie de la toucher, me contentai de chuchoter son prénom. Elle ne bougea pas.

Peut-être était-elle en pleine séance d'autohypnose ? J'avais entendu dire que Kruse était un hypnotiseur hors pair. Lui avait-il donné des leçons particulières ?

Néanmoins elle me paraissait affligée plutôt qu'en transe. Son visage était fermé, sa respiration courte et creuse. Ses mains semblaient trembler très légèrement. La droite tenait quelque chose.

Une petite photographie en noir et blanc, de type ancien, avec les bords dentelés.

Je m'approchai et regardai ce que représentait le cliché. Deux ravissantes fillettes aux cheveux noirs, de deux ou trois ans. Des jumelles parfaitement identiques avec les mêmes boucles à la Shirley Temple, assises côte à côte sur un banc de jardin, au milieu d'une pelouse, avec en arrière-plan un ciel bleu et la masse sombre de montagnes. Un paysage tellement convenu qu'il aurait pu être une toile de décor chez un photographe.

Les jumelles affectaient une expression grave qui jurait avec leur âge. On les avait vêtues de la même façon, de robes paysannes, et chacune tenait une glace. Là résidait la seule différence : une serrait le cône dans sa main gauche, l'autre dans la droite. En dehors de ce détail, chacune était la copie conforme de l'autre.

Des doubles inversés.

Leur expression était solennelle, trop mature.

Leur visage était celui de Sharon enfant. En double.

J'étais leur petite fille unique.

Une vraie surprise...

Je levai les yeux vers elle, effleurai de la main son épaule nue, en m'attendant à ressentir la tiédeur habituelle. Mais sa peau était froide et sèche, étrangement inorganique.

Je me penchai sur elle et baisai sa nuque. Elle sursauta et cria comme si elle venait d'être mordue. Elle frappa le vide de ses poings et tomba à la renverse sur le lit, jambes écartées, dans une caricature incongrue d'invite sexuelle. Elle haletait en me regardant fixement.

– Sharon...

Elle me dévisageait comme si j'étais un monstre. Sa bouche s'ouvrit sur un cri muet.

La photographie tomba sur le sol. En la ramassant je vis une ligne inscrite au dos, d'une main ferme : *S. et S. Partenaires muets.*

130

Je retournai la photo et considérai de nouveau les jumelles.

– Non! s'écria-t-elle en se redressant pour se jeter sur moi. Non, non, non! Donne-moi, donne-moi! C'est à moi, à moi, à moi! Donne-moi!

Doigts crispés elle chercha à m'arracher le cliché de la main. Sa furie était absolue, une métamorphose démoniaque. Abasourdi, je laissai tomber la photo sur le lit.

Elle la ramassa d'une main avide et la serra contre sa poitrine. Puis elle se mit à quatre pattes et recula jusqu'à être dos contre la tête du lit. Sa main libre griffa l'air entre nous comme pour établir un no man's land. Sa chevelure était ébouriffée, pareille à celle de la Méduse. Elle s'agenouilla et se mit à osciller en frissonnant.

– Sharon, que t'arrive-t-il...

– Va-t'en! Va-t'en!

– Chérie...

– Va-t'en! Sors d'ici! Va-t'en-va-t'en-va-t'en!

Une transpiration subite luisait sur son corps, et des taches rosées étaient apparues sur la blancheur de sa peau, comme si elle brûlait de l'intérieur.

– Sharon...

Elle siffla de colère vers moi, puis geignit et se recroquevilla dans une pose fœtale, la photo coincée contre son cœur. Je regardai le rectangle blanc qui montait et descendait au rythme de sa respiration hachée. Je fis un pas vers elle.

– Non! Va-t'en! Va-t'en!

Une lueur meurtrière incendiait ses prunelles.

Je sortis de la chambre à reculons et me ruai hors de la maison. Je me sentais étourdi, malade, assommé par la douleur.

Certain que ce qui nous unissait était mort.

Sans savoir si c'était un mal ou un bien.

12

Le mercredi matin j'étais de retour à Beverly Hills, dans les bureaux de Trenton, Worthy & La Rosa. J'attendais de faire ma déposition dans une salle de conférence aux murs lambrissés de palissandre et décorés de peintures abstraites. Les sièges étaient couleur crème et la table ovale en verre fumé.

Mal s'était assis à côté de moi. Sa mise ne me paraissait que très approximativement dans le vent, avec son costume argenté de soie déstructuré, sa barbe de cinq jours et ses cheveux qui caressaient ses épaules. Derrière nous se trouvait un tableau noir sur un chevalet. En face de nous était installée une greffière avec son sténotype. La jeune femme était entourée de huit avocats, et non sept comme prévu.

– La compagnie d'assurances en a envoyé trois, me glissa Mal. Ceux-là.

J'observai le trio. Jeunes, tirés à quatre épingles, quelque chose de funèbre dans la contenance.

Leur porte-parole était âgé d'une trentaine d'années, corpulent, prématurément chauve et s'appelait Moretti. Ses épaules étaient dignes d'un lutteur, son charme d'un instructeur de l'armée. Une des secrétaires de Mal servit du café et des petits gâteaux. Pendant que nous en profitions, Moretti se fit un devoir de m'avertir que la psychologie avait été une de ses matières principales à Stanford. Il lâcha les noms de quelques professeurs prestigieux, tenta sans succès de me faire parler boutique et me surveilla par-dessus le bord de sa tasse de ses petits yeux marron.

Quand je présentai mon rapport, il s'assit sur le bord de sa chaise et, quand j'eus terminé, il fut le premier à parler. Les autres avocats s'en remettaient visiblement à lui. Comme toute bande de loups, ils avaient choisi leur chef et se satisfaisaient de rester en retrait tandis qu'il donnait les premiers coups de crocs.

Il me rappela que j'étais légalement tenu de dire la vérité, tout comme si je me trouvais au tribunal. Puis il sortit de son porte-documents une liasse de feuillets aussi épaisse qu'un annuaire et la posa sur la table avec une ostentation un peu exagérée. Il prit le premier document, y jeta un coup d'œil et se concentra sur moi.

– J'aimerais vous lire quelque chose, Docteur.

– Bien sûr.

Il eut un sourire carnassier.

– Je ne demandais pas vraiment votre autorisation, Docteur.

– Je ne vous l'accordais pas vraiment.

Le sourire disparut. Mal me décocha un coup de coude sous la table. Quelqu'un toussota. Moretti me fixa du regard, en espérant me faire baisser les yeux, puis il chaussa des lunettes octogonales, s'éclaircit la gorge et se mit à lire. Il termina un paragraphe avant de me toiser de nouveau.

– Ce texte vous est familier, Docteur ?

– Oui.

– Pouvez-vous en citer la source ?

– Il s'agit de l'introduction à un article que j'ai écrit dans *The Journal of Pediatrics* en 1981. L'été 81, je pense. Août.

Il vérifia la date mais ne fit aucun commentaire.

– Vous souvenez-vous du sujet de cet article, Docteur ?

– Oui.

– Pourriez-vous le résumer pour nous ?

– L'article décrit une étude que j'ai accomplie de 1977 à 1980 alors que j'étais en poste au Western Pediatric Hospital. Cette recherche était financée par le National Institute of Mental Health et destinée à évaluer les effets d'un mal chronique sur l'équilibre psychologique des enfants.

– Cette étude était-elle bien conçue ?

– Je le pense, oui.

– Vous le pensez. Dites-nous quel a été votre rôle dans cette étude bien conçue. Soyez précis sur votre méthodologie, je vous prie.

– J'ai conduit de nombreux tests d'équilibre psychologique sur un échantillon d'enfants malades et un groupe d'enfants sains. Les deux groupes étaient équivalents en termes de classe sociale, statut marital des parents, composition des familles. Il n'y avait aucune différence notable entre les deux groupes.

– Aucune différence notable dans aucun de ces tests d'évaluation psychologique ?

– C'est exact.

Moretti se tourna vers la sténotypiste.

– Il parle vite. Vous avez bien noté ces derniers propos ? Elle acquiesça. Il revint à moi.

– Pour la compréhension de ceux qui ne sont pas familiarisés avec le jargon de la psychologie, veuillez expliquer ce que l'expression « pas de différence notable » signifie.

– Que d'un point de vue statistique les deux groupes étaient indifférenciables. Les résultats moyens des tests étaient similaires.

– Moyens ?

– La moyenne des cinquante pour cent. Mathématiquement c'est dans nos échelles de mesure la meilleure marque de normalité.

– Parfait. Mais qu'est-ce que tout cela signifie, en clair ?

– Les enfants souffrant de maladies chroniques peuvent développer certains problèmes, mais le fait d'être malades ne les rend pas automatiquement névrosés ou psychotiques.

– Attendez un instant, fit Moretti en tapotant de l'index son tas des documents. Je ne vois aucune mention de ces problèmes ici, Docteur. Votre résultat principal était que les enfants malades sont normaux.

– C'est exact. Néanmoins...

– Vous le dites vous-même ici, Docteur, coupa-t-il en brandissant un feuillet. Là, au tableau 3. Les résultats des tests d'anxiété de Spielberger, d'individualité de Rosenberg, d'adaptabilité d'Achenbach étaient tous – je cite – « dans les limites de la normalité ». En clair, ces enfants n'étaient pas plus nerveux, anxieux, inadaptés ou névrosés que ceux du groupe dit sain. N'est-ce pas, Docteur ?

– La discussion prend un tour ergoteur, intervint Mal. Nous sommes ici pour définir des faits.

– Des quasi-faits, au mieux, rétorqua Moretti. Nous parlons de psychologie, pas de science exacte.

– C'est vous qui avez cité cet article, Maître, remarqua Mal.

134

– C'est que le rapport de votre expert semble contredire les résultats publiés de ses propres travaux...

– Aimeriez-vous que je réponde à votre question ? demandai-je calmement à Moretti.

Il ôta ses lunettes, se renversa dans son siège et s'autorisa un sourire en coin.

– Si vous le pouvez...

– Lisez la section où je donne mon point de vue. Les trois derniers paragraphes en particulier. Je dresse la liste de nombreux problèmes auxquels les enfants chroniquement malades doivent se mesurer durant toute leur existence, la souffrance et l'inconfort, la fragmentation de la scolarité due aux traitements et aux hospitalisations, les modifications corporelles apportées aussi bien par la maladie que par le traitement, le rejet social, l'atmosphère exagérément protectrice dont les entourent les parents. En général, ces enfants se débrouillent pas mal de ces problèmes, mais ils existent bel et bien.

– La section où vous donnez votre point de vue, railla Moretti. Aha. Des conjectures de chercheur. Mais les résultats de vos travaux, vos statistiques, disent autre chose. Non, vraiment, Docteur...

– En d'autres termes, intervint Mal en se tournant vers moi, ce que vous dites, docteur Delaware, est que les enfants malades et les enfants traumatisés doivent faire face à un flot constant de défis et d'obstacles, ce qui rend leur vie angoissante, même si certains arrivent à s'en accommoder. C'est bien ça ?

– Oui.

Du regard Mal fit un tour de table, en évitant Moretti et en établissant un contact oculaire avec chacun des autres avocats.

– Aucune raison de pénaliser un enfant qui supporte ce genre de choses, n'est-ce pas, Messieurs ?

– Qui est l'expert ici ? lança Moretti en brandissant sa photocopie.

– Aucune raison de pénaliser un enfant qui s'accommode de son traumatisme, surenchérit Mal.

– Traumatisme ? grinça Moretti. Il n'y a rien dans cet article concernant des enfants traumatisés. On parle d'enfants malades chroniquement, c'est-à-dire à long terme. Darren Burkhalter est un cas particulier. Il n'a pas de douleur physique durable ou de modification physique à supporter. Il serait même moins vulnérable aux problèmes que quelqu'un souffrant d'une infirmité chronique.

Il se permit un sourire de triomphe anticipé.

Pour lui tout cela n'était qu'un jeu, et j'eus la vision de gamins s'affrontant au fond d'une impasse pour savoir qui pisserait le plus loin.

– En effet, monsieur Moretti, les enfants chroniquement malades et les enfants traumatisés sont très différents. C'est pourquoi je suis étonné que vous citiez cet article.

Deux ou trois avocats réprimèrent un sourire.

– Touché, me glissa Mal.

Un des autres avocats de la compagnie d'assurances chuchotait à l'oreille de Moretti. Celui-ci resta impassible, mais ce qu'il entendit ne parut pas lui plaire. Il posa la photocopie d'un geste précis.

– D'accord, Docteur, parlons donc de la notion de traumatisme infantile. Votre conclusion, si je vous ai bien compris, est que Darren Burkhalter sera émotionnellement marqué pour toute sa vie parce qu'il était présent pendant un accident automobile.

– Vous m'avez mal compris, dis-je.

Moretti rougit violemment, et Mal eu un haussement de sourcils étonné.

– Allons, Docteur...

– J'ai dit, monsieur Moretti, que pendant mon examen Darren Burkhalter a montré les symptômes classiques de traumatisme pour un enfant de son âge. Problèmes de sommeil, cauchemars, phobies, agressivité, hyperactivité, crises de colère. D'après sa mère et la pédiatre de la garderie, il n'avait aucun de ces comportements avant l'accident. Il est donc raisonnable de penser que ces comportements sont en relation avec l'accident, bien que je ne puisse le prouver avec des éléments matériels quantifiables. Il est difficile de savoir si ces problèmes se transformeront en incapacités chroniques, bien que j'estime le risque très sérieux si une psychothérapie n'est pas poursuivie. Darren accuse également un retard net dans son vocabulaire et son expression verbale. Il est en retard de plusieurs mois sur le comportement moyen à son âge. Quelle part de ce retard est conséquente au traumatisme, il est impossible de le définir, mais il faut considérer cet aspect dans l'avenir de cet enfant.

– Vous l'avez dit, il est impossible de définir l'impact du traumatisme sur le développement de l'enfant, fit Moretti. D'après ce que j'ai lu des travaux de vos pairs, l'intelligence est déterminée en premier par des facteurs génétiques. Le meilleur révélateur du QI d'un enfant est encore le QI de son père, d'après les recherches de Katz, Dash et Ellenberg en 1981.

– Le QI de son père ne sera plus jamais évalué, dit Mal.

– C'est pourquoi j'ai demandé à ce que Mrs. Burkhalter subisse une évaluation de son QI, mais vous avez refusé, monsieur Worthy.

– Elle avait subi assez de stress, Maître.

– Quoi qu'il en soit, poursuivit Moretti, nous pouvons tirer certaines conclusions de ce que nous savons des parents. Pas plus Mr. Burkhalter que son épouse n'ont terminé leurs études secondaires. Tous deux ont travaillé dans des emplois inférieurs. Ce qui indique un potentiel génétique en dessous de la moyenne pour cette famille. Dans ces conditions, il est difficile d'espérer que Darren atteigne la moyenne, ne croyez-vous pas, docteur Delaware ?

– Ce n'est pas aussi simple, contrai-je. Si le QI des parents est encore le meilleur indicateur du QI possible des enfants, ce n'est toujours qu'un piètre indicateur qui ne se révèle juste que dans vingt pour cent des cas. Katz, Dash et Ellenberg l'ont d'ailleurs fort bien mis en relief dans leurs études complémentaires de 1983. Un sur cinq, monsieur Moretti. Ce n'est pas très bon pour un pari.

– Aimez-vous jouer, Docteur ?

– Non. C'est pourquoi j'ai accepté ce cas.

La sténotypiste baissa la tête pour dissimuler son amusement. Moretti se tourna vers Mal :

– Je vous recommande de conseiller à votre expert une attitude correcte.

– Considérez-vous conseillé, docteur Delaware, dit Mal en réprimant un sourire, et il consulta sa Rolex avec ostentation. Si nous poursuivions, Messieurs ?

Moretti remit ses lunettes et feuilleta quelques documents.

– Docteur Delaware, vous ne prétendez quand même pas que s'il n'avait pas assisté à cet accident Darren Burkhalter serait devenu une sommité en physique nucléaire, n'est-ce pas ?

– Personne ne peut dire ce que serait devenu Darren, ni d'ailleurs ce qu'il deviendra. Pour l'instant, les faits sont les suivants : à la suite d'un traumatisme psychologique extrêmement rude, son expression verbale est en dessous de la moyenne et il souffre d'un stress important.

– Quel était le niveau de son expression verbale avant l'accident?

– Sa mère dit qu'il commençait à parler. Pourtant, après le traumatis...

– Sa mère? coupa Moretti. Et vous basez vos conclusions sur ce qu'elle vous dit?

– Ainsi que sur d'autres données.

– Votre entretien avec le pédiatre de la garderie, par exemple?

– En effet.

– Ce pédiatre est votre expert, Docteur?

– Cette pédiatre m'a parue très compétente et possédant une bonne compréhension de la personnalité de Darren. Elle a rapporté que les parents de Darren se montraient très aimants et très intéressés par ses progrès. Son père, en particulier, avait manifesté de l'intérêt pour...

– Oui, parlons donc de son père : Gregory Joe Burkhalter avait un casier judiciaire. Le saviez-vous, Docteur?

– Oui, je le sais. Pour acte de délinquance mineure, il y a de nombreuses années.

– Pour vol, Docteur. Il a fait de la prison.

– Quel est l'intérêt de ce détail? interrogea Mal.

– L'intérêt, monsieur Worthy, est que votre expert se base sur l'opinion d'une personne qui ne serait pas qualifiée pour témoigner devant un jury et cherche à prouver que ce père était une source de stimulation intellectuelle majeure pour son enfant, d'où une perte émotionnelle et intellectuelle consécutive à la mort du père. Or ce père était un criminel jouissant d'une éducation rudimentaire...

– Monsieur Moretti, dis-je, pensez-vous que seuls les parents éduqués méritent d'être pleurés?

Il m'ignora totalement et poursuivit :

– ... alors qu'en fait tout indique un milieu social et émotionnel appauvri...

Il était lancé et continua ainsi, sa voix gagnant en ampleur à mesure que l'ardeur du combat l'échauffait. Je vis que Mal était lui aussi entré dans l'ambiance d'affrontement et s'apprêtait à répliquer avec autant de feu.

On débiterait encore des phrases creuses, et la vérité n'y gagnerait rien. Brusquement j'en eus assez et je coupai la parole à Moretti, d'une voix assez forte pour le faire taire :

– Monsieur Moretti, vous êtes l'illustration classique des dangers de l'ignorance.

Sous le coup l'avocat se dressa de son siège, mais il se reprit à temps et se rassit lentement. Avec un rictus, il lâcha :

— On devient agressif, Docteur ?

— Cette réunion devait nous permettre d'établir des faits. Si vous voulez entendre ce que j'ai à dire, parfait. Mais si vous voulez jouer au petit jeu des ego, je ne tiens pas à gaspiller mon temps.

Moretti fit claquer sa langue.

— Monsieur Worthy, si le comportement actuel de votre expert préfigure celui qu'il aura devant la Cour, vous êtes en fort mauvaise posture.

Mal jugea plus prudent de ne pas répondre.

— Nous parlions de traumatisme infantile, repris-je en m'adressant à Moretti. Puis-je aborder ce sujet ou en ai-je fini ?

Moretti affiche une expression amusée.

— Abordez donc, si vous pensez pouvoir ajouter quelque chose à votre rapport.

— Étant donné que vous avez tiré des conclusions erronées de mon rapport, j'ai en effet beaucoup à ajouter. Darren Burkhalter souffre d'un stress en réaction à un traumatisme violent, et ce stress risque de se transformer en problèmes psychologiques graves et durables. Quelques séances de thérapie par le jeu et des entretiens de conseils avec la mère ont certes amené une réduction relative des symptômes, mais un traitement beaucoup plus approfondi me paraît indispensable. — Je me tournai alors vers les autres avocats : Je ne dis pas que des problèmes psychologiques graves sont inévitables, mais je ne peux plus évacuer le problème sur le simple principe d'incertitude. Aucun expert ne le ferait.

— Oh, pour l'amour du ciel, lâcha Moretti. Ce gamin n'a que deux ans !

— Vingt-six mois.

— Et il avait dix-huit mois lors de l'accident. Vous vous dites donc prêt à aller déposer devant la Cour qu'à vingt-six mois Darren Burkhalter risque d'être psychologiquement affecté par un accident qui s'est produit alors qu'il n'était encore qu'un bébé ?

— C'est exactement ce que je vous dis. Une scène traumatique aussi sanglante et marquante, enterrée dans son subconscient...

Moretti renifla d'un air sceptique.

— A quoi ressemble un subconscient, Docteur ? Je n'en ai jamais vu...

139

– Et pourtant vous aussi en avez un, monsieur Moretti. Tout comme moi et chacun ici présent. En termes simples, le subconscient est un espace de stockage psychique, la partie de notre cerveau où nous gardons les expériences et les sentiments auxquels nous ne voulons pas nous confronter. Quand nous baissons nos défenses, une partie des informations stockées s'écoulent au niveau conscient. Les rêves, les désirs, des comportements apparemment irrationnels ou autodestructeurs que nous appelons des symptômes. Le subconscient est réel, monsieur Moretti. C'est lui qui vous fait rêver de gagner. Et sans doute une grande partie de ce qui vous a motivé à devenir avocat.

Le coup porta plus que je ne l'aurais cru. Il montra beaucoup de difficulté à se contenir. Ses yeux s'étrécirent et ses narines se dilatèrent tandis que ses lèvres se pinçaient jusqu'à disparaître.

– Merci de votre perspicacité, Docteur. Envoyez-moi donc votre note. Quoique, à en juger par les honoraires que vous demandez à Mr. Worthy, je ne sois pas sûr de pouvoir m'offrir le luxe de votre expertise. En attendant, si nous revenions à l'accident...

– Accident est un terme qui décrit mal ce que Darren Burkhalter a subi. Désastre serait plus conforme à la réalité. L'enfant dormait sur la banquette arrière de la voiture quand l'accident s'est produit. La première chose qu'il a vue en ouvrant les yeux a été la tête de son père décapité qui passait par-dessus le siège avant et retombait à côté de lui, les traits du visage encore agités de spasmes.

Plusieurs avocats firent la grimace en imaginant la scène.

– Il s'en est fallu d'une dizaine de centimètres pour que l'enfant reçoive la tête de son père sur les genoux, poursuivis-je. Sur l'instant Darren a dû croire qu'il s'agissait d'une sorte de poupée car il a essayé de saisir la tête. Quand il a retiré sa main pleine de sang et qu'il a compris au moins en partie ce que c'était, il est devenu hystérique. Et il est resté en état d'hystérie pendant cinq jours et cinq nuits, monsieur Moretti, en hurlant « Dada ! » sans que rien ne puisse le faire arrêter.

Je marquai une courte pause pour appuyer mon propos.

– Il a compris ce qui se passait. Il a rejoué la scène dans mon cabinet chaque fois qu'il s'y est trouvé. Il est à l'évidence assez âgé pour former un souvenir durable de ces événements. Je vous citerai des statistiques sur ce fait, si vous le désirez. Et ce souvenir ne disparaîtra pas simplement parce que vous voulez qu'il disparaisse.

– Un souvenir que vous renforcez en le lui faisant remettre en scène encore et encore, accusa Moretti.

– Ainsi donc vous insinuez que la psychothérapie ne fait qu'aggraver son cas. Que nous devrions simplement oublier tout cela ou agir comme si rien n'avait eu lieu ?

– Deuxième coup au but, murmura Mal à mon oreille.

Les yeux luisant de rage, Moretti se contrôlait de plus en plus mal.

– C'est votre opinion qui est étudiée ici, Docteur. Eh oui, je serais curieux de voir les preuves que vous avez pour étayer vos assertions.

– Avec plaisir.

J'avais ma propre réserve de documents, que je sortis de mon attaché-case. Je citai mes références, alignai des chiffres et des statistiques et composai une sorte d'exposé succinct sur le développement de la mémoire chez les enfants et leurs réactions aux désastres et aux traumatismes. Je me servis du tableau noir derrière nous pour rendre mes conclusions plus claires.

– Généralisations, laissa tomber Moretti. Suppositions cliniques.

– Vous préféreriez quelque chose de plus objectif ?

Il eut un sourire de requin.

– Ce serait beaucoup mieux, sans doute.

– Très bien.

Une secrétaire apporta le magnétoscope et la télévision, brancha le tout, mit la cassette et éteignit les lumières avant d'appuyer sur le bouton « marche ».

Quand la cassette fut terminée, un silence lourd plana sur la pièce. On ralluma. Un rictus narquois aux lèvres, Moretti se tourna vers moi.

– Vous voulez vous lancer dans le cinéma, Docteur ?

– J'en ai vu et entendu assez, dit un des avocats.

Il referma son attaché-case, repoussa son siège de la table et se leva. Plusieurs autres l'imitèrent.

– D'autres questions, Messieurs ? s'enquit Mal.

– Non, fit Moretti.

En voyant son air enjoué j'éprouvai un doute subit. Il me salua d'un clin d'œil moqueur.

– Nous nous reverrons devant le tribunal, Docteur.

Quand ils eurent quitté la pièce, Mal se frappa la cuisse du plat de la main et esquissa une petite danse de triomphe.

– En plein dans les *cojones*! Magnifique, Alex. Je devrais recevoir leurs premières offres cet après-midi.

– J'y suis allé plus fort que je ne le voulais, mais ce salaud m'a énervé.

– Je sais bien. Tu as été remarquable, dit Mal en ramassant ses papiers.

– Que penses-tu de l'attitude de Moretti avant de partir? Il avait l'air heureux de porter l'affaire devant les tribunaux.

– Du flan! Il sauvait la face devant ses collègues. Il sera peut-être le dernier à baisser les bras, mais il a perdu, il le sait. Sacré trou du cul, hein? Il a la réputation d'être un procédurier retors, mais là tu l'as étendu pour le compte. Ton petit sarcasme sur le subconscient était en plein dans le mille, Alex. Dieu sait qu'il a dû serrer les fesses pour ne pas faire sous lui à ce moment-là. Ah! « Et sans doute une grande partie de ce qui vous a motivé à devenir avocat. » Je ne te l'avais pas dit, mais le père de Moretti était un psychiatre renommé de Milwaukee, et il a beaucoup travaillé comme expert auprès des tribunaux. Moretti a dû le détester, parce qu'il a vraiment une dent contre tous les psys. C'est pour cette raison que la compagnie d'assurances lui avait donné la charge de ce dossier. Et bon sang, tu n'as fait que deux bouchées de leur champion! Tu es devenu une vraie teigne, Alex, tu sais ça?

– Bah, j'en avais marre de ces conneries, fis-je en me dirigeant vers la porte. Tu ne fais pas appel à mes services avant un petit bout de temps, d'accord?

– Eh, ne te méprends pas sur mes paroles, Alex. Je ne cherchais pas à te rabaisser. Je t'ai trouvé très bien, vraiment.

– Flatté, répondis-je.

Et je le laissai à son triomphe et ses calculs d'indemnités.

Le téléphone sonnait quand je rentrai à l'appartement. Je décrochai au même moment que mon service de répondeur, et j'avertis l'opératrice que je prenais la communication. C'était Del Hardy.

– J'ai trouvé quelques petites choses, me dit-il. A Hollywood on ne m'a pratiquement rien appris, mais j'ai parlé avec un des coroners. Prêt à entendre ce genre de choses?

– Allez-y.

– Tout d'abord le moment du décès : entre huit heures du soir samedi et trois heures du matin dimanche. Secundo, cause de la mort : un projectile calibre trente-deux dans le cerveau. Il a pénétré dans le cortex cérébral et fait beaucoup de dégâts dans la région, comme c'est le cas des petits projectiles. Tertio, on a constaté une forte concentration d'alcool et de barbituriques dans son sang. A la limite de la dose mortelle. Le coroner a aussi trouvé de vieilles cicatrices entre ses orteils, qui ressemblent à des traces de piqûres. Vous étiez au courant que cette dame avait touché aux drogues dures ?

– Non. Mais c'était il y a longtemps.

– Oui, les gens changent. C'est même ce qui nous donne du boulot.

– Overdose et balle de revolver, murmurai-je.

– L'intention était marquée. En particulier pour une femme...

– Oui. Mais en ayant absorbé autant de barbituriques, elle n'était pas trop endormie pour tirer ?

– Pas immédiatement après ingestion, répondit Del. Un autre facteur qui va vous intéresser : d'après le coroner, son service a procédé au plus vite, sur ordre du patron. D'habitude, à cette époque de l'année, chaque dossier est traité en six ou huit semaines. Là, ils ont fait diligence. Et ils ont également reçu ordre de n'en parler à personne.

– Pourquoi ce secret ?

– Le coroner a eu l'impression très nette que c'était une affaire de gens fortunés et que les rouages étaient graissés au maximum pour que tout soit étouffé au plus tôt.

– Pourtant le département a donné un communiqué à la presse.

– Info contrôlée. C'est stratégique. Si vous ne dites rien sur un cas et que quelqu'un découvre que vous avez gardé certaines infos, on pensera aussitôt qu'il y a encore plus de choses cachées. Mais si vous dites à la presse ce que vous voulez bien qu'ils sachent, c'est plus sûr et vous avez une image d'ouverture et de sincérité auprès d'eux. Il n'y a d'ailleurs pas grand-chose à dire sur cette affaire. Un suicide classique, sans rien de louche. Pour la combinaison barbituriques-arme à feu, le pathologiste a deux hypothèses : première, elle a mélangé médicaments et alcool pour se tuer, mais elle a changé d'avis et a voulu accélérer le processus, ou peut-être en finir de façon plus spectaculaire, d'où le revolver. Ça me semble assez cohérent. Le suicide est un appel, n'est-ce pas? C'est vous autres psys qui nous l'avez appris, le dernier rapport au monde. Les gens ont le droit d'être très tatillons sur la façon dont ils veulent en finir, pas vrai?

– Exact. Et la seconde hypothèse?

– Elle s'est servie de l'alcool et des barbituriques pour baisser ses inhibitions et se trouver assez de courage pour appuyer sur la détente. Dans l'une ou l'autre hypothèse, le résultat est le même.

– Elle n'a pas laissé un mot?

– Non. Beaucoup de gens ne le font pas. Exact?

– Exact. Qui s'est occupé de cette affaire?

– Un type nommé Pinckley, qui est parti hier en vacances à Hawaï.

– Un hasard très opportun...

– Mais sans doute un hasard, enchaîna Del. Les vacances sont prévues longtemps à l'avance. Pinckley est un surfer enragé, il a même participé à des compétitions de niveau national. Chaque année vers cette époque il prend ses congés pour profiter de la meilleure saison de surf à Wiamea. J'ai appelé Hollywood et ils ont confirmé: le planning de rotation était arrêté depuis des mois.

– Qui a repris l'affaire après Pinckley?

– Il n'y a rien à reprendre, Doc. Le dossier est clos.

– Et Trapp qui s'est rendu à la maison de la morte?

Del baissa notablement la voix pour répondre:

– J'ai dit que j'avais trouvé quelques petites choses, vous vous souvenez? Ce qui ne signifie pas que je sois entré dans le bureau de mon supérieur pour lui faire subir un interrogatoire au troisième degré.

– D'accord, désolé.

– Pas besoin d'être désolé. Mais prudent, oui.

– Rien d'autre, Del?

Il marqua un temps de réflexion.

– A quel point étiez-vous proche d'elle, Doc?

– Je ne l'avais pas revue depuis six ans.

– Mais vous étiez assez proche pour savoir qu'elle n'avait rien d'une nonne?

– Oui, assez proche pour savoir ça.

– Bon. Si vous étiez de sa famille ou son mari, je ne vous

dirais jamais ça, et même ainsi souvenez-vous : cette information est strictement confidentielle. Ma source à Hollywood m'a dit qu'un bruit courait sur cette affaire. Quand ils sont arrivés sur les lieux, un des inspecteurs aurait trouvé une cassette porno cachée sous le matelas. Rien de très sophistiqué, juste une sorte de bout d'essai. Mais un bout d'essai dans lequel elle jouait. Elle était peut-être psychologue, mais elle avait d'autres talents.

Je déglutis péniblement.

– Doc?

– La cassette est toujours chez vous, Del?

– Tout n'arrive pas toujours chez nous.

– Je vois.

– Dans un cas comme celui-ci, c'est peut-être aussi bien pour la mémoire de la morte. Il vaut peut-être mieux que cette cassette tombe dans la collection particulière d'un flic et qu'il la visionne en privé lors d'une soirée chaude plutôt que les journaux n'apprennent son existence. Vous imaginez les titres : « La vie secrète de la psychologue »... Vous savez ce qu'ils feraient d'une info aussi juteuse. Je veux dire, apparemment cette cassette n'était pas exactement un film à la Walt Disney...

– Qu'y avait-il dessus?

– Ce que vous pouvez imaginer, Doc.

– Pourriez-vous être plus précis, Del?

– Vous y tenez vraiment?

– Allez-y.

Il soupira.

– Très bien. On m'a dit que c'était un de ces trucs entre la psy et son patient. Vous voyez le style : un bilan de santé qui tourne à la partie de jambes en l'air. Elle jouait le patient, et un type tenait le rôle du psy... C'est tout ce que je sais. Je ne l'ai pas vue personnellement.

– A-t-elle laissé des documents derrière elle, comme des dossiers de patients?

– Je n'ai pas demandé.

– Et cette vente expresse de sa maison?

– L'affaire étant classée, rien n'empêchait la vente.

– Elle était propriétaire?

– Je n'ai pas vérifié.

– Et sa sœur jumelle? On a retrouvé sa trace?

– Il n'y a pas de Shirlee Ransom dans nos fichiers, ce qui

veut dire qu'elle n'a pas commis d'actes répréhensibles enregistrés. Le service des immatriculations n'a rien sur elle non plus.

— Pas étonnant. Elle était incapable de conduire.

— Par ailleurs, la recherche des héritiers possibles n'est pas de notre ressort, Doc. Si un notaire veut la faire rechercher pour le testament, il faudra qu'il engage un privé. Et pour répondre à la question que vous allez me poser, non, je ne sais pas qui est le notaire en charge du testament.

— Très bien, Del. Merci pour votre temps.

— Pas de problème. C'est un plaisir de rendre service. Quand j'en ai le temps.

Une façon polie de me faire comprendre qu'il ne fallait plus l'importuner sur le sujet.

13

Un film porno amateur.

Les « recherches » de Kruse.

Explorer les frontières de la sexualité humaine.

Larry en avait ri, mais un peu jaune. C'était clair, il préférait oublier la période passée sous la direction de Kruse. A présent il allait devoir s'en souvenir. Je téléphonai à son cabinet de Brentwood en utilisant la ligne privée qui évitait son service de répondeur.

— Je suis avec un patient, dit-il à mi-voix. Je peux te rappeler dans un quart d'heure ?

Il le fit, à précisément trois heures moins le quart, il parlait tout en mâchonnant quelque chose.

— Je te manque déjà, D. ? Qu'est-ce qui te tracasse ?

— Sharon Ransom.

— Ouais, j'ai lu ça dans le journal. Oh, bon sang, j'avais oublié : vous étiez sortis ensemble à l'époque, non ?

— Elle se trouvait à la garden-party, Larry. Je l'ai rencontrée par hasard quand tu es allé passer ton coup de fil. J'ai parlé cinq minutes avec elle. C'était la veille de sa mort.

— Bon sang... Elle t'a paru déprimée ?

— Un peu, sans plus. Elle m'a dit que les choses n'allaient pas bien pour elle, mais rien de très appuyé, rien qui puisse donner l'alarme. Enfin, tu sais aussi bien que moi combien le comportement extérieur est difficile à interpréter.

147

– Ouais, cette vieille intuition professionnelle... Autant faire confiance au oui-ja.

Un silence.

– Sharon Ransom, reprit-il. Incroyable. C'était une beauté, si je me souviens bien.

– Elle l'était restée.

– Incroyable, répéta-t-il. Je ne l'ai pas revue depuis l'université, jamais rencontrée à aucune réunion ou convention depuis...

– Elle habitait L.A.

– La Dame mystérieuse. C'est toujours un peu l'impression qu'elle m'a faite.

– Travaillait-elle sur le projet porno de Kruse, Larry ?

– Pas quand j'y collaborais, en tout cas. Pourquoi ?

Je lui expliquai son rôle d'assistante auprès de Kruse. Et je lui parlai de l'existence du film amateur.

– Eh bien, on en apprend tous les jours à Hollywood, fit-il.

Pourtant il ne me paraissait pas très surpris, et je le lui dis.

– C'est parce que je ne le suis pas vraiment, D. Peut-être de quelqu'un d'autre, mais d'elle, non.

– Et pour quelle raison ?

– A dire vrai, je l'ai toujours trouvée un peu bizarre.

– De quelle façon ?

– Rien de flagrant, simplement l'impression que quelque chose n'allait pas chez elle. Comme le portrait d'une très belle femme qui serait accroché de travers.

– Tu ne m'en as jamais parlé, à l'époque.

– Si je t'avais dit que je pensais ta petite amie un peu curieuse du côté personnalité, est-ce que tu m'aurais écouté calmement pour me remercier ensuite ?

– Non, c'est vrai.

– Non, c'est vrai, comme tu dis. Au contraire tu aurais été en rogne contre moi et tu ne m'aurais sans doute plus jamais adressé la parole. Non, non, les gars, Tonton Larry sait la fermer quand c'est nécessaire. Règle première en thérapie : si vous n'êtes pas certain d'un point, n'en parlez pas. Et je n'étais pas sûr. Et ce n'était pas comme si je devais faire un diagnostic à son propos. Ce n'était qu'une simple impression. Et si tu semblais bien apprécier sa compagnie, je ne te voyais pas l'épouser, de toute façon.

– Et pourquoi pas ?

– Elle ne me paraissait pas le genre à se marier.

– A quel genre te semblait-elle appartenir ?

– La maîtresse que l'on continue à voir régulièrement et qui détruit votre vie, D. J'ai pensé que tu étais trop malin pour ce type de personne. J'avais raison, n'est-ce pas ?

Je ne répondis pas. Il attendit quelques secondes, puis reprit :

– N'y vois pas outrage, mais j'aimerais te poser une petite question : au lit, elle était bien ?

– Pas vraiment.

– Elle accompagnait le mouvement mais ne paraissait pas vraiment y prendre du plaisir, c'est ça ?

J'étais abasourdi.

– Qu'est-ce qui te fait penser ça ? éludai-je.

– C'est en parlant du film que j'ai compris à qui elle me faisait penser : à ces actrices de porno que Kruse utilisait dans ses films. J'en ai rencontré quelques-unes quand je travaillais avec lui. Toutes dégageaient un sex-appeal torride, mais on avait l'impression que c'était seulement un vernis, quelque chose qui devait disparaître avec leur maquillage. La sensualité n'était pas intégrée à leur personnalité. Elles savaient comment séparer leurs sentiments de leur comportement.

– Comme les cas-limites ?

– Exactement. Mais ne te méprends pas, je ne dis pas que Sharon était un cas-limite, ni même que toutes ces actrices l'étaient. Mais elle et ces filles possédaient cette attitude proche des cas-limites. J'ai visé juste ?

– En plein dans le mille, répondis-je. Elle avait effectivement des attitudes typiques d'un cas-limite. Et toutes ces années je n'ai rien vu du tout.

– Ne t'accuse pas, D. Tu couchais avec elle et tu manquais forcément de recul. Ce n'est certainement pas toi que j'aurais vu pour faire son diagnostic. Mais je ne suis pas surpris qu'elle ait tourné dans un film porno.

Troubles de la personnalité d'un cas-limite. Si Sharon avait mérité ce diagnostic, j'avais frôlé le désastre.

Le cas-limite est un cauchemar pour un thérapeute. Durant mes années de formation, et avant que je ne décide de me spécialiser dans la psychologie des enfants, j'en avais traité plus que ma part.

Ou, pour être plus précis, j'avais essayé de les traiter. Car les cas-limites ne se soignent jamais vraiment. Au mieux vous les aidez à endurer leurs problèmes, mais vous devez prendre garde à ne pas vous laisser engloutir par leur pathologie. Au premier regard ils ont l'air tout à fait normaux, ils ont des emplois à haute pression où ils excellent, mais en réalité ils sont toujours sur la corde raide, entre la folie et la santé mentale. Ils sont incapables d'entretenir des relations humaines normales, et ils ne peuvent se départir d'un profond sentiment de manque de valeur personnelle. Ce sentiment se traduit par de la violence et, inévitablement, par l'autodestruction.

Ce sont les déprimés chroniques, les dépendants, les divorcés, tous ceux dont la vie est une succession de désastres émotionnels. Leur ego a la fragilité du cristal, et leur psychisme est irrémédiablement fragmenté, pareil à un puzzle où manqueraient les pièces principales. Ils jouent des personnages avec beaucoup de conviction, pourvu que ce ne soit pas eux. Ils désirent l'intimité mais la repoussent dès qu'ils la rencontrent. Certains d'entre eux font carrière sur scène, ou sur l'écran. D'autres jouent leurs rôles de façon plus subtile.

Personne ne sait précisément ce qui fait un cas-limite. Les freudiens prétendent que tout vient d'une carence affective subie durant les deux premières années de la vie. Les tenants de l'explication biochimique accusent une défaillance du système neuronal. Aucune école ne sait trop comment les aider.

Les cas-limites vont d'un thérapeute à un autre en espérant trouver la formule magique qui les délivrera de ce sentiment oppressant de vide. Après un temps ils se tournent vers des formules plus chimiques et avalent tranquillisants et antidépresseurs, alcool et cocaïne. Ils suivent les gourous et les charlatans, n'importe quel désaxé assez charismatique qui promet de les débarrasser de leur souffrance. Et ils finissent par faire des séjours dans des établissements psychiatriques ou en prison, pour en ressortir apparemment remis, ce qui suscite l'espoir général. Jusqu'à la déception suivante, réelle ou imaginaire, et une autre excursion dans l'autodestruction.

La seule chose qu'ils ne font pas, c'est changer.

Une fois, Ada Small avait abordé avec moi ce sujet, et c'est dans ma mémoire, la seule occasion où j'ai entendu de la colère dans sa voix :

— Si vous voulez vous sentir compétent, évitez-les, Alex. Ils vous donneront l'impression que vous êtes stupide. Pendant des mois, des années peut-être, vous travaillerez à établir un rapport, et au moment où vous penserez y être parvenu et pouvoir faire évoluer le sujet, il vous tournera le dos. Alors vous vous demanderez quelle erreur vous avez bien pu commettre, et si vous êtes fait pour cette profession. Mais ce ne sera pas vous, Alex : ce sera lui. Ces cas-limites peuvent paraître en parfaite condition à un moment et au suivant grimper sur le bord de la fenêtre.

Le bord de la fenêtre...

Plus que toute autre catégorie de patients, les cas-limites étaient les plus suicidaires. Avec succès.

– Je bavardais souvent avec ces actrices, poursuivait Larry. J'ai fini par connaître un peu certaines d'entre elles et j'ai compris leur façon de procéder. Tout tient à leur promiscuité, et leur façon de faire avec autrui. Du point de vue d'un cas-limite, la promiscuité peut représenter une adaptation à peu près correcte à l'environnement, si elle est dissociative. Un homme sera là pour l'amitié, un autre pour la stimulation intellectuelle, un autre pour les rapports sexuels. Elle sépare cas par cas. Quand on ne peut pas vivre l'intimité, c'est préférable à la solitude. Et la dissociation permet aussi de se faire arroser le visage de sperme devant une caméra. C'est juste un boulot. Je veux dire, comment le voir autrement quand vous rentrez chez vous pour vous préparer une platée de macaronis au fromage et faire des mots croisés ? Les filles le reconnaissaient. Quand elles se trouvaient devant la caméra, c'était comme regarder quelqu'un d'autre, disaient-elles.

– Dissociation parfaite.

– Par excellence, oui.

Je songeai à la fragmentation de l'existence de Sharon. Cette façon routinière et finalement dépassionnée avec laquelle elle faisait l'amour. Son refus de vivre avec moi ou quiconque. Son détachement quand elle parlait de ses parents disparus. Sa façon d'embrasser une profession caritative et de séduire ses patients. Le fait qu'elle ait eu son diplôme mais qu'elle n'ait jamais exercé. Cette nuit horrible où je l'avais découverte avec la photo des jumelles.

Je suis leur petite fille unique.

Les mensonges.

Le film.

Sa relation avec un type aussi répugnant que Kruse.

– Kruse a-t-il jamais filmé ses étudiantes, Larry ?

– Tu crois qu'il aurait pu la faire tourner dans ce film ?

– Ce serait logique. C'était lui son directeur de thèse. Et il était dans la pornographie.

– Ça se tient. Sauf que ce qu'il faisait n'avait rien de petits films. Les siens faisaient une demi-heure, étaient en couleur et sonorisés. Et supposés représenter une aide aux couples souffrant de dysfonctions sexuelles. De pseudo-documentaires avec démentis en préambule et un commentaire en voix off pendant que la caméra faisait les gros plans de pénétrations. Par ailleurs Kruse utilisait des acteurs et des actrices. Des pros. Je n'ai jamais vu un étudiant participer à un de ses films.

– Il y en a peut-être que tu n'as pas vus.

– C'est certain. Mais tu as des indices pour penser qu'il l'aurait filmée ?

– Non. Une intuition.

– Que sais-tu du film à part le fait qu'elle s'y trouve ?

– Ce serait une scène du style séduction entre le psy et sa patiente. La personne qui me l'a décrit ne l'a pas vu elle-même, et depuis le film a disparu.

– Tu n'as donc qu'une information de troisième main. Tu sais comment les faits sont déformés dans ce genre de situation. Elle ne se trouve peut-être même pas dans ce film, en réalité.

– Peut-être.

Larry marqua un temps avant de me demander :

– Tu veux que j'essaie de me renseigner ?

– Comment ?

– Je pourrais peut-être mettre la main sur une copie du film, si ça t'intéresse. Par de vieux contacts de l'époque du projet de recherche.

– Je ne sais pas trop...

– Ouais, ce serait un peu morbide... Oublie que j'ai dit ça. Oh, le voyant vient de s'allumer : j'ai un patient dans la salle d'attente. Autre chose, D. ?

J'hésitai un instant, partagé entre la curiosité – non, sois franc, Delaware : le voyeurisme – et la peur de découvrir d'autres vérités plus répugnantes encore.

– Essaie de m'avoir une copie du film, m'entendis-je dire.

– Tu es sûr ?

Je ne l'étais pas, mais j'affirmai le contraire.

– D'accord, fit-il. Je te rappelle dès que je suis fixé.

Ma conversation de la veille avec Robin me pesait, sans doute à cause de mon irritabilité. A quatre heures, je l'appelai. La personne à qui je voulais le moins parler répondit :

– Oui ?

– C'est moi, Rosalie.

152

– Elle n'est pas là.

– Quand doit-elle revenir ?

– Elle ne l'a pas dit.

– Très bien. Pourriez-vous lui dire que...

– Je ne lui dirai rien. Pourquoi vous ne la laissez pas tranquille ? Elle ne veut pas être avec vous. Vous ne l'avez pas compris ?

– Je le comprendrai quand je l'entendrai de sa bouche, Rosalie.

– Écoutez, je sais que vous vous croyez très malin et tout ça, mais vous ne l'êtes vraiment pas. Vous êtes comme elle, vous pensez que vous êtes adultes et que vous n'avez pas besoin de conseils. Mais Robin est toujours ma fille et je n'aime pas qu'on la bouscule.

– Vous pensez que je la bouscule ?

– Hier, après vous avoir parlé, elle a été grincheuse toute la journée comme quand elle était gamine et qu'elle n'avait pas ce qu'elle voulait. Dieu merci des amis sont passés la voir, et elle pourra peut-être se distraire un peu. C'est une bonne fille et elle n'a pas besoin de ce genre de problèmes. Alors pourquoi vous ne l'oublieriez pas ?

– Je ne vais rien oublier du tout. Je l'aime.

– Balivernes. Des mots.

Je grinçai des dents.

– Passez-lui simplement le message, Rosalie.

– Faites votre sale boulot vous-même.

Clic.

Je restai assis là, pétrifié par la rage et l'impuissance. J'en voulais à Robin de se laisser protéger comme une enfant.

En me calmant un peu je me rendis compte qu'elle ne se doutait probablement pas qu'elle était protégée, n'avait aucune raison de penser que sa mère agirait ainsi. Toutes deux n'avaient jamais entretenu de relations très étroites, le père de Robin y avait veillé. Et maintenant Rosalie tentait de réaffirmer ses droits maternels.

J'en étais désolé pour Rosalie, mais cela n'apaisa pas ma colère. Et je désirais toujours parler à Robin et arranger les choses. Pourquoi diable nos rapports prenaient-ils ce tour si compliqué ?

Le téléphone n'était pas la bonne façon de procéder. Il nous fallait du temps seuls, tous les deux, dans un cadre propice.

Je contactai deux compagnies pour avoir les horaires des vols en direction de San Luis. Toutes deux avaient branché un répondeur. Quand la sonnette de la porte d'entrée retentit, je raccrochai.

Dans l'œil de porte je reconnus un visage familier, large et un peu empâté, presque enfantin si l'on oubliait les cicatrices d'acné qui piquetaient les joues. Les cheveux étaient noirs et drus, à peine marqués d'un soupçon de gris, coupés court sur les oreilles et la nuque et nettement plus longs sur le dessus du crâne, avec une mèche à la Kennedy retombant sur le front bas. Les favoris descendaient au bas de lobes d'oreilles dodus. Le nez était fort, les yeux d'un vert très vif sous des sourcils broussailleux. Sa peau d'habitude pâle était maintenant rosie par les coups de soleil, et le nez rouge pelait. L'ensemble était assez laid et arborait une expression de moquerie.

– Quatre jours d'avance, Milo ? fis-je en ouvrant la porte. La civilisation te manquait ?

– Poisson, dit-il en ignorant la question et en tendant une glacière en métal. Tu as une mine de déterré.

– C'est gentil, merci. Tu n'es pas mal toi-même. Un teint de yaourt à la fraise mal remué.

Il fit la grimace. Je pris la glacière, dont le poids me surprit et nous allâmes dans la cuisine. Il s'écroula sur une chaise, étendit ses longues jambes devant lui et se passa les mains sur le visage. Puis il écarta les bras dans un geste théâtral.

– Alors, comment me trouves-tu ?

Il portait une chemise à carreaux rouges et noirs, des pantalons de treillis informes, des bottes lacées à semelles de caoutchouc et une veste de pêcheur kaki couturée d'une douzaine de poches à fermeture Éclair. Un couteau de pêche dans son étui pendait à sa ceinture. Il avait encore grossi et devait maintenant avoisiner les cent quinze kilos.

– Sensationnel.

Il grogna et délaça ses bottes.

– C'est Rick. Il a voulu absolument aller faire des courses pour que nous soyons les plus machos.

– Ça a marché ?

– Oh ouais. Nous avions l'air tellement durs que le poisson était mort de trouille. Ces petits salopards sautaient de la rivière directement dans nos poêlons, une tranche de citron entre les dents.

Un rire bref m'échappa.

– Eh, fit-il, tu sais encore faire ça. Bien... Que se passe-t-il, mon gars ? Qui est mort ?

154

Avant que je puisse répondre il s'était levé et ouvrait la glacière dont il sortit deux belles truites enveloppées dans des
feuilles de papier plastique.

— Donne-moi une poêle à frire, du beurre, de l'ail, de l'échalote. Tu as une bière pour le cuistot?

Je sortis une Grolsch du réfrigérateur, la décapsulai et la lui
donnai. Il en but un bon tiers avec satisfaction, puis me jeta un
coup d'œil étonné.

— Et toi? Tu es devenu sobre?

— Pas envie d'une bière maintenant.

Je posai une poêle et un couteau sur le plan de travail, fouillai dans le réfrigérateur, qui était presque vide.

— Tiens, voilà le beurre. Pas d'échalote. Ni d'ail. Seulement
ça.

Il fit la moue en voyant le demi-oignon doux du Texas fripé
que je lui proposais mais le prit. Dès qu'il le coupa les larmes
emplirent ses yeux.

— J'ai une meilleure idée, dit-il en s'écartant. Je les ai
pêchées, tu les cuisines.

Il se rassit et but une rasade de bière. Je levai une truite et
l'inspectai. Elle avait été proprement vidée.

— Beau boulot, hein? Ça sert d'emmener un chirurgien à la
pêche.

— Où est Rick?

— Il se repose tant qu'il le peut. Il a une permanence de
vingt-quatre heures qui arrive, ensuite une journée de batte-
ment et il reprend la nuit de samedi, avec ses fusillades et les
rigolades des barjots. Après, il commence au dispensaire un
boulot de conseil aux séropositifs. Quel type, hein? Tout d'un
coup je me retrouve à vivre avec Schweitzer.

Il souriait mais sa voix était alourdie par l'irritation, et je me
demandai si lui et Rick n'entraient pas dans une autre de leurs
phases conflictuelles. J'espérais bien que non. Je n'avais ni
l'énergie ni l'envie de m'en occuper.

— Et comment était le grand air?

— Bah, nous avons joué au campement boy-scout dans toute
sa splendeur. Mon père aurait été très fier de moi, tiens. Nous
avons trouvé un endroit superbe près d'un torrent pour planter
la tente. Le dernier jour un canoë plein de cadres en goguette a
accosté près du campement. Tu connais le style : banquiers,
informaticiens, le genre tellement coincés toute l'année que
lorsqu'ils sortent du train-train ils se comportent comme des

gamins attardés. Bref, ces abrutis dévalent le torrent, bourrés et plus bruyants que le torrent. Ils nous repèrent et tu sais ce qu'ils font ? Ils baissent leur pantalon et nous montrent leur cul ! – Il me décocha un sourire malicieux : S'ils avaient pu deviner à qui ils faisaient ça, hein ? Panique à la Convention républicaine !

Je ris et commençai à faire dorer l'oignon. Milo prit une autre bière dans le réfrigérateur et me regarda d'un air redevenu sérieux.

– Il n'y a rien là-dedans. Qu'est-ce qui se passe ?

– Il faut que je fasse des courses.

– Uh-huh... fit-il en arpentant la cuisine. Que devient la charmante Ms. Castagna ?

– Elle travaille dur.

– Uh-huh...

Les oignons avaient doré. J'ajoutai une noix de beurre et mit les truites. Elles grésillèrent et l'odeur appétissante du poisson frais emplit la pièce.

– Ah, dit Milo, rien de tel qu'un ami dans sa cuisine. Tu sais faire les vitres, aussi ? Je t'épouse.

– Pourquoi es-tu revenu aussi tôt ? demandai-je.

– Trop de beauté immaculée. On n'a pas pu supporter. Curieux comme on peut en apprendre sur soi quand on se retrouve dans la nature. Apparemment, nous sommes tous les deux trop accrocs à cette dégueulasserie de jungle urbaine. Tout cet air pur nous étourdissait. – Il but un peu de bière, secoua la tête : Tu sais comment nous sommes, le couple parfait tant que nous ne passons pas trop de temps ensemble. Mais assez de considérations philosophiques sur la douce torture de la vie de couple. Où en sont les truites ?

– Presque cuites.

– Attention de ne pas les faire cramer.

– Tu veux le faire toi-même ? rétorquai-je.

– Uh-huh, on est chatouilleux...

Je mis une truite et demie dans son assiette, pris le reste, emplis deux verres d'eau glacée et apportai le tout à table. J'avais une bouteille de vin blanc quelque part mais elle n'était pas fraîche. De plus je n'avais nulle envie de boire et la dernière chose dont Milo avait besoin était bien un peu plus d'alcool.

Il contempla l'eau comme si elle était mortellement polluée mais la but quand même. Finir son assiette ne lui prit qu'un instant, et il considéra ma part intouchée d'un regard caressant.

– Tu la veux ? lui proposai-je.

– Pas faim ?

– Non, j'ai mangé juste avant que tu n'arrives.

Il me dévisagea un moment avant de répondre :

– Alors d'accord. Passe-la-moi.

Le sort de la moitié de truite réglé, il reporta toute son attention sur moi.

– Bon, et maintenant si tu me disais ce qui te tracasse ?

Je faillis lui parler de Robin et abordai le sujet de Sharon à la place, tout en honorant mon serment à Leslie Weingarden. Je ne mentionnai pas le domaine de la séduction des clients.

Il m'écouta sans m'interrompre ni commenter, se leva et chercha un dessert dans le réfrigérateur. Il ne trouva qu'une pomme qu'il dévora en quatre bouchées.

– Trapp, hein ? fit-il quand j'en vins à cet épisode.

– Oui. Que crois-tu qu'il soit venu faire à la maison de Sharon ?

– Qui sait ? Je n'aimerais rien plus que de pouvoir dénicher quelque chose sur ce fumier, mais là il n'a pas commis de crime. Peut-être que lui et ton ancienne amie s'entendaient bien et qu'il est revenu pour s'assurer qu'il n'avait pas laissé de trace de son passage. Dégueulasse mais pas impossible... Si elle s'entendait bien avec lui, c'est qu'elle était barjot.

– Et cette vente ultra-rapide de la maison ? Et la sœur jumelle ? Je sais qu'elle existe, ou qu'elle a existé, parce que je l'ai vue il y a six ans. Si elle est toujours vivante, c'est l'héritière désignée de Sharon.

– Six ans, ça représente un bout de temps, Alex. Et qui te dit qu'elle n'a pas été retrouvée ? Del a raison, c'est aux hommes de loi de voir ça. Bien sûr, tout ça sent l'affaire étouffée, mais ça ne signifie pas que ce qui est étouffé est illégal, mon vieux. Avec les richards, ce genre de cas est assez fréquent. Le mois dernier, nous avons eu un vol de tableaux à Bel Air. Des tableaux d'impressionnistes, pour une valeur de treize millions de dollars. Disparus, comme ça – il claqua des doigts. Le coupable était le cuisinier de la baraque, et il était parti à Monaco. Nous avons rempli la paperasserie. La famille a embauché une « aide privée », et elle a récupéré les toiles. Quelques mois plus tard le cuistot a eu un accident avec de l'eau bouillante... Et puisqu'on parle d'accidents, connais-tu celui de cette fille d'un industriel important qui vit à Palisades ? Elle était furieuse contre la bonne qui avait jeté par mégarde un de ses magazines.

Elle a prit la main de la pauvre et l'a enfoncée dans le broyeur à ordures. Cinq doigts raccourcis, mais la bonne n'a pas porté plainte. Elle est retournée au Guatemala avec dix mille dollars pour chaque doigt perdu... Et il y a ce présentateur de talk-shows, un type avec beaucoup d'esprit et de charme, adoré du public. Son truc, à lui, c'est de se saouler et d'envoyer ses conquêtes féminines d'un jour à l'hosto. La chaîne de télévision qui l'emploie a ajouté deux millions de dollars à son salaire pour ce genre de petits inconvénients. Tu as déjà lu un écho sur tout ça dans la presse? Tu l'as vu à un flash-info? Non. Les richards qui se mettent dans une sale situation arrangent les choses pour ne pas passer devant la justice, Alex. Ça arrive tous les jours.

— Tu me conseilles donc d'oublier le tout?

— Pas si vite, Justicier Solitaire. Je n'ai pas dit que j'allais oublier tout ça. Je vais creuser le sujet. Mais pour des raisons égoïstes : une chance de trouver quelque chose sur Trapp. Et il y a un truc dans cette histoire de film qui m'intéresse : Harvey Pinckley, le type qui a reçu l'appel. C'était un des gars de Trapp quand il était à Hollywood. Un lèche-cul de première.

— Del semblait le juger correct.

— Mais Del ne le connaissait pas. Et puis Del est un brave type, mais nos rapports sont un peu froids ces temps-ci.

— Des tensions dans ton secteur?

— Non, des tensions dans son mariage. Il est sûr que sa femme le trompe, et ça le rend asocial.

— Désolé de l'apprendre.

— Moi aussi. C'est le seul du secteur à m'avoir jamais traité en être humain. Et ne te méprends pas dans l'autre sens : nous ne nous arrachons pas les yeux quand nous nous rencontrons. Mais il ne me donnera jamais son maximum pour qui que ce soit... Eh bien, le moment me semble bienvenu pour une petite tournée d'investigations hors programme. Je n'ai pas à reparaître au bureau avant lundi, et Rick va travailler ou dormir tout le week-end.

Il se leva, contourna la table d'un pas pesant.

— Mais ne t'attends à aucune découverte spectaculaire, okay?

J'acquiesçai, et entrepris de laver la vaisselle. Il vint derrière moi et me tapota l'épaule d'une large main amicale.

— Tu as l'air défait. Reprends-toi, Toubib. Cette amie était plus qu'une simple amie, hein?

158

– C'était il y a longtemps, Milo.

– Uh-huh... A voir ton air quand tu parles d'elle ce n'était pas de l'histoire aussi ancienne que ça. Ou est-ce qu'il y a autre chose dans ce truc effrayant que tu appelles ton esprit ?

– Rien, Milo.

– Il faut que tu réfléchisses à une chose, Alex : es-tu prêt à entendre pire sur elle ? Parce que d'après ce que nous savons déjà, si nous continuons à creuser ce sera peut-être bien dans la boue.

– Aucun problème, dis-je en essayant d'adopter un ton détaché.

– Uh-huh, fit-il une nouvelle fois, et il ouvrit le réfrigérateur pour prendre une autre bière.

14

Après son départ, j'abandonnai ma fausse nonchalance. Quelle quantité de boue étais-je prêt à découvrir quand je n'avais jamais compris ce que je connaissais déjà ?

Visites de contrôle gratuites.

J'avais été visité gratuitement, moi aussi.

L'épisode avec la photo des jumelles me laissa l'esprit embrumé, douloureux, incapable de me concentrer sur mon travail. Trois jours plus tard je la rappelai, sans obtenir de réponse. Quatre jours passèrent encore, puis je rassemblai mon courage et retournai à la maison sur Jalmia. Personne. Je me renseignai au département de psychologie où l'on m'apprit qu'elle était en congé. Aucun de ses professeurs ne s'inquiétait de cette absence. Cela lui était déjà arrivé auparavant, pour raisons familiales, et toujours elle avait fait son travail. C'était une excellente étudiante. On me suggéra de m'adresser à son conseiller pédagogique, le Dr Kruse.

Quand le Dr Kruse n'eut pas répondu à mes appels téléphoniques durant une semaine, je cherchai l'adresse de son bureau et m'y rendis. Haute de cinq étages, la bâtisse était toute d'acier anodisé et de verre fumé, sur Sunset, près de Doheny Road. Le hall était en granit, le sol recouvert d'une moquette marron. Au rez-de-chaussée se trouvait un restaurant français bruyant ouvrant sur un café avec terrasse. D'après le tableau-répertoire, les locataires constituaient un curieux mélange : un tiers environ étaient des psychologues ou des psychiatres, le reste des professionnels de l'industrie cinématographique, producteurs, agents, publicitaires.

Le cabinet de Kruse se trouvait au dernier étage. Sa porte était fermée. Je m'accroupis, relevai la languette métallique pour passer le courrier et jetai un coup d'œil à l'intérieur. L'obscurité. Je me redressai et regardai autour de moi. Un autre bureau occupait le reste de l'étage, une firme nommée Creative Image Associates. Les doubles portes étaient elles aussi fermées.

Sous la plaque de Kruse je coinçai un morceau de papier où j'avais noté mon nom et mes coordonnées et lui demandai de me contacter au plut tôt à propos de S.R. Puis je retournai en voiture jusqu'à la maison de Jalmia.

La tache d'huile à l'emplacement où elle se garait était sèche, la végétation non arrosée agonisante, la boîte aux lettres pleine du courrier d'au moins une semaine. Je lus toutes les adresses d'expédition au dos des enveloppes. Rien d'intéressant, et aucun indice sur l'endroit où elle était partie.

Le lendemain matin, avant de me rendre à l'hôpital, je retournai au département de psychologie et relevai l'adresse personnelle de Kruse dans le fichier de l'université : Pacific Palisades. Le soir venu je m'y rendis en voiture, coupai le moteur et l'attendis.

On était à la fin novembre, juste avant Thanksgiving. La meilleure époque de l'année à Los Angeles. Le ciel s'était légèrement assombri, passant d'un bleu digne du Greco à un étain luisant, gonflé de nuages de pluie et adouci par l'éclairage urbain.

Kruse habitait une grande maison rose de style espagnol dans une rue privée donnant sur Mandeville Canyon, tout près de la route côtière. La rue était étroite et calme, les propriétés voisines de taille imposante, mais celle de Kruse était ouverte aux quatre vents, sans murs ni grilles.

La psychologie avait fait sa fortune. La demeure était entourée de soixante-dix mètres de jardins paysagés de chaque côté, flanquée de vérandas, avec des toits plats à la mexicaine, des fenêtres à petits carreaux. Un pin noir magnifiquement tordu ombrageait la pelouse au sud, tel un bonsaï géant. Une allée semi-circulaire dallée de tuiles à la façon mauresque découpait un U inversé dans l'étendue d'herbe.

161

Au coucher du soleil des lampadaires colorés s'allumèrent, dispensant sur le jardin une lumière séduisante. Toujours pas de voiture, et pas un bruit. Assis là, dans ma voiture, la scène me rappela la maison de Jalmia – l'influence du maître ? – et je repensai à l'histoire d'héritage que m'avait racontée Sharon. De nouveau je me demandai si ce n'était pas Kruse qui l'avait installée là. Et je m'interrogeai également sur ce qu'il avait pu advenir de l'autre petite fille de la photo.

Il arriva peu après huit heures, au volant d'un coupé Mercedes noir à la capote baissée. L'automobile remonta l'allée à vive allure. Au lieu d'ouvrir la portière il passa ses deux jambes par-dessus. Le vent avait artistement ébouriffé sa longue chevelure blonde. Des lunettes de soleil aux verres miroirs pendaient à une chaîne en or passée à son cou. Il ne portait pas de mallette ou d'attaché-case mais un simple sac en box-calf assorti à ses bottes. Il était vêtu d'une veste sport en cachemire gris, d'un pull à col roulé de soie blanche et de pantalons noirs. Une pochette de soie noire striée de rouge s'échappait de sa poche de poitrine.

Alors qu'il se dirigeait vers la porte d'entrée je descendis de la Rambler. Le bruit de la portière qui claquait le fit se retourner et il resta immobile, à m'observer tandis que je couvrais au trot la distance nous séparant.

– Docteur Kruse ? fis-je en entrant dans la lumière artificielle des lampadaires. Alex Delaware.

Malgré mes messages, mon nom n'éveilla chez lui aucun signe de reconnaissance.

– Je suis un ami de Sharon Ransom.

– Enchanté, Alex. Appelez-moi donc Paul.

Il souriait à moitié. Sa voix était basse et bien modulée, pareille au timbre professionnel d'un disc-jockey.

– Je cherche à la joindre, expliquai-je.

Il hocha la tête mais ne répondit pas, et après un moment je me sentis obligé de poursuivre :

– Elle n'est pas chez elle depuis deux semaines, docteur Kruse. Je me demandais si vous saviez où elle se trouve.

– Vous tenez à elle, dit-il avec la même intonation que s'il avait répondu à une question non formulée.

– Oui.

– Alex Delaware... répéta-t-il, songeur.

– Je vous ai appelé plusieurs fois, repris-je. J'ai laissé de nombreux messages à votre bureau.

Il me gratifia d'un large sourire, eut un mouvement de tête qui renvoya ses longs cheveux en arrière. Il sortit ses clefs de sa poche.

– J'aimerais vous aider, Alex, mais je ne le peux pas.

Il commença à marcher vers la porte de la maison.

– Docteur Kruse, s'il vous plaît...

Il s'arrêta, se retourna à demi et me jeta un regard par-dessus l'épaule, accompagné d'un nouveau sourire qui tenait plus d'un rictus de déplaisir en voyant quelqu'un de peu apprécié.

Paul a une bonne opinion de toi. Oui, il t'apprécie...

– Où est-elle, docteur Kruse ?

– Le fait qu'elle ne vous l'ait pas dit implique quelque chose, n'est-ce pas ?

– Dites-moi simplement si elle va bien. Si elle va revenir à L.A. ou si elle est partie pour de bon.

– Je suis désolé, répondit-il. Je ne peux rien vous dire. Secret professionnel.

– Vous êtes son thérapeute ?

– Je suis son directeur de thèse. Et la relation inhérente à ma position est plus qu'un peu de psychothérapie.

– Me dire si elle va bien ne violerait pas le secret professionnel, répliquai-je.

Il secoua la tête d'un air las, puis un phénomène étrange déforma son visage. Tandis que la partie supérieure restait celle de l'homme scrutateur, les épais sourcils blonds toujours froncés sur les yeux vifs au regard intense, le bas du visage s'amollit curieusement, et la bouche se tordit en une expression presque clownesque.

Deux personnalités semblaient se disputer la suprématie de ses traits, et cette vision était assez effrayante, d'autant que je sentais derrière ce masque fragmenté une hostilité réelle, l'envie de ridiculiser, de dominer.

– Dites-lui que moi je tiens à elle, énonçai-je calmement. Dites-lui que quoi qu'elle fasse, je tiens toujours à elle.

– Je vous souhaite le bonsoir, lâcha-t-il.

Et il entra chez lui.

Une heure plus tard, de retour dans mon appartement et toujours furieux, j'étais déterminé à l'éradiquer, elle et ses histoires, de mon existence. Un mois s'écoula. Je m'étais installé dans une solitude étouffée par une charge de travail extrême, et je réussissais assez bien à simuler le contentement pour y croire moi-même, quand elle téléphona. Il était onze heures du soir et je venais tout juste de rentrer, épuisé et affamé. Quand j'entendis sa voix mes fermes résolutions fondirent comme neige au soleil.

– Je suis revenue. Je suis désolée... Je t'expliquerai tout, me dit-elle. Viens me rejoindre chez moi, dans une heure. Je trouverai comment me faire pardonner, je te le promets.

Je me douchai, passai des vêtements propres et pris le volant en direction de Nichols Canyon, résolu à poser des questions sans concessions. Elle m'attendait sur le seuil de la maison, vêtue d'une robe courte et moulante en jersey rouge. A la main elle tenait un verre à dégustation empli d'un liquide rose sentant si fort la fraise qu'il éclipsait son parfum. Rien de printanier ce soir.

La maison était éclairée a giorno. Avant que j'aie pu prononcer une parole elle m'attira à l'intérieur et plaqua sa bouche sur la mienne. Sa langue s'immisça entre mes lèvres et elle accentua le contact en pressant une main contre ma nuque. Son haleine était chargée d'alcool. C'était la première fois que je la voyais boire autre chose que du Seven-Up. Quand je lui en fis la remarque elle éclata de rire et lança le verre dans la cheminée où il explosa en aspergeant le mur de gouttes rosées.

– Daiquiri-fraise, mon chéri. Je dois être dans une phase tropicale.

Sa voix était différente, enrouée, enivrée. Elle m'embrassa avec plus de violence encore, se mit à onduler contre moi. Je fermai les yeux et me laissai aller à la sensualité alcoolisée du baiser. Elle s'écarta de moi et quand je rouvris les yeux je vis qu'elle retirait la robe rouge en se déhanchant et en passant la langue sur ses lèvres. La soie accrocha ses hanches un instant, puis céda après une traction pour tomber sur le sol comme un simple ruban d'étoffe écarlate. Elle fit un pas de côté pour sortir ses chaussures à hauts talons du cercle de la robe et se présenta à moi sans aucune retenue : pas de soutien-gorge, seulement un porte-jarretelles noir et des bas indémaillables.

Avec des gestes fiévreux elle fit courir ses mains sur son corps.

Dans l'abstrait c'était une caricature de scène X. Mais Sharon était tout sauf abstraite et je restai là, cloué sur place par ce que je voyais.

Je la laissai me déshabiller avec des mouvements précis qui m'excitèrent et m'effrayèrent à la fois.

Ses gestes étaient trop coulés.

164

Trop professionnels.

Combien d'autres fois déjà?

Combien d'autres hommes? Qui lui avait appris?...

Au diable toutes ces questions. Peu m'importait : je la désirais. Elle m'avait pris dans sa main, me massait, me pétrissait.

Nous nous embrassâmes encore. Ses doigts parcouraient mon corps, griffaient, réveillaient ma peau. Elle guida ma main entre ses cuisses, s'empala sur mes doigts...

– C'est bon, feula-t-elle en reculant de deux pas, puis en pirouettant pour s'exhiber.

Je tendis la main vers l'interrupteur, mais elle arrêta mon geste.

– Non. Laisse allumé. Je veux voir. Je veux tout voir.

Je me rendis compte que nous nous trouvions debout devant la baie vitrée, dans une pièce brillamment éclairée, visibles de tout Hollywood.

J'éteignis les lumières.

– Rabat-joie, railla-t-elle en s'agenouillant devant moi.

J'enfonçais mes doigts dans sa chevelure tandis qu'elle m'avalait et me précipitait dans un plaisir vertigineux. Elle s'écarta pour reprendre son souffle.

– Allons, les lumières, plaida-t-elle. Je veux voir.

– Dans la chambre, soufflai-je.

Je la pris dans mes bras et la portai dans le couloir jusqu'à la chambre, pendant qu'elle continuait de me caresser.

Je la déposai sur le lit, et elle s'ouvrit comme un livre à la page favorite. Je n'hésitai pas.

Elle arrondit son dos et leva ses jambes en l'air. J'entrai en elle et elle ondula des hanches, me maintenant à distance de ses bras tendus afin de voir mon sexe qui s'enfonçait rythmiquement dans le sien.

Naguère elle était mariée à la timidité, mais il y avait eu un divorce évident...

– Tu es en moi... Oh, mon Dieu, comme c'est bon...

Elle se pinça les mamelons, se caressa le clitoris en s'assurant que je la regardais faire.

Elle me chevaucha, me masturba, se frotta le visage contre mon pénis, le glissa entre ses seins, l'enroba dans ses cheveux. Puis elle me positionna au bord du lit et s'assit sur moi en regardant par-dessus mon épaule dans le miroir de la coiffeuse. Mais le spectacle ne la satisfaisait pas et elle m'emmena dans la salle de bains. Je compris pourquoi dès que j'y entrai. Les deux grandes armoires de rangement se faisant face étaient plaquées de miroirs sur toute leur hauteur, démultipliant ce qui s'y réfléchissait. Elle m'attira sur le sol froid, m'allongea sur le dos et s'empala sur moi avec rage, fascinée par notre image dans les glaces.

Quand je fermai les yeux elle hurla « Non ! » et les rouvris du pouce. Finalement elle se noya dans le plaisir, et de sa bouche béante s'échappèrent des halètements et des grognements éperdus. Elle sanglota, se cacha le visage dans les mains.

Et elle jouit.

J'explosai une seconde plus tard. Alors elle se retira, me lécha rudement, se caressa en même temps jusqu'à atteindre un second orgasme, aussi violent que bref.

Les jambes flageolantes nous regagnâmes la chambre et nous nous endormîmes sur le lit presque instantanément, l'un dans les bras de l'autre, avec l'éclairage toujours allumé. Je dormis comme une masse et m'éveillai en sursaut, avec l'impression d'avoir été drogué.

Elle n'était plus dans la chambre. Je la trouvai dans le salon, ses cheveux coiffés en un chignon, vêtue de jeans serrés et d'un débardeur, ce qui constituait à mes yeux une autre tenue inhabituelle. Assise dans un fauteuil elle sirotait un autre daiquiri-fraise en lisant une revue de psychologie. Elle n'avait pas remarqué mon arrivée.

Je la vis tremper le bout de l'index dans son cocktail, le ressortir capuchonné d'une mousse rosée et le lécher avec application.

– Salut, lançai-je en souriant.

Elle leva les yeux vers moi. Son expression était inattendue. Lointaine. Boudeuse. Puis ses traits se crispèrent en un masque hideux.

Méprisant.

– Sharon ?

Elle posa le verre sur la moquette et se leva.

– D'accord, siffla-t-elle. Tu as eu ce que tu voulais, fumier d'obsédé. Maintenant barre-toi d'ici. Barre-toi de ma vie ! Barre-toi !

Je m'habillai précipitamment, sans soin, possédé par l'impression d'être aussi désiré que si j'avais la gale. Je passai devant elle sans ralentir, fonçai dehors jusqu'à la Rambler que je fis démarrer aussitôt. Les mains tremblantes, je conduisis le véhicule loin de Jalmia.

Ce n'est qu'en arrivant sur Hollywood Boulevard que je pris le temps de respirer.

Mais le simple fait de respirer me faisait mal. Comme si j'avais été empoisonné. Soudain j'eus envie de la détruire. D'éliminer de mon sang la toxine qu'elle était.

Je hurlai.

La tête pleine de pensées meurtrières, je lançai la Rambler sur les avenues désertes. A cet instant j'étais aussi dangereux qu'un chauffard ivre.

Sur Sunset, je filai devant les night-clubs et les discothèques, avec leurs trottoirs emplis de visages souriants qui paraissaient me narguer. Mais quand j'atteignis Doheny ma colère s'était muée en une tristesse qui me rongeait. Et un dégoût croissant.

C'était fini. Terminé. J'avais eu plus que ma dose de ces conneries.

Fini. Terminé.

Je me rendis compte qu'à la simple évocation de cet épisode mon corps s'était couvert d'une sueur froide.

Des visites de contrôle gratuites.

Elle avait réussi à se contrôler, elle aussi. Avec des cachets et un revolver.

15

Le jeudi matin j'appelai le bureau de Paul Kruse à l'université, sans trop savoir ce que j'allais lui dire. Il était absent, et la secrétaire du département n'avait aucune idée de l'heure de son retour. Je cherchai le numéro de son cabinet privé dans l'annuaire. Il en avait deux, celui sur Sunset et celui du cabinet qu'il avait loué pour Sharon. Pas de réponse ni à l'un ni à l'autre. Je commençais à en prendre l'habitude. J'envisageais de téléphoner une nouvelle fois aux compagnies aériennes quand on tambourina à la porte. C'était un coursier porteur d'un chèque de Trenton, Worthy & La Rosa et deux gros colis enveloppés de papier cadeau.

Je lui donnai un pourboire et après son départ j'entrepris d'ouvrir les paquets. Le premier contenait une caisse de Chivas Regal, le second une de Moët & Chandon.

Un pourboire pour moi. Je me demandais en quel honneur quand le téléphone sonna.

– Tu l'as eu? interrogea Mal.

– Il y a une minute.

– Yeah! Ça c'est du timing! Ne bois pas tout d'un coup!

– Pourquoi une telle gratification?

– Sept chiffres pour le règlement de l'affaire, voilà pourquoi. Tous ces grands talents se sont mis d'accord et ont décidé de partager.

– Moretti aussi?

– Surtout Moretti. C'est sa compagnie d'assurances qui a donné le plus gros morceau. Il m'a rappelé deux heures après ta déposition, et il n'a même pas essayé de jouer au dur. Une fois que lui avait trébuché, les autres se sont écroulés comme des dominos. Denise et le petit Darren ont gagné à la loterie, tout simplement, Doc.

– Je suis content pour eux. Si tu pouvais t'arranger pour qu'ils soient suivis, ça les aiderait beaucoup.

– La fortune qu'ils vont ramasser va les aider. Mais oui, bien sûr, j'essaierai de la décider. Au fait, après que nous eûmes décidé de la somme, Moretti a demandé tes coordonnées. Il était très impressionné.

– Flatté.

– Je les lui ai données.

– Il va perdre son temps.

– C'est aussi ce que je me suis dit. Mais ce n'était pas à moi de lui conseiller d'aller se faire voir. Il faudra que tu le lui dises toi-même, mais j'imagine que ça ne devrait pas te déplaire.

A une heure je sortis pour tenter une opération de ravitaillement. Dans l'allée des fruits et légumes frais j'entrai en collision avec un autre caddy poussé par une femme élancée aux cheveux auburn.

– Oups, désolé, fis-je en reculant pour lui laisser le passage.

– C'est moi, répondit-elle d'un ton enjoué. Ça ressemble souvent à la route, ces allées de supermarché, n'est-ce pas ?

Le magasin était presque désert mais j'acquiesçai.

Elle me remercia d'un sourire éclatant et je l'observai un peu mieux. Fin de la trentaine ou début d'une quarantaine bien entretenue, avec une masse de cheveux noirs encadrant un visage rond et agréable, un nez retroussé, des taches de rousseur et des yeux couleur de mer agitée. Elle portait un short en jean très court qui dévoilait de longues jambes de coureuse à pied et un tee-shirt lavande qui mettait en valeur une poitrine haute et ferme. Une chaîne en or très fine encerclait une de ses chevilles, et le vernis de ses ongles était argenté.

– Que pensez-vous de celui-ci ? me demanda-t-elle en me tendant un melon. Vous ne le trouvez pas trop ferme pour être mûr ?

Je tournai le fruit entre mes mains, le tapotai d'un doigt – le geste de l'expert.

– Non, il m'a l'air parfait.

169

Quand je le lui rendis nos doigts se touchèrent.

– Je m'appelle Julie.

– Alex.

– Je crois que je vous ai déjà vu ici, Alex. Vous achetez beaucoup de légumes chinois, n'est-ce pas ?

Un coup au hasard – et raté – mais je ne voyais pas l'intérêt de la vexer.

– Ça m'arrive, oui.

– J'adore aussi.

Elle plaça le melon dans son caddy et tourna son attention vers un demi-ananas sous film plastique.

– Mmmh, tout a l'air délicieux aujourd'hui.

Je sélectionnai quelques tomates, une laitue et une botte d'oignons. Puis je commençai à m'éloigner.

– Avocat, n'est-ce pas ?

Je lui souris et secouai négativement la tête.

– Hum, voyons... Architecte, alors.

– Non. Je suis psychologue.

– C'est vrai ? J'adore les psychologues. Le mien m'a tellement aidée.

– J'en suis heureux pour vous, Julie, fis-je en poussant mon caddy un peu plus loin. C'était un plaisir de faire votre connaissance.

– Écoutez, dit-elle. Je suis un régime où je n'ai qu'un repas par jour, seulement le déjeuner, et je n'ai pas encore mangé, justement. Il y a un restaurant qui fait des pâtes excellentes un peu plus haut dans la rue. Ça vous dirait que nous déjeunions ensemble ?

– J'aimerais beaucoup, Julie, mais je ne peux pas. Merci quand même.

Elle attendit que je fasse une autre proposition. Devant mon silence, son visage se rembrunit.

– Rien de personnel, lui assurai-je. Pas la période, c'est tout.

– Bien sûr, fit-elle en détournant la tête, et je l'entendis murmurer d'un ton dépité : Tous les types mignons sont des tantes.

A six heures Milo passa chez moi. Il n'était pas attendu au département avant lundi mais il portait déjà son uniforme de travail : un costume fatigué en crêpon de coton, une chemise infroissable, une cravate atroce et des chaussures montantes en daim.

170

– Passé toute la journée à fouiner, annonça-t-il après s'être servi une bière et m'avoir complimenté pour le réapprovisionnement de mes placards. Le secteur de Hollywood, le bureau du coroner, les archives... Le pote à ta dame est un vrai fantôme. J'aimerais bien savoir ce qui se trame, je te jure.

Il s'assit à la table de la cuisine, et je m'installai en face de lui pour attendre qu'il finisse sa bière.

– C'est comme si elle n'avait jamais été recensée dans aucun système, dit-il après la dernière gorgée. Il m'a fallu entrer discrétos à Hollywood, prétendre chercher autre chose en cherchant n'importe quel dossier sur elle. Rien. Ni en papier ni sur l'ordinateur central. Je n'ai même pas pu savoir qui avait téléphoné pour prévenir de sa mort, ni qui a pris le coup de fil. Rien non plus chez le coroner. Pas de rapport d'autopsie, pas de fiche de chambre froide, pas de certificat de décès, pas de fiche de sortie du cadavre. Rien de rien. Les affaires étouffées, je connais. Là, c'est quasiment effacé.

Il passa une main sur son visage.

– Un des médecins légistes est un type que Rick a connu durant ses études de médecine. D'habitude je peux lui soutirer quelques renseignements officieux, et il lui est arrivé de me donner ses résultats avant de les inscrire dans le dossier, ou de me communiquer ses déductions de pro qu'il ne peut coucher sur le papier. Je pensais qu'il pourrait au moins me faire passer une copie du rapport. Pas question. Il en a fait des tonnes pour m'affirmer qu'il n'y avait pas de rapport, et il m'a clairement fait comprendre que je perdrais mon temps à lui demander un service si c'était lié à cette affaire.

– C'est le toubib que Del a contacté ?

– Non. Lui, c'était Itatani. Je l'ai vu en premier, et il m'a fait le même cirque. On a cadenassé cette affaire en grand. J'avoue être assez intrigué...

– Et si ce n'était pas un suicide ?

– Des raisons pour envisager cette hypothèse ?

– Beaucoup de gens lui en voulaient.

– Mais encore ?

Je lui parlai de la séduction des patients, mais sans mentionner Leslie Weingarden.

– Magnifique, Alex. Pourquoi ne pas me l'avoir dit plus tôt ?

– Source confidentielle. Je ne peux pas te donner plus de détails.

– Bon sang, grogna-t-il en se levant et en marchant nerveusement une minute avant de se rasseoir. Tu me demandes de creuser mais tu ne me donnes pas d'outil pour bosser ! – Il se leva et alla chercher une autre bière : Bon, je ne l'ai pas fait que pour toi. Je l'ai fait aussi pour moi. Pour coincer Trapp. Et je ne crois toujours pas qu'il y ait de crime déguisé. D'après moi, Ransom s'est bien suicidée. Elle était à côté de la plaque, ce que tu m'en as dit le prouve.

Je dus le reconnaître.

– Et la sœur jumelle ? Tu as trouvé quelque chose à son sujet ?

– *Nada*. Un autre fantôme. Aucune Shirlee Ransom dans nos fichiers ni ailleurs. Si tu avais eu le nom de cette clinique où tu l'as vue, nous aurions un point de départ. Mais même ainsi, retrouver un patient resterait aléatoire. Et fastidieux.

– Je ne peux pas me souvenir du nom parce que je ne l'ai jamais vu, Milo. Et les archives de Medi-Cal ?

– Tu m'as dit que Ransom était fortunée. Pourquoi sa sœur bénéficierait-elle du Medi-Cal ?

– Leurs parents étaient riches, mais cela remonte à des années. L'argent file. Et puis...

– Et puis, avec tous les mensonges qu'elle t'avait déjà racontés, tu ne sais plus ce que tu dois croire. Huh ?

De nouveau, j'acquiesçai.

– Et pour mentir, elle a menti, ajouta-t-il. Comme quand elle se disait proprio de la maison sur Jalmia. La baraque a été transférée par un acte notarié à une société commerciale, comme l'a dit l'agent immobilier. Une société de gestion nommée Western Properties qui fait partie d'un holding lui-même inclus dans une société de crédit immobilier elle-même possédée par Magna Corporation. Je crois que ça s'arrête là, mais je n'en suis même pas certain.

– Magna... Ce n'est pas la société de Leland Belding ?

– Elle lui a appartenu jusqu'à sa mort. Aucune idée du grand patron actuel... – Il but une rasade de bière : Ce vieux barjot de milliardaire en personne... Ah, voilà un gars qui aurait la stature pour imposer un secret pareil sur un suicide ! Mais il a été enterré il y a une quinzaine d'années, non ?

– Quelque chose comme ça, oui. Mais sa mort n'avait-elle pas été contestée ?

– Par qui ? Le type qui a monté le canular du bouquin ? Il s'est foutu en l'air quand ils ont démasqué la supercherie, ce qui prouve assez bien qu'il avait quelque chose à se reprocher.

Même les amateurs de trucs tordus n'y ont pas cru. En tout cas, quelle que soit la personne à sa tête, Magna se porte bien. Un des employés m'a dit que c'était un des principaux propriétaires fonciers à l'ouest du Mississippi. Des milliers de terrains, de logements. Celui de Ransom faisait partie du lot. Avec ce genre de proprio, la rapidité de la revente n'a rien d'étonnant.

Il vida sa bière, se leva pour en prendre une troisième.

— Comment va ton foie ? lançai-je.

— Impec, Môman. — Il fit mine de vider la canette d'un trait, puis reprit son sérieux : Bon, on en était où ? Magna, et un possible dossier Medi-Cal pour la sœur. Okay, je suppose que ça vaut le coup d'essayer de retrouver sa trace... Mais dans son état, elle pourrait parler ?

— Non.

— Ce que je vais faire, c'est me rendre à Jalmia et parler avec les voisins. Un d'eux a peut-être passé le coup de fil, ou sait quelque chose sur elle.

— Sur elle et Trapp ?

— Ce serait inespéré.

Il alla dans le salon, alluma la télévision et s'installa dans un fauteuil pour regarder le journal du soir. En quelques instants il s'était assoupi. Je le regardai et pensai à une certaine photographie noir et blanc. Malgré ce qu'il venait de dire, je ne pus m'empêcher de réfléchir à Shirlee Ransom. Je passai dans le bureau et téléphonai à Olivia Brickerman.

— Comment va Al ? lui demandai-je.

— Toujours aussi boute-en-train.

Son mari, grand maître et ancien critique d'échecs pour le *Times*, était un homme à la barbe et aux cheveux d'un blanc neigeux qui lui donnaient des airs de prophète échappé de l'Ancien Testament. Il lui arrivait de ne pas parler pendant plusieurs jours d'affilée.

— Je le garde pour nos séances de sexe torrides, dit-elle. Parlons plutôt de vous, bel homme. Comment allez-vous ?

— Bien, Olivia. Et vous ? Toujours à goûter les joies du privé ?

— A dire vrai, en ce moment je me sens un peu abandonnée par le secteur privé. Vous vous souvenez comment j'étais entrée dans ce groupe de sommités, n'est-ce pas ? Mon gendre Steve, le psychiatre, voulait me sauver de l'enfer du service public et me prendre avec eux. Au début tout s'est bien passé. Le travail n'était pas très stimulant mais la paie compensait largement. Et

173

puis je n'avais plus d'alcooliques qui venaient vomir sur mon bureau et je pouvais aller à la plage pendant l'heure du déjeuner. Et, brusquement, Stevie accepte un poste dans un hôpital de l'Utah spécialisé dans les cas de drogue. L'Utah! Il aimait déjà skier, c'est maintenant devenu une religion pour lui. Son successeur est un abruti insupportable, très froid, qui pense que les assistantes sociales sont moins respectables que les secrétaires, qu'il ne respecte déjà pas beaucoup. Nous avons eu des accrochages. Si donc vous apprenez que j'ai pris ma retraite définitive, ne vous étonnez pas... Mais assez parlé de moi. Et vous, comment va ?

– Bien.

– Et Robin ?

– Très bien. Elle travaille beaucoup... Olivia, j'aurais besoin que vous me rendiez un service.

– Et moi qui croyais que vous téléphoniez pour avoir mon corps...

Je visualisai le corps d'Olivia, qui n'était pas sans ressemblance avec celui d'Alfred Hitchcock, et ne put retenir un sourire.

– Aussi, assurai-je.

– Des mots, tout ça! Allons, que puis-je pour vous, bel homme ?

– Vous avez toujours accès au fichier de Medi-Cal ?

– Vous plaisantez ? Nous avons accès à Medi-Cal, Medicare, Short-Doyle, Workmen's Comp, CDS, AFDC, FDI, ATD, tous les systèmes de santé imaginables.

– Je cherche à localiser une ancienne patiente. Elle était invalide et nécessitait des soins constants. Elle était placée dans une petite clinique à Glendale, sur South Brand. L'établissement n'existe plus et je ne parviens pas à me rappeler son nom. Ça vous dit quelque chose ?

– Sur Brand Boulevard ? Non. Beaucoup de ces cliniques ont disparu. La mode est à se mettre en association, maintenant. Si elle était totalement invalide, ce devrait être ATD qui s'en chargeait. FDI, peut-être, si le handicap était partiel et qu'elle pouvait travailler.

– ATD, alors. Elle pourrait être à Medi-Cal aussi ?

– Bien sûr. Comment s'appelle cette personne ?

– Shirlee Ransom, avec deux E. Née le 15 avril 1953.

– Diagnostic ?

– Problèmes moteurs multiples. La cause principale en était sans doute d'ordre neurologique.

174

– Sans doute? Je croyais qu'elle avait été votre patiente?
J'hésitai une seconde.

– C'est assez compliqué, Olivia.

– Je vois. Vous n'êtes pas en train de vous fourrer une nouvelle fois dans des ennuis, dites-moi?

– Rien de cet ordre, Olivia. Mais il y a quelques éléments confidentiels dans ce dossier. Je suis désolé de ne pouvoir vous en dire plus, et si ça vous cause trop de tracas...

– Arrêtez de jouer à la sainte nitouche. Il n'empêche que ce n'est pas dans vos habitudes de me demander de commettre ce genre d'infraction. Exact?

– Exact.

– Bien, pour ce qui est d'obtenir le renseignement, notre accès informatique est limité aux patients traités en Californie. Si votre Ms. Ransom est toujours traitée quelque part dans l'État, je devrais avoir le renseignement instantanément. Si elle a quitté l'État, il faudra que je demande les archives centrales du Minnesota, et cela prendra du temps, peut-être une semaine. D'une façon comme d'une autre, si elle reçoit une aide gouvernementale je pourrai vous donner l'adresse.

– C'est aussi simple que cela?

– Bien sûr. Tout est sur ordinateur, de nos jours. Nous figurons tous sur un fichier ou un autre. Un superabruti détient l'enregistrement de ce que nous avons mangé ce matin au saut du lit, mon cher.

– L'intimité, le luxe ultime... dis-je.

– Vous pouvez le dire. Emballez-la, portez-la sur le marché et gagnez quelques milliards.

velle fois dans des ennuis, dites-moi ?

16

Le vendredi, je retins une place sur le vol de samedi pour
San Luis. A neuf heures du matin, Larry Daschoff me téléphona pour m'annoncer qu'il avait localisé une copie du film
porno amateur.

— Je me suis trompé, dit-il. C'est Kruse qui l'a réalisé. Un
amusement personnel, je suppose. Si tu veux toujours le voir,
j'ai une heure et demie entre mes patients, de midi à treize
heures trente. On se fera une projo. Rendez-vous à cette
adresse.

Suivit une adresse située dans Beverly Hills. J'eus l'impression subite d'être souillé, au bord de la nausée.

— D. ?
— D'accord, je te rejoins là-bas.

C'était sur North Crescent Drive, dans les Beverly Hills
Flats, la prairie pour millionnaires qui s'étend de Santa Monica
Boulevard à Sunset, et de Doheny Road au Hilton de Beverly.
La moindre masure de trois pièces coûte la bagatelle d'un mil-
lion et demi de dollars. Mais il y a aussi des propriétés assez
spacieuses pour abriter l'ego d'un politicien.

Naguère quartier cossu pour médecins, dentistes et professionnels du show-business, les Flats sont devenus un lieu
d'investissement pour des fortunes d'origine souvent douteuse.
Sans aucun respect du bon goût ou de la tradition architecturale des lieux, les plus riches de ces nouveaux venus

avaient érigé des bâtisses dont Walt Disney aurait été fier : pseudo-châteaux à multiples tourelles et murs crénelés, sans douves mais avec court de tennis, imitation de mosquée mauresque, le tout dans un délire post-moderne assez indéfinissable.

Le break de Larry était garé devant un faux hôtel de ville de style faussement français, époque faussement Régence, le tout mâtiné de finitions rappelant fortement une vulgaire Ramada Inn. Devant s'étendait une pelouse séparée en son milieu par une allée rectiligne. Des moulages en plâtre décoraient l'herbe, la Justice aveugle, des chérubins nus, une copie particulièrement laide de la Pietà, une carpe sautant hors de l'eau. Dans l'allée était garée une petite flotte automobile : une Thunderbird 57 rose vif, deux Rolls-Royce Silver Shadow, une argentée, l'autre dorée, et une Lincoln Town Car bordeaux avec un toit rouge en vinyle et le logo d'un designer réputé sur les vitres fumées.

Je me garai derrière cette collection bizarre. Larry me fit un signe et descendit de sa Chevrolet. En voyant le regard que je lançai à la bâtisse, il eut un rictus amusé.

– Original, hein ?

– Qui sont ces gens ?

– Ils s'appellent Fontaine. Gordon et Chantal. Ils ont fait fortune dans le mobilier de jardin quelque part dans le Midwest, tous ces trucs en tubulures et lanières de plastique tressées. Ils ont revendu leur affaire il y a quelques années et sont venus s'installer à Beverly Hills pour savourer leur retraite. Ils donnent beaucoup aux organisations caritatives, et ont une réputation de vieux et aimables fortunés, ce qu'ils sont. Mais en plus, ils aiment le cinéma porno. Ils lui vouent presque un culte, en fait. Ce sont eux les mécènes privés qui ont financé le programme de recherches de Kruse.

– D'aimables vieux retraités, disais-tu ?

– C'est vraiment ce qu'ils sont, D. Ils ne s'intéressent pas aux trucs pédophiles ou sado-maso. Non, ils raffolent du sexe traditionnel sur pellicule. Ils assurent que ça a rajeuni leur mariage, et quand ils abordent ce sujet ils parlent comme des évangélistes. Lorsque Kruse a voulu lancer son programme de recherches, il a entendu parler d'eux et est allé les voir. Ils étaient tellement heureux de voir quelqu'un qui enfin allait prouver scientifiquement au monde entier les bienfaits thérapeutiques du cinéma pornographique qu'ils ont mis la main au portefeuille sans rechigner. Et ils ont bien dû débourser deux cent mille dollars. Tu peux imaginer leur réaction quand Kruse a changé d'avis et s'est mis du côté des censeurs. Et ils lui en veulent toujours. Quand j'ai appelé, Gordon s'est souvenu que j'avais été assistant de Kruse et il m'a confié tout le mal qu'il pensait de lui. Il s'est vraiment défoulé ! J'ai attendu qu'il s'arrête pour reprendre son souffle et je lui ai précisé que je n'étais pas spécialement fan de Kruse, moi non plus. Ensuite je lui ai expliqué ce que nous recherchions. Il s'est aussitôt calmé et m'a proposé de venir. Je crois que l'idée de nous aider l'a emballé. Comme tous les fanatiques, il adore montrer ses trésors.

— Quelle raison as-tu donnée pour justifier notre requête ?

— Que la vedette était morte, que nous étions de vieux amis à elle et que nous voulions garder d'elle le souvenir de tout ce qu'elle avait fait. Ils ont appris la nouvelle dans les journaux et trouvé l'hommage très à leur goût.

Le sentiment de voyeurisme m'assaillit une nouvelle fois. Toujours aussi désagréable. Larry n'eut aucune difficulté à interpréter mon expression.

— La frousse ?

— C'est un peu... morbide.

— Bien sûr, c'est morbide. Les panégyriques aussi. Si tu veux annuler, je vais les voir pour le leur dire, pas de problème.

— Non, dis-je. Allons-y.

— Alors essaie d'avoir l'air un peu moins torturé. J'ai réussi à obtenir leur accord aussi en racontant que tu étais toi-même très amateur de leur petit hobby.

Je me mis à loucher, me tordis la bouche et haletai bruyamment.

— C'est bien, comme ça ?

— Ça vaut un Oscar.

Nous avançâmes jusqu'à la porte d'entrée, un panneau de bois imposant, couleur olive.

— *Derrière la porte verte*, marmonna Larry. Très subtil [1].

— Tu es sûr qu'ils ont le film ?

— Gordon me l'a affirmé. Et il a ajouté qu'ils avaient autre chose qui pourrait nous intéresser.

Il appuya sur le bouton de la sonnette et un carillon égrena les premières notes du *Boléro* de Ravel à l'intérieur. La porte s'ouvrit sur une bonne philippine en uniforme blanc, le

1. *Derrière la porte verte* : classique du cinéma X (N.d.T.).

chignon strict. Elle était petite et pouvait avoir une trentaine d'années.

– Oui ?

– Bonjour. Drs Daschoff et Delaware. Nous avons rendez-vous avec Mr. et Mrs. Fontaine.

– Oui, dit la bonne. Entrez, je vous prie.

Nous pénétrâmes dans une rotonde haute de deux étages et décorée d'une peinture murale champêtre : un ciel bleu, de l'herbe verte, des moutons, des balles de foin, un berger jouant de la flûte à l'ombre d'un sycomore.

Et, devant cette fresque bucolique, était assise une femme nue dans une chaise longue, la cinquantaine enrobée, les cheveux gris et les jambes gonflées de graisse. Elle tenait un stylo dans une main et un magazine de mots croisés dans l'autre. Elle ne réagit aucunement à notre arrivée.

La bonne vit nos regards stupéfaits et pianota des doigts la chevelure grisonnante, éveillant un son creux.

Une sculpture.

– Un original de Lombardo, dit-elle. Très cher. Comme ça.

Elle pointa un index vers le ciel. Ce qui devait être un mobile de Calder pendait du plafond. On y avait ajouté des boules de Noël.

– Beaucoup d'argent, assura la bonne.

En face de nous, un escalier à tapis vert émeraude partait en spirale vers la gauche. L'espace sous l'escalier était voilé par une tenture chinoise. Les autres portes étaient masquées de la même manière.

– Suivez-moi, dit la bonne.

Pour la première fois depuis notre entrée elle nous tourna le dos et nous vîmes que son uniforme était pourvu d'un décolleté dorsal ne s'arrêtant que sous les reins et découvrant beaucoup de peau brune. Larry et moi nous entre-regardâmes. Il haussa les épaules.

La bonne écarta une tenture et nous mena jusqu'à une porte métallique peinte en vert. Elle composa cinq chiffres sur un digicode et fit tourner une clef dans la serrure. Nous entrâmes dans la cabine exiguë d'un ascenseur tendu de brocart et décoré de scènes du Kama Sutra. Nous étions épaule contre épaule. Pendant la descente je remarquai que la bonne sentait le talc. Elle paraissait s'ennuyer ferme.

Nous arrivâmes dans une antichambre sombre et elle nous mena par une porte laquée dans une grande pièce sans fenêtre, aux murs très hauts et pannelés de bois noir. L'endroit était frais, silencieux et à peine éclairé.

Après quelques instants ma vue s'accoutuma et je distinguai les détails : des étagères métalliques, des tables de lecture, des fichiers, des vitrines et des échelles de bibliothèque, le tout de la même teinte ébène. Le sol était couvert d'une épaisse moquette sombre. Les seules sources lumineuses étaient les lampes à abat-jour vert posées sur les tables. Je détectai le bruissement discret du conditionnement d'air, remarquai au plafond les diffuseurs anti-incendie et les détecteurs de fumée. Un gros baromètre était accroché à un mur.

L'endroit était aménagé pour abriter des trésors.

— Merci, Rosa, fit une voix nasillarde au fond de la pièce.

Je distinguai deux silhouettes humaines assises côte à côte à la table de lecture la plus éloignée de nous.

La bonne fit une courbette et repartit.

— La petite Rosie Ramos, dit la voix. Un vrai talent, dans les années soixante. *Soirées italiennes. PX Mamas. Confessions X.*

— Les bonnes employées sont si rares, murmura Larry avant de lancer à voix haute : Bonjour !

Le couple se leva et vint vers nous. A dix pas leur visage devint enfin visible, comme des personnages d'un film sortant d'un flou artistique.

L'homme était plus âgé que je ne m'y attendais d'après la voix, soixante-dix ou presque. Il était petit et replet, avec une chevelure blanche épaisse coiffée soigneusement en arrière et un visage avenant. Il portait des lunettes à monture noire et était vêtu d'une chemise blanche ample flottant sur un pantalon sombre. Ses mocassins étaient de cuir fauve.

Même nu-pieds, la femme le dépassait d'une demi-tête. Sans doute proche de la soixantaine, elle était mince, les traits délicats, avec un port élégant. Sa chevelure était rousse et elle avait ce teint fragile qui marque si facilement. Elle portait une robe de satin ornée d'un dragon brodé, des bijoux de jade, des bas noirs très fins et des chaussons de danse noirs.

— Merci de nous recevoir, dit Larry.

— C'est un plaisir, Larry, répondit l'homme. Ça fait longtemps ; excusez-moi, c'est docteur Daschoff maintenant, n'est-ce pas ? Comment allez-vous ?

— Très bien, Gordie, merci. Bonjour, Chantal.

Elle fit une petite révérence et tendit sa main.

— Lawrence. Quel plaisir de vous revoir.

— Permettez que je vous présente le Dr Alex Delaware, dit Larry. Un vieil ami et collègue. Alex, je vous présente Chantal et Gordon Fontaine.

— Alex, dit Chantal avec une nouvelle révérence. Enchantée.

Elle prit ma main dans les siennes qui étaient chaudes et très douces. Elle avait des yeux noisette et je remarquai la peau retendue de son visage. Malgré un épais maquillage, les rides accusaient son âge. Pourtant elle avait sans doute été très belle plus jeune, et elle semblait encore penser à elle de la même manière.

— Enchanté de faire votre connaissance, Chantal.

Elle serra ma main puis la lâcha. Son mari me dévisagea un moment, avant de me dire :

— Vous avez des traits photogéniques, Docteur. Avez-vous déjà fait l'acteur ?

— Non.

— Je ne vous posais la question que parce que tout le monde ici semble avoir tourné un bout de film un jour ou l'autre. Ainsi Larry vous a parlé de notre petite collection ?

— Sans entrer dans les détails.

— Vous savez ce qu'on dit : collectionner les œuvres d'art est un art. Plaisanterie, bien sûr, mais il est vrai que cela réclame une certaine détermination et... du goût pour bien choisir. Notre collection nous a demandé vingt ans d'efforts, et une somme totale que je préfère ne pas calculer.

Je connaissais mon texte par cœur.

— J'aimerais beaucoup la voir.

Pendant la demi-heure suivante nous fîmes le tour de la grande pièce noire.

Tous les genres de pornographie y étaient représentés, en quantité et en variété surprenantes, répertoriés et étiquetés avec une précision de musée. Armé d'une télécommande qui ouvrait et refermait les vitrines et les lumières, Gordon Fontaine nous servait de guide avec un entrain très net. Son épouse restait en retrait, entre Larry et moi. Elle nous souriait beaucoup.

Il nous montra un grand nombre de lithographies érotiques originales de Dali, Beardsley, Grosz, Picasso, des parchemins enluminés datant du Moyen Age, des miniatures japonaises. Nous pûmes admirer des talismans de fertilité venus des quatre coins du globe, de la lingerie ayant appartenu aux plus célèbres

181

courtisanes de l'histoire. Puis il nous dévoila une collection impressionnante de gadgets sexuels, des étrangetés obscènes, et ce que Gordon proclama être « la plus belle collection de gode-michés jamais rassemblés : six cent soixante-trois pièces uniques venues des quatre coins du monde, de toutes les tailles et dans toutes les matières ».

Une main effleura le bas de mes reins. En me tournant d'un quart de tour je vis Chantal qui me souriait.

— Notre bibliothèque, annonça Gordon en désignant un pan de mur couvert de rayonnages.

Il y avait là des traités reliés en cuir, des éditions modernes, des centaines de magazines et de revues, dont certaines encore sous film plastique, aux couvertures et aux titres des plus crus.

Les Fontaine semblaient connaître personnellement bon nombre des stars de la pornographie et en parlaient sur un ton presque parental.

— C'est Johnny Strong. Il s'est retiré il y a deux ans.

— Tiens, Gordie, regarde : Laurie Ruth Sloan, la Reine de la Crème en personne. — Et, à mon adresse : Elle a fait un mariage d'argent. Son mari est un vrai fasciste et il ne lui permet plus d'exprimer son talent.

J'essayai de prendre un air concerné.

— Et maintenant, dit enfin Gordon, la pièce de résistance.

Une pression sur une touche de la télécommande fit glisser une bibliothèque sur le côté et révéla une porte noire. Gordon l'ouvrit et nous pénétrâmes dans une grande pièce pourvue d'un mur écran. Deux autres murs étaient occupés par des rayonnages garnis de cassettes et de bobines de films dans leurs boîtes métalliques. Au centre de la pièce se trouvaient trois rangées de trois fauteuils chacune. Devant le mur du fond lui-sait faiblement tout un appareillage de projection.

— Ce sont les copies les plus propres que vous verrez jamais, dit Gordon avec fierté. Chaque film important a été reproduit sur vidéocassette. Nous ne ménageons pas non plus nos efforts pour préserver les originaux. Notre restaurateur est un as dans sa partie : vingt ans au service archives d'un grand studio, et dix ans à l'American Film Institute. Et notre conservateur est un critique cinématographique renommé qui préfère garder l'anonymat... par « prudence ».

— Impressionnant, commentai-je.

Larry consulta ostensiblement sa montre.

— Oh bien sûr, dit aussitôt Gordon, je suis à la retraite et j'ai oublié les impératifs horaires. Vous vouliez donc visionner le film de Shawna ?

— Shawna qui ? m'étonnai-je.

— Shawna Blue. C'est le nom que Sharon a pris dans ce film.

— Cette adorable Sharon, dit Chantal. Shawna était son *nom d'amour* [1]. Quelle tristesse qu'elle soit morte... et de cette façon.

— Son suicide vous a surpris ? m'enquis-je.

— Bien sûr, répondit-elle. Se détruire ainsi... C'est horrible.

— Vous la connaissiez bien ?

— Très peu. Je crois que nous ne l'avons rencontrée qu'une seule fois. N'est-ce pas, Gordie ?

— Oui. Une seule fois.

— Et elle a fait beaucoup de films ?

— Même réponse, dit Gordon. Un seul, et encore ce n'était pas dans un but commercial, mais pour des motifs pédagogiques.

L'intonation qu'il avait mise en prononçant le terme « motifs » me poussa à poser une autre question :

— Vous semblez douter de la validité de ces motifs. Je me trompe ?

Gordon fronça les sourcils d'un air mécontent.

— Nous avons financé ses travaux en croyant qu'ils avaient un but pédagogique. La production de ce film était assurée par ce cancrelat de P.P. Kruse. Il avait affirmé que le film faisait partie de son programme de recherches, et qu'une de ses étudiantes avait accepté de jouer dans un film érotique dans le cadre de ses études.

— Quand cela a-t-il eu lieu ?

— En 74. Octobre ou novembre.

Peu de temps après que Sharon eut entamé son troisième cycle. Le salopard n'avait pas perdu de temps.

— C'était supposé faire partie du travail de recherches de Sharon, dit Gordon. Nous n'étions pas nés de la dernière pluie, et nous trouvions la justification un peu mince. Mais Kruse nous a assuré que tout était fait dans les règles et il nous a montré des documents approuvés par la direction de l'université. Il nous a même amené Sharon, ici. C'est la seule fois où nous l'avons vue. Elle nous a paru très vive, très Marilyn, jusque dans la chevelure. Elle a affirmé que tout cela était partie intégrante de son travail universitaire.

Marilyn ? répétai-je. Comme Marilyn Monroe ?

1. En français dans le texte.

– Oui. Elle dégageait la même innocence érotique.

– Elle était blonde?

– Blonde platine, précisa Chantal.

– La Sharon que nous avons connue était brune, dit Larry.

– Eh bien, Kruse a peut-être menti sur son identité, dit Gordon. Il a bien menti sur tout le reste. Nous lui avions ouvert notre maison, laissé accès libre à notre collection, et il a fait volte-face et s'en est servi pour flatter bassement les puritains.

– Il a donné une conférence devant des groupes religieux, dit Chantal en tapant du pied de colère rétrospective. Il est monté à la tribune et a raconté des choses horribles sur notre compte. Nous a traités de pervertis et de sexistes. S'il y a un homme qui n'est pas sexiste, c'est bien Gordie! Il n'a pas cité nos noms, mais nous savions bien qu'il parlait de nous.

– Sa propre épouse est une ancienne star de pornos, dis-je. Comment a-t-il expliqué cela à son auditoire?

– Suzy? dit Gordon. Je ne la qualifierais pas de star. Elle jouait bien, mais dans un registre mineur. Je suppose qu'il peut toujours se vanter de l'avoir écartée du chemin du vice. Mais il n'a sans doute jamais eu à s'expliquer sur ce point. Les gens ont la mémoire courte. Après leur mariage, Suzy a cessé de tourner et a disparu des écrans. Il l'a certainement transformée en une épouse docile. C'est bien dans son style, vous savez. Ce type est obsédé par le pouvoir.

Cette réflexion me rappela ce qu'avait dit Larry lors de la réception. Affamé de pouvoir.

– Continuons, dit Gordon.

Il alla au fond de la pièce et prépara l'équipement de projection.

– Kruse a été nommé directeur du département de psychologie, déclarai-je.

– C'est scandaleux, dit Chantal.

– Paré, lança Gordon du fond de la salle. Installez-vous confortablement.

Larry et moi nous assîmes à la première rangée de fauteuils, chacun à une extrémité. Chantal vint se placer entre nous. La pièce se trouva plongée dans l'obscurité, tandis que l'écran devenait blanc.

– Check-up, annonça Gordon. Avec les regrettés Miss Shawna Blue et Mr. Michael Starbuck.

L'écran se couvrit de peluches sautillantes interrompues par l'apparition de chiffres décroissants. J'étais tétanisé sur mon

184

siège, respiration suspendue, et je me traitai d'imbécile pour être venu ici. Puis les images en noir et blanc absorbèrent ma lucidité.

Il n'y avait pas de son, seulement le ronronnement de l'appareil de projection. En un lettrage de machine à écrire blanc sur fond noir granuleux, je pus lire :

CHECK-UP

avec

SHAWNA BLUE

MICKEY STARBUCK

une Production CREATIVE IMAGE ASSOC.

Creative Image... Un nom sur une porte. Les voisins de Kruse à l'étage de son cabinet de Sunset Boulevard. Pas des voisins, en fait, mais les deux visages du Dr K...

réalisé par

PIERRE LE VOYEUR

Un panoramique tremblotant du cabinet d'un médecin à l'ancienne mode, avec les installations en émail, la table d'examen en bois, les rideaux en chintz, les diplômes encadrés au mur.

La porte s'ouvrit. Une femme entra.

La caméra la suivit en s'attardant sur son déhanchement prononcé.

Jeune et belle, les formes généreuses, une longue chevelure blond platine ondulant sur ses épaules. Elle portait une robe moulante décolletée tendue sur ses courbes.

Le film n'était pas colorisé, mais je devinai que la robe était rouge vif.

Un plan rapproché magnifia un visage très joli, un peu boudeur.

Celui de Sharon. Malgré la perruque, le doute n'était pas permis.

Au bord de la nausée, je regrettai vraiment d'être là. Mais je fixai l'écran d'un regard hypnotisé.

La caméra recula et Sharon pirouetta, se contempla dans le miroir, fit gonfler ses cheveux d'un geste. Un autre zoom rapide sur la moue sensuelle des lèvres et les yeux immenses qui regardaient le spectateur.

185

Qui me regardaient.

Une vue en pied de Sharon, puis la caméra cadra les fesses, passa en une série rapide des mains à la bouche et à la poitrine.

Très mal fait, le degré zéro de la mise en scène. Mais d'une magie perverse. Elle était revenue à la vie, elle était là, elle souriait et aguichait. L'immortalité reproduite en noir et blanc. Je dus me contenir pour ne pas tendre la main et la toucher. Soudain je voulais l'arracher à l'écran, au passé. La sauver.

J'agrippai les bras du fauteuil. Mon cœur battait la chamade et résonnait à mes oreilles.

Elle s'étira langoureusement, humecta ses lèvres de sa langue. Un plan tellement serré que sa langue ressemblait à quelque ver marin géant. Le champ s'élargit un peu. Elle se pencha en avant, dévoilant la naissance de ses seins. Elle se mit à les caresser à travers le tissu, à pincer les mamelons.

Elle se tortilla, heureuse de s'exhiber, d'être au centre de la scène.

Laisse allumé. Je veux tout voir.

Je me remémorai les miroirs dans la salle de bains et me mis à transpirer brutalement. Mais, en me concentrant sur la mauvaise qualité du film, je parvins à la voir de nouveau en deux dimensions.

Je soufflai lentement, sans bruit, fermai un instant les yeux et me sermonnai intérieurement pour garder un détachement minimum. Avant que je ne rouvre les yeux quelque chose se posa sur mon genou. La main de Chantal. Du coin de l'œil je la vis, bouche entrouverte, qui gardait toute son attention braquée sur l'écran.

Je ne fis rien, en espérant qu'elle n'irait pas plus loin. Je revins au film.

Sharon exécutait un strip-tease lent. Elle était maintenant en porte-jarretelles noir, bas de même couleur et hauts talons. Elle se caressait en se penchant, écartait les jambes, s'exhibait devant la caméra.

Je suivais les mouvements de ses mains. Je *sentais* presque leur contact.

Pourtant quelque chose n'allait pas. Quelque chose en rapport avec ses mains, justement. Mais plus j'essayais de définir ce détail qui jurait avec la réalité, plus il m'échappait. Après quelques secondes j'abandonnai, en me disant que la chose me reviendrait plus tard.

La prise de vue était devenue gynécologique et remontait vers le sexe centimètre par centimètre, en plan rapproché.

Assise sur la table d'examen, cuisses écartées, Sharon se caressait le sexe en se regardant faire.

La caméra se braqua sur la poignée de la porte qui tournait.

La porte s'ouvrit, et un homme grand et brun entra dans la pièce. Il pouvait avoir trente ans, était large d'épaules et tenait à la main un écritoire à pince. Il était vêtu d'une longue blouse blanche, un stéthoscope pendait à son cou, et son front était ceint d'une lampe d'examen. Son visage étroit était marqué d'une expression vorace – les yeux étrécis, le nez cassé, la bouche large aux lèvres minces. Le regard était vif, celui du mâle en chasse. Ses cheveux gominés étaient nettement séparés par une raie au milieu du crâne. Une moustache peinte d'un trait de crayon ornait sa lèvre supérieure.

Le Gigolo-Type rencontre la Blonde-Évaporée.

Il contempla Sharon, eut un haussement de sourcils exagéré et fit un rictus à la caméra.

Elle désigna son sexe en prenant une expression douloureuse.

Il se gratta l'occiput, consulta son écritoire, puis le posa et prit son stéthoscope. Il s'avança devant elle, s'agenouilla et enfouit sa tête entre les cuisses ouvertes. Il releva les yeux, eut un mouvement d'incompréhension.

Elle lança une œillade à la caméra, et lui força le visage contre son sexe.

Il se redressa de nouveau, fit semblant de reprendre son souffle. Le reste était prévisible : gros plan sur sa braguette tendue par l'érection, puis elle le repoussa et ouvrit la braguette. Son pantalon lui tomba sur les chevilles. Elle lui ôta sa blouse. Il n'avait rien en dessous sinon une cravate. La saisissant elle l'attira jusqu'à elle et commença une fellation gloutonne. Il se laissa faire, yeux exorbités par le plaisir.

Au moment où il grimpait sur la table d'examen pour la pénétrer, les doigts de Chantal se mirent à remonter vers le haut de ma cuisse. J'emprisonnai sa main dans la mienne sans brusquerie et remit sa main sur sa cuisse après l'avoir avertie d'une pression amicale. Chantal ne dit rien et ne bougea plus.

Une succession comique de plans alternés pour montrer leur copulation frénétique, leurs visages crispés par l'effort. Puis il dit quelque chose, sans doute quelques obscénités, la besogna avec une ardeur redoublée pour se retirer juste au moment où il jouissait. La preuve blanchâtre de son plaisir vola dans l'air et tacha son ventre.

187

Elle prit un peu de semence sur ses doigts, les lécha d'un air gourmand et adressa un nouveau clin d'œil à la caméra.

L'écran devint totalement blanc.

Un check-up tournant à la partie fine. Visites de contrôle...

J'étais à demi suffoqué par l'indignation. En rage. Anéanti par la tristesse, aussi.

Par chance la pièce resta plongée dans l'obscurité.

— Voilà, dit Gordon après un court silence.

Chantal se leva prestement, lissa un pli imaginaire sur sa robe.

— Veuillez m'excuser, mais j'ai à faire.

— Tout va bien, chérie ?

— Parfaitement bien, mon amour, répondit-elle en baisant la joue de son mari. — Elle nous salua d'une révérence fugitive : Ravie de vous avoir revu, Lawrence. Un plaisir que d'avoir fait votre connaissance, docteur Delaware.

L'instant suivant, elle quittait la salle.

— Le regretté Mickey Starbuck, dis-je. Comment est-il mort ?

L'air très perplexe, Gordon regardait toujours la porte par où était sortie sa femme. Je dus répéter ma question.

— Overdose de cocaïne, il y a plusieurs années déjà. Ce pauvre Mickey aurait voulu jouer dans des films tout public, mais il n'y est jamais parvenu. Le métier fait preuve d'une discrimination terrible envers les stars du porno. Il a fini chauffeur de taxi. Une âme sensible, vraiment un jeune homme charmant.

— Deux acteurs, deux suicides par overdose, commenta Larry. Ce film a l'air d'un sacré porte-poisse, non ?

— Mais non, répondit Gordon avec une certaine vigueur. Les films de ce type sont comme les autres. Leurs acteurs ont des ego fragiles, de grandes joies et de grands moments de déprime. Certains ne peuvent supporter la pression.

— Et la compagnie de production ? dis-je. Creative Image Associates. Un paravent pour Kruse ?

Gordon acquiesça.

— Par mesure de protection. J'ai été idiot de ne pas sentir quelque chose de pourri quand il a parlé du film. S'il avait réellement eu l'approbation de l'université, pourquoi ce besoin d'une société paravent ? Quand j'ai visionné le produit fini j'ai compris exactement ce qu'il avait fait, mais je ne lui en ai pas parlé. C'était lui le professeur, l'expert. A cette époque je le croyais brillant, visionnaire dans ses méthodes. J'ai supposé qu'il avait ses raisons.

– Qu'a-t-il fait exactement?

– Reprenez vos sièges et je vais vous le montrer.

Il reprit sa place derrière l'appareil de projection, éteignit les lumières et un nouveau film défila sur l'écran.

Celui-là n'avait ni titre ni générique. La prise de vue, granuleuse et sautillante, était encore plus amateur que celle du premier film, mais à l'évidence c'était celui-ci qui avait inspiré l'autre.

Le décor : un cabinet médical meublé à l'identique du premier, avec les mêmes diplômes encadrés au mur.

Les acteurs : une très belle femme aux cheveux blonds ondulés, les jambes longues, les courbes sensuelles mais plus petite que Sharon de plusieurs centimètres, l'ossature plus fine, le visage un peu plus plein. Pourtant l'actrice lui ressemblait assez pour être la sœur jumelle de Sharon.

Sa jumelle. Shirlee. Non, c'était impossible. La Shirlee que j'avais vue était infirme depuis sa plus tendre enfance...

Si Sharon avait dit la vérité.

Un « si » d'importance.

Ce second film se déroulait sur le rythme trépidant des vieux Mack Sennett : strip-tease, mouvements de chevelure, entrée dans le cabinet d'un homme brun et de grande taille.

Gros plan sur lui : la quarantaine, cheveux noirs gominés, moustache fine. Vêtu d'une blouse, un stéthoscope autour du cou, un écritoire à la main.

Une ressemblance générale avec le regretté Mickey Starbuck, mais rien d'exceptionnel.

Et pas de rictus. Ce médecin paraissait sincèrement surpris à la vue de la blonde nue allongée jambes écartées sur la table d'examen.

Pas de changements d'angle de vue, non plus. La caméra était fixe et ne s'autorisait que des gros plans occasionnels qui semblaient moins destinés à érotiser la scène qu'à identifier les acteurs.

Lui en particulier.

La blonde se leva et vint se frotter contre l'homme. Elle s'exhiba, se pinça le bout des seins, se mit sur la pointe des pieds pour lui lécher le cou.

Il secoua la tête et lui désigna sa montre.

Elle se plaqua contre lui, ondula des hanches.

Il voulut la repousser de nouveau, puis céda. Se laissa caresser.

La même progression que dans l'autre film.

Avec une différence primordiale : dans celui-ci le médecin n'était pas en train de jouer.

Pas de grimace en direction de la caméra. Tout simplement parce qu'il ne savait pas qu'une caméra le filmait.

Elle s'agenouilla devant lui.

Zoom sur le visage de l'homme.

Une passion non feinte s'y lisait.

Ils montèrent sur la table d'examen.

Zoom sur le visage de l'homme.

Il s'abandonnait au plaisir. Elle dirigeait la manœuvre.

La caméra ne quittait plus le visage de l'homme.

Une caméra cachée.

Un documentaire, ou plutôt une scène volée à l'insu du médecin. Je fermai les yeux, pensai à autre chose.

La beauté blonde œuvrait comme une professionnelle.

La jumelle de Sharon... mais à une autre époque. L'étonnement du médecin, sa moustache et ses cheveux gominés n'avaient rien d'une mise en scène.

— Quand a-t-il été tourné ? demandai-je à Gordon.

— 1952.

Mâchoires serrées, le médecin besognait la blonde. Celle-ci se tourna vers la caméra, fit un clin d'œil.

L'écran devint vierge.

— La mère de Sharon, murmurai-je.

— Je ne peux le prouver, dit Gordon en nous rejoignant, mais la ressemblance pousse à le penser, n'est-ce pas ? Quand j'ai rencontré Sharon, elle m'a rappelé quelqu'un. Je n'ai pu me souvenir de qui précisément car je n'avais pas visionné ce film depuis longtemps. C'est une rareté, une pièce de collection. Nous ne le passons qu'avec parcimonie, à cause de l'usure. C'est un original.

Il s'interrompit, dans l'expectative.

— Nous apprécions à sa juste valeur le fait que vous nous ayez permis de le visionner, monsieur Fontaine.

— Le plaisir était pour moi. Quand j'ai vu le produit fini de Kruse, j'ai compris à qui Sharon me faisait penser. Kruse a dû s'en rendre compte aussi. Nous lui avions laissé pleine disposition de toute notre collection, et il a passé beaucoup de temps ici. Il a certainement découvert le film de Linda et a voulu en

190

faire un remake. La mère et la fille... Un thème fascinant, mais il aurait dû jouer franc jeu.

— Sharon connaissait-elle l'existence de ce premier film ?

— Cela je n'en sais rien. Comme je vous l'ai dit, nous ne l'avons rencontrée qu'une seule fois.

— Linda qui ? demanda Larry.

— Linda Lanier. Elle était actrice, ou du moins voulait l'être. Une de ces jeunes beautés qui ont envahi Hollywood après la guerre, pleines d'espoir. Il y en a toujours, si je ne me trompe. Je crois qu'elle a décroché un contrat avec un des studios mais qu'ils ne l'ont jamais fait tourner.

— Pas le talent qu'il fallait ?

— Qui sait ? Apparemment elle n'est pas restée assez longtemps pour qu'on puisse s'en rendre compte. Le studio qui l'avait embauchée appartenait à Leland Belding. Elle a fini comme hôtesse dans ses soirées.

— Leland Belding, le milliardaire fou, dis-je. Magna Corporation.

— Tous les deux vous êtes trop jeunes pour vous en souvenir, dit Gordon, mais c'était une personnalité à l'époque, dans l'aéronautique, l'armement, la navigation, les mines. Et le cinéma. Il a inventé une caméra qui est encore utilisée de nos jours.

— Par hôtesse dans ses soirées, vous voulez dire prostituée ?

— Non, non. Plutôt des entraîneuses. Il donnait beaucoup de soirées. Possédant des studios, il avait à disposition tout un tas de jeunes beautés et il les employait comme hôtesses. Les bigots de Hollywood ont voulu l'accuser d'orgies mais ils n'ont jamais rien pu prouver.

— Et le médecin ?

— Un véritable médecin. Le film était réel, lui aussi. Le naturel de son comportement est d'ailleurs évident, n'est-ce pas ? C'est le film original, le seul existant.

— Où l'avez-vous eu ?

Gordon secoua la tête avec un petit sourire.

— Secret de collectionneur, Docteur. Mais je peux vous dire que je l'ai obtenu il y a longtemps, et pour une somme importante. Je pourrais faire des copies et récupérer mon investissement avec des bénéfices, mais ce serait risquer des reproductions multiples et diluer la valeur historique de l'original. Et je refuse de transiger avec mes principes.

— Et comment s'appelait ce médecin ?

— Aucune idée.

C'était un mensonge, bien entendu. Fanatique comme il l'était, Gordon Fontaine n'aurait pas pris de repos avant d'avoir glané le moindre détail concernant son trésor.

— Ce film a servi dans une affaire de chantage et ce médecin en a été la victime, n'est-ce pas?

— Ridicule, affirma-t-il sans conviction.

— Quoi d'autre, alors? insistai-je. Il ne se savait pas filmé.

— Une farce courante à Hollywood, dit-il. Ce vieil Errol Flynn perçait des trous dans les murs de ses toilettes et filmait ses compagnes à leur insu.

— De très mauvais goût, grogna Larry.

Le visage de Gordon s'empourpra soudain.

— Je suis désolé que vous réagissiez de la sorte, docteur Daschoff. Tout cela n'était fait que dans un esprit d'amusement.

Larry jugea plus diplomatique de ne pas répondre.

— Mais peu importe, continua Gordon en allant ouvrir largement la porte de la salle. Je suis certain que vous devez retourner à vos patients.

Il nous raccompagna jusqu'à l'ascenseur.

— Et qu'est devenue Linda Lanier? voulus-je savoir.

— Qui sait? rétorqua-t-il.

Puis il se mit à pérorer sur les relations entre normes culturelles et expressions de l'érotisme, jusqu'à la porte d'entrée qu'il referma sur nous.

17

– Je ne l'ai jamais vu dans cet état, fit Larry alors que nous nous retrouvions sur le trottoir.

– Son système de pensée a été salement malmené. Il aime voir son hobby comme une occupation aussi anodine que la philatélie. Mais les philatélistes se mêlent rarement de chantage.

Larry eut une moue écœurée.

– C'était déjà étrange de voir Sharon sur ce film, mais l'autre était vraiment répugnant. Et ce pauvre gars qui restait recroquevillé alors qu'il faisait ses débuts devant une caméra... Pff, du chantage. Cette histoire devient de plus en plus bizarre, D. Et pour couronner le tout, ce matin j'ai eu un coup de fil d'un vieil ami, un membre de ma fraternité que Brenda connaissait aussi. Il a également fini psy, thérapeute comportementaliste. Gros cabinet à Phoenix. Mais il se faisait sa secrétaire et elle lui a refilé la chaude-pisse, qu'il a transmise à sa femme. Laquelle l'a jeté dehors et lui a fait une réputation telle en ville qu'elle a détruit sa clientèle. Il y a quelques jours il est rentré chez lui, a tiré une balle dans la tête de sa femme et s'est administré le même traitement. Ça ne parle pas vraiment en faveur de notre profession, pas vrai ? Tu sais comment faire passer des tests et rédiger une thèse, tu décroches ton diplôme. Tu envoies régulièrement ton chèque pour régler ta cotisation. Mais il n'y a pas de chèque pour la psychopathologie.

– Peut-être que les psychanalystes ont trouvé la bonne méthode, répondis-je. En faisant suivre à leurs candidats des analyses longues avant de les autoriser à exercer.

– Allons, D., pense un peu à tous ces analystes que tu as pu rencontrer et qui sont des cinglés complets. Et nous tous, avec nos thérapies d'entraînement. Quelqu'un peut avoir son ying-yang passé au crible de la thérapie et rester un être humain pourri, au fond. Qui sait, peut-être sommes-nous suspects depuis le début. J'ai lu cet article sur les antécédents familiaux des psychologues et des psychanalystes. Une grosse proportion avait des mères fortement dépressives.

– Je l'ai lu aussi.

– Ça me va comme un gant, fit-il. Et toi ?

J'opinai du chef.

– Tu vois, tout est là. Enfants nous avons dû prendre soin de notre mère, et nous avons appris à être hyperadultes. Ensuite en grandissant nous avons cherché d'autres dépressifs à aider, ce qui en soi ne serait pas négatif... si nous avions nettoyé notre merde familiale avant. Mais non... Non, il n'y a pas de réponse simple, D. C'est à l'acheteur de faire gaffe.

Je l'accompagnai jusqu'au break.

– Larry, crois-tu que le film de Sharon pourrait avoir un rapport quelconque avec les recherches de Kruse ?

– J'en doute.

– Et ces formulaires de l'université que Gordon a vus ?

– Du bidon. D'ailleurs c'est illogique : même à cette époque, l'université ne se serait pas risquée dans une situation aussi délicate. Kruse lui a montré un papier quelconque et Gordon l'a cru parce qu'il en avait envie. Et puis, Kruse n'utilisait jamais de formulaires d'aucune sorte, et le département s'en accommodait très bien. Une sorte d'accord mutuel d'apathie. Ils prenaient l'argent qu'il apportait, ils lui fournissaient un labo au sous-sol, et ils ne voulaient surtout pas savoir ce qu'il y faisait. Comparé à toutes les expérimentations foireuses que les psychologues sociaux entreprenaient, son truc paraissait bénin... – Il s'interrompit et fronça les sourcils, l'air soudain perplexe : mais qu'est-ce qu'il cherchait, en la filmant comme ça ?

– Qui sait ? La seule probabilité que je repousse est une sorte de thérapie radicale, un travail sur les péchés de la mère à exorciser.

Il réfléchit un instant.

– Ouais, possible. Ce genre de bizarrerie serait bien dans son style : contrôle total de la vie du patient, séances-marathon, régression sous hypnose pour casser les défenses de la personnalité. Si elle découvrait que sa mère avait été une pute, il la rendait vulnérable.

– Et si elle avait découvert cela parce que Kruse lui-même le lui avait appris ? Il avait accès à la collection de vidéos des Fontaine. Il aurait pu tomber par hasard sur le film de Linda Lanier. Sa ressemblance avec Sharon est frappante, il a fait le rapprochement. Ensuite il a recherché Lanier, collecté quelques détails peu ragoûtants, peut-être même à propos d'un chantage. Sharon a prétendu qu'elle avait des parents riches. On dirait qu'elle se cachait la vérité. Kruse a pu lui montrer le film alors qu'elle était sous hypnose, s'en servir pour la briser complètement et assurer son contrôle sur elle. Après quoi il n'avait plus qu'à lui proposer de se débarrasser de ce trauma en faisant un film elle-même. Une sorte de catharsis sur pellicule.

– Quel enfoiré, murmura-t-il, puis : mais c'était une fille intelligente, D. Comment aurait-elle pu tomber dans un tel panneau ?

– Intelligente mais paumée, Larry. Un cas-limite, comme nous le disions. Et c'est toi-même qui m'as expliqué combien Kruse pouvait se montrer persuasif, au point de convaincre des partisans de la libération de la femme que fouetter leur épouse était un acte noble. Et c'étaient des femmes qu'il ne connaissait que de loin. Or il était le patron de thèse de Sharon, son thérapeute d'entraînement, et elle est restée avec lui bien après avoir décroché son doctorat. Je n'ai jamais vraiment compris la relation qui existait entre eux, mais je sais qu'elle était intense. Le film a été fait peu après son arrivée à L.A., ce qui implique qu'il tripotait son cerveau depuis le début.

– Ou alors il la connaissait antérieurement.

– Possible.

– La thérapie plus les films pornos, fit-il amèrement. Notre estimé directeur de département est un très chic type, pas de doute.

– Tu crois que l'université devrait être avertie de ses méthodes ?

– Tirer le signal d'alarme ? – Il tortilla une pointe de moustache d'un geste pensif : D'après Brenda, les textes sur la diffamation sont foutrement alambiqués. Kruse a de l'argent, il pourrait faire traîner un procès des années et quel que soit le

195

résultat nous serions sur la paille avant la fin. Tu es prêt à courir ce genre de risque ?

— Je ne sais pas.

— Eh bien moi non. Laissons l'université faire son propre boulot de détective.

— « A l'acheteur de faire gaffe » ?

Il posa la main sur la poignée de la portière et me lança un regard sombre.

— Écoute, D., tu es en semi-retraite, indépendant, avec le temps pour courir partout et visionner des films cochons. Moi j'ai cinq moutards, une femme qui fait son droit, une tension artérielle trop élevée et un emprunt-logement sur le dos. Pardonne-moi de ne pas vouloir jouer au preux chevalier, d'accord ?

— D'accord. Ne t'énerve pas.

— J'essaie, mais crois-moi, la réalité ne cesse de me tenter.

Il s'assit derrière le volant de sa voiture.

— Si je fais quoi que ce soit, lui dis-je, je te laisserai en dehors.

— Bonne idée, répondit-il en consultant sa montre. Il faut que je file. Je ne dirai pas que c'était dégueu, mais c'était différent, c'est sûr.

Deux films. Un autre lien avec le défunt milliardaire.

Et un producteur de films amateur qui se prétendait guérisseur.

Je regagnai l'appartement en me jurant d'entrer en contact avec Kruse avant de partir pour San Luis le lendemain. Et ce salopard me parlerait, d'une façon ou d'une autre, j'y étais déterminé. J'essayai ses bureaux une nouvelle fois. Pas de réponse. J'allais appeler à son central à l'université quand mon téléphone sonna.

— Allô ?

— Le Dr Delaware, s'il vous plaît.

— C'est moi.

— Docteur Delaware, ici le docteur Leslie Weingarden. J'ai une crise sur les bras pour laquelle je pense que vous pourriez m'aider.

Elle paraissait très tendue.

— Quelle sorte de crise, docteur Weingarden ?

— En relation avec notre précédente conversation, dit-elle. Je préférerais ne pas en parler par téléphone. Pourriez-vous trouver le temps de passer à mon cabinet cet après-midi ?

– Donnez-moi vingt minutes, répondis-je.

Après avoir changé de chemise et mis une cravate, j'appelai mon service de répondeur et apprit qu'Olivia Brickerman avait appelé.

– Elle a dit de vous dire que « le système est en panne », Docteur, répéta l'opératrice. Elle essaiera de vous obtenir ce que vous désirez dès que tout sera rétabli.

Je la remerciai et raccrochai. Prochaine étape : Beverly Hills.

Dans la salle d'attente deux femmes étaient assises et lisaient. Ni l'une ni l'autre ne semblait de bonne humeur.

Je pianotai sur la porte vitrée, et la secrétaire vint m'ouvrir. Nous passâmes plusieurs salles d'examens pour nous arrêter devant une porte marquée PRIVÉ. Elle frappa, et une seconde plus tard Leslie entrouvrait et se glissait dans le couloir. Elle était impeccablement maquillée et coiffée, mais son expression était hagarde et effrayée.

– Combien de patients encore, Bea ?

– Deux. Dont une qui vient tout le temps.

– Dites-leur que j'ai une urgence. Je m'occupe d'elles dès que possible.

Bea repartit et Leslie s'approcha de moi.

– Écartons-nous de cette porte, me souffla-t-elle.

Nous fîmes quelques pas dans le couloir, et elle s'adossa au mur en inspirant profondément. Ses deux mains étaient crispées.

– Je regrette d'avoir arrêté de fumer, dit-elle. Merci d'être venu.

– De qui s'agit-il ?

– D.J. Rasmussen. Il est mort. Son amie est dans la pièce, elle craque complètement. Elle est arrivée il y a une demi-heure, au moment où je revenais de déjeuner, et elle s'est effondrée dans la salle d'attente. Je l'ai fait entrer dans mon bureau en vitesse, avant que d'autres patients n'arrivent, et je suis restée avec elle depuis. Je lui ai administré une injection de Valium. Dix milligrammes. Ça a paru la calmer pendant un moment mais elle a recommencé à craquer. Vous voulez toujours m'aider ? Vous croyez que vous arriverez à quelque chose en lui parlant ?

– Comment est-il mort ?

– Carmen – son amie – dit que ces derniers jours il buvait

beaucoup. Plus encore qu'à l'accoutumée. Elle avait peur qu'il devienne violent avec elle, parce que c'est souvent le cas lorsqu'il est saoul. Au lieu de quoi il s'est enfoncé dans un état dépressif, il s'est mis à pleurnicher en répétant qu'il était un type pourri avec toutes ces horreurs qu'il avait faites. Elle a tenté de le raisonner mais ça n'a réussi qu'à l'enfoncer un peu plus, et il a bu de plus belle. Tôt ce matin elle s'est réveillée pour trouver sur l'oreiller mille dollars en liquide, quelques photos d'eux ensemble et un mot très court : « ADIEU ». Elle s'est précipitée hors de la chambre. Elle a tout de suite vu qu'il avait pris ses armes mais n'a pas pu le retrouver. Puis elle a entendu la camionnette démarrer et elle a pris sa voiture pour la suivre. Ils vivent à Newhall. Apparemment il y a beaucoup de canyons et les routes sont sinueuses par là. Il a accéléré et elle n'a pas pu tenir l'allure. Quand elle a réussi à le rattraper elle a vu la camionnette qui fonçait vers une falaise et s'élançait dans le vide. La camionnette a explosé au fond du ravin. *Comme dans les films*, a-t-elle dit.

Leslie se mordilla un ongle.

– La police est au courant de ces détails ?

– Oui, c'est elle-même qui les a contactés. Ils lui ont posé quelques questions, ont pris sa déposition et lui ont conseillé de rentrer chez elle. D'après elle, ils ne paraissaient pas très intéressés. D.J. était connu dans le coin pour créer des problèmes, conduite en état d'ivresse, etc. C'est tout ce que je sais. Vous pourrez m'aider ?

– Je vais essayer.

Nous pénétrâmes dans son bureau, une pièce de dimensions modestes aux murs chargés de livres, décorée de posters plutôt bien choisis, de plantes vertes et de bibelots, avec un bureau en pin et deux fauteuils. Dans l'un d'eux était assise une jeune femme potelée au teint maladif, vêtue d'une chemise blanche ample, d'un pantalon marron en tissu élastique et de sandales à talons plats. Ses longs cheveux noirs striés de mèches blanches étaient en bataille, ses yeux gonflés et rougis. En me voyant, elle détourna la tête et enfouit son visage dans ses mains.

– Carmen, dit Leslie, voici le Dr Delaware. Docteur Delaware, je vous présente Carmen Seeber.

Je m'assis dans l'autre fauteuil.

– Bonjour, Carmen.

– Carmen, le Dr Delaware est un psychologue. Vous pouvez lui parler.

Sur ces mots, Leslie sortit de la pièce.

La jeune femme continuait de se cacher le visage, sans bouger ni parler. Après un moment, je pris l'initiative :

– Le Dr Weingarden m'a appris pour D.J. Je suis vraiment désolé.

Elle se mit à sangloter et ses épaules tressautèrent lourdement.

– Est-ce que je peux faire quelque chose pour vous, Carmen ?

Les sanglots redoublèrent d'intensité.

– J'ai rencontré D.J. une fois, dis-je. Il avait l'air de quelqu'un qui a beaucoup de problèmes.

Un flot de larmes.

– Ça a dû être dur pour vous de vivre avec lui, avec toute cette boisson. Mais malgré cela, il vous manque terriblement. C'est difficile de croire qu'il n'est plus...

Elle se mit à osciller, mains crispées sur son visage.

– Oh mon Dieu ! gémit-elle. Oh mon Dieu ! Oh mon Dieu, aidez-moi ! Oh mon Dieu...

Je lui tapotai l'épaule. Elle sursauta mais ne chercha pas à s'écarter.

Nous restâmes ainsi un moment, assis tous deux, elle implorant une aide divine, moi faisant de mon mieux pour absorber son chagrin et la nourrir de parcelles d'empathie. Puis je lui offris des serviettes et un gobelet d'eau fraîche, lui répétai qu'elle n'était pas coupable, qu'elle avait fait tout ce qu'elle pouvait pour lui, que personne n'aurait pu mieux faire. Que c'était bien compréhensible qu'elle ressente sa perte, compréhensible qu'elle souffre.

Enfin elle releva la tête, s'essuya le nez et dit :

– Vous êtes gentil.

– Merci.

– Mon père aussi était gentil. Je veux dire, il est mort.

– Je suis désolé.

– Il nous a quittés il y a longtemps, quand j'étais en maternelle. Je suis revenue avec les choses qu'on avait faites pour Thanksgiving, vous comprenez, des dindes en papier et des chapeaux de pèlerin – et je les ai vus, je veux dire ils l'emmenaient dans une ambulance.

Un silence.

– Quel âge avez-vous, Carmen ?

– Vingt ans.

199

– Vous êtes passée par beaucoup d'expériences en vingt ans.

Elle réussit à sourire.

– Je crois, oui. Et maintenant Danny. Il était gentil aussi, je veux dire même si des fois il était violent parce qu'il avait bu. Mais au fond, il était gentil. Il ne me disputait jamais, et il m'emmenait dans plein d'endroits, et il m'achetait plein de choses.

– Depuis combien de temps vous connaissiez-vous ?

Elle réfléchit un instant.

– Deux ans, à peu près... Je conduisais la camionnette fast-food près de tous ses chantiers, et il travaillait comme charpentier dans le coin. Il aimait les burritos, je veux dire la viande et les patates, mais pas les haricots. Les haricots le ballonnaient et ça le rendait mauvais. Je le trouvais mignon alors je lui donnais des rations supplémentaires, sans que le patron le sache. Et puis nous avons commencé à vivre ensemble.

Elle me jeta un regard d'enfant perdu. Je lui souris.

– Jamais je n'aurais cru qu'il ferait ça, je veux dire.

– Se tuer ?

Elle hocha la tête et de nouvelles larmes luirent sur ses joues rebondies.

– Avait-il déjà parlé de suicide, auparavant ?

– Quand il avait trop bu, il disait souvent que la vie est pourrie et qu'il valait mieux être mort et qu'il allait le faire un de ces jours, pour emmerder tout le monde. Et puis il s'est blessé au dos, il avait tellement mal qu'il ne pouvait plus travailler. Mais je n'avais pas pensé que...

Elle s'interrompit, la gorge serrée.

– Vous ne pouviez pas savoir, Carmen. Quand quelqu'un décide de mettre fin à ses jours, il n'y a aucun moyen de l'en empêcher.

– Oui, murmura-t-elle en essayant de respirer normalement. Quand Danny avait décidé quelque chose, il était vraiment tête de mule.

– Le Dr Weingarden a parlé de mauvaises actions qu'il aurait commises...

– Oui, il était très mal. Il disait qu'il avait péché, des trucs comme ça.

– Savez-vous ce qui le mettait dans un tel état ?

Elle haussa les épaules.

– Il se battait souvent, dans les bars. Rien de très grave, mais il en a dérouillé quelques-uns. – Elle eut un sourire fugitif de fierté : Il était petit mais teigneux, vous savez. Et il aimait bien fumer de l'herbe et puis boire, et le mélange le rendait encore plus teigneux. Mais c'était quelqu'un de gentil, au fond. Il n'a jamais rien fait de vraiment mal.

Je voulais savoir si elle avait des aides autour d'elle et l'interrogeai sur ses proches.

– Je n'ai pas de famille, dit-elle. Danny non plus. Et nous n'avions pas d'amis. Moi ça ne m'aurait pas dérangée mais Danny n'aimait pas trop les gens, peut-être parce que son père le battait tout le temps et que ça l'a rendu hargneux avec les autres. C'est pour ça qu'il l'a...

– Oui ?

– Descendu.

– Il a tué son père ?

– Quand il était jeune... Mais c'était de la légitime défense ! Les flics lui sont tombés dessus et l'ont envoyé en établissement surveillé jusqu'à ce qu'il ait dix-huit ans. Après il est sorti et s'est débrouillé tout seul, mais il ne cherchait pas d'amis. Il se contentait de moi et des deux chiens. Nous avons deux croisés de rottweiler, Dandy et Paco. Ils l'aimaient beaucoup et maintenant ils n'arrêtent pas de pleurnicher. Il va beaucoup leur manquer.

Elle eut un long accès de larmes, que je laissai passer sans intervenir.

– Carmen, dis-je quand elle fut un peu calmée, vous endurez une période difficile. Si vous aviez quelqu'un à qui parler cela vous aiderait. J'aimerais vous présenter à un médecin, un psychologue comme moi.

Elle releva la tête et me dévisagea.

– Je pourrais parler avec vous.

– Je... Habituellement je ne fais pas ce genre de travail. Elle eut une moue assez laide.

– A cause du fric, c'est ça ? Vous ne prenez pas Medi-Cal ?

– Non, Carmen. Je suis psychologue pour enfants. Je ne travaille qu'avec des enfants.

– Ah, d'accord, je comprends.

Elle avait parlé avec plus de tristesse que de colère, comme si ce dernier élément était la plus grande injustice d'une vie pleine d'injustices.

– La personne à qui j'aimerais vous adresser est quelqu'un de très gentil et de très qualifié.

Une nouvelle moue. Elle se frotta les yeux d'un geste enfantin.

– Carmen, si je lui parle de vous et que je vous donne son numéro, vous la contacterez ?

– La ? – Elle secoua la tête avec véhémence : Pas question. Je ne veux pas de femme docteur.

– Pourquoi donc ?

– Le docteur de Danny était une femme. Elle a fricoté avec lui.

– Fricoté ?

– Vous savez bien, elle l'a dragué. Il a toujours dit « Merde, Carmen, on n'a rien fait, bordel. » Mais quand il revenait d'une séance avec elle il avait un regard spécial et il sentait le sexe. Dégoûtant. Je ne veux pas parler de ça. Et je ne veux pas de femme docteur.

– Le Dr Weingarden est une femme.

– Elle, c'est différent.

– Le Dr Small, la personne à qui je voudrais vous adresser, est différente aussi, Carmen. Elle a plus de cinquante ans, elle est très gentille et ne ferait jamais quelque chose de malhonnête.

Elle ne paraissait pas convaincue.

– Carmen, je la vois moi-même.

Elle ne comprenait pas.

– Elle a été mon médecin, Carmen.

– Vous ? Pour quoi faire ?

– J'ai parfois besoin de parler, moi aussi. Tout le monde en a besoin. Maintenant je veux que vous me promettiez d'aller la voir au moins une fois. Si elle ne vous plaît pas, je vous trouverai quelqu'un d'autre.

Je tirai une carte portant mon numéro de répondeur et la glissai dans sa main. Elle referma les doigts sur le bristol.

– Je trouve que ça n'est pas bien, dit-elle.

– Quoi donc ?

– Qu'elle l'ait dragué. Un docteur ne devrait pas faire ces choses-là, je veux dire.

– Vous avez absolument raison.

Mon accord la surprit, comme si c'était la première fois que quelqu'un partageait son avis.

– Certains docteurs ne devraient pas être docteurs, ajoutai-je.

– Je veux dire, je pourrais peut-être la poursuivre en justice, ou quelque chose comme ça ?

– Il n'y a personne à poursuivre, Carmen. Si vous parlez du Dr Ransom, elle est morte. Elle s'est suicidée, elle aussi.

Sa main vola jusqu'à sa bouche.

– Oh, mon Dieu, je n'ai pas... Je veux dire, j'ai souhaité que ça lui arrive, mais je ne voulais pas vraiment... Je veux dire... Oh, mon Dieu...

Elle se signa, se pressa les tempes du bout des doigts et leva les yeux au plafond.

– Carmen, rien de tout cela n'est de votre faute. Vous êtes une victime, pas une coupable.

Mais elle secoua la tête négativement, avec force.

– Une victime. Je veux que vous le compreniez, Carmen.

– Je... Je ne comprends rien du tout... – Des larmes, puis : Tout ça est tellement, je veux dire, tellement... Je ne comprends rien, moi...

Je me penchai en avant et je pus presque sentir son angoisse.

– Carmen, je resterai ici avec vous aussi longtemps que vous aurez besoin de moi. D'accord ?

Elle acquiesça.

Une demi-heure passa avant qu'elle commence à se reprendre. Quand elle se fut séché les yeux, elle parut avoir reconquis un peu de sa dignité.

– Vous êtes très gentil, déclara-t-elle. Ça va aller. Vous pouvez partir, maintenant.

– Et pour le Dr Small ? Le thérapeute que je voudrais que vous rencontriez ?

– Je ne sais pas.

– Une fois ?

Un sourire faible.

– D'accord.

– Promis ?

– Promis.

Je pris sa main et la tint un moment, puis je sortis de la pièce pour téléphoner. J'appelai Ada qui accepta dès que je lui eus expliqué le cas de Carmen. Je revins alors auprès de celle-ci.

– Tout est arrangé, lui annonçai-je. Le Dr Small vous attend à sept heures ce soir.

– D'accord.

Je serrai sa main et la laissai. Je trouvai Leslie entre deux salles d'examens et lui fis part de mes résultats.

– Comment vous a-t-elle semblé ?

– Plutôt fragile et encore abasourdie par le choc. Mais dans les prochains jours elle pourrait aller vraiment très mal. Elle n'a personne pour s'occuper d'elle. Il est indispensable pour elle de voir quelqu'un.

– Ça semble logique. Où est le cabinet de ce thérapeute ?
– Brentwood. San Vincente, près de Barrington.

Je lui donnai l'adresse exacte et l'heure du rendez-vous.

– Parfait. J'habite à Santa Monica et je pars d'ici vers six heures et demie. Je pourrai donc l'amener là-bas moi-même. Jusque-là, nous la chouchouterons... Cette personne à qui vous l'envoyez, elle est si bonne que ça ?

– C'est la meilleure. Je l'ai consultée moi-même.

Ce petit aveu m'avait paru donner confiance à Carmen, mais il exaspéra visiblement Leslie.

– L'honnêteté californienne ! lâcha-t-elle avec une pointe de cynisme, puis : Je suis désolée. Vous avez vraiment été très gentil de venir ici immédiatement. Je crois que je deviens une cynique endurcie. Je sais que ce n'est pas très sain, il va falloir que je me trouve une place où je puisse de nouveau faire confiance aux gens. – Elle se caressa distraitement une boucle d'oreille : Écoutez, je veux vraiment vous remercier d'être venu ici. Dites-moi quel est votre tarif et je vais vous faire un chèque tout de suite.

– Oubliez ça, dis-je.

– J'insiste. J'aime payer ce que je dois.

– Inutile, Leslie. Je ne voulais pas être payé.

– Vous en êtes bien certain ? Je ne voudrais pas que vous croyiez que j'exploite votre gentillesse.

– C'est un soupçon qui ne m'a jamais effleuré l'esprit.

Mal à l'aise, elle ôta son stéthoscope et le fit passer d'une main dans l'autre.

– Je sais bien que la première fois que vous m'avez vue j'ai eu un discours de mercenaire et d'égoïste. Tout ce que je peux vous dire, c'est que ce n'est pas réellement mon genre. J'avais vraiment envie de contacter ces patients, j'ai longtemps hésité. Je ne m'accuse pas de la mort de Rasmussen, c'était une bombe à retardement et il pouvait exploser n'importe quand. Mais ça m'a fait comprendre que j'avais des responsabilités à prendre, que je devais commencer à me comporter en médecin. Après vous avoir laissé avec Carmen, je suis allée téléphoner. J'ai joint deux femmes qui avaient l'air d'aller à peu près bien, qui m'ont dit que leur mari allait bien aussi, ce que j'espère vrai. En fait, ça s'est mieux passé que je ne l'aurais cru, et elles se sont montrées moins hostiles que la première fois. Peut-être ai-je passé le cap, je ne sais pas. En tout cas j'ai établi le contact. Je recommencerai jusqu'à les avoir tous contactés. Tant pis pour la note.

– Je crois que vous agissez bien, pour ce que vaut mon avis.

– Il vaut beaucoup, assura-t-elle avec une brusque intensité, puis elle parut embarrassée et jeta un coup d'œil à la porte d'une des salles : Eh bien, il faut que j'y aille. Que j'essaie de m'accrocher aux patients que j'ai. Merci encore.

Elle marqua un temps d'hésitation, et soudain se hissa sur la pointe des pieds pour déposer un baiser sur ma joue. Surpris par son mouvement, je me tournai un peu et nos lèvres s'effleurèrent.

– C'était stupide de ma part, dit-elle.

Avant que j'aie eu le temps de l'assurer du contraire, elle était entrée dans la salle voisine pour voir son patient suivant.

18

Il était près de cinq heures quand j'arrivai à l'université. Le
bâtiment de psychologie se vidait et une seule secrétaire restait
de permanence dans le bureau du département. Je me dirigeai
droit vers le fichier de l'université et le feuilletai sans que la
jeune femme réagisse. Peut-être l'effet de ma veste en velours
côtelé. Kruse se trouvait déjà enregistré comme président, le
numéro de son bureau était le 4302. Je remarquai que son
adresse personnelle était celle de Pacific Palisades.

Je montai les quatre étages au pas de course, brusquement
conscient d'avoir recouvré toute mon énergie. Pour la première fois depuis très longtemps je me sentais fixé sur un but
précis, propulsé par une juste colère.

Rien de tel qu'un ennemi défini pour vous nettoyer l'esprit.

Son bureau se trouvait à l'extrémité d'un long couloir blanc.
L'acajou de la double porte remplaçait l'habituel contreplaqué
de qualité universitaire. Le sol était couvert d'une bâche enne-
igée de poussière de plâtre. De l'intérieur venaient des bruits de
marteau et de scie au travail.

Je pénétrai dans la première pièce où des ouvriers étaient
occupés à poser les lattes d'un nouveau plancher et des plinthes
en acajou tandis que d'autres, perchés sur leur échelle, pei-
gnaient les murs d'une laque bordeaux. Des appliques murales
en cuivre remplaçaient les tubes fluorescents standards, et dans
un coin de la pièce se trouvait déjà un siège en cuir sous sa

housse de plastique transparent. L'air sentait le bois scié, la colle et la peinture fraîche. D'un poste à transistors posé sur le sol montait une mélodie de musique country.

Un des ouvriers me vit, éteignit sa ponceuse et descendit de son escabeau. Il devait approcher la trentaine, était de taille moyenne mais doté d'épaules formidables. Un bandana sortait de la poche arrière de ses jeans crasseux et il portait une casquette de base-ball vissée sur sa chevelure noire bouclée. La poussière avait blanchi sa barbe sombre ainsi que ses avant-bras dignes de Popeye. A sa ceinture de travail pendait une collection d'outils qui s'entrechoquaient tandis qu'il approchait.

– Professeur Kruse ? s'enquit-il d'une voix haut perchée d'adolescent.

– Non. Je le cherche, justement.

– Bon Dieu, on en est tous là ! Si vous savez où le joindre, dites-lui de rappliquer ici pronto. On nous a livré des trucs qui ne correspondent pas aux plans. Je ne sais pas s'ils ont encore changé d'avis ou quoi, mais on ne va pas pouvoir avancer beaucoup plus tant que quelqu'un n'aura pas décidé de ce qu'on doit faire. Et le patron est pris sur un autre chantier.

– Quand l'avez-vous vu pour la dernière fois ? demandai-je.

Il prit son bandana et s'essuya le visage.

– La semaine dernière, quand nous dressions les plans avant de commencer l'installation du cabinet de toilette et le gros œuvre. Nous ne sommes revenus qu'hier, parce que nous n'avions pas reçu les matériaux. Tout le monde s'y est mis dare-dare, parce qu'on nous a dit que ce chantier était ultra-pressé. Mais maintenant on a d'autres problèmes. Ils n'arrêtent pas de changer d'avis sur ce qu'ils veulent.

– Qui ça, « ils » ?

– Kruse et sa femme. Elle devait venir nous voir il y a une heure et nous donner les indications définitives, mais on ne l'a pas vue. Et ils ne répondent pas au téléphone non plus. Quand le patron va revenir de Palm Springs il va se mettre en pétard, mais je ne sais pas ce que nous pourrions faire si le client ne vient pas nous préciser ce qu'il veut.

– Vous ne travaillez pas pour l'université ?

– Nous ? Bon Dieu, non ! Chalmers Interiors, Pasadena. On fait du sur mesure, ici. On doit changer le carrelage du cabinet de toilette, faire un plafond à caissons, plus le placage de bois précieux, la décoration de luxe, les tapis persans, une fausse cheminée en marbre... – Il frotta son index contre son pouce : Beaucoup d'argent.

207

– Et qui paie?

– Eux. Les Kruse. Et ça leur coûte plus cher à chaque heure qui passe. Avec ça, on aurait pu croire qu'ils se montreraient.

– On aurait pu le croire, en effet.

Il rangea son bandana dans la poche arrière de son jean.

– De l'argent facilement gagné qui est facilement dépensé, hein? Je ne savais pas que les professeurs gagnaient autant. Vous êtes prof aussi?

– Oui, mais pas ici. A Crosstown.

– Ils ont une bien meilleure équipe de foot, à Crosstown, dit-il en ôtant sa casquette pour se gratter l'occiput et, avec un large sourire: Vous êtes venu espionner pour l'autre camp?

– Non, je cherchais juste à voir le Dr Kruse.

– Eh bien, si vous y parvenez, dites-lui de prendre contact avec nous pronto, sinon demain nous serons sur un autre chantier. En l'état actuel, il ne reste plus qu'une demi-journée de boulot pour deux ouvriers, ici. Le patron ne voudra pas continuer sans directives du client.

– Si je peux je passerai le message, monsieur...

– Rodriguez. Gil Rodriguez. – Il prit une lamelle de bois de chute sur le sol et utilisa un bout de crayon pour inscrire ses coordonnées: Je travaille aussi en «indépendant», si vous me comprenez. Séchage de murs, peinture, plâtrerie. Et je peux réparer à peu près tout ce qui n'a pas d'informatique dans le ventre. Et si vous avez des places de football à vendre, je serais heureux de vous en débarrasser.

Sur Sunset la circulation était dense. L'entrée de Stone Canyon sur Bel Air était barricadée par des travaux routiers, ce qui n'arrangeait pas les choses, si bien que j'arrivai à Pacific Palisades au coucher du soleil seulement. C'était la même période de la journée que lors de ma première venue ici. Seul le bleu du ciel différait.

D'après les dires de Rodriguez je m'attendais à trouver une allée déserte. Or trois véhicules étaient garés devant la maison: le coupé Mercedes blanc avec la plaque PPK PHD que j'avais vu à la réception, une magnifique Jaguar Type-E bleue avec des plaques marquées SSK et une vieille Toyota couleur pois cassé. Je passai à côté d'elles et allai frapper à la porte. J'attendis un moment, frappai de nouveau, puis utilisai la sonnette.

Je perçus le carillon à l'intérieur. Toute personne se trouvant dans la maison ne pouvait que l'entendre aussi. Mais personne ne répondit. C'est alors que je remarquai les lettres entassées par terre, devant la porte, trempées par la pluie. La fente pour le courrier dans la porte était bouchée par des magazines et d'autres enveloppes.

Je sonnai une fois encore, en regardant autour de moi. D'un côté se trouvait la cour semi-clôturée, avec ses plantes vivaces et ses bougainvillées, qui se terminait sur un portail de planches délavées par les intempéries.

Je m'approchai et poussai le portail, qui s'ouvrit. J'entrai dans la cour et longeai le côté sud de la maison. Après un auvent en bois je débouchai dans un jardin arrière spacieux où les pelouses se déroulaient en vagues douces bordées d'arbres hauts. Ici et là éclataient les couleurs de parterres de fleurs variées, et une petite chute d'eau tombait dans une piscine à l'eau saphir. Le jardin était baigné d'une lumière naturelle douce.

Aucun éclairage ne brillait par les fenêtres de la maison, mais une ampoule rose accrochée à la branche d'un bouleau rehaussait de sa lumière un patio carrelé à la mexicaine et abrité d'un vélum de toile. J'aperçus plusieurs meubles en teck, de la lotion solaire sur une table, des serviettes de bain jetées sur des sièges, qui semblaient là depuis un certain temps. Je décelai dans l'air de vagues relents de moisi, et une autre odeur, plus forte...

Une des portes-fenêtres était entrouverte. Assez pour laisser passer la puanteur. Assez pour entrer.

Je me protégeai la bouche et le nez de mon mouchoir, passai ma tête dans l'entrebâillement et découvris une vision de cauchemar. J'utilisai encore le mouchoir pour chercher en tâtonnant un interrupteur, et la lumière inonda la pièce.

Deux corps étaient étalés sur l'immense tapis berbère, difficilement identifiables comme humains sinon par les vêtements qui couvraient les restes de leur tronc.

J'eus un hoquet de dégoût, détournai les yeux, vis un plafond haut, à poutres apparentes, des fauteuils rembourrés. Un intérieur cossu, portant la marque d'un bon décorateur.

Mes yeux revinrent à l'horreur sur le sol...

Je fixai mon attention sur le tapis et m'évertuai à me perdre dans les motifs du tissage. Du beau travail, sans défaut. A l'exception de ces taches noircies...

Un des cadavres portait un maillot de bain rose à fleurs, l'autre des shorts naguère blancs et une chemise hawaïenne bleue à motif d'orchidées rouges.

Le tissu chatoyant ressortait sur l'amas brun-vert de la chair en décomposition. Les visages n'étaient plus que des amas visqueux d'une substance écœurante. Les lambeaux de tissus purulents se mêlaient aux cheveux. Des cheveux blonds, pour les deux cadavres. Ceux du corps en bikini étaient plus clairs et beaucoup plus longs, leur pointe teintée d'une substance brune.

J'eus un autre haut-le-cœur, pressai le mouchoir sur mes lèvres et mon nez en retenant ma respiration et battis en retraite.

Je ressortis dans le patio.

Mais alors même que je reculai mon regard scruta la pièce par la porte-fenêtre et s'arrêta au fond, en haut de l'escalier aux marches carrelées.

La rambarde était de fer forgé. Du bel ouvrage.

Au bord du palier gisait un troisième corps. Une robe d'intérieur rose, des cheveux bruns. Encore des chairs en putréfaction, et un liquide noirâtre qui avait coulé sur la première marche.

Je tournai les talons et me mis à courir. Je contournai la piscine, traversai la pelouse et m'arrêtai devant un parterre de fleurs dans les tons bleus et mauves étranges sous le crépuscule. Je m'agenouillai pour sentir leur parfum.

Il était doux. Trop doux. Mon estomac se contracta violemment et je me forçai à vomir, sans y parvenir.

Alors je me relevai et fonçai le long de la maison pour rejoindre ma voiture. La route était déserte, silencieuse. Personne n'avait connaissance de l'horreur à l'intérieur.

Une fois derrière le volant de la Seville j'essayai de reprendre mon calme. L'odeur de la mort m'avait suivi et planait dans la voiture. Je la sentais dans ma bouche.

Après un moment je démarrai et pris vers le sud, Mandeville jusqu'à Sunset vers l'est. J'aurais voulu posséder une machine à remonter le temps, n'importe quoi pour inverser le cours des événements.

Mais plus que tout j'éprouvais le besoin d'un cigare fort, d'un téléphone et d'une voix amie.

19

Je trouvai une pharmacie et un téléphone public sur Brentwood. Milo décrocha dès la première sonnerie, et il m'écouta sans m'interrompre.

– Je savais bien que je n'étais pas rentré si tôt pour rien, conclut-il.

Vingt minutes plus tard il arrivait avec sa propre voiture et me suivit jusqu'à la maison aux cadavres. Il m'ordonna de rester dans la Seville et j'attendis en tirant sur un panatela bon marché pendant qu'il disparaissait au coin de la maison. Il revint quelques minutes plus tard en s'essuyant le front. Il s'installa sur le siège passager à côté de moi et prit un cigare dans la poche de ma chemise.

Après avoir fait quelques ronds de fumée il sortit son carnet et nota ma déposition avec une froideur toute professionnelle.

– Pourquoi es-tu venu ici, Alex ? s'enquit-il.

Je lui parlai alors du film porno, de l'accident fatal de D.J. Rasmussen, de la réapparition du nom de Leland Belding.

– Et il y a la main de Kruse un peu partout.

– Il ne lui reste pas grand-chose en forme de main, répondit-il en refermant son carnet. Les corps sont là depuis un bout de temps. Une idée de qui a pu faire ce carnage ?

– Rasmussen était du genre explosif, hasardai-je. Il avait tué son père. Et durant ces derniers jours il s'accusait d'avoir gravement péché, d'avoir commis quelque chose de terrible. Ça pourrait correspondre.

– Mais pourquoi aurait-il assassiné Kruse?

– Je ne sais pas. Peut-être rendait-il Kruse responsable de la mort de Sharon. Il était pathologiquement attaché à elle, et ils avaient des rapports sexuels.

Milo réfléchit à ces derniers éléments.

– Qu'as-tu touché à l'intérieur?

– L'interrupteur mural, mais avec mon mouchoir.

– Et puis?

– Le portail... Je crois que c'est tout.

– Pense mieux.

– Je ne vois rien d'autre.

– Refaisons ton parcours.

Quand j'eus expliqué chacun de mes mouvements, il s'estima satisfait.

– Bon. Maintenant rentre chez toi, Alex.

– C'est tout?

Il consulta sa Timex.

– Les types des homicides vont arriver d'un instant à l'autre. Vas-y. Il vaut mieux que tu disparaisses avant que le bal ne commence.

– Milo...

– Allez, Alex. Laisse-moi me taper le sale boulot.

Je conduisis vite, le goût de la pourriture toujours présent dans ma bouche, derrière celui du tabac.

Tout ce que Sharon avait touché tournait à la mort.

Je me pris à me demander ce qui avait bien pu la rendre ainsi, quel trauma d'enfance. Puis un souvenir me revint : son comportement pendant cette terrible nuit où je l'avais découverte avec la photo des jumelles. Elle avait crié, craché, s'était débattue avant de se recroqueviller en position fœtale. Un comportement très similaire à celui du jeune Darren Burkhalter dans mon cabinet, dont j'avais filmé les gestes sur vidéo pour les montrer à un groupe d'avocats. Et je n'avais pas fait le rapprochement.

Traumatisme infantile.

Il y a bien longtemps, elle me l'avait expliqué, avant de me montrer son amour avec une grande tendresse. En y réfléchissant, ce pouvait n'être qu'un épanchement calculé. Un autre personnage?

C'était pendant l'été 81, dans un hôtel de Newport Beach envahi par des psychologues venus à une convention. La salle du bar offrait une vue splendide sur le port. L'endroit était désert et sombre mais il y planait les relents de la soirée de fête de la veille. J'étais venu à la convention pour lire un article et cette tâche accomplie, j'étais maintenant libre de mes mouvements.

Je m'assis au comptoir et m'absorbai dans la contemplation de la mer. Des yachts à la proue acérée fendaient les eaux de la marina. Je sirotai ma bière et mâchonnai un sandwich tout en écoutant d'une oreille distraite la complainte du barman qui trouvait les psychologues plus tristes que les assureurs ou les informaticiens, moins dépensiers et surtout moins généreux. La porte donnant sur le hall s'ouvrit et il regarda dans cette direction. Ce qu'il vit interrompit son flot verbal.

– Ça, par exemple... fit-il très sobrement.

Je regardai par-dessus mon épaule et vis une femme en blanc aux longues jambes, très jolie, sa chevelure faisant une masse sombre. Elle s'était arrêtée près du distributeur de cigarettes et laissait ses yeux errer sur la salle comme si elle scrutait un territoire étranger.

La silhouette me parut familière. Je pivotai sur mon tabouret pour mieux la détailler.

Sharon. Vêtue d'un ensemble de lin blanc, avec un sac et des chaussures assorties.

Elle m'aperçut et me fit un signe de la main comme si nous avions rendez-vous.

– Alex!

L'instant suivant elle m'avait rejoint, apportant avec elle ce parfum d'herbe fraîche et de savon...

Elle s'assit sur le tabouret voisin du mien, croisa les jambes et tira la jupe sur ses genoux.

Le barman me lança un clin d'œil de connivence.

– Un verre, Madame?

– Seven-Up, s'il vous plaît.

– Tout de suite.

Après qu'il eut servi la consommation il s'éloigna pour préserver notre intimité.

– Tu as une mine superbe, Alex. J'aime beaucoup la barbe.

– Ça me fait gagner du temps, le matin.

– Et en plus c'est séduisant... – Elle but une gorgée, joua un instant avec la longue cuillère à cocktail : Je n'arrête pas

213

d'entendre des propos flatteurs à ton sujet, Alex. Ta titularisation précoce, toutes ces publications. J'ai lu plusieurs de tes articles et ils m'ont beaucoup appris.

— Heureux de l'entendre.

Un silence.

— J'ai fini par passer mon diplôme, dit-elle. Le mois dernier.

— Félicitations, Docteur.

— Merci. Ça m'a pris plus longtemps que je ne l'avais prévu. Mais j'ai fait un travail clinique et je ne me suis pas attelée à la rédaction de ma thèse avec suffisamment de constance.

Nous restâmes assis en silence, tandis qu'à quelques mètres, derrière le comptoir, le barman sifflotait *La Bamba* en marquant le rythme sur un seau à glace en métal.

— Ça me fait plaisir de te revoir, dit-elle.

Je ne répondis pas.

Elle toucha la manche de ma veste. Je regardai fixement sa main jusqu'à ce qu'elle la retire.

— Je voulais te revoir, dit-elle.

— Pour quelle raison ?

— Je voulais expliquer...

— Pas besoin d'expliquer quoi que ce soit, Sharon. C'est de l'histoire ancienne.

— Pas pour moi.

— Différence d'opinion.

Elle se rapprocha.

— Je sais que j'ai tout gâché, murmura-t-elle d'une voix rauque. Crois-moi, je le sais. Mais ça ne change pas le fait qu'après toutes ces années tu es toujours avec moi. Je garde de bons souvenirs, des souvenirs spéciaux. Une énergie positive.

— C'est une perception sélective.

— Non. — Elle approcha encore, effleura de nouveau ma manche : Nous avons vécu des moments merveilleux, Alex. Je ne peux pas les oublier.

Je ne répondis pas.

— Alex, la façon dont nous... dont ça s'est terminé, c'était horrible. Tu as dû penser que j'étais psychotique. Ce qui s'est passé était psychotique. Si tu savais seulement combien de fois j'ai voulu t'appeler, pour t'expliquer...

— Pourquoi ne pas l'avoir fait, alors ?

— Parce que je suis lâche. Je fuis plutôt que d'affronter les situations. C'est mon style, tu l'as vu quand je t'ai rencontré en pratique clinique. – Ses épaules s'affaissèrent : Certaines choses ne changent jamais.

– Oublie ça. Comme je l'ai dit, c'est de l'histoire ancienne.

– Mais ce que nous avions était spécial, Alex, et je l'ai laissé être détruit.

Sa voix restait douce mais elle s'était tendue. Le barman nous jeta un coup d'œil. Mon expression le renvoya à ses verres.

– Laissé être détruit ? fis-je. Ça semble un tantinet passif.

Elle eut un mouvement de recul, comme si je lui avais craché en plein visage.

– D'accord, dit-elle. C'est moi qui l'ai détruit. C'est moi qui étais dingue. C'était une période dingue de ma vie. Ne crois pas que je ne l'ai pas regretté un millier de fois.

Elle se pinça le lobe de l'oreille. Ses mains étaient blanches, et douces.

– Alex, notre rencontre ici aujourd'hui n'a rien de fortuit. Je ne vais jamais aux conventions, et je n'avais aucune intention de me rendre à celle-ci. Mais, quand j'ai reçu la brochure par le courrier, j'ai vu ton nom dans le programme des intervenants et d'un seul coup j'ai eu envie de te revoir. J'ai assisté à ton exposé. J'étais au fond de la salle. La façon dont tu as parlé, ton humanité... J'ai cru que j'avais peut-être une chance.

– Une chance de quoi ?

– De renouer les fils de notre amitié. D'effacer les rancunes.

– Considère les rancunes effacées. Mission accomplie.

Elle se pencha vers moi, si près que nos lèvres se touchaient presque, agrippa mon épaule et me murmura d'une voix tendue :

– Je t'en prie, Alex, ne sois pas aussi vindicatif. Laisse-moi te montrer.

Ses yeux luisaient de larmes.

– Me montrer quoi ?

– Un côté différent de moi-même. Quelque chose que je n'ai jamais montré à personne.

Nous sortîmes de l'hôtel et les grooms allèrent chercher nos voitures respectives.

– Chacun son véhicule, dit-elle en souriant. Comme ça tu peux te sauver à n'importe quel moment.

L'adresse qu'elle me donna était sur Glendale, au sud, là où l'on trouve des casses automobiles, des chambres à louer à la journée, des boutiques vendant des articles d'occasion et des gargotes assez infâmes. A moins d'un kilomètre plus au nord, sur Brand, on construisait la Glendale Galleria.

Elle arriva avant moi et m'attendit dans sa petite Alfa rouge devant un bâtiment d'un étage à la façade de stuc marron. L'endroit avait des airs de prison avec ses fenêtres étroites renforcées de barreaux et sa porte d'entrée en acier. Alentour seul un liquidambar manquant d'eau égayait un peu le paysage.

Elle descendit de voiture et je la rejoignis à la porte. Elle pressa le bouton d'appel encastré au centre du panneau d'acier, et après deux bonnes minutes un Noir trapu aux cheveux courts et au menton orné d'un petit bouc vint ouvrir. Un diamant brillait à une de ses oreilles, et il portait un blouson d'uniforme bleu pâle sur un tee-shirt noir et des jeans. Quand il vit Sharon son visage s'illumina d'un sourire où brillait l'or.

– Bonjour, docteur Ransom, dit-il d'une voix curieusement fluette.

– Bonjour, Elmo. Je vous présente le Dr Delaware, un ami à moi.

– Ravi de faire votre connaissance, me dit-il avant de revenir à Sharon : Elle est toute belle et prête pour vous.

– C'est très bien, Elmo.

Il s'écarta et nous entrâmes dans une salle d'attente au sol de linoléum rouge foncé meublée de chaises en plastique orangé et de tables vertes. D'un côté se trouvait une porte marquée RÉCEPTION. Nous passâmes devant sans nous arrêter et Elmo déverrouilla une autre porte en acier marquée ENTRÉE INTERDITE.

Nous pénétrâmes alors dans un pandémonium brillamment éclairé : une grande pièce au plafond haut et fluorescent réverbérant une lumière froide, et aux fenêtres fermées de volets en acier. Les murs étaient couverts de vinyle émeraude. Une odeur rance planait dans l'air confiné.

Et partout, des mouvements. Un ballet désordonné.

Des dizaines de corps qui se tordaient, se balançaient, trébuchaient, tremblaient, brutalisés par la Nature et le destin. Membres inertes ou secoués de spasmes incontrôlables, bouches molles, dos voûtés, colonnes vertébrales tordues, tout un catalogue de contorsions et de grimaces nées d'un assemblage raté de chromosomes ou d'une déficience neuronale irréversible. Le plus cruel dans ce spectacle était sans doute la jeunesse de ses acteurs : la plupart étaient des adolescents ou de jeunes adultes.

Certains s'agrippaient à des béquilles et mesuraient leur progression en millimètres. D'autres, aussi raides que des statues, restaient emprisonnés dans des chaises roulantes.

Nous nous frayâmes un chemin au sein d'une mer de regards vitreux aussi morts que des boutons en plastique opaque. Nous fendions des groupes de visages amollis, parfois bardés par des casques de protection en cuir.

Une galerie de difformités, l'exposition cruelle de tout ce qui pouvait aller de travers dans la machine humaine.

Dans un coin de la pièce une télévision rugissait un programme de jeu, et les exclamations des concurrents se mêlaient au babil et aux grognements des malades. Les seuls qui suivaient l'émission étaient une demi-douzaine de surveillants vêtus de bleu qui ne nous accordèrent pas un regard.

Mais les malades remarquèrent notre présence. Comme aimantés par Sharon, ils s'attroupèrent autour d'elle et nous fûmes bientôt cernés par une armée de béquilles et de fauteuils roulants. Les gardiens ne bougèrent pas.

Sharon plongea la main dans son sac et en sortit des bonbons qu'elle se mit à distribuer.

Elle dispensa une autre sorte de douceurs en baisant les fronts difformes et en serrant les corps contrefaits dans ses bras. Elle appelait les malades par leur nom, les complimentait sur leur bonne mine. Ils se bousculaient pour profiter de ses faveurs, mendiaient une friandise, geignaient de plaisir, la touchaient comme si son contact était miraculeux.

Elle paraissait plus heureuse que je ne l'avais jamais vue. Complète. Une princesse régnant sur un peuple de créatures difformes.

Enfin elle n'eut plus de bonbons à distribuer.

– C'est tout, dit-elle. Je dois partir.

Il y eut des grognements et des plaintes, quelques instants encore où elle dut payer de sa personne pour rendre l'affection qu'on lui témoignait. Deux surveillants se déplacèrent quand même pour écarter les malades et nous pûmes nous éloigner.

– Ils vous aiment beaucoup, c'est sûr, dit Elmo, mais Sharon ne parut pas entendre.

Notre trio traversa la salle jusqu'à une porte marquée SER-VICE DES HOSPITALISÉS et protégée par une grille en accordéon. Elmo utilisa d'autres clefs pour nous ouvrir le passage. Quand il eut refermé la porte derrière nous, le calme nous environna.

Nous nous trouvions dans un couloir tendu du même revêtement vert. Nous passâmes plusieurs portes ouvrant sur des pièces vides, puis une dont la partie supérieure vitrée laissait voir quelques Mexicaines solides travaillant dans une cuisine de cantine. Un autre couloir, au bout duquel se trouvait une porte marquée PRIVÉ.

De l'autre côté régnait une ambiance différente : moquette moelleuse, lumière douce, murs tapissés de papier pastel, atmosphère légèrement parfumée et musique d'ambiance – les grands succès des Beatles interprétés par un orchestre à cordes un rien somnolent.

Quatre portes en chêne marquées d'une plaque PRIVÉ et percées d'un œil ponctuaient le petit couloir. Elmo en ouvrit une et nous pria d'entrer.

La pièce était beige, ornée de lithographies d'impressionnistes français. Ici également la lumière était douce et le sol recouvert d'une moquette épaisse. La qualité du mobilier était évidente, une commode de prix et deux fauteuils à montants de chêne. Deux belles fenêtres en ogive aux vitres opaques doublées de barreaux étaient ornées de rideaux en chintz avec des embrasses de soie. Des vases de fleurs fraîches avaient été disposés avec bon goût en différents endroits de la pièce. L'endroit embaumait comme une prairie. Mais je n'accordai que peu d'attention au savoir-faire des décorateurs.

Au centre de la pièce se trouvait un lit d'hôpital couvert d'une courtepointe d'un rose pâle remontée jusqu'au cou de l'occupante, une femme brune.

Sa peau avait une blancheur grisâtre, ses yeux étaient immenses, d'un bleu profond, le même bleu que ceux de Sharon, mais fixes et vitreux, braqués sur le plafond. Son abondante chevelure noire s'étalait sur un oreiller rebondi bordé de dentelles et encadrait un visage émacié, aussi figé qu'un masque de plâtre. La bouche restait entrouverte.

Un mouvement très léger soulevait la courtepointe, une respiration fragile, puis plus rien pendant un instant, avant que la respiration ne reprenne, trahie par le chuintement de l'air dans les poumons anémiés.

J'étudiai le visage, ou plutôt l'ébauche de ce visage vidé de chairs. Et dans cette ruine humaine, je détectai une ressemblance. Oui, l'ombre de ce qu'était le visage de Sharon.

Cette dernière s'était penchée et berçait très doucement la malade en baisant son front.

Le rythme chuintant de la respiration...

Sur une table mobile étaient posés une carafe d'eau et deux verres, un peigne en écaille, une brosse et un nécessaire de manucure et de maquillage complet.

Sharon désigna la carafe. Aussitôt Elmo emplit un verre d'eau et le lui tendit. Elle en porta le bord aux lèvres de la femme. Quelques gouttes coulèrent hors de la bouche, sur le menton. Sharon essuya la chair livide, y déposa un baiser.

– C'est tellement bon de te voir, chérie, murmura-t-elle. Elmo m'a dit que tu allais bien.

La malade restait aussi inerte que si elle était évanouie. Sharon continua de lui parler avec douceur, en la berçant dans ses bras. La courtepointe et les couvertures glissèrent, révélant un corps famélique enveloppé d'une chemise de nuit rose. Un corps trop fragile pour être viable. Pourtant la respiration continuait sur le même rythme.

– Shirlee, nous avons de la visite. C'est le Dr Alex Delaware. Il est très gentil. Alex, je vous présente Miss Shirlee Ransom. Ma sœur. Ma jumelle. Mon partenaire muet.

Je restai immobile, sans rien dire.

Elle caressait la chevelure de la femme.

– Cliniquement elle est sourde et aveugle. L'activité de son cortex est réduite au minimum, mais je sais qu'elle sent la présence des gens, qu'elle est consciente à un niveau autre de son environnement. Je le sens. Elle dégage des vibrations. Il faut être sur la même longueur d'ondes qu'elle pour les détecter, établir un contact avec elle.

Elle me prit la main, la mit sur le front froid et sec de la malade et, s'adressant à Shirlee, dit :

– C'est vrai, n'est-ce pas chérie ? Tu sais ce qui se passe autour de toi. Aujourd'hui tu fredonnes presque... Dites-lui quelque chose, Alex.

– Bonjour, Shirlee.

Aucune réaction.

– Oui, reprit Sharon, elle fredonne.

Elle n'avait pas cessé de sourire mais ses yeux brillaient de larmes. Elle lâcha ma main et me présenta à sa sœur d'une voix très douce :

219

– C'est Alex Delaware, chérie. L'homme dont je t'ai déjà parlé, Shirl. Il est séduisant, tu ne trouves pas? Séduisant et très gentil.

J'attendis sans un mot tandis qu'elle parlait à cette femme qui ne pouvait entendre. Elle chantonna, bavarda sur la mode, la musique, les recettes de cuisine, l'actualité.

Puis elle ôta les couvertures, releva la chemise de nuit et dévoila un corps osseux à la peau flasque, des membres étiques, un torse où les côtes saillaient pitoyablement sous la peau grise. Ce spectacle était tellement pathétique que je détournai les yeux un instant.

Sharon entreprit alors de palper très doucement sa sœur à la recherche d'escarres. Elle la massa avec des mouvements attentionnés, pliant et dépliant bras et jambes, faisant bouger la mâchoire inférieure, examinant le crâne derrière les oreilles avant de la couvrir de nouveau.

Elle la redisposa confortablement sous les couvertures, arrangea l'oreiller au mieux puis donna à la chevelure de Shirlee une centaine de coups de brosse. Ensuite elle lui lava le visage avec un linge humide et mit un nuage de poudre sur les joues creuses, avant de la maquiller très légèrement.

– Je veux qu'elle soit aussi féminine que possible. Pour son moral. Et son image.

Elle leva une des mains molles de Shirlee pour en examiner les ongles, lesquels étaient d'une longueur et d'une santé surprenantes.

– Ils ont l'air vraiment magnifiques, Shirl. – Et, se tournant vers moi : Ses ongles sont tellement forts! Ils poussent plus vite que les miens, Alex. N'est-ce pas étonnant?

Plus tard, alors que nous avions regagné l'Alfa Roméo, Sharon pleura un long moment. Ensuite seulement elle se mit à parler, de cette même voix monocorde qu'elle avait eue des années auparavant pour me narrer la mort de ses parents :

– Nous sommes nées absolument identiques, au point que personne ne pouvait nous différencier l'une de l'autre. – Elle eut un petit rire : Parfois même nous ne savions plus laquelle nous étions.

– Une différence pourtant : vous étiez identiques mais inversées, dis-je en me rappelant la photographie des deux fillettes.

Ma réflexion parut la tirer de son état.

– Oui, elle est gauchère, et moi droitière. Et nos boucles s'enroulent en sens contraire.

Elle détourna les yeux un instant, tapota d'un geste machinal le volant en bois de l'Alfa.

– C'est un phénomène assez étrange. Des doubles inversés et monozygotes... Je veux dire d'un point de vue scientifique. Biochimiquement parlant, ça n'a pas de sens. Si la structure génétique de deux individus est identique, ils ne devraient montrer aucune différence, n'est-ce pas ? Et encore moins une inversion des hémisphères cérébraux.

Ses yeux se firent rêveurs, elle les ferma.

– Merci du fond du cœur d'être venu, Alex. C'était vraiment important pour moi.

– J'en suis heureux.

Elle prit ma main dans la sienne, qui tremblait.

– Copies conformes, dit-elle. Et inséparables. Nous nous aimions avec une force presque anormale. Nous vivions l'une pour l'autre, nous faisions tout ensemble, et si quelqu'un essayait de nous séparer nous devenions hystériques jusqu'à ce qu'il renonce. Nous étions plus que des sœurs, plus que des jumelles. Des partenaires. Des partenaires psychiques, qui partagions une seule conscience. Comme si l'une ne pouvait être entière qu'en présence de l'autre. Nous avions nos propres langages, un fait de mots, un autre de gestes et de regards secrets. Jamais nous ne cessions de communiquer, même dans notre sommeil nous nous touchions. Et nous avions les mêmes intuitions, les mêmes perceptions... – Elle s'interrompit un instant, sourcils froncés, puis reprit : Ça te semble sans doute un peu bizarre. C'est difficile à expliquer à quelqu'un qui n'a pas de jumeau, mais crois-moi, Alex, toutes ces histoires que tu peux entendre sur la synchronie des sensations est vrai. En tout cas pour nous. Même maintenant, il m'arrive de me réveiller en pleine nuit avec une douleur soudaine au ventre ou une crampe au bras. J'appelle Elmo le lendemain et je découvre que Shirlee a passé une nuit agitée.

– Ça ne m'étonne pas. J'en ai déjà entendu parler.

– Merci de me dire ça, fit-elle, et elle déposa un baiser sur ma joue, puis se pinça le lobe de l'oreille. Quand nous étions petites nous menions une vie merveilleuse avec Papa et Maman, dans le grand appartement de Park Avenue. Avec toutes ces pièces et ces grands placards, nous adorions nous cacher dans les coins. Mais nous préférions de beaucoup la

221

résidence d'été de Southampton. La propriété appartenait à la famille depuis des générations. Des hectares de sable et d'herbe, et au milieu une vieille monstruosité blanche avec des planchers qui craquaient, des meubles en osier bancals, de vieux tapis poussiéreux agrafés au sol, une immense cheminée en pierre.... La maison était construite sur un promontoire qui dominait l'océan. La plage formait une petite crique, et au milieu se trouvait l'embarcadère en bois, avec les canots à rames amarrés là. Les vagues les cognaient contre l'embarcadère et ça nous faisait peur, à Shirl et à moi. Mais nous adorions avoir peur toutes les deux...

Elle se tut une poignée de secondes et se mordit la lèvre inférieure avant de poursuivre, un ton plus bas :

— Sur le côté sud de la propriété se trouvait la piscine couverte. Un grand rectangle de tuiles bleues avec des hypocampes peints au fond. Il y avait des parois treillissées couvertes de lierre et un toit ouvrant. Nous y allions beaucoup pendant l'été, pour nous laver du sel de mer qui s'incrustait dans notre peau après une journée passée sur la plage. Papa nous avait appris à nager quand nous avions deux ans et nous étions très douées, de son propre avis...

Elle fit une nouvelle pause pour reprendre son souffle, et le long silence qui suivit me fit croire que c'était tout. Mais elle reprit son récit, d'une voix plus faible :

— L'été fini, personne ne s'occupait plus beaucoup de la piscine. Les gardiens ne la nettoyaient pas toujours très soigneusement, et souvent l'eau devenait verte à cause des algues, et elle commençait à sentir. Shirl et moi avions interdiction de rentrer dans la piscine, mais bien sûr cela rendait le lieu encore plus attirant pour nous. Dès que nous étions libres nous courions regarder à travers le treillis et le lierre cette eau glauque et nous imaginions que c'était un lagon rempli de monstres, des monstres hideux qui pouvaient jaillir des eaux et nous attaquer à tout moment... — Elle eut un sourire mélancolique : Assez répugnant, non ? Mais exactement le genre d'histoires que créent les enfants pour exorciser leurs peurs, pas vrai ?

J'acquiesçai.

— Le seul problème, Alex, c'est que nos monstres à nous ont fini par se matérialiser.

Elle essuya ses yeux d'un revers de main, pencha la tête par la portière et inspira profondément.

– Je suis désolée, dit-elle.

– Il n'y a pas de raison.

– Si, pour moi si. Je m'étais promis de ne pas craquer. – Elle respira encore une fois à fond, puis : C'était un samedi vers la fin de l'automne, il faisait gris. Nous étions âgées de trois ans et nous portions la même robe en laine avec des bas de coton épais et des chaussures en cuir neuves que ma mère nous avait laissées porter à condition que nous ne les éraflions pas dans le sable. C'était notre dernier week-end à Long Island jusqu'au printemps prochain. Le chauffeur était parti en ville faire le plein et régler la voiture avant le voyage de retour. Le reste des domestiques était occupé à fermer la maison. Papa et Maman étaient dans le solarium, emmitouflés dans les châles, à siroter un dernier martini. Mes parents aimaient beaucoup boire un martini dans le solarium. Shirl et moi nous nous amusions comme des petites folles à défaire les paquets faits par les domestiques et à déranger ce qu'ils avaient rangé. Notre malice était encore accentuée par le fait que nous ne reviendrions pas avant ce qui nous semblait une éternité, et nous voulions profiter au maximum de nos derniers instants. Finalement on nous trouva tellement impossibles qu'on nous mit de gros manteaux et qu'on nous envoya sur la plage ramasser des coquillages, en compagnie de notre nounou.

« Nous étions donc descendues sur la plage, mais la marée remontait et les algues étaient trop froides pour qu'on joue avec. La nounou s'est mise à flirter avec un des jardiniers et nous nous sommes éclipsées. Évidemment, nous sommes allées à la piscine. La porte était fermée mais pas cadenassée. Un des gardiens avait commencé à vider la piscine par un simple tuyau d'arrosage. Il y avait des tas d'algues et des jerricans de produits chimiques sur le bord, mais le gardien n'était pas là. L'eau sentait plus mauvais que jamais. Nous nous sommes glissées à l'intérieur et avons approché de la piscine. L'odeur des algues en décomposition, de l'eau croupie et des vapeurs de produits chimiques nous piquait les yeux. Nous nous sommes mises à tousser et à rire. C'était réellement monstrueux. Et nous adorions ça !

« Nous avons imaginé que ces créatures horribles allaient sortir de l'eau pour nous poursuivre, et nous avons couru l'une après l'autre autour de la piscine en riant et en poussant des cris pour imiter les monstres. Nous allions de plus en plus vite et tout était brouillé à cause de notre frénésie et de l'air chargé de vapeurs.

« Le sol était glissant et nos chaussures dérapaient facilement. Et tout d'un coup j'ai vu Shirl qui s'élançait dans une grande glissade et qui n'arrivait pas à s'arrêter. Elle s'est tournée vers moi et son visage était complètement horrifié. Elle a crié au secours et je me suis précipitée vers elle pour l'agripper, parce que je comprenais qu'elle ne jouait plus. Mais je suis tombée sur les fesses et son élan l'a précipitée dans la piscine, pieds en avant.

« Je me suis relevée et j'ai vu sa main qui sortait de l'eau, et ses doigts qui se crispaient et se décrispaient. J'ai essayé de l'atteindre mais elle était trop loin du bord. Alors je me suis mise à pleurer et à crier pour appeler de l'aide. Quand la nounou est arrivée sa main avait disparu. La nounou m'a demandé où était Shirl et moi j'ai continué à pleurer et à crier parce que je ne pouvais pas répondre : j'avais absorbé la terreur et la souffrance de Shirl, j'étais devenue elle. Je savais qu'elle se noyait, et je suffoquais moi aussi, et l'eau putride entrait dans ma bouche et mon nez...

« La nounou m'a secouée et giflée. J'étais en hyperventilation mais j'ai fini par être capable de désigner la piscine.

« Et puis Papa et Maman sont arrivés, avec plusieurs domestiques. Et Maman hurlait « mon bébé ! » sans arrêt, et la nounou a sauté dans la piscine, mais elle en est ressortie presque aussitôt en crachant. Alors Papa a plongé, et il a réapparu avec Shirlee dans ses bras. Elle ne bougeait plus et était couverte de mousse verdâtre et d'algues. La nounou regardait fixement. Les domestiques aussi. J'ai eu l'impression qu'ils m'accusaient de leurs regards. Je me suis mise à crier et à me débattre. Quelqu'un a dit de me faire sortir, et ensuite tout est devenu noir...

Sharon était en sueur. Je lui donnai mon mouchoir et elle s'essuya le visage sans rien dire, puis elle reprit :

– Je me suis réveillée à Park Avenue. C'était le lendemain, mais on avait dû m'administrer un sédatif. On m'a appris que Shirlee était morte et qu'on l'avait enterrée. Plus jamais à la maison on ne devait parler d'elle. Ma vie s'en est trouvée bouleversée, vidée. Mais je ne veux pas parler de cela. Même maintenant, je ne m'en sens pas capable. Qu'il suffise de dire que j'ai dû me reconstruire. Apprendre à être une nouvelle personne. Une jumelle sans jumelle. J'ai fini par accepter mais je vivais dans ma tête loin du monde. Finalement j'ai cessé de penser à Shirlee. J'ai suivi le cours des choses. J'étais une petite fille sage qui n'élevait jamais la voix, j'ai grandi en réussissant très bien mes études. Mais j'étais vide. Quelque chose manquait en moi. J'ai décidé de devenir psychologue, d'apprendre pourquoi j'étais ainsi. Je suis venue m'installer ici, je t'ai rencontré et j'ai commencé à vraiment vivre. Et puis tout a basculé. La mort de Papa et Maman... Il a fallu que je retourne dans l'est pour voir le notaire familial. C'était un homme très gentil, un peu paternel. Il m'a invitée à déjeuner au Russian Tea Room et m'a expliqué les fonds bloqués en fidéicommis, la maison, a parlé beaucoup de nouvelles responsabilités qui m'incombaient, mais sans les définir. Quand je lui ai demandé des précisions, il a détourné la conversation et réclamé l'addition. Nous sommes sortis et avons marché un peu sur la Cinquième Avenue, et c'est là qu'il a fini par me dire la vérité : Shirlee n'était pas morte mais dans le coma depuis l'accident. Son état n'avait pas changé. Fonctions cérébrales réduites au minimum. Tout ce temps je l'avais crue morte alors qu'elle était confiée à une institution spécialisée du Connecticut. Maman était quelqu'un de très gentil, de très doux, mais elle n'avait pas la force de supporter ce genre d'épreuve.

« Le notaire m'a expliqué que mes parents avaient jugé qu'il valait mieux me mentir. Mais maintenant ils n'étaient plus et comme j'étais sa seule famille, Shirlee relevait de ma responsabilité. Non que je doive me charger de ce fardeau. Il était tout à fait capable de s'occuper d'elle et de son suivi médical dans l'institution. Il pouvait gérer les sommes bloquées pour elle et ainsi payer tous les frais. Je n'avais absolument pas besoin de changer ma vie le moins du monde. Il me ferait signer quelques papiers et s'occuperait de tout le reste.

« J'ai senti monter en moi une colère dont je ne me serais jamais crue capable, et je me suis mise à lui hurler au visage, en pleine Cinquième Avenue, en exigeant de la voir. Il a voulu me dissuader, en disant que je devrais attendre que le choc de la nouvelle soit passé. Mais j'ai insisté. Je voulais la voir tout de suite. Nous sommes allés dans le Connecticut, à l'institution spécialisée. C'était un endroit très joli, un manoir tout en pierre entouré de grandes pelouses bien entretenues. Le personnel avait l'air compétent et attentionné. Mais elle avait besoin de plus que ça. Elle avait besoin de son partenaire. J'ai dit au notaire qu'elle allait retourner avec moi en Californie, et qu'il arrange tout pour qu'elle puisse changer d'établissement dans la semaine.

« Il a essayé de temporiser, en disant qu'il avait déjà vu ce genre de réaction, ce qu'il appelait avec beaucoup de tact « le complexe du survivant »! Mais plus il argumentait et plus ma colère grandissait. Et comme j'avais atteint ma majorité, il ne pouvait pas s'opposer à ma décision. Je suis revenue à L.A. très déterminée. Je n'étais plus une étudiante mais une femme chargée d'une mission. Pourtant, à l'instant où je suis entrée dans ma chambre de dortoir l'énormité de la situation m'a frappée de plein fouet. J'ai soudain compris que mon existence ne serait jamais normale. Je m'en suis accommodée en prenant les choses en main. J'ai emménagé dans la maison, j'ai réglé tous les papiers du transfert. Je me suis presque convaincue moi-même, Alex, que je maîtrisais la situation. J'ai trouvé cet établissement. De l'extérieur il ne paie pas de mine, mais ils la traitent exactement comme il faut. Elmo est fantastique avec elle.

Elle éleva ma main et s'en caressa la joue, puis la posa sur ses genoux et la tint serrée entre ses deux mains.

– Et toi, Alex. Ton arrivée dans tout ce désordre. La nuit où tu m'as découverte avec la photographie, c'était peu après que Shirlee eut été transférée ici. L'opération avait été terriblement éprouvante, je n'avais pas dormi depuis des jours et j'étais à bout de nerfs. La photo se trouvait dans une boîte que j'avais récupérée, avec d'autres papiers de famille. Elle était dans le sac de Maman le jour de sa mort.

« Je me suis mise à la fixer des yeux et j'ai eu l'impression de tomber dedans, comme Alice dans le trou. J'essayai de tout reconstituer, de me souvenir des jours heureux. Mais j'étais tellement en rage de voir qu'on m'avait menti tout ce temps, à me dire : "Toute ma vie n'a été que mensonge, chaque instant teinté par le mensonge..." J'étais malade, Alex. Au bord de la nausée. Comme si la photo me dévorait petit à petit, comme la piscine avait dévoré Shirlee. J'ai perdu les pédales et je suis restée des jours dans cet état. Quand tu es arrivé, j'étais à un doigt de basculer.

« Je ne t'ai pas entendu, Alex, pas avant que tu sois juste devant moi. Et tu avais l'air en colère, désapprobateur. Quand tu as ramassé la photo et que tu l'as examinée, j'ai eu l'impression que tu m'envahissais, que tu t'introduisais de force dans ma souffrance intime. Et je voulais la souffrance pour moi seule, je voulais enfin quelque chose pour moi seule. J'ai craqué... Je suis désolée.

– Je comprends.

– Les deux semaines suivantes ont été un vrai cauchemar. J'étais catastrophée de ce que j'avais fait à notre relation, mais franchement je ne me sentais pas la force de faire quoi que ce soit, et j'avais tant de problèmes à affronter... Le ressentiment envers mes parents pour m'avoir menti, le chagrin de les avoir perdus, mon ressentiment envers Shirlee qui me revenait si diminuée, et incapable de répondre à mon amour. A cette époque je ne m'étais pas encore rendu compte qu'elle vibrait et qu'elle tentait de communiquer avec moi. Je venais d'encaisser tant de bouleversements d'un seul coup, Alex, j'étais abasourdie. Mais quelqu'un m'a aidée.

– Kruse.

– Oui, Kruse. Malgré l'opinion que tu as de lui, il m'a réellement aidée, Alex. Il m'a aidée à recomposer ma personnalité. Et il m'a dit que tu me cherchais, ce qui m'a indiqué que tu tenais toujours à moi. Et je tenais toujours à toi aussi, Alex. C'est pour ça que j'ai voulu te revoir, bien que Paul m'ait dit que je n'étais pas encore prête. Et il avait raison. Je me suis comportée comme une nymphomane parce que je me sentais sans valeur, perdue, avec une dette envers toi. En agissant en nymphomane j'avais l'impression de maîtriser la situation, comme si j'abandonnais ma personnalité pour en endosser une autre. Mais ça n'a pas duré longtemps. Plus tard, quand tu dormais, j'ai eu honte de ce que j'avais fait, je me suis méprisée, et je t'ai méprisé. Alors je me suis défoulée sur toi, parce que tu étais là... – Elle détourna les yeux : Mais aussi parce que tu étais bon. J'ai anéanti ce que nous avions parce que j'étais incapable de tolérer la bonté, Alex. Je pensais que je ne méritais pas ta bonté. Et après ces années, je regrette encore tout ça...

Je restai silencieux, assailli par ces révélations.

Elle se pencha vers moi et ses lèvres effleurèrent les miennes. Graduellement notre baiser s'enflamma et bientôt nous étions pressés l'un contre l'autre dans une étreinte sans équivoque. Mais nous nous séparâmes tous deux au même moment.

– Sharon...

– Oui, je sais, dit-elle. Plus maintenant. Comment pourrais-tu être sûr que je ne vais pas recommencer, n'est-ce pas ?
– Je...

Elle barra mes lèvres de son index.

– Inutile d'expliquer, Alex. C'est de l'histoire ancienne. Je voulais simplement que tu saches que je ne suis pas aussi mauvaise que ça.

Je ne protestai pas, et je ne formulai pas non plus l'idée qui m'avait traversé l'esprit. Que, peut-être, nous pourrions recommencer. En douceur. Avec précaution. Maintenant que tous deux nous avions mûri...

– Je vais te laisser, à présent, dit-elle.

Nous repartîmes chacun dans notre voiture.

Revenu de la maison des Kruse je m'assis dans le salon plongé dans l'obscurité et retournai dans ma tête tous ces éléments. Park Avenue, les étés, Papa et Maman, les martinis dans le solarium... Des parents si gentils.

Mais un ruban de celluloïd affirmait que Maman n'était pas aussi gentille que ça. Elle avait servi d'hôtesse chez un milliardaire et s'était fait filmer en train de faire l'amour, probablement pour une histoire de chantage.

Toute ma vie n'a été que mensonge...

Je repensais à Shirlee Ransom et son existence végétative. Est-ce que l'histoire était vraie ?

Et si elle aimait sa sœur jumelle à ce point, comment Sharon avait-elle pu se suicider et abandonner une infirme sans défense ?

À moins que Shirlee ne soit morte, elle aussi.

S. et S., les partenaires muets.

Des montagnes en arrière-plan, deux jolies petites filles brunes, chacune tenant une glace.

Des jumelles inversées. Elle est gauchère et moi droitière.

Soudain je compris ce qui m'avait troublé dans le film porno. Sharon était droitière, mais dans le film elle se servait beaucoup plus de la main gauche.

En agissant en nymphomane j'avais l'impression de maîtriser la situation. Comme si j'abandonnais ma personnalité pour en endosser une autre.

Une autre identité ?

La main gauche. La *senestre*. Sinistre. Dans certaines cultures, elle était considérée comme maléfique.

En mettant une perruque elle devenait une dévergondée...
une dévergondée gauchère et sinistre.

J'eus alors une révélation qui m'ennuya beaucoup et qui
concernait sa relation de la noyade de Shirlee. La chose ne
m'avait pas étonnée six ans auparavant, quand je voulais à
toute force la croire, mais à présent...

Les détails...

Un souvenir trop complexe pour une enfant de trois ans.

Ces détails étaient-ils mémorisés, pour former un mensonge
bien travaillé ? Avait-elle été entraînée ?

Sous hypnose, par exemple.

Comme aurait pu le faire Paul Kruse, maître hypnotiseur.
Réalisateur de films pornos amateurs. Salopard patenté.

J'étais maintenant certain qu'il en savait assez pour combler
beaucoup de mes lacunes. Mais il était mort avec ce savoir.
Mort horriblement, avec deux autres personnes.

Et plus que jamais, je voulais savoir pour quelle raison.

Aussi mal en point que si je me savais infecté d'un virus redoutable, j'annulai mon vol pour San Luis, allumai le téléviseur et m'abandonnai à cette fausse compagnie.

L'assassinat des Kruse était le titre principal du flash d'info de onze heures. J'eus droit à des vues filmées de la propriété du psychologue avec insertion à l'écran de photos de Paul et Suzanne en des jours meilleurs. La troisième victime s'appelait Lourdes Escobar, était âgée de vingt-deux ans, native du Salvador et employée de maison des Kruse.

Le commentateur philosopha un moment sur la violence à L.A., ce qui signifiait qu'il ne savait rien de plus.

Je passai d'une chaîne à l'autre, à la recherche de détails inédits. Les trois bulletins d'information que je saisis étaient identiques quant à la platitude et au manque de précision : les reporters se demandaient si un des patients du Dr Kruse n'était pas devenu enragé ou s'il s'agissait d'un autre de ces massacres dus au hasard et à la folie des grandes métropoles.

Enfin le journaliste annonça une déclaration de la police.

La caméra se braqua sur Cyril Trapp. Le bleu de sa chemise passait très bien à l'écran, ainsi que ses cheveux évoquant un casque d'acier, mais sous les spots sa peau abîmée prenait un aspect de papier jauni. Sa moustache tressautait tandis qu'il se mordillait la lèvre inférieure. Il fixa un regard grave sur la caméra puis lut un communiqué très bref affirmant que toutes les ressources du département de police de Los Angeles seraient mises à contribution pour retrouver le ou les auteurs de ce triple meurtre. Avec un sourire dur, il ajouta qu'il ne pouvait rien dire de plus pour le moment.

J'éteignis le téléviseur en m'interrogeant sur la présence de Trapp sur les lieux du massacre.

J'attendis un peu en espérant un coup de téléphone de Milo. A une heure il n'avait toujours pas appelé. La bouche sèche et le corps tendu, je me couchai. Je m'essayai à la respiration profonde mais au lieu de me relaxer je me mis ainsi dans un état d'hyperconscience fort désagréable. Je serrai l'oreiller dans mes bras comme une amante en imposant des images agréables à mon esprit. Aucune ne vint. Je ne sombrai dans le sommeil que peu avant l'aube.

Le lendemain j'appelai Milo. On m'apprit qu'il était toujours en vacances. Chez lui, personne ne répondit.

Le courrier m'apporta le journal du matin. A la différence de la mort de Sharon, celle des Kruse était traitée en information d'importance et un gros titre « MASSACRE D'UN MÉDECIN ET DE SON ÉPOUSE » s'étalait en page trois, suivi d'un article assez développé mais qui ne m'apprit rien de bien nouveau. Le gros du texte était formé par une biographie de Kruse. Agé de soixante ans à sa mort – le double de son épouse, simplement définie comme « ancienne actrice » – il était né dans un milieu aisé, à New York City. Envoyé en Corée en qualité d'officier dirigeant une unité de « guerre psychologique », il avait obtenu son doctorat dans une université du sud de la Floride et, appuyé par des contacts bien placés dans la société et grâce à ses publicités dans les journaux, il s'était assez vite monté un cabinet lucratif à Palm Beach avant de venir s'installer en Californie. Sa récente promotion à la tête du département était mentionnée et son prédécesseur, le professeur Milton Frazier, se déclarait très choqué par la disparition d'un estimé collègue. La mort de Lourdes Escobar n'occupait que deux lignes dans le dernier paragraphe.

Je reposai le journal. New York, milieu aisé, appuis haut placés... Tout cela me rappelait beaucoup les origines que s'était attribuées Sharon.

Était-ce totalement inventé ? Que sa mère ait été une actrice ratée ou non, Sharon avait vécu comme une fille riche, à en juger par ses vêtements, la voiture, la maison. Peut-être Linda Lanier avait-elle conclu un mariage d'argent ? A moins qu'elle n'ait eu tout cela d'une autre manière. Elle aurait alors donné à sa fille une propriété de choix naguère possédée par le milliardaire décédé depuis. Mais la maison était restée enregistrée au nom de la société du disparu et avait été remise sur le marché le lendemain de la mort de Sharon.

Trop de questions. Mon cerveau commençait à crier grâce. Je m'habillai, empochai un carnet de notes et deux stylos et sortis. A pied je descendis jusqu'à Sunset Boulevard que je traversai pour entrer par le nord sur le campus de l'université. Il était onze heures vingt quand je franchis les portes de la bibliothèque de recherche universitaire.

J'allai directement consulter l'index informatique MELVYL et dénichai deux livres sur Leland Belding. Le premier, paru en 1949, était intitulé *Dix capitaines d'industrie*. Le second n'était autre qu'un exemplaire du *Milliardaire fou* de Seaman Cross. J'en fus surpris car je croyais les copies du livre saisies. Mais je ne trouvai rien sur Linda Lanier.

J'abandonnai l'index informatique et m'attelai à un travail nettement plus fastidieux : deux heures durant je feuilletai des volumes reliés d'index de périodiques. Là non plus, rien sur Linda Lanier. En revanche je trouvai plus d'une centaine d'articles sur Leland Belding, pour une période allant du milieu des années trente au milieu des années soixante-dix. Je sélectionnai une douzaine de références d'articles que j'espérais représentatifs, puis je pris l'ascenseur et commençai mes recherches dans les rayonnages. A deux heures et demie j'étais immergé dans des piles de magazines, coincé dans une petite cabine de lecture, au quatrième niveau de la bibliothèque.

Les premiers articles au sujet de Leland Belding avaient fleuri dans les revues d'aéronautique alors qu'il n'avait pas encore trente ans. Il y était présenté comme un prodige de la technique et de la finance, un dessinateur d'avions hors pair qui comptait déjà trois fois plus de brevets que d'années d'existence. La même photographie illustrait ces articles, un cliché publicitaire des Industries L. Belding montrant le jeune inventeur aux commandes d'un de ses avions, casqué et lunetté, son attention rivée au tableau de bord. Un homme d'une certaine prestance, mais assez froid.

Avec son énorme fortune, sa précocité, sa beauté de jeune homme et sa réserve, Belding avait tout pour devenir un héros médiatique, et le ton des premiers articles était en effet des plus élogieux. Dans l'un il se voyait même décerner le titre de meilleur parti de l'année 1937. Un autre disait de lui qu'il était le citoyen le plus proche d'un prince que l'Amérique eût créé.

Un résumé biographique paru dans *Collier's* donnait une idée de sa fulgurante ascension vers la gloire. Né en 1910, il était l'enfant unique d'une riche héritière de Newport, Rhode Island, et d'un Texan prospecteur de champs pétrolifères indépendant et chanceux.

Un autre cliché officiel : Belding y apparaissait presque effrayé par l'objectif qu'il fixait du regard. Manches de chemise retroussées au-dessus du coude, un pied à coulisse à la main, il posait devant un énorme appareillage métallique. Aux approches de la trentaine il avait pris une expression austère avec ce front haut, cette bouche sensible et ces lunettes à verre épais qui ne pouvaient cacher l'intensité de ses yeux un peu trop grands et noirs. Un Midas des temps modernes, d'après le texte qui le présentait comme un cocktail parfait d'ingéniosité, d'inspiration créatrice et d'efforts acharnés. Bien que né sous une bonne étoile, Belding ne s'était jamais reposé sur ses lauriers. Doué d'une puissance de travail phénoménale, il n'hésitait pas à mettre les mains dans le cambouis si nécessaire. Sa mémoire photographique lui permettait de s'adresser par son prénom à chacun de ses employés, qui se comptaient par centaines. Il avait la réputation de fuir les plaisirs frivoles et les mondanités telles que cocktails et réceptions.

Son existence idyllique d'enfant unique choyé avait pris fin brutalement quand ses parents s'étaient tués dans un accident automobile, alors qu'ils revenaient d'une soirée à leur maison de location d'Ibiza, juste au sud de Majorque.

J'interrompis ma lecture et tentai de comprendre, mais sans y parvenir. Je repris donc mes recherches.

Belding avait dix-neuf ans à l'époque de l'accident.

Étudiant en licence à Stanford, il se spécialisait en physique et en mécanique. Il abandonna ses études et retourna à Houston pour prendre en main la compagnie pétrolière familiale. Immédiatement il apporta des améliorations techniques aux équipements en se servant de ses projets d'étudiant. Une année plus tard il diversifiait ses activités en s'intéressant à la machinerie lourde agricole. Il prit également des leçons de vol et s'avéra naturellement doué pour le pilotage d'avion, décrocha aisément son brevet et se lança dans la conception aéronautique. Cinq ans plus tard il dominait ce secteur industriel qu'il inondait de ses innovations technologiques.

En 1939 il rassembla ses propriétés industrielles dans une seule société, Magna Corporation, et quitta le Texas pour s'installer à Los Angeles. Là il construisit son quartier général, une usine d'assemblage aéronautique et une piste privée dans la banlieue d'El Segundo.

Des rumeurs de vente d'actions au public échauffèrent bien des esprits, mais elles ne se matérialisèrent jamais. Wall Street le regretta bruyamment et traita Lee Belding de « cow-boy dépassé par sa réussite ». Pour toute réponse Belding diversifia encore ses activités, investissant dans les chemins de fer, la navigation, l'immobilier, la construction.

Il obtint un contrat avec une officine dépendant du ministère du Travail à Washington et fut chargé d'un programme d'habitations bon marché dans le Kentucky. Il construisit également une base entière pour l'armée dans le Nevada, avant d'ériger à Las Vegas le casino le plus époustouflant de la ville, le Casbah.

A trente ans il avait multiplié par trente la valeur de son héritage, ce qui faisait de lui l'un des cinq hommes les plus riches du pays, et sans conteste le plus secret. Il refusait les interviews et toute apparition lors d'événements publics, mais les médias ne lui en tenaient pas rigueur. Sa discrétion forcenée donnait plus de poids au moindre papier sur lui et autorisait également beaucoup de suppositions.

L'intimité, le luxe ultime...

C'est après la Seconde Guerre mondiale que la lune de miel entre l'Amérique et Leland Belding tourna mal. Alors que le pays enterrait ses morts et que les classes laborieuses devaient affronter un avenir incertain, quelques journalistes laissèrent entendre que Belding s'était servi du conflit pour devenir milliardaire sans quitter les luxueuses installations de Magna Corporation.

Des indiscrétions révélèrent des bénéfices quadruplés entre 1942 et 1945, principalement grâce aux milliers de contrats de défense conclus entre le gouvernement et la firme. Magna avait été le premier fournisseur de l'armée pour les bombardiers, les systèmes de guidage aérien, les armements de DCA, les tanks et les blindés légers mais aussi les rations de survie, ou même les uniformes.

Des termes tels que « profiteur » et « exploiteur de la nation » apparurent ici et là dans des éditoriaux particulièrement féroces, et nombre de commentateurs assurèrent que Belding s'était nourri de l'effort de guerre du pays sans jamais y participer bénévolement et encore moins par des dons. Son patriotisme fut bientôt mis en doute.

Des rumeurs de corruption s'ensuivirent, et on le soupçonna de ne pas avoir décroché tous ces contrats par la simple valeur des produits et services qu'il proposait. Début 1947 les insinuations se transformèrent en accusations, lesquelles prirent assez de substance pour entraîner une réaction officielle. Le Sénat décida de la création d'une commission d'enquête chargée de disséquer les profits de guerre réalisés par Leland Belding ainsi que le fonctionnement comptable de Magna Corporation. Avec un mépris souverain pour cet acharnement à le briser, Belding tourna ses talents vers le cinéma. Il acheta un studio et inventa une caméra portable révolutionnaire.

En novembre 1947, la commission d'enquête du Sénat tint des auditions publiques.

Je découvris un récapitulatif des procédures dans une revue financière. Le point de vue y était des plus conservateurs, sans photographie, la typographie minuscule. Particulièrement aride, le texte s'en tenait aux faits avérés.

La sécheresse du compte rendu ne parvenait pourtant pas à dissimuler la nature plutôt osée de la principale accusation portée contre Belding : il aurait été moins capitaine d'industrie que maquereau de haut vol.

Les enquêteurs de la commission déclaraient que Belding avait fait pencher en sa faveur les chances d'être choisi lors d'offres publiques de service en organisant des « parties fines » pour les membres du ministère de la Guerre, les acheteurs du gouvernement et les législateurs. Ces réceptions d'un caractère spécial auraient eu lieu dans les diverses propriétés luxueuses et discrètes de Hollywood Hills appartenant à Magna Corporation. On y aurait visionné des films « obscènes », et l'alcool y aurait été libéralement consommé. Sans parler de numéros de danseuses nues et de bains mixtes proposés par des « légions de jeunes filles à la moralité douteuse ». Décrites comme des « entraîneuses professionnelles », ces créatures peu farouches auraient été des apprenties comédiennes sélectionnées pour ces rôles d'un registre très particulier par l'homme qui dirigeait le studio de Belding, William Houck « Billy » Vidal.

Les auditions durèrent plus de six mois avant que ce qui avait été annoncé comme un scandale majeur mêlant sexe, corruption et politique ne retombe comme un soufflé refroidi. La commission se révéla incapable de produire des témoins à charge hormis des concurrents directs de Belding qui n'avaient comme accusations que des ouï-dire et qui se rétractèrent lamentablement au premier contre-interrogatoire. Quant au milliardaire il refusa tout bonnement de comparaître, invoquant les dangers que feraient courir ses révélations à la sécurité nationale. Le département de la Défense ne put que soutenir une telle position.

Billy Vidal vint témoigner, accompagné de ténors du barreau. Il nia avoir eu pour rôle de procurer des femmes faciles à Leland Belding, se décrivit comme un ancien consultant financier de l'industrie cinématographique et produisit maints documents prouvant ses dires. Son amitié avec le jeune capitaine d'industrie datait de leurs études communes à Stanford, et depuis le premier jour son admiration pour le milliardaire ne s'était pas démentie. Il niait toute participation à quelque activité immorale ou illégale. Une cohorte de témoins de moralité défila à la barre pour le soutenir. Il fut relaxé.

Toutes les assignations à comparaître en relation avec la comptabilité de Magna Corporation furent dénoncées par les avocats de Belding, toujours sous prétexte des risques que des révélations feraient courir à la sécurité du pays. La Défense et l'État suivirent Belding. La commission se retrouvait dans une impasse.

Les sénateurs sauvèrent la face en infligeant une réprimande publique très mesurée à Leland Belding. Malgré son inestimable contribution à la défense du pays, ils lui suggéraient de se montrer à l'avenir plus attentif à sa comptabilité. Puis ils chargèrent un comité d'établir la conclusion de leurs travaux et votèrent la dissolution de la commission d'enquête. Avec un cynisme désabusé, quelques chroniqueurs notèrent que des membres du Congrès ayant été soupçonnés d'avoir goûté aux bienfaits dispensés par Belding, toute cette histoire n'était qu'une triste mascarade et que le poulailler continuait d'être gardé par les renards. Mais les esprits s'étaient tournés vers l'avenir et ces critiques passèrent inaperçues. Le pays était gonflé d'optimisme, prêt à reconstruire et à profiter pleinement d'une décennie qui s'annonçait florissante. Si quelques politiciens retors s'étaient laissés aller à des excès, tant mieux pour eux.

Des films obscènes. Des parties fines. Un rapport direct avec le cinéma... J'avais soudain très envie d'en savoir plus sur la façon dont Belding s'était amusé durant ces années.

Avant que je puisse retourner consulter l'index informatique les haut-parleurs diffusèrent l'annonce de fermeture imminente. J'occupai le quart d'heure restant à photocopier quelques articles et louer les deux livres grâce à ma carte universitaire. Chargé de mes trésors, je pris le chemin du retour.

21

Une Volkswagen Rabbit blanche était garée devant ma Seville. Adossée contre la petite voiture, une jeune femme lisait un livre. En me voyant approcher elle se redressa.

– Bonjour! Docteur Delaware?

– Oui.

– Docteur Delaware, je suis Maura Bannon, du *Times*, dit-elle en zozotant légèrement. Vous vous souvenez, l'affaire du Dr Ransom? Je me demandais si je pouvais vous prendre cinq minutes de votre temps?

Elle était grande et maigre et paraissait vingt ans tout au plus. Son long visage constellé de taches de rousseur aurait gagné à un peu de maquillage. Elle portait un jogging jaune et des tennis blanches. Ses cheveux coupés au carré étaient teints en orange se dégradant en rose, mais seulement pour certaines mèches. Le regard était vif. Elle sourit et je vis l'espace net qui séparait ses deux incisives supérieures.

Le livre qu'elle tenait était un roman de Wambaugh truffé de longs marque-pages. Elle s'était rongé les ongles jusqu'à la limite.

– Comment avez-vous trouvé mon adresse, Ms. Bannon?

– Nous autres journalistes avons nos petits secrets, dit-elle en souriant.

Dès qu'elle souriait elle ne paraissait pas plus de douze ans. Je ne répondis pas à ce sourire, et elle le remarqua.

238

— Il y a un dossier sur vous au journal, fit-elle. Ça remonte à quelques années, quand vous avez participé à cette enquête sur le violeur d'enfants...

L'intimité, le luxe ultime...

— Je vois.

— En lisant les passages sur vous, j'ai compris que vous étiez quelqu'un de bien, dit-elle. Quelqu'un qui n'aime pas qu'on se moque de lui. Or c'est exactement ce qui m'arrive en ce moment : on se moque de moi...

— Qui ?

— Mes patrons. Tout le monde. D'abord ils me disent de laisser tomber l'affaire Ransom, et maintenant ils désignent Dale Conrad pour couvrir le massacre Kruse ! Ce type ne quitte jamais son bureau !

Une légère brise balaya le paysage et agita les marque-pages de son livre.

— Intéressante lecture ? demandai-je en tenant mes propres livres de manière à en cacher le titre.

— Fascinante ! Je veux écrire sur les énigmes policières, c'est pourquoi j'ai besoin de m'immerger dans ces histoires où c'est la vie et la mort, le bien et le mal... Je me suis dit, autant commencer par ce qui se fait de mieux dans le genre. Wambaugh est un ancien flic, vous le saviez ? C'est pourquoi la base de ses romans est toujours aussi solide. L'expérience. Et dans celui-ci les personnages sont vraiment bizarres. Apparemment très respectables, mais en réalité complètement dingues. Comme les gens dans cette affaire.

— Quelle affaire ?

— Des affaires, en fait. Celle du Dr Ransom, celle des époux Kruse. Deux psychologues meurent de mort tout sauf naturelle dans la même semaine. Deux psys qui se connaissaient, qui entretenaient des relations suivies. Si de leur vivant ils étaient en relation, pourquoi leurs morts n'auraient-elles pas un rapport, elles aussi ?

— Quelles relations entretenaient-ils ?

Elle eut un geste vague qui se voulait éloquent.

— Allons, docteur Delaware, vous savez bien ce que je veux dire. Ransom était une des étudiantes de Kruse. Plus qu'une simple étudiante... il était son directeur de thèse.

— Comment savez-vous tout cela ?

— J'ai mes sources... Cessez donc de faire l'effarouché, docteur Delaware. Vous avez suivi le même programme, vous avez

239

connu Sharon Ransom, il y a donc de fortes chances pour que vous connaissiez également Kruse. Exact?

— Belle logique, en tout cas.

— La logique fait partie de mon boulot. Maintenant, acceptez-vous de me parler? Je ne veux pas lâcher cette affaire.

Je me demandai ce qu'elle savait exactement, et que faire d'elle.

— Je vous offre un café? proposai-je.

— Vous n'auriez pas plutôt du thé?

Une fois à l'intérieur elle m'avoua préférer la camomille – si j'en avais – et se mit à inspecter les lieux avec un regard de limier à l'affût.

— C'est joli, décréta-t-elle enfin. Très Los Angeles.

— Merci.

Ses yeux se posèrent sur le tas de journaux et de lettres non décachetées sur la table, et elle renifla en plissant le nez. Je remarquai alors l'odeur légère de renfermé.

— Vous vivez seul? s'enquit-elle.

— Pour l'instant.

J'allai dans la cuisine et cachai les livres et les photocopies dans un placard. Cinq minutes plus tard je revins dans le salon avec sur un plateau un thé pour elle et un café instantané pour moi, du sucre et de la crème fraîche. Elle était à moitié assise à moitié allongée sur le canapé. Je pris le fauteuil.

— En fait, dis-je, j'avais quitté le campus quand le Dr Kruse est arrivé à l'université. J'ai décroché mon diplôme l'année précédente.

— Deux mois avant, précisa-t-elle. Juin 74. J'ai trouvé aussi votre thèse de doctorat... – Elle rougit un peu en comprenant qu'elle venait de dévoiler ses « sources », et prit un air sec pour cacher son trouble : Mais je continue à parier que vous avez connu Kruse.

— Avez-vous lu la thèse de Ransom?

— Parcouru seulement.

— Quel en était le sujet?

Elle fit tremper son sachet de thé avec application, contempla l'eau qui s'assombrissait dans la tasse.

— Pourquoi vous ne répondriez pas plutôt à mes questions avant que je réponde aux vôtres?

Je me remémorai l'image horrible des cadavres des Kruse et de leur bonne. Je repensai à D.J. Rasmussen. Des morts qui s'accumulaient. Une affaire en liaison avec des gens importants qui ne voulaient pas de publicité...

240

– Ms. Bannon, je ne crois pas qu'il soit dans votre intérêt de poursuivre cette enquête.

Elle posa sa tasse d'un geste brusque.

– Ce qui veut dire ?

– Que formuler la mauvaise question pourrait être dangereux pour vous.

– Woah ! fit-elle en roulant des yeux. Je n'arrive pas à y croire ! Vous me faites le coup du protectionnisme sexiste ?

– Le sexisme n'a rien à voir. Quel âge avez-vous ?

– Aucun rapport !

– Mais si, en termes d'expérience.

– Docteur Delaware, dit-elle en se levant, si vous avez l'intention de vous montrer condescendant avec moi, je préfère partir.

J'attendis sans répondre. Elle se rassit.

– Pour votre gouverne, sachez que je travaille dans le journalisme depuis déjà quatre ans.

– Sur des devoirs d'école ?

Elle rougit plus violemment que la première fois.

– Et sachez également que grâce à mes enquêtes deux employés de la bibliothèque universitaire ont été renvoyés pour détournement de fonds.

– Félicitations. Mais nous parlons d'un tout autre genre d'affaire, là. Ça ne serait pas très plaisant de vous réexpédier chez vous dans une boîte...

– Oh, allons ! s'exclama-t-elle en masquant sa peur par de l'indignation. Je crois que je me suis trompée à votre sujet.

– C'est bien possible.

Elle alla jusqu'à la porte, s'arrêta, fit volte-face.

– Tout ça sent mauvais. Mais ça n'empêche.

L'héroïne prête pour l'action. Je n'avais réussi qu'à éveiller son appétit.

– Bon. Vous avez peut-être raison pour ce qui est d'une éventuelle connexion entre les deux morts. Mais pour l'instant je n'ai rien de plus que des hypothèses. Rien qui vaille d'être raconté.

– Des hypothèses ? Ça veut dire que vous avez vous-même fouiné. Pour quelle raison ?

– C'est personnel.

– Vous étiez amoureux d'elle ?

Je pris le temps de boire une gorgée de café.

– Non.

– Alors qu'y a-t-il de tellement personnel?

– Vous êtes une jeune fille très indiscrète.

– Ça fait aussi partie du job, docteur Delaware. Et si tout cela est tellement dangereux, comment se fait-il que vous-même alliez fouiner?

– J'ai des contacts à la police.

– Ridicule. Ce sont les flics qui étouffent tout! J'ai découvert par mes propres sources qu'ils avaient fait un vrai Watergate de l'affaire Ransom. Toutes les conclusions du médecin légiste ont disparu. C'est comme si elle n'avait jamais existé.

– Mes contacts sont différents. Hors du circuit habituel. C'est la vérité.

– Cet homo qui avait travaillé sur l'affaire des crimes sexuels?

Mon étonnement la ravit. Mais elle me faisait de plus en plus penser à un vairon s'ébattant joyeusement parmi des barracudas...

– Peut-être pouvons-nous envisager une coopération, dis-je.

Elle me lança un regard qu'elle essaya de rendre dur et cynique.

– Ah, on fait marche arrière... Mais pourquoi aurais-je envie de coopérer avec vous?

– Parce que sans ma coopération vous n'arriverez à rien. J'en suis certain. J'ai obtenu certaines informations que vous ne parviendrez jamais à découvrir par vous-même, et ce sont des informations inexploitables sous leur forme actuelle. Je vais creuser dans cette direction. Je vous promets l'exclusivité de tout ce que je pourrai trouver, à la condition expresse que la révélation de ces résultats ne fasse courir aucun risque à notre santé...

Elle afficha une expression outragée.

– Oh, mais c'est magnifique! Grand guerrier très brave aller chasser, mais squaw obéissante rester tipi, c'est ça?

– C'est à prendre ou à laisser, Maura, fis-je en remettant les tasses sur le plateau.

– Tout ça pue! grinça-t-elle.

Je lui fis au revoir d'une main.

– Alors suivez votre propre piste. On verra ce que vous trouverez.

– Vous me coincez...

– Vous voulez devenir spécialiste des énigmes policières? Je vous offre une chance, sans garantie, de suivre une affaire criminelle. Et de vivre assez longtemps pour la voir imprimée. Si vous voulez foncer tête baissée, libre à vous, mais vous risquez de finir comme Kruse et leur bonne.

– La bonne, répéta-t-elle d'un air absent. Personne ne parle d'elle.

– Parce qu'elle est sans importance, Maura. Elle n'était pas riche, elle ne connaissait personne. Quantité négligeable, aussitôt oubliée.

– Vous êtes très cru.

– Il ne s'agit pas d'une histoire de détectives pour adolescents.

Elle frappa du pied, se rongea l'ongle du pouce frénétiquement, hésita.

– Vous le mettriez par écrit ? demanda-t-elle.

– Mettre quoi par écrit ?

– Le marché que nous passons. Un contrat qui stipulerait que j'ai des droits prioritaires sur vos infos.

– Je vous croyais journaliste, pas avocat.

– Règle numéro un : se couvrir.

– Erreur, Maura. Règle numéro un : ne jamais perdre la piste.

Je rapportai le plateau dans la cuisine. Le téléphone sonna, mais avant que je puisse répondre elle avait décroché le poste du salon. Quand je l'y rejoignis elle tenait toujours le combiné.

– Elle a coupé, annonça-t-elle avec un petit sourire.

– Qui était-ce ?

– Une femme. Je lui ai dit de patienter quelques secondes, le temps que j'aille vous chercher. Mais elle a répondu « Aucune importance » avec l'air d'être très en colère. – Un sourire rusé : Jalouse, on dirait... – Une moue narquoise : Désolée.

– Très grande classe, Maura. L'absence totale de savoir-vivre fait aussi partie de votre formation professionnelle ?

– Désolée, dit-elle de nouveau, cette fois avec plus de conviction.

Une femme, avait-elle dit. Je lui désignai la porte.

– Au revoir, Ms. Bannon.

– Écoutez, c'était très impoli de ma part, je le reconnais. Je suis vraiment désolée.

J'allai ouvrir la porte en grand.

– J'ai dit que j'étais vraiment désolée ! – Un silence : Bon, d'accord. Oubliez le contrat. Je veux dire, si je ne peux pas vous faire confiance, un morceau de papier n'aura aucune valeur, n'est-ce pas? Donc je vous fais confiance.

– Je suis très touché, dis-je, glacial.

– Eh, je suis en train de vous dire que je suis partante à vos conditions!

– On fait marche arrière?

– D'accord. Que voulez-vous en retour?

– Trois choses. D'abord, votre promesse de ne pas me relancer.

– Pendant combien de temps?

– Jusqu'à ce que je vous dise qu'il n'y a plus de risque.

– Inacceptable.

– Alors je vous souhaite une excellente journée, Maura.

– Mais merde! Que voulez-vous, à la fin?

– Avant tout, je veux que ce soit bien clair entre nous : pas de visite à l'improviste, pas d'indiscrétion, pas de stratagème avec moi.

– Ça, j'avais compris.

– Qui est votre informateur chez le coroner? La personne qui vous a parlé du dossier manquant?

Elle parut très surprise.

– Qu'est-ce qui vous fait penser que mes informations viennent du bureau du coroner?

– Vous avez fait mention d'informations de médecine légale.

– N'en tirez pas de conclusion hâtive, fit-elle en tentant de se rendre énigmatique. De toute façon il est hors de question que je dévoile mes sources.

– Alors assurez-vous qu'il – ou elle – se tienne bien sage. Pour sa sécurité personnelle.

– D'accord.

– Promis?

– Oui! C'était la deuxième chose, cette promesse?

– L'annexe au premier point. Le second est que vous me disiez tout ce que vous savez sur le lien entre Kruse et Ransom.

– Rien de plus que ce que je vous ai déjà dit. La thèse de doctorat de Ransom. Kruse était son directeur de thèse. Ils partageaient un cabinet à Beverly Hills.

– C'est tout?

– C'est tout.

Je l'étudiai assez longtemps pour décider de la croire.

– Et ce troisième point? me rappela-t-elle.

– Quel était le sujet de sa thèse?

– Je vous ai dit que je n'avais fait que la parcourir.

– D'après ce que vous avez parcouru?

– Quelque chose sur la gémellité. Les jumeaux et les personnalités multiples et, je crois qu'elle a utilisé cette expression, l'intégrité de l'ego. Mais elle a employé beaucoup de jargon.

– Le troisième point est de me faire une photocopie.

– Pas question. Je ne suis pas votre secrétaire!

– Très bien. Dans ce cas rapportez la thèse là où vous l'avez prise. A la section psy de la bibliothèque universitaire, je suppose. Et j'irai faire mes propres photocopies.

– Oh, et puis quelle importance? je vous apporterai une photocopie demain.

– Pas de visite, rappelai-je. Envoyez le double par la poste, en express.

Elle s'autorisa un juron peu féminin.

– Vous êtes aussi autoritaire avec vos patients?

– Nous parlons affaires, ici. Nous sommes en affaires.

– Vous oui, vous l'êtes. Pour l'instant je n'ai rien d'autre que des promesses. Mais ne me décevez pas, docteur Delaware. Je vous préviens: d'une façon ou d'une autre je découvrirai le fin mot de cette histoire.

– Dès que j'apprends quelque chose qu'on peut ébruiter, je vous fais signe. En exclusivité.

– Une dernière chose, fit-elle après avoir passé la porte d'entrée. Je ne suis plus une grande gamine. J'ai vingt et un ans. Depuis hier.

– Alors je vous souhaite un bon anniversaire, et j'y ajoute le souhait que vous en viviez beaucoup d'autres.

Après son départ j'appelai San Luis Obispo. C'est Robin qui répondit.

– C'est moi, dis-je aussitôt. Ce n'est pas toi qui m'as téléphoné il y a un moment?

– Comment as-tu deviné?

– La personne qui a décroché m'a dit qu'elle avait eu au bout du fil une femme de méchante humeur.

– La personne?

– Une gamine journaliste qui voudrait une interview.

– Gamine du style douze ans?

– Gamine du style vingt et un ans. Visage plein de taches de rousseur, dents écartées, zozotement.

— Pourquoi te croirais-je?

— Parce que je suis un saint. Ça me fait plaisir de t'entendre, Robin. Je voulais t'appeler. Chaque fois que je raccroche je regrette la tournure qu'a prise notre conversation. Je pense à tout ce que je voulais te dire, mais il est trop tard...

— C'est ce que je ressens aussi, Alex. C'est comme si nous étions faits de deux produits chimiques différents qui ne peuvent pas entrer en contact sans exploser.

— Je sais. Mais ça ne doit pas se passer forcément de la sorte. Ça n'a pas toujours été ainsi...

Elle ne répondit pas.

— Robin, nous avons vécu de bons moments, reconnais-le...

— Bien sûr. Des moments merveilleux, même. Mais il y a toujours eu des problèmes. Peut-être venaient-ils de moi. Je garde tout en moi. Je suis désolée.

— Se blâmer ne sert à rien. Je veux tout arranger, Robin. Je suis prêt à faire les efforts nécessaires.

Un silence, puis elle dit :

— Je suis allée à la boutique de Papa, hier. Maman l'a conservée exactement telle qu'elle était le jour de sa mort. Pas un outil n'a été déplacé. On dirait un musée dédié à Joseph Castagna. Je me suis enfermée dans la boutique et je suis restée plusieurs heures assise, à sentir la poussière et le vernis, à penser à lui. Et puis j'ai pensé à toi, et à vos ressemblances. La même gentillesse, la même chaleur, mais aussi le même caractère dominateur. Il t'aurait bien aimé, Alex. Oh, bien sûr, au début il y aurait eu des accrochages, mais vous auriez fini par être assez proches pour rire ensemble, je crois. — Elle rit elle-même, avant de passer aux larmes : J'étais assise là et j'ai compris que ce qui m'avait attirée chez toi c'était cette similitude, cette ressemblance que tu as avec Papa. Même physiquement : les cheveux ondulés, les yeux bleus. Quand il était plus jeune mon père était séduisant, lui aussi, à ta manière. Sacrée analyse, non ?

— Il est parfois difficile de voir ce genre de choses. Dieu sait que je n'ai pas vu quantité de choses pourtant évidentes.

— Oui, certainement. Mais je ne peux pas m'empêcher de me trouver stupide. Je n'ai pas arrêté de parler de ma sacro-sainte indépendance et de mon identité à affirmer, et pendant tout ce temps ce que je voulais c'était qu'on me prenne en charge, qu'on remplace mon père... Il me manque tellement... Et toi aussi, Alex, tu me manques tellement, et tout ça se mélange pour créer un tel désarroi...

– Reviens à la maison, dis-je. Nous pouvons tout arranger.

– J'aimerais mais ce n'est pas possible. J'ai trop peur que ça recommence comme avant.

– Nous veillerons à tout rendre différent.

Elle garda le silence. Une semaine plus tôt j'aurais tenté de la convaincre. A présent, avec les fantômes qui occupaient mes jours, je voyais les choses sous un autre angle.

– J'aimerais que tu reviennes tout de suite, lui avouai-je, mais tu dois faire ce qui est bien pour toi. Prends le temps qu'il te faudra.

– J'apprécie beaucoup que tu me dises ça, Alex. Je t'aime.

– Je t'aime, moi aussi.

J'entendis un craquement, me retournai et vis Milo. Gêné il me salua d'un geste et battit en retraite dans la cuisine.

– Alex ? dit Robin. Tu es toujours là ?

– Oui. Quelqu'un vient d'entrer dans la pièce.

– La petite Mademoiselle Dents-de-Lapin ?

– Le gros Mr. Sturgis.

– Envoie-lui mon bonjour. Et dis-lui de t'éviter les ennuis.

– Promis. Prends soin de toi.

– Toi aussi. Alex, je le pense vraiment. Je rappellerai bientôt.

– A bientôt.

Milo était passé dans le bureau où il feuilletait un livre de psychologie en feignant l'intérêt.

– Bonjour, Sergent.

– Mes excuses grand format, dit-il. Désolé mais ta foutue porte était ouverte et...

Il paraissait tout contrit de son indiscrétion.

– Bah, rien de secret, fis-je avec nonchalance. Séparation temporaire. Elle est partie à San Luis Obispo pour quelques jours. Mais tout ça finira bien par s'arranger. De toute façon, tu t'en doutais, non ?

– Un peu, oui. Ces derniers temps tu m'avais l'air tendu. Et tu ne parlais pas d'elle comme d'habitude.

– Ainsi parlait l'inspecteur, déclamai-je en allant bouger quelques papiers sur mon bureau afin d'avoir une contenance. Débattons d'un sujet plus plaisant, tu veux ? De meurtre, par exemple. Je suis allé fouiller aujourd'hui, et j'ai récolté quelques petits trucs intéressants.

– Docteur Fouine ? fit-il en adoptant le même ton supérieur que j'avais eu avec Maura.

– La bibliothèque, Milo, tout simplement. Ce n'est pas ce qu'on pourrait appeler une mission périlleuse.

– Bah, avec toi tout est possible. Enfin, raconte-moi tes trouvailles et je te raconterai les miennes après. Mais pas la gorge sèche...

Nous retournâmes dans la cuisine et nous nous attablâmes devant deux bières fraîches et un paquet de bâtonnets de sésame au sel. Je lui narrai les inventions de Sharon concernant son enfance, ses prétendues origines de l'Est qui copiaient celles de Kruse, son statut d'orpheline qui ressemblait tant à celui de Leland Belding.

– On dirait qu'elle a assemblé des fragments de passé d'autres personnes pour s'en construire un à elle, Milo.

– Admettons, dit-il. En dehors du fait qu'elle a menti, qu'est-ce que cela peut signifier ?

– Un gros problème identitaire, très probablement ; le désir d'un accomplissement. Sa propre enfance a peut-être été marquée par des sévices, ou un abandon. Être jumelle a certainement joué un rôle dans tout ça. Et le lien avec Belding est plus qu'une coïncidence.

Je lui parlai des réceptions de Belding durant la guerre.

– Des propriétés sur Hollywood Hills, Milo. Celle de Jalmia correspond tout à fait. Sa mère participe à ces soirées. Trente-cinq ans plus tard Sharon habite une de ces maisons...

– Où veux-tu en venir ? Le vieux milliardaire fou serait son père, d'après toi ?

– Au moins ça expliquerait les pressions très fortes pour étouffer l'affaire, mais comment savoir ? La façon dont elle déformait la vérité me pousse à douter de tout, maintenant.

– Tu commences à raisonner en flic, remarqua Milo.

– J'ai loué deux livres sur Belding à la bibliothèque universitaire, dont l'un est un des rares exemplaires encore en circulation du *Milliardaire fou*. Peut-être y glanerai-je quelque chose...

– Ce bouquin était bidon sur toute la ligne, Alex.

– C'est parfois dans le mensonge qu'on trouve des indices de la vérité.

Je lui relatai mon entrevue avec Maura Bannon.

– Je crois l'avoir convaincue de rester en dehors de tout ça pour l'instant, mais elle a une source chez le coroner.

– Je devine qui.

– Tu plaisantes ?

– Non. Ce que tu viens de me dire éclaircit certaines choses. Il y a quelques jours un étudiant en troisième année de médecine faisait un stage chez le coroner. Il s'est mis à poser beaucoup trop de questions sur les suicides récents, et il avait l'air de fouiner du côté des dossiers.

– Il continue ?

– Non, son stage est terminé et le gosse est reparti. Sans doute un petit ami de ta jeune journaliste de choc. En tout cas tu as bien fait de la calmer. Cette affaire devient de plus en plus bizarre, et les pressions sont très fortes, en effet. Hier, chez Kruse, Trapp est arrivé avant l'équipe technique des homicides. Il était tout sourire et il a voulu savoir comment je me trouvais là alors que mes vacances n'étaient pas terminées. Je lui ai dit que j'étais passé plus tôt au service pour ranger quelques papiers et que j'avais reçu un appel anonyme dénonçant une situation louche à l'adresse de Kruse. Bidon sur toute la ligne, ça n'aurait pas trompé un bleu. Mais Trapp n'a pas insisté, il m'a juste remercié de mon initiative et m'a dit qu'il prenait la suite.

– Je l'ai vu aux infos télévisées.

– Foutue intox, hein ? Des conneries débitées par un faux cul. Mais ce n'est pas tout : on dit que Trapp pousse pour que la version du crime sexuel soit retenue. Or les deux femmes n'étaient pas disposées comme c'est le cas dans les crimes de maniaques sexuels : pas de jambes écartées, pas de vêtements arrangés post mortem d'une certaine façon. Et d'après mes sources, pas de trace de strangulation ni de mutilation.

– Comment sont-ils morts ?

– Ils ont été frappés et abattus d'une balle. Impossible de dire dans quel ordre. Mains attachées derrière le dos, une seule balle par cadavre, dans la nuque.

– Une exécution ?

– Ça, ce serait ma déduction, oui.

Il mâchonna un bâtonnet de sésame, finit sa bière et alla en chercher une autre dans le frigo.

– Et sinon ? demandai-je.

Il se rassit et but une gorgée avant de répondre :

– Le moment de la mort : la putréfaction rend les choses plus difficiles, mais à ce point les corps devaient être là depuis un bon bout de temps. Il y avait formation de gaz, peau pelée, écoulements de fluides. Ça signifie plusieurs jours, pas quelques heures. De quatre à dix jours, en théorie. Mais nous savons que les Kruse étaient bien vivants samedi, ce qui rétrécit la fourchette entre quatre et six jours.

– Donc ils auraient pu être tués avant aussi bien qu'après la mort de Sharon ?

– Exact. Et si c'était avant, un certain scénario pointe sa vilaine tête qui irait dans le sens de la culpabilité de Rasmussen. J'ai appelé la police de Newhall à son sujet. Ils le connaissaient bien : saoulard, fouteur de merde, enclin à la bagarre, plusieurs fois arrêté pour troubles sur la voie publique. Et il a bien tué son père, c'est vrai. Il l'a battu à mort puis lui a tiré une balle dans la nuque... Maintenant sa liaison avec Ransom est plus que probable, mais certainement pas sur un plan d'égalité entre eux. Rasmussen était un inadapté majeur, et son QI devait avoisiner la moitié de celui de Ransom. Supposons qu'elle l'ait manipulé, qu'elle ait façonné sa pensée. Elle en était capable. Disons qu'elle avait une grosse dent contre Kruse. Elle en parle à Rasmussen, sans même avoir besoin d'être explicite, style « Va tuer ce connard ». Non, rien d'aussi direct. Il lui suffit d'allusions, qu'elle se plaigne de Kruse souvent, qu'elle dise qu'il l'a maltraitée, ou battue... Peut-être a-t-elle utilisé l'hypnotisme sur Rasmussen ? Tu as bien dit qu'elle se servait de techniques hypnotiques, non ?

– Oui, c'est exact.

– Donc elle aurait pu hypnotiser Rasmussen et le préparer. En le poussant un peu elle peut très bien l'avoir envoyé jouer les preux chevaliers, ou plutôt les anges exterminateurs.

– Et il serait allé tuer son père pour la seconde fois, commentai-je.

– Ah ! vous, les psys ! s'exclama Milo, mais son sourire disparut très vite. La bonne et la femme de Kruse ne seraient donc mortes que parce qu'elles se trouvaient au mauvais endroit au mauvais moment.

Il se tut et le silence mena mes réflexions dans une autre direction.

– Qu'y a-t-il ?

– C'est de l'imaginer en instigatrice d'un meurtre...

– Ce n'est qu'un scénario, rappela-t-il.

– Si elle était aussi froide, pourquoi se serait-elle suicidée ?

– J'espérais un peu que tu pourrais m'aider sur ce sujet.

– Mais je ne vois pas comment. Elle avait des problèmes, d'accord, mais elle n'a jamais montré aucune cruauté.

– Baiser avec tous ses patients n'était pas un acte de charité.

– Mais elle ne s'est jamais montrée ouvertement cruelle.

– Les gens changent.

– Je sais, mais je n'arrive pas à l'imaginer en meurtrière, Milo. Ça ne cadre pas.

– Alors laisse tomber, conseilla Milo. Ce ne sont que des théories fumeuses, de toute façon. Je peux t'en sortir dix du même tonneau dans le même nombre de minutes. Et c'est à peu près tout ce que nous pouvons faire étant donné les indices à notre disposition. Il reste trop de questions sans réponse. Par exemple : qui a déclaré le décès de Ransom le premier ? Normalement, pour le savoir il suffit de jeter un coup d'œil au dossier. Le problème ici, c'est que de dossier il n'y en a pas... Grâce à mes employeurs.

Il se leva, passa une main sur son visage et se mit à arpenter la cuisine.

– Je suis allé à la maison de Ransom, ce matin, pour parler aux voisins et voir si c'était l'un d'eux qui avait prévenu. Rien. Deux des maisons dans le cul-de-sac sont inoccupées. Les proprios ne sont pas là. La troisième est habitée par une artiste indépendante, une vieille dame rongée par l'arthrite qui dessine des albums pour enfants et qui ne sort pratiquement jamais de chez elle. L'ennui, c'est que de sa maison on ne voit pas celle de Ransom, à peine un bout de l'allée. On n'a aucune vue sur les deux autres non plus, en fait.

– Idéal pour les soirées privées...

– Mouais... Mais de son jardin l'artiste pouvait voir les allées et venues. D'après elle Ransom avait quelques visites, hommes et femmes qui repartaient après une heure environ. Rasmussen faisait partie du lot.

– Des patients, donc.

– C'est ce qu'elle pensait. Mais tout ça s'est arrêté il y a six mois.

– Quand on a découvert qu'elle couchait avec ses patients.

– Peut-être a-t-elle décidé d'arrêter ses consultations... sauf avec Rasmussen. Elle l'a gardé. Il continuait à venir de temps en temps, jusqu'à il y a un mois. L'artiste se souvient d'avoir vu sa camionnette. Elle a aussi décrit un homme qui correspondrait à Kruse. Lui restait plus longtemps, plusieurs heures à chaque visite, mais Ransom ne l'aurait reçu que deux ou trois fois. La précision ne vaut pas grand-chose, puisque notre grand-mère artiste ne campe pas dans son jardin. Kruse a pu venir plus souvent. En revanche une photo de Trapp n'a rien évoqué à la voisine. Donc il ne faisait sans doute pas partie des habitués qui passaient chez Ransom. Et si ce salopard a enquêté sur cette affaire, il n'a jamais pris la peine d'interroger la voisine. Ce connard n'a même pas fait le travail de routine. Conclusion : ce connard participe à la couverture de l'affaire, au moins passivement. Et moi je suis hors course. Bon sang, Alex, ça me fait bouillir !

– Il reste d'autres zones d'ombre, dis-je. Ton scénario part d'un supposé antagonisme entre Kruse et Sharon. Elle avait des problèmes, c'est certain. Elle me l'a dit à la réception. Mais rien n'indique qu'ils venaient de Kruse. Au moment de sa mort elle était toujours légalement son assistante, et elle était venue à la réception en son honneur, Milo. Je l'ai vue s'adresser avec véhémence à cet autre type dont je t'ai parlé, mais je n'ai aucune idée sur son identité.

– Quoi d'autre ?

– Il y a des facteurs divers à ne pas négliger : Belding, Linda Lanier, le toubib victime de chantage à la vidéo porno, quelle que soit son identité. Et Shirlee, la jumelle disparue. J'ai appelé Olivia Brickerman pour qu'elle cherche dans les fichiers informatiques, mais c'était en panne. J'espère avoir du neuf bientôt de ce côté-là.

– Pourquoi pousser dans cette direction ? Même si tu la retrouves, tu ne pourras pas la faire parler.

– Peut-être trouverai-je quelqu'un qui la connaît, ou qui les connaissait toutes les deux. Je crois que nous ne comprendrons jamais Sharon si nous n'en savons pas plus sur Shirlee et la relation qu'elles avaient. Pour Sharon, Shirlee était plus qu'une simple sœur. Elles étaient très liées psychologiquement, comme les deux parties d'une entité unique. Les jumeaux développent parfois des complexes identitaires. Sharon avait choisi ce sujet ou quelque chose de très proche pour sa thèse de doctorat. A dix contre un je suis prêt à te parier qu'elle y a parlé d'elle.

– Étaler son linge sale pour décrocher un diplôme ? dit Milo d'un ton pensif. C'est net, ça ?

– Pas vraiment. Mais elle s'est arrangée de beaucoup de choses...

– Eh bien d'accord. Continue et essaie de retrouver la jumelle. Mais n'en espère pas trop.

– Et toi ?

– Moi j'ai encore un jour et demi avant que Trapp ne me

252

colle un nouveau boulot de rêve... Mais puisque nous nous occupons d'une affaire dont les racines remontent à trente-cinq ans, je pense à quelqu'un qui pourrait nous renseigner. Quelqu'un qui était en plein dans cette période. Le problème, c'est qu'il est assez imprévisible et nous ne sommes pas exactement de grands amis...

Il se mit debout et se frappa la cuisse d'une claque retentissante.

— N'importe, je vais tenter le coup. Je te rappelle demain matin. En attendant, potasse tes bouquins et tes magazines. Oncle Milo reviendra te faire passer l'exam.

Je passai le reste de la journée à devenir un véritable spécialiste de Leland Belding, en reprenant sa biographie là où
je m'étais arrêté, à la dissolution de la commission d'enquête
sénatoriale.

Immédiatement après cet épisode le milliardaire se lança
dans l'industrie cinématographique. Il rebaptisa son studio
Magnafilm, se fit scénariste, réalisateur et producteur d'une
série de films guerriers mettant en scène des héros solitaires
qui se dressaient contre l'ordre établi pour finir victorieux.
Tous furent éreintés par la critique et aucun ne rencontra le
succès escompté.

En 1949 il racheta une revue spécialisée de Hollywood,
renvoya le critique de cinéma et le remplaça par un homme
à lui. Puis il acquit un réseau entier de salles qui diffusèrent
ses productions. Ses pertes s'aggravèrent. En 1950 il devint
plus secret encore et je ne trouvai qu'une référence à lui sur
les deux années suivantes, pour le dépôt d'un brevet. Fin
1950 sa réapparition tonitruante aurait pu être la naissance
d'un autre Leland Belding. Celui-là ne ratait aucune réception mondaine, aucune première. Il se rendait en compagnie
de starlettes énamourées au Ciro's, au Mocambo ou au Tro-
cadero. Il produisit une autre sorte de films, des comédies
insipides truffées de sous-entendus très lourds.

Il quitta son appartement « monastique » au quartier général de Magna Corporation pour s'installer dans une magnifique propriété à Bel Air. Il se fit construire le jet privé le plus rapide du monde, acheta des toiles de maîtres par dizaines, des chevaux de course, puis des jockeys, des entraîneurs et enfin des haras entiers, une équipe de base-ball, un train de voyageurs qu'il convertit en palais itinérant pour ses soirées de plaisir. Il se constitua une collection d'automobiles sur mesure : des Cord, des Packard, des Rolls-Royce; il rafla les trois plus gros diamants du monde connus, acheta d'autres casinos à Reno et Las Vegas, plus un assortiment de propriétés dispersées sur tout le territoire, de la Californie à New York.

Pour la première fois de son existence il contribua à des œuvres de charité. Il le fit sans mesure et avec ostentation. Il fonda des hôpitaux et des instituts de recherche médicale à la seule condition qu'ils portent son nom et soient pourvus en personnel selon ses recommandations. Il organisa également des soirées de gala somptueuses. Et pendant ce temps il assemblait autour de lui un harem d'actrices, de danseuses et de reines de beauté. Le meilleur parti d'Amérique rattrapait le temps perdu.

En apparence le changement de personnalité était pour le moins radical. Mais à l'occasion de la grande fête donnée par Belding pour le Metropolitan Museum of Art, un journaliste de *Vogue* nota que le milliardaire « se tenait à l'écart, sans jamais sourire, et surveillait les réjouissances sans y prendre part ». Pour cet observateur quelque peu cynique, Belding ressemblait à « un gamin perdu dans une pièce contenant tellement de bonbons pour lui qu'il en perd toute envie pour les sucreries ».

Avec ces brillantes réceptions je m'attendais à glaner quelque échos sur William Houck Vidal. Mais je ne trouvai rien, pas même une photo pour prouver que l'ancien consultant financier avait joué un rôle dans la métamorphose de son employeur. Son nom n'apparaissait que dans un article paru dans une publication financière, au début des années cinquante, à propos du développement d'un nouveau chasseur-bombardier. Il y était crédité du titre de « directeur d'exploitation de Magna Corporation ».

L'un se transformait d'homme d'affaires en play-boy tandis que l'autre suivait le chemin inverse. On aurait dit que Belding et Vidal avaient échangé leurs personnalités.

En 1955, d'un coup, tout cessa.

Belding annula un gala de charité donné au bénéfice de la Société pour la lutte contre le cancer et disparut totalement de la scène publique. Il revendit ses avoirs les plus voyants : propriétés, tableaux, diamants, automobiles de collection. Tout fut vendu avec un excellent profit. Il se sépara même du studio de cinéma – ironiquement rebaptisé Magnaflop par les critiques – pour un très bon prix, à cause de la valeur des terrains qu'il occupait.

La presse s'interrogea sur ce que serait la nouvelle « phase » de Belding. Elle fut invisible. Il devint clair que l'éclipse du milliardaire était définitive, et les journaux se désintéressèrent peu à peu de lui. Vers le milieu des années soixante, Belding ou Magna n'étaient presque jamais mentionnés ailleurs que dans les publications spécialisées, financières ou techniques. Cette décennie était d'ailleurs assez chargée pour que nul ne porte beaucoup d'attention au devenir d'un richissime ermite qui avait naguère créé quelques navets cinématographiques.

En 1969 fut annoncé le décès de Leland Belding, « quelque part en Californie, des suites d'une longue maladie ». Pour respecter les termes du testament, des cadres supérieurs prirent la direction collégiale de Magna, sous la présidence de William H. Vidal.

Et ce fut tout. Jusqu'en 1972, date à laquelle Seaman Cross, ex-journaliste et nègre à la plume laborieuse, publia ce qu'il clama être la « biographie non autorisée de Leland Belding ». D'après Cross, le milliardaire avait inventé son décès dans le but de pouvoir enfin goûter à une « paix réelle ». Après avoir médité pendant dix-sept ans de solitude, il avait décidé qu'il devait parler au monde et, naturellement, il avait choisi Cross pour être son porte-parole. Il lui avait donc accordé des centaines d'heures d'entretiens afin de préparer un ouvrage, mais il avait fini par changer brutalement d'avis et avait tout annulé.

Cross avait terminé seul le livre, qu'il avait intitulé *Le Milliardaire fou,* et il avait obtenu de son éditeur un coquet à-valoir « à six chiffres ». Pendant sa carrière très courte, l'ouvrage avait rencontré un très grand succès.

Pas mon genre de lecture. A l'époque je n'avais pas même songé à m'en faire prêter un exemplaire. A présent je le dévorai d'un trait.

La thèse de Cross était simple. Au début des années cinquante, Belding avait subi une tragédie personnelle – dont il ne voulait rien dire mais qui pour le journaliste ne pouvait être que d'ordre sentimental – et il avait réagi en se lançant à corps perdu dans sa période play-boy, laquelle avait été couronnée de sérieux troubles mentaux et de plusieurs années dans divers établissements psychiatriques très discrets. L'homme qui en était ressorti était un « paranoïaque obsédé par sa propre personne et fanatique d'une philosophie curieuse combinant des éléments des religions orientales, un végétarisme intransigeant et un individualisme à la Ayn Rand poussé à l'extrême. »

Cross affirmait être allé très souvent chez Belding, un dôme géodésique hermétique perdu dans le désert et dont le milliardaire ne sortait jamais. La façon d'y parvenir était théâtrale à souhait : en pleine nuit, Cross était conduit les yeux bandés jusqu'à un héliport distant de Los Angeles de moins d'une heure de route – ce qui laissait supposer El Segundo, bien sûr – puis il s'envolait pour le dôme, à deux heures d'hélicoptère. Il était toujours ramené à son point de départ avant l'aube.

Personne ne pouvait entrer dans le dôme hormis Belding. Aucune photo, aucun dessin ou simple croquis n'était autorisé. Cross avait donc été contraint de mener ses entrevues à partir d'une cabine positionnée de telle sorte qu'elle faisait face à un système de micros et de haut-parleurs aménagé dans la paroi du dôme.

« Lorsque nous communiquions, écrivait Cross, c'était par un système de micros que Belding contrôlait. S'il voulait me voir, il ouvrait une vitre de plastique, panneau qu'il pouvait également obscurcir en appuyant sur un simple bouton. Il utilisait fréquemment cette commande, surtout quand il voulait me punir pour avoir posé une question non désirée. Alors il attendait mes excuses et mes serments de bonne conduite pour reprendre. »

Aussi bizarre que cela fût, le plus étrange restait encore la description que Cross faisait du milliardaire :

« Émacié au point d'évoquer un rescapé d'Auschwitz, la barbe longue, les cheveux gris retombant à mi-dos, il portait à son cou des colliers où étaient enfilés des cristaux, et à chacun de ses doigts brillait une bague ornée d'un de ces cristaux. Les ongles de ses mains étaient peints en noir,

257

longs de presque cinq centimètres et taillés en pointe. Sa peau avait une teinte cadavérique, d'un blanc maladif très légèrement verdâtre. Derrière ses grosses lunettes à verres roses, ses yeux exorbités bougeaient sans cesse en clignant comme ceux d'un crapaud cherchant à repérer des mouches.

« Mais c'est sa voix qui me troublait le plus : une voix monocorde, au débit mécanique, totalement dépourvue d'émotion. Une voix n'appartenant pas à un être humain. Maintenant encore, le souvenir de cette voix me donne la chair de poule. »

Tout au long du livre, le point de vue de Cross trahissait une fascination morbide pour son sujet. Paradoxalement, il ne pouvait pas plus la dissimuler que son antipathie envers le milliardaire.

« A intervalles réguliers, Belding interrompait nos entrevues pour grignoter des légumes crus et boire des quantités considérables d'eau stérilisée. Ensuite il s'accroupissait pour uriner et déféquer devant moi dans un pot en cuivre qu'il gardait sur une sorte d'autel. Quand le pot rempli y était resté quinze minutes très exactement, il le prenait et le vidait dans un orifice d'évacuation. Pendant l'excrétion une expression de satisfaction extatique se peignait sur son visage squelettique. Bien qu'il ait toujours refusé d'expliquer ce rituel scatologique, j'ai à la réflexion l'idée que c'était de l'auto-adoration pure et simple, la culmination logique d'une existence entière de narcissisme et d'amour du pouvoir. »

La seconde partie du livre était beaucoup moins intéressante. Cross y pontifiait sur les faiblesses d'une société qui pouvait engendrer un monstre tel que Belding. Cross citait les déclarations du milliardaire sur le sens de la vie en rapport avec un amalgame indigeste d'hindouisme, de nihilisme, de physique quantique et de darwinisme détourné.

Le Milliardaire fou était resté un secret d'édition fort bien gardé jusqu'au jour de sa publication, et Magna Corporation elle-même se laissa prendre au dépourvu. Immédiatement, le livre grimpa au sommet de la liste des meilleures ventes et battit tous les records. Magna Corporation réagit en poursuivant Cross et ses éditeurs en justice, accusant le livre d'être un canular injurieux et diffamatoire pour le disparu. Ils produisirent des documents médicaux et légaux attestant le décès de Belding des années avant l'époque où Cross affirmait lui avoir parlé. Des journalistes furent emmenés à une sépulture située dans l'enceinte du quartier général de la firme, et on exhuma des restes humains. Ceux-ci furent formellement identifiées par des experts comme étant ceux du milliardaire. Inquiets du tour que prenait cette affaire, les éditeurs de Cross demandèrent à ce dernier de produire ses preuves.

Pour les rassurer, l'auteur tint une conférence de presse à Long Beach, en Californie, devant un grand coffre où se trouvaient trente cartons de notes signées et datées par Leland Belding. Devant les caméras il ouvrit le coffre et sortit en effet trente cartons emplis de papiers, lesquels n'avaient malheureusement pas le moindre rapport avec le milliardaire. Les caméras saisirent en direct l'incrédulité de Cross, son affolement puis son horreur. L'ex-journaliste jura qu'il s'agissait d'une machination. De plus les éditeurs admirent n'avoir jamais vu aucune des fameuses notes paraphées par Belding. Ils avaient compris la gravité de leur situation face à un adversaire aussi redoutable que Magna Corporation, et ils prirent les devants : ils achetèrent des pages entières dans les journaux pour présenter leurs excuses à la firme et à la mémoire de Leland Belding. Tout nouveau tirage du livre fut suspendu, les stocks envoyés au pilon et les exemplaires distribués redemandés aux libraires.

Puis les éditeurs se retournèrent contre Cross en exigeant le remboursement de l'à-valoir, plus des dommages et intérêts conséquents. Cross refusa, prit des avocats et contre-attaqua en justice. Les éditeurs déposèrent alors plainte pour fraude et abus de confiance. Cross fut arrêté et resta cinq jours à la prison de Riker's Island. Relâché contre paiement d'une caution, il affirma avoir été battu et violé durant son passage en cellule. Il offrit le récit de cette « terrible expérience » à maintes publications, qui toutes refusèrent.

Une semaine après sa libération il fut retrouvé dans une chambre meublée de Ludlow Street, dans le lower East Side de New York, suicidé au gaz. Dans une lettre manuscrite il reconnaissait que le livre n'était qu'une pure fiction, une escroquerie audacieuse. Il avait couru le risque en tablant sur le fait que Magna Corporation préférerait éviter la publicité d'un procès en diffamation. Il avait perdu son pari. Mais il n'avait jamais voulu de mal à personne et se disait désolé s'il en avait causé.

Un cadavre de plus.

Je me tournai vers les magazines pour y chercher des échos de l'affaire. Le *Time* avait publié un long article sur Cross, avec photo de lui menottes aux poignets. A côté de ce cliché était reproduit le portrait du président de Magna Corporation, William Houck Vidal.

Il avait été photographié alors qu'il descendait les marches du palais de justice, un large sourire aux lèvres et faisant le V de la victoire d'une main.

Je connaissais ce visage. Large et mâle, tanné par le soleil, avec des yeux bleu pâle étrécis et une chevelure blonde coupée en brosse.

Avec quinze ans de moins c'était le visage de l'homme que j'avais vu avec Sharon à la réception. Le vieux play-boy qu'elle essayait de convaincre avec une telle véhémence.

23

Le lendemain matin, je téléphonai à Milo et lui racontai mes dernières découvertes.

– De mon côté je nous ai arrangé une petite leçon d'histoire pour onze heures du mat. Nous pourrons peut-être placer d'autres pièces du puzzle.

Il arriva à dix heures dix et nous prîmes la Seville.

Après avoir roulé un bout de temps sur Sunset vers l'est, en discutant de choses et d'autres, je lui demandai notre destination.

– Continue à conduire, dit-il, ne t'inquiète de rien... – Il écrasa son cigare panaméen dans le cendrier : Il y a quelque chose que je dois te dire. Après t'avoir laissé hier, je suis allé d'un coup de bagnole à Newhall, et j'ai discuté un peu avec l'ex de Rasmussen, la dame Seeber.

– Comment l'as-tu retrouvée ? Je ne t'avais pas donné son nom.

– Du calme, ton honneur n'est pas souillé. Les collègues de Newhall ont recueilli son témoignage sur l'accident. C'est comme ça que j'ai eu ses coordonnées.

– Comment va-t-elle ?

– Elle a l'air de bien se remettre. Elle a déjà un autre type avec elle. Un Casanova maigrichon avec des yeux de junkie et des bras pas nets. A mon arrivée il a cru à une perquisition et il aurait sauté par la fenêtre si je ne l'avais pas détrompé. – Il

261

s'étira et bâilla : Bref, je lui ai demandé à elle si Rasmussen avait beaucoup travaillé dans les dernières semaines. Réponse : non, sa réputation de fouteur de merde lui fermait toutes les portes. Je m'en doutais. Je lui ai alors parlé des mille dollars qu'elle avait trouvés sur l'oreiller, et j'ai cru qu'elle allait mouiller son slip. Bref j'ai fait les gros yeux et elle a fini par me dire qu'elle ne savait pas d'où ils sortaient, mais que D.J. était récemment revenu avec beaucoup d'argent et qu'il dépensait sans compter. Il avait acheté des pièces très coûteuses pour sa ruine de camionnette. Elle n'est pas très sûre du montant exact, mais elle a quand même trouvé quatre mille quatre cents dollars de plus dans une de ses chaussettes.

— Récemment, c'est quoi ?

— Deux semaines avant son accident. Soit au moins une semaine avant que tout le monde ne se mette à mourir.

Je continuais à conduire. Nous passâmes Echo Park et nous dirigeâmes vers les quartiers de gratte-ciel entre lesquels courent des échangeurs d'autoroutes.

— Si c'était un paiement en liquide pour un contrat, dit Milo, tu sais ce que ça signifie : préméditation. Quelqu'un aurait planifié le tout.

Il me dit de prendre sur la gauche une allée non signalisée qui grimpait au nord de Sunset et qui nous mena en cahotant vers des entrepôts. La Seville se faufila entre des amas de cageots et des cadres de fenêtres brisés. Après encore huit cents mètres en pente douce nous atteignîmes une hauteur où l'allée se transformait en un simple chemin poussiéreux. Cinquante mètres plus loin celui-ci se terminait sur un mur de parpaings. Sur la droite, des herbes folles desséchées. Sur la gauche, une vue imprenable de l'échangeur routier en contrebas.

— Tu peux t'arrêter, dit Milo.

Nous sortîmes de la Seville. Même à cette hauteur, le vacarme de la circulation restait intense.

Le mur de parpaings était couronné de fil de fer barbelé. Au centre se trouvait une porte en bois délavé par les intempéries. Pas de serrure ni de clenche. Juste une pointe d'acier enfoncée dans le bois, à laquelle pendait par une lanière d'acier une clochette à bestiaux rongée par la corrosion. Sur une ardoise au-dessus de la porte étaient inscrits ces mots : RUE OSCAR WILDE.

Je considérai un moment les barbelés.

— Et où sont les miradors ?

Milo fit une grimace, ramassa une pierre et la jeta sur la clochette, laquelle émit un tintement triste.

262

Aussitôt une cacophonie de cris animaux éclata de l'autre côté du mur. Des chiens, des chats, mais aussi des gloussements de poulailler. Le vacarme se rapprocha, sans doute avec les animaux. Les coqs étaient les plus bruyants. Je pensai à quelque cérémonie vaudou et un frisson désagréable me chatouilla l'échine.

— Ne dis pas que je ne t'amène pas dans des endroits intéressants, marmonna Milo.

De l'autre côté, la horde grattait le mur. A présent je pouvais sentir leurs odeurs mêlées.

— Eh! appela Milo à pleins poumons.

Rien. Il réitéra son exploit vocal, secoua la cloche pendant plusieurs secondes. Enfin une voix caquetante, de genre indéterminé, s'éleva de l'autre côté :

— Gardez votre foutu calme, vous... Qui c'est, d'abord ?

— Milo.

— Et alors, qu'est-ce que je dois faire ? Ouvrir une foutue bouteille de Mouton-Rothschild ?

— Ouvrir la porte serait un bon début.

— Sans blague ?

Mais la porte s'ouvrit. Un vieil homme se tenait devant nous, vêtu seulement d'un short de boxe blanc, d'une écharpe de soie rouge autour du cou et d'un collier de coquillages pendant sur une poitrine sans poils. Derrière lui sautillait une armée d'animaux : une dizaine de chiens de race indistincte, deux gros chats et plus loin, en retrait, des poulets, des oies, des canards, un mouton et plusieurs coqs noirs de Nubie.

— Calme-les, grogna Milo.

— Tranquille, ordonna le vieil homme sans enthousiasme. Puis il sortit et referma la porte derrière lui.

Il était de taille moyenne, le corps flasque, avec des bras et des jambes maigres, une poitrine étroite aux pectoraux de grand-mère tombant sur un ventre protubérant. Sa peau tannée par le soleil avait la couleur du bourbon et luisait doucement. Sa chevelure se résumait à un duvet blanchâtre. Son visage manquait de menton mais avait trop de nez, et ses yeux rapprochés étaient tellement plissés qu'ils paraissaient fermés. Une moustache à la Fu Manchu descendait des côtés de sa bouche pour pendre trois centimètres plus bas que sa mâchoire inférieure.

Il nous détailla du regard un moment, se renfrogna et cracha par terre.

– Salut, Ellston, dit Milo. Quel plaisir de te voir dans ton habituelle bonne humeur...

Le vieil homme approcha de deux pas et m'observa sans aucune gêne en tendant sa joue de sa langue et en se grattant l'occiput d'un index noueux. Il se dégageait de lui un mélange curieux d'odeurs : eau de Cologne, zoo, onguent mentholé...

– Pas mal, laissa-t-il enfin tomber en parlant de moi. Mais Rick était plus mignon.

Il toucha mon épaule des doigts et involontairement je me raidis. Son regard se durcit et il cracha de nouveau dans la poussière. Milo s'approcha de moi.

– C'est le Dr Delaware. Un ami.

– Un autre docteur ? fit le vieil homme avec une moue dubitative avant de se tourner vers moi. Dites-moi, qu'est-ce que des toubibs comme vous peuvent trouver d'irrésistible chez un foutu gros empoté comme lui ?

– C'est un ami, répéta Milo. C'est tout. Il est hétéro, Ellston.

Le vieil homme leva une main molle et prit une pose déhanchée.

– Sûr, chéri. Et vous êtes quelle foutue sorte de docteur ?

– Psychologue.

– Ooh, fit-il en reculant d'un pas et en prenant une expression effarouchée. Je n'aime pas les gens comme vous. Toujours à analyser et à juger, pfff...

– Ellston, dit Milo, tu m'as déjà fait ton numéro au téléphone, j'ai eu ma dose. Si tu veux nous aider, très bien. Sinon, pas de problème, on te laisse jouer au fermier.

– Qu'il est malpoli, l'Empoté... Et qu'est-ce que je gagnerais à vous aider, mmh ?

– Un billet de cent, grogna Milo. A prendre ou à laisser.

Le vieil homme se figea dans une pose de défi, poings sur les hanches, sa bedaine molle en avant.

– Alors fais au moins des présentations correctes, l'Empoté.

Milo étouffa un soupir.

– Ellston, dit-il, je te présente le Dr Alex Delaware. Alex, voici Mr. Ellston Crotty.

– Incomplet, lâcha le vieil homme.

– L'inspecteur Ellston Crotty.

Le vieil homme me tendit sa main.

– Inspecteur de première classe Ellston J. Crotty Junior, du département de police de Los Angeles, division centrale. Présentement à la retraite... – Nous échangeâmes une poignée de mains, puis il se désigna du pouce : Vous avez devant vous l'as des Mœurs, docteur Psycho. Et je vais vous dire : c'est un foutu plaisir de faire votre connaissance.

Les animaux nous escortèrent comme si nous nous dirigions vers l'Arche de Noé. Entre des haies non taillées et des citronniers rabougris, un chemin constitué de traverses de voie ferrée et de plaques de ciment juxtaposées nous mena à une petite maison au toit couvert de bardeaux goudronnés. Devant s'étendait un vaste porche encombré de caisses et de pièces de moteur. Près de la maison un vieux coupé Dodge sans roues reposait sur des parpaings. Un espace délimité par du grillage était parcouru par des coqs et des poules. A l'arrière de la maison était accolé un poulailler branlant.

L'odeur de cour de ferme se fit plus intense à mesure que nous approchions. Je regardai aux alentours. Pas de voisin, seulement le ciel et les arbres. Nous nous trouvions au sommet d'une colline. Au nord on apercevait les contours gommés par la brume d'une montagne, et j'entendais toujours le grondement de l'autoroute invisible en contrebas, rythmique brouillée par les soli caquetants de la volaille.

Contre le grillage se trouvait un grand sac en toile empli de maïs. Crotty y plongea ses mains et lança des poignées de grains parmi les poules et les coqs. La cacophonie redoubla en même temps que l'agitation.

– Foutus gloutons, fit Ellston en relançant un peu de maïs.

Nous pénétrâmes sous le porche. Il poussa la porte et entra en la laissant se refermer. Milo arrêta le battant d'une main et nous passâmes à l'intérieur.

Celui-ci était exigu et mal éclairé, encombré de tant de bric-à-brac qu'il était difficile de se frayer un chemin. Nous enjambâmes des piles de vieux journaux, contournâmes des amoncellements de boîtes et de cageots, des amas de vêtements, un piano droit peint d'un apprêt gris, trois tables à repasser couvertes de radios plus ou moins désossées. Le mobilier qui réussissait à coexister avec ce capharnaüm était d'origine tout aussi aléatoire, bois sombre et fauteuils rembourrés. Le tout sans doute récupéré ici ou là.

Le sol était constitué d'un plancher en pin grisâtre et fendu en de multiples endroits par la pourriture sèche. Sur la cheminée à l'âtre de briques noircies, des figurines en porcelaine étaient alignées, la plupart amputées. La pendule s'appelait Coca-Cola et indiquait obstinément sept heures quinze.

– Asseyez-vous, fit Crotty.

Lui-même retira des journaux d'un fauteuil et s'y écroula, créant un petit nuage de poussière qui s'éleva et se redéposa lentement.

Milo et moi débarrassâmes le canapé de ce qui l'encombrait et nous nous installâmes en produisant nous aussi notre tempête de poussière.

Crotty se racla la gorge et Milo sortit son portefeuille. Il en tira plusieurs billets qu'il tendit au vieil homme. Celui-ci les compta prestement, puis les empocha.

– Okay. Allons-y. Belding. Leland A. Foutu capitaliste, trop d'argent, aucune morale, pédé latent.

– Qu'est-ce qui vous fait dire ça? demandai-je, et j'entendis Milo grogner.

Crotty se tourna vers moi.

– Je suis un foutu expert en ce qui concerne les pédés latents, docteur Psycho. Vous avez peut-être les foutus diplômes, mais moi j'ai l'expérience. – Il eut un rictus et ajouta : Une expérience acquise sur le tas.

– Revenons-en à Belding, fit Milo.

Crotty l'ignora.

– Et laissez-moi vous dire une chose, docteur Psycho : les pédés refoulés, je connais. Durant trente ans j'ai vécu ce foutu refoulement.

Milo bâilla et ferma les yeux.

– Belding, ou alors tu rends le pognon.

– Belding, répéta Crotty. Capitaliste. Un foutu vicieux. Parce qu'il était refoulé, justement. Je sais ce que ça fait.

Il se leva et alla s'agenouiller au milieu de boîtes et de cartons débordant de papiers divers dans lesquels il se mit à fouiller.

– Et c'est parti, grommela Milo.

Crotty choisit un album de photos et vint s'asseoir à côté de moi. Il tourna quelques pages puis me montra une photo en noir et blanc. Ses bords étaient dentelés comme celle de Sharon et Shirlee, et elle représentait un jeune homme en uniforme d'officier de police posant devant sa voiture de patrouille dans une rue déserte ombragée de palmiers. Les traits du policier étaient délicats, presque féminins, ses yeux grands et innocents. Des cheveux ondulés, une fossette à la joue droite. Un joli garçon, avec une fragilité à la Montgomery Clift.

Il me montra une autre photo. Le même homme, mais en

266

civil, dans une tenue de sport, devant la Dodge que j'avais vue dehors, sur les parpaings. Il tenait par la taille une jeune femme portant un short et un T-shirt, à la silhouette de mannequin. Le visage avait été effacé avec un stylo.

– J'étais un foutu beau gosse à l'époque, fit Crotty en refermant l'album et en le jetant sur le sol. Ces photos datent de 1945. Je sortais de la marine d'Oncle Sam, avec les foutues décorations gagnées dans le Pacifique. Je pensais être un don des dieux pour les femmes et je me répétais que ces petits épisodes privés avec le gros cuisinier suédois du bord n'avaient été qu'un mauvais rêve. Même si ce que nous avions fait ensemble m'avait vraiment fait vibrer... – Il se tapota la poitrine de l'index : J'étais aussi doux que Mary Pickford et j'essayais de me convaincre que j'étais un foutu Gary Cooper. Alors quel meilleur job pour un type qui veut être un vrai macho que la flicaille ? – Il eut un rire curieux : Le jour où j'ai eu mes papiers de démobilisation, j'ai signé dans la police. Et le jour où j'ai fini la formation, je me prenais vraiment pour un foutu macho en chef. Être flic allait résoudre tous mes foutus problèmes. Mais l'officier m'a jeté un coup d'œil et il a compris tout de suite où m'affecter. En civil j'ai fait les toilettes publiques de MacArthur Park jusqu'à ce que tous les pédés du coin me courent après et qu'on les coffre. Et les bars gays de Hollywood. J'étais très bon dans mon rôle, grâce à moi on coffrait plus de pédés qu'avec n'importe qui d'autre. J'ai eu une promotion, et on m'a muté aux Mœurs. J'ai passé les dix années suivantes à attirer et faire coffrer d'autres pédés, des centaines de pédés. Je suis devenu inspecteur en un temps record mais je n'étais rien d'autre qu'un foutu appât à pédés. J'étais l'arme secrète des Mœurs, on m'adorait. Deux battements de cils et on m'invitait aux soirées très privées des quartiers chics, ou chez les blacks et les chicanos. Les copains arrivaient dix minutes après et coffraient tous les pédés.

Il m'agrippa par la chemise et me regarda fixement. Malgré le peu de lumière, je vis qu'il transpirait et il me parut avoir pâli.

– Et vous savez pourquoi j'étais aussi bon, docteur Psycho ? Parce qu'au fond je ne jouais pas un rôle. Les brutes des Mœurs arrivaient avec leurs matraques et embarquaient tous ces foutus pédés, et ils ne se gênaient pas pour les taper. De temps en temps un des pédés se pendait dans sa cellule, et les gars des Mœurs disaient en plaisantant : « Bon débarras, moins de paperasse ! » et moi j'étais celui qui riait le plus fort...

L'émotion faisait trembloter sa moustache : Dix ans durant j'ai servi à piéger les pédés qui se faisaient démolir par mes collègues, et dix ans durant je me suis demandé pourquoi quand je rentrais chez moi je me saoulais à mort.

Il relâcha sa chemise et soupira. Milo regardait dans le vide, l'air absent.

— Je me rongeais de l'intérieur, voilà pourquoi, reprit Crotty. Jusqu'à ce que je prenne un congé et que j'aille dans le sud. A Tijuana. J'ai passé la frontière pour aller me changer les idées, je me suis saoulé dans une cantina en regardant un âne monter une femme, ensuite je suis sorti en titubant et j'ai demandé à un taxi de m'emmener dans un bordel. Mais le type a tout compris. Il m'a emmené dans un minable appartement de banlieue à Tijuana, et vingt-quatre heures plus tard je savais qui j'étais vraiment, et je savais que j'étais pris au piège. Ce que je ne savais pas, c'était comment m'en sortir... Je n'avais pas les nerfs pour me foutre en l'air, alors j'ai continué. Ce n'est qu'un an plus tard, en février, que l'occasion s'est présentée. On avait rencardé les Mœurs sur une grosse soirée homo du côté de Cahuenga. Je m'y suis pointé dans un foutu costume de marin, avec une écharpe rouge – cette écharpe rouge – et en trente secondes j'ai harponné une proie. Un beau gosse blond, avec des joues roses et un air de bonne famille. On est sortis et j'ai pris garde à ce que la porte ne se referme pas. Je l'ai laissé m'embrasser et puis je suis resté à l'écart en essayant de ne pas pleurer pendant qu'ils le passaient à tabac. Ensuite ils sont entrés dans la baraque et ont tout cassé. Moi je suis resté à l'extérieur, et on ne m'a crédité que de l'arrestation du blondinet.

Il s'interrompit, s'essuya le front d'un revers de main hésitant.

— Le lendemain j'arrive au département pour faire la paperasse à son sujet mais son dossier est vide, et lui est barré. Je me renseigne et j'apprends que mon foutu pédé est le fils d'un conseiller municipal, champion universitaire, major de sa promotion, en seconde année de Harvard. Quelqu'un d'influent... Je suis parti de la police avec les honneurs, une retraite complète plus une petite somme pour « incapacité de travail permanente ». Mon blondinet est retourné à Boston, s'est marié à une fille de bonne famille, lui a fait quatre enfants et s'est retrouvé directeur de banque. Moi j'ai acheté El Rancho Illegalo, ici, j'ai réfléchi à ce que j'avais fait et j'ai essayé de racheter dix ans de saloperie en aidant les autres, en donnant un peu de la sagesse que cette foutue existence m'a donnée. – Il jeta un coup d'œil perçant à Milo, qui l'ignora, puis se retourna vers moi : L'histoire finit bien, pas vrai, docteur Psycho ?

– On pourrait le dire, je suppose, fis-je prudemment.

– Alors on dirait une foutue connerie, parce qu'en ce moment même mon blondinet est allongé dans un sanatorium d'Altadena et il crève lentement du sida. Ce n'est plus qu'un foutu squelette. Et il crève tout seul parce que sa femme et ses quatre gosses l'ont laissé choir. J'ai appris ça par le réseau. Je vais le voir de temps en temps. En fait je l'ai encore vu hier, et c'est moi qui ai changé ses foutues couches.

Milo renifla bruyamment. Crotty le fusilla du regard.

– Dieu te garde de jamais fourrer ton nez dans le réseau, l'Empoté. Tu pourrais avoir envie d'aider quelqu'un. Et après tu risquerais de te saouler à mort en te demandant qui tu es...

– Belding, laissa tomber Milo en sortant son carnet de notes. Nous sommes ici pour parler de lui.

– Ah, fit Crotty sans cacher son dégoût.

Pendant quelques secondes, personne ne parla.

– Monsieur Crotty, dis-je enfin, pourquoi pensez-vous que Belding était un homosexuel refoulé ?

Le vieil homme fut pris d'une quinte de toux, après quoi il eut un geste imprécis de la main.

– Ah, qui peut dire, hein ? Peut-être qu'il n'était pas refoulé. Peut-être que je ne raconte que des conneries. Mais une chose est sûre, ce n'était pas un hétéro complet, malgré toutes ces histoires d'actrices à ses pieds qu'on lisait dans les journaux à l'époque. Je l'ai rencontré une fois, à une soirée. Il employait régulièrement des flics pour assurer sa sécurité. Le département était cul et chemise avec lui, et il obtenait tout ce qu'il voulait.

– Sois plus précis, dit Milo.

– Ouais, sûr. Une fois, c'était en 49 ou 50, on m'a enlevé une affaire de sévices sexuels sur des gosses pour me mettre sur une de ses fêtes à Bel Air. Priorité absolue, comme ils disaient. C'était le gros truc de charité, avec orchestre et la crème de la société venue boire du champagne, des gonzesses par douzaines, du pelotage dans le vestiaire... Mais tout ce que faisait Belding, c'était mater les autres. C'est ce qu'il était, un foutu mateur vicieux. Un refoulé, je me suis dit. Comme une caméra sur pattes...

– C'est ce que tu appelles l'avoir rencontré ?

– Ouais. On s'est serré la main, okay ?

– Pourquoi dites-vous qu'il était vicieux ? demandai-je.

– Tuer, j'appelle ça être vicieux.

– Qui a-t-il tué ? dit Milo.

Crotty s'essuya de nouveau le front, toussota encore un peu.

– Des milliers de gens, l'Empoté. Tous ceux qu'il a bousillés avec ses foutus bombardiers.

Milo réprima une grimace d'ennui.

– Merci pour le commentaire politique. Autre chose à nous dire sur Belding ? Ou sur Vidal ?

– Billy le Maquereau ? Il était là, à cette soirée, lui aussi. Onctueux, ce foutu type. De très belles dents. Oui, une denture de première, je me souviens.

– Et en dehors de sa beauté dentaire ?

– On disait qu'il était chargé d'approvisionner Belding en filles.

– Et ces soirées organisées pour les membres du ministère de la Guerre ? insista Milo. Celles qui lui ont valu la commission d'enquête. Les gars du département y jouaient aussi les gardes du corps pour lui ?

– M'étonnerait pas. Je te l'ai dit, le département était aux petits soins avec lui.

– Des noms, dit Milo, stylo prêt.

– Ça fait un certain nombre d'années, tout ça, l'Empoté...

La mâchoire inférieure de Milo se crispa.

– Écoute, Ellston, je ne débourse pas cent billets pour des ragots.

– D'accord, d'accord, fit Crotty. Il y en a deux qui bossaient pour Belding, ça j'en suis sûr : Hummel et DeGranzfeld. Ils étaient aux Mœurs quand j'y suis arrivé. Aux interrogatoires. Un peu après, Hummel a été muté et il est devenu le chauffeur du chef. Un an plus tard, il était lieutenant à Newton, ce qui tombait mal parce que c'était un foutu raciste qui s'amusait à aller casser la gueule aux putes blacks sur Main Street. Il portait des gants en peau de porc. Pour ne pas risquer d'infection, qu'il disait...

– Comment sais-tu que lui et l'autre type étaient achetés par Belding ?

– Évident à voir leurs promotions qu'ils ne méritaient pas. Ils étaient pistonnés. Et ils étaient sapés comme des richards et mangeaient dans les meilleurs endroits. DeGranzfeld s'était acheté une grande maison du côté d'Alhambra, des chevaux, des terrains. Pas besoin de s'appeler Sherlock pour comprendre qu'il était dans la poche de quelqu'un.

— Il y a d'autres poches que celles de Belding.

— Laisse-moi finir, l'Empoté. Un peu plus tard ils ont tous les deux quitté la police et ont bossé pour Belding, avec un salaire six ou sept fois supérieur.

— Les prénoms, fit Milo.

— Royal Hummel. Victor DeGranzfeld. Lui, c'était un abruti et un faux jeton, trop trouillard pour le boulot physique mais aussi sadique que ce foutu Hummel. Quand il travaillait aux Mœurs il était premier revendeur : il ramassait les commissions des books et des macs du secteur. Quand Hummel a été muté à Newton, DeGranzfeld y est arrivé une semaine après, comme responsable des patrouilles de jour. Inséparables, et sûrement refoulés eux aussi. Plus tard ils se sont retrouvés chefs aux Stups. C'était au début des années cinquante, il y avait une foutue psychose de la drogue, et le département savait qu'il aurait des crédits s'il faisait quelques belles saisies.

— Bon, parlons des propriétés que possédait Belding, et des parties fines qu'il y organisait. Tu sais où certaines avaient lieu ?

Crotty eut un rire grinçant.

— Des parties fines ? Comme c'est mignon ! Où as-tu été chercher ça, l'Empoté : « des parties fines » ? C'était de foutues parties de baise, oui, et c'est comme ça que tout le monde les appelait. Belding y amenait des huiles et laissait ses filles les travailler jusqu'à ce que les huiles soient prêtes à signer n'importe quoi. Et non, je ne connais aucune de ces adresses. On ne m'a jamais invité dans ce genre de foutue soirée, moi.

Il se leva, contourna un muret de boîtes hétéroclites et disparut par une porte vers ce que je supposai être la cuisine.

— Désolé que tu aies dû subir l'histoire de sa vie, me murmura Milo.

— Pas grave. C'était instructif.

— Pas après la centième fois...

— On me débine ?

Crotty était revenu dans la pièce, un verre d'eau à la main, l'autre serrée en un poing osseux.

— Non, rétorqua Milo, on s'extasiait sur le décor.

Le vieil homme eut un reniflement de mépris et décrispa

271

son poing. Dans la paume se trouvaient plusieurs pilules qu'il avala d'un coup et fit passer avec le verre d'eau.

— Vitamines, fit-il avec une grimace en se frottant l'abdomen de la main. Je suis fatigué. Foutez le camp, maintenant, que je me repose un peu.

— Je n'en ai pas pour mon argent, grogna Milo.

— Magne-toi, alors, l'Empoté.

— J'ai deux noms pour toi. Une actrice, Linda Lanier, supposée être une des entraîneuses de Belding. Et un toubib qu'elle s'est envoyé sur un film vidéo. Donne-lui la description du type, Alex.

Je m'exécutai et vit Crotty pâlir. Il posa son verre sur une caisse, essuya son front et prit appui des deux mains sur le dossier d'un fauteuil mité.

— Crache le morceau, Ellston, dit Milo.

— Pourquoi remues-tu toute cette vieille vase, l'Empoté ?

Milo secoua la tête.

— Tu connais la règle.

— Ouais, sûr... Les deux par rapport à Belding ?

— Par rapport à n'importe qui. Dis-nous ce que tu sais, Ellston, ensuite on te laissera à ton poulailler.

Crotty fixa du regard le sol, roula un instant la pointe de sa moustache entre le pouce et l'index, puis soupira. Il s'assit et croisa les jambes.

— Linda Lanier... Eh bien, tout se tient dans la vie, pas vrai ? Comme mon petit banquier blondinet et tout le reste dans ce foutu monde... C'est quand même un foutu hasard, l'Empoté. Si j'étais plus jeune, je parlerais de destin, tiens. Lanier et le toubib, tu dis qu'ils baisaient sur un film vidéo ?

Milo acquiesça et me désigna du pouce.

— Il l'a vu.

— Elle était belle, n'est-ce pas ? me dit Crotty.

— Oui, elle était belle.

— Alors ? dit Milo qui s'impatientait.

Crotty lui décocha un sourire vacillant.

— Je me suis défilé, l'Empoté. Quand tu m'as demandé pourquoi je disais que Belding était un tueur. Je t'ai sorti cette connerie sur ces bombardiers parce que je ne savais pas ce que tu cherchais au juste. Mais en fait je pensais justement à ça. Seulement je ne veux pas m'y trouver mêlé, même maintenant. Je n'ai jamais rien pu prouver.

— Tu n'as pas à prouver quoi que ce soit, gronda Milo. Dis-moi simplement ce que tu sais.

Il compta quelques billets qui changèrent prestement de propriétaire.

– Votre toubib ressemble beaucoup à un type nommé Neurath. Donald Neurath. Je sais que lui et Linda Lanier se sont vus.

– Comment sais-tu ça?

– Eh bien... Quand je ne servais pas d'appât pour la chasse aux pédés, un de mes boulots était de travailler pour le Club de la Gratte. Les avortements illégaux. A cette époque, une fille qui manquait de chance avait trois façons d'arrêter les frais : une tricoteuse à la sauvette, un boucher en blouse blanche ou alors le top, un toubib qui lui faisait un boulot impec, mais contre un paquet de billets. Neurath faisait partie de la dernière catégorie. Il n'était pas le seul à arrondir ses fins de mois comme ça, à l'époque. Légalement ça n'en restait pas moins un crime de première importance, donc un excellent potentiel de bakchich pour que le département ferme les yeux... Il y avait un groupe de toubibs avorteurs que nous avions répertoriés et que nous appelions le Club de la Gratte. Une vingtaine répartis sur toute la ville, des types respectables avec pignon sur rue. Ils nous refilaient un pourcentage sur leurs à-côtés, et en échange nous les protégions et nous tombions à bras raccourcis sur toute la concurrence. Il y a eu ce type, un ostéopathe qui a voulu casser la clientèle d'un membre du Club de la Gratte de la Valley en proposant ses services à moitié prix. Une semaine après qu'il ait commencé son business, les types des Mœurs lui sont tombés dessus. Ils se sont servis d'une femme flic qui était enceinte. Refus de libération sous caution, il s'est retrouvé en taule pour un bout de temps. Pendant son séjour à l'ombre, son cabinet médical a été détruit par un incendie d'origine inconnue, et sa fille menacée sur le chemin de l'école par un barjot qu'on n'a évidemment jamais retrouvé.

– Jolies méthodes, commenta Milo.

– C'était comme ça, à l'époque. Crois-tu que c'est plus propre maintenant?

– Tu es certain que ce Neurath faisait partie du Club?

– Je le sais parce que je suis allé en personne prendre la monnaie à son cabinet, sur Wilshire. – Il s'interrompit et affronta Milo du regard : Eh oui, je faisais aussi les encaissements, l'Empoté. Je venais après les horaires d'ouverture du cabinet, je frappais selon un code à sa porte, il ouvrait et me donnait une enveloppe. Je vérifiais vite fait le contenu et je repartais. On n'a jamais échangé un mot.

273

– Quel genre de médecin était-ce ?

– Obstétricien. Il y a une certaine ironie là-dedans, non ? Neurath donnait la vie, Neurath la prenait...

– Bon. Et à propos de lui et de Lanier ?

– Un soir, après être passé à son cabinet pour prendre l'enveloppe, je suis allé manger un morceau dans le coin, à un resto asiatique, avant de rentrer. J'étais assis dans un box au fond, tranquille, et qui je vois entrer dans la salle de resto ? Neurath avec cette pin-up. La salle était sombre, ils ne m'ont pas vu. Elle avait croché son bras, ils avaient l'air intimes. Ils ont pris une table de l'autre côté de la salle et se sont assis tout près l'un de l'autre, pour bavarder. La vieille histoire : il s'offrait un petit extra, sauf que la blonde était élégante, une vraie beauté, pas une quelconque cliente ramassée vite fait. Après quelques minutes elle s'est rendue aux toilettes et j'ai vu son visage. C'est alors que je l'ai reconnue : elle se trouvait à la soirée de Belding. Ce soir-là elle portait une robe noire, dos nu et décolleté plongeant, avec des bandes de vison. C'est à cause de ce détail que je l'avais prise pour une poule de luxe. Elle m'était restée en mémoire parce qu'elle était vraiment belle. Visage parfait, corps parfait. Mais surtout de l'élégance. De la classe... – Il me coula un regard narquois : Eh oui, je ne suis pas insensible au charme féminin, docteur Psycho. Et probable que je sais beaucoup mieux les apprécier qu'un tas d'hétéros...

– Ensuite ? le pressa Milo.

– Rien d'autre. Ils ont roucoulé tout le repas, ensuite ils sont sortis ensemble. Pour aller dans un motel, à tous les coups. Rien de spécial. Et puis, un an plus tard, la beauté blonde s'est retrouvée à la une de tous les journaux. Je me suis renseigné sur cette affaire, et ça m'a rendu curieux...

Il fut pris d'une nouvelle quinte de toux. Puis il se gratta l'estomac avec application.

– Il y a eu cette saisie de drogue, fusillade à l'appui. Elle a été tuée avec un type qui s'est révélé être son frère. Les journaux les ont présentés tous les deux comme de gros trafiquants. Elle avait un contrat d'actrice avec les studios de Belding, mais elle n'avait jamais tourné aucun film, et en soi c'était un indice qui pouvait faire penser à une couverture. La plupart des actrices sous contrat avec Belding ne tournaient pas, et la blonde platine avait bossé comme pute pour ses parties de baise. Mais pas un mot de ça dans la presse. Le frère travaillait aux studios aussi, en tant que chef-accessoiriste. Bref, le frère et la sœur n'étaient que deux petites pointures. Pourtant ils s'offraient un appartement grand standing sur Fountain – dix pièces –, une voiture de luxe, et ils vivaient sur un foutu pied. Les journaux en ont fait des tonnes là-dessus, par contre, en énumérant les bijoux et les fourrures qu'elle possédait, et le chemin qu'ils avaient parcouru depuis qu'ils n'étaient que deux pauvres petits Blancs du fin fond du Texas. Ça c'était vrai : elle, son vrai nom était Eulalee Johnson. Son frère était une petite frappe nommé Cable qui dépouillait sous la menace les petits books et les prostituées, au hasard. Mais il n'avait jamais rien fait de plus osé. Un gagne-petit depuis toujours, ce type. Pas vraiment des antécédents correspondant aux gros trafiquants que présentait cette foutue presse, pas vrai, l'Empoté ? Mais le département les présentait comme ça aux journaux, et les journaux gobaient ça sans sourciller. Pour trois cent mille dollars de blanche découverts sur les lieux. A l'époque, ça faisait un gros paquet. Les journaux ont gobé ça aussi.

– Mais pas toi.

– Ah non. Personne ne pouvait revendre autant de came au sud de Fresno sans avoir des connexions solides avec la pègre, Cohen ou Dragna. Et certainement pas une paire de ploucs sortis de nulle part. J'ai vu le dossier du frère. Ivresse publique et désordre sur la voie publique, atteinte aux bonnes mœurs, vols simples, cette affaire avec les putes et les books. Rien d'autre. Pas de liens connus avec la pègre. Personne ne l'avait jamais vu avec seulement un joint dans la poche. Toute cette foutue histoire sentait le faisandé, je me suis dit, surtout en sachant que c'étaient Hummel et DeGranzfeld qui avaient massacré le frère et la sœur.

– Pourquoi t'es-tu intéressé à cette affaire, Ellston ? s'enquit Milo.

Crotty eut un sourire railleur.

– Toujours à la recherche de petits secrets, l'Empoté. Quand même, là ça devenait trop dangereux. Je n'ai pas voulu y toucher. Mais ça m'est resté dans un coin du cerveau, cette bizarrerie. Et maintenant vous remettez tout ça sur le tapis... Comme c'est amusant.

– Comment a fini cette affaire ?

– Version officielle : un indic aurait appelé le département des Narcotiques pour avertir d'un gros stock dans l'appartement de Fountain. Hummel et DeGranzfeld auraient reçu le coup de fil. Ils ont emmené deux flics en uniforme pour les couvrir et sont allés là-bas. Mais ils ont laissé les deux flics en uniforme dehors. Ils entrent dans la baraque, tout est calme, et d'un coup ça mitraille dru. Les deux flics en uniforme se précipitent à l'intérieur et trouvent les Johnson criblés de plomb dans le salon de l'appartement, tandis que Hummel et DeGranzfeld rassemblent la prise de dope. Selon la version du département, ils auraient frappé à la porte et on les aurait accueillis avec des balles. Donc ils auraient enfoncé la porte et auraient riposté. Joli, non? Une pute de luxe et une petite frappe qui s'attaquent à deux tueurs des Stups.

— Pas d'enquête interne sur la fusillade? demanda Milo.

— Très drôle, l'Empoté.

— Même avec une pin-up descendue? D'habitude les journaux n'aiment pas tellement ça.

— On était en 53, l'Empoté, en pleine fièvre maccarthyste. La drogue faisait peur. Les journaux déliraient sur la menace de revendeurs dans les cours d'école. Et le département a transformé Linda Lanier en une salope de haut vol, ils en ont carrément fait la foutue fiancée de Satan. Non seulement ces foutus salopards d'Hummel et DeGranzfeld n'ont pas subi d'enquête, ils sont devenus de vrais héros et ils ont été décorés pour leur bravoure par le maire en personne...

1953. Juste avant que Leland Belding n'entre dans sa période play-boy. L'année de la naissance de Sharon et Shirlee.

— Linda Lanier a-t-elle laissé des enfants? demandai-je.

— Non, dit Crotty. Je m'en souviendrais. C'est le genre de truc qui aurait été repris par les journaux, pour le côté drame humain et ce genre de salade. Pourquoi? Tu as des membres de la famille à venger?

— A venger de qui? fit Milo.

— Belding, évidemment. Il est partout dans cette histoire.

— Explique.

— Hummel et DeGranzfeld bossaient pour lui; Lanier était une de ses poules; pour lui, payer cet appartement sur Fountain n'était pas plus important qu'acheter un hot-dog pour nous. En posant des questions à droite et à gauche, j'ai appris que Lanier était peut-être un peu plus qu'une simple poule pour Belding. On m'a rapporté qu'elle entrait dans son appartement privé au siège de Magna Carta et qu'elle en ressortait deux ou trois heures après, l'air plutôt réjoui. C'est le genre de détail que les garçons de bureau savent mais qu'on ne lit jamais dans les journaux. Je me suis dit qu'il y avait quelque chose entre eux et que d'une façon ou d'une autre elle avait très sérieusement déplu à Belding. Alors il a décidé de se débarrasser d'elle.

— Déplu comment ? dit Milo.

— Qui peut savoir ? Peut-être était-elle devenue un peu trop arrogante, à moins que son foutu connard de frère ait voulu braquer la personne qu'il ne fallait pas...

— Le médecin, ce Neurath, aurait pu être celui qui entretenait Linda Lanier, non ? fit Milo.

— Non, Neurath avait des problèmes d'argent. Sa femme était une parieuse invétérée. Il fallait qu'il rembourse ses dettes aux books et c'est pour ça qu'il s'était mis à pratiquer des avortements. Autre chose : l'immeuble sur Fountain où habitait Lanier, il appartenait à Belding.

Milo et moi échangeâmes un regard.

— Remarquez, fit Crotty, à l'époque ce foutu salopard possédait la moitié de Los Angeles...

— Neurath était obstétricien, dis-je. Lanier le voyait peut-être aussi professionnellement ?

— Enceinte ? dit Crotty. Avec la menace de paternité qu'elle aurait fait peser sur Belding ? Ouais, pourquoi pas ?

— Combien de temps après la fusillade Hummel et DeMachinchose ont-ils quitté le service ?

— Pas longtemps après, peut-être deux ou trois mois, pas plus. Et tous les deux avec promotion... Et ce film avec Lanier et Neurath ? C'était quoi, exactement ?

— La scène de la patiente qui saute son médecin. Neurath ne se savait pas filmé.

— Chantage ? dit Milo. Le frère ?

— Possible, convint Crotty.

— Sur quoi auraient-ils fait chanter Neurath ?

— Va savoir. Peut-être le Club de la Gratte, ou les problèmes de jeu de sa femme. Les deux auraient pu ruiner sa réputation. Il avait une clientèle de rombières comme il faut qui passaient chez lui avant d'aller faire du cheval.

— Il exerce toujours ?

— Aucune idée.

— Et Hummel et DeGranzfeld ?

— DeGranzfeld est mort il y a quelques années après s'être installé dans le Nevada. Une histoire avec une femme mariée. Le mari avait mauvais caractère. Pour ce que j'en sais, Hummel doit toujours être à Las Vegas. Un truc est sûr, c'est qu'il a

277

toujours ses entrées dans le département, ou du moins il les avait encore il y a deux ans.

— Comment ça ? demanda Milo.

— Il avait un neveu, un vrai fumier de fasciste qui aimait se saouler et s'est presque fait virer de l'académie. Il s'est retrouvé impliqué dans le scandale du vol du département de Hollywood, il y a quelques années. Il était mûr pour le conseil de discipline ou même pire. Mais rien, sinon une mutation à Ramparts. Et d'un seul coup il retombe en odeur de sainteté et il est promu capitaine à West L.A...

Il se tut, regarda longuement Milo et lui sourit comme un gamin devant le sapin de Noël.

— C'est donc pour ça...

— Pour ça quoi ? demanda Milo, tout innocence.

— L'Empoté, t'es un foutu malin, toi. Tu vas épingler cette petite ordure, hein ? On a tous les deux fait une bonne affaire, finalement.

24

Après ces révélations, Crotty tomba dans une curieuse sollicitude. Il nous proposa du café et des tranches de gâteau, mais nous déclinâmes son offre et le laissâmes devant sa porte, entouré par ses animaux.

– Un vieux dur à cuire, fis-je lorsque nous eûmes rejoint la voiture.

– Fanfaronnades, lâcha Milo. Il n'arrête pas depuis qu'il se sait séropositif.

– Oh ?

– Oui. Ces pilules n'étaient pas des vitamines mais un genre de régime pour renforcer les défenses immunitaires, un truc qu'il obtient par ses connaissances. Il a vaincu l'hépatite il y a quelques années, et il croit que s'il est assez dur il battra cette saloperie aussi...

Il fallut un moment pour faire effectuer un demi-tour à la Seville. Nous avions parcouru trois kilomètres sur Sunset quand Milo rompit le silence pensif qui s'était installé entre nous :

– Trapp règle de vieilles dettes, grommela-t-il. Il faut découvrir ce qu'il manigance.

– Peut-être déguiser un meurtre en suicide ?

– Tu reviens toujours à ça. Ce serait bien pratique, oui. Mais où sont les preuves ?

– Belding et Magna Corporation avaient l'entraînement pour maquiller les assassinats.

279

– Mais Belding est mort.

– Magna existe toujours.

– Quoi ? Tu penses à une conspiration de la firme ? Le vieux croquemitaine dans l'ordinateur central ?

– Non, ça vient toujours d'êtres humains.

Quelques pâtés de maisons plus loin, Milo reprit la parole :

– Le massacre des Kruse n'a pas été maquillé pour ressembler à autre chose qu'à un massacre.

– Difficile de faire autrement quand il y a trois victimes. C'est bien pour ça que Trapp essaie d'imposer la version du meurtre sexuel à la place. Et peut-être que le meurtre de Kruse ne faisait pas partie des plans établis. Si Rasmussen est le coupable, selon notre hypothèse.

Le visage de Milo se ferma. Nous passâmes Vine Street. Hollywood sortait enfin du lit. Le Cinerama Dome projetait un film de Spielberg et les files d'attente s'étiraient sur un bloc entier. Quelques centaines de mètres plus loin s'alignaient les hôtels de passe devant lesquels des prostituées nerveuses arpentaient le trottoir.

Milo les contempla puis se renfonça dans son siège et soupira. Quand nous stoppâmes au feu rouge, au croisement avec La Cienega Boulevard, il me jeta un regard en biais.

– Que penses-tu de la théorie de Crotty ? Lanier et son frère qui auraient essayé de faire chanter Belding et Neurath ?

– Neurath était tenu par le film, ça semble très probable.

– Le film, fit-il. Où dis-tu que ces fondus du porno l'ont trouvé ?

– Ils ne l'ont pas révélé. Ils ont simplement dit que le film leur avait coûté une petite fortune.

– M'étonne pas. Voyons si nous pouvons les convaincre d'être un peu plus communicatifs.

Je pris sur Beverly Hills et m'engageai dans Crescent. L'endroit était désert. Les gens qui détruisent des bicoques de deux millions de dollars pour bâtir des masures de quatre millions de dollars ont tendance à rester chez eux pour profiter de leurs jouets.

J'arrêtai la Seville devant la monstruosité architecturale des Fontaine et nous descendîmes de voiture.

Les volets étaient fermés, l'allée de la maison vide de tout véhicule. Personne ne répondit quand Milo actionna la sonnette. Il recommença plusieurs fois sans plus de succès. Dépités, nous retournâmes vers la voiture.

– La dernière fois il y avait quatre voitures dans cette allée. A mon avis ils ne sont pas simplement absents pour le déjeuner.

Un bruit venu de la maison voisine attira notre attention.

Un gamin trapu d'environ onze ans parcourait l'allée cimentée sur son skateboard en louvoyant entre trois Mercedes.

Milo lui fit signe de la main. Le garçon s'arrêta, coupa son walkman et nous observa de loin.

Milo eut alors le réflexe magique : il sortit son badge doré et le brandit. Immédiatement le gamin donna une poussée à sa planche et se dirigea vers nous. Il ouvrit le portail de sa maison sans presque ralentir et nous rejoignit rapidement.

– Salut, dit Milo.

Le gamin était hypnotisé par le badge.

– Flic de Beverly Hills ? demanda-t-il d'une voix au fort accent. Salut, mec.

Ses cheveux noirs étaient coiffés en brosse et il avait un visage bistre rondouillard. Un appareil dentaire en plastique surchargeait un peu son sourire. Il portait un T-shirt en Nylon proclamant SURF C DIE et un short décoré de fleurs rouges descendant sur ses genoux. Son skateboard en graphite noir était couvert de décalcomanies. Il en fit tourner les roues et nous considéra en souriant.

Milo rempocha son badge.

– Comment t'appelles-tu, fiston ?

– Parviszkhad, Bijan. Je suis en sixième.

– Content de faire ta connaissance, Bijan. Nous essayons de trouver les gens qui habitent ici. Tu les as vus récemment ?

– Mr. Gordon ? Sûr.

– Oui, Mr. Gordon. Et sa femme.

– Eux partis.

– Partis où ?

– Voyage.

– Voyage où ?

Le gamin haussa les épaules en signe d'ignorance.

– Eux pris valises. Vuitton.

– Quand était-ce ?

– Sa-di.

– Samedi ? Hier ?

– Sûr. Eux partir. Les voitures partir aussi. Un gros camion. Deux Rolls-Royce, une Lincoln blanc, une T-bird super.

– Ils ont mis toutes les voitures dans un camion ?

Hochement de tête affirmatif.

– Il y avait un nom sur le camion?

Regard d'incompréhension.

– Des lettres, dit Milo plus lentement, sur le côté du camion.
Le nom de la société?

– Ah, sûr. Lettres rouges.

– Tu te souviens du nom que formaient ces lettres?

Bijan secoua la tête d'un air désolé.

– Mr. Gordon gangster? Drogue? Assassinat?

Milo réprima un sourire et se baissa vers l'enfant.

– Désolé, fiston, je ne peux pas te le dire. Confidentiel.
L'incompréhension du gamin s'accentua.

– Renseignement confidentiel, Bijan. Secret.

Les yeux de l'enfant s'illuminèrent aussitôt.

– Ah. Secret. Service secret. Walther PPK. Bond. Chames
Bond.

Milo le considéra gravement, et l'enfant se tourna vers moi
pour mieux me détailler. Je fis un effort pour garder mon
sérieux.

– Dis-moi, Bijan, reprit Milo, à quelle heure les voitures ont-
elles été enlevées, samedi?

– Zéro sept zéro zéro.

– Sept heures du matin?

– Matin, sûr. Papa aller au bureau. Bijan amener Mark
Cross.

– Mark Cross?

– Son attaché-case, suggérai-je.

– Sûr, dit l'enfant. Cuir. Très cher.

– Tu as apporté son attaché-case à ton père à sept heures du
matin et tu as vu les voitures de Mr. Gordon qui étaient emmenées sur un camion. Donc ton père les a vues aussi.

– Sûr.

– Ton père est à la maison?

– Non. Bureau.

– Où se trouve son bureau?

– Century City.

– Comment s'appelle la société où il travaille?

– Par-Cal Developers, dit l'enfant en débitant un numéro de
téléphone que Milo nota aussitôt.

– Et ta mère?

– Elle rien voir. Dormir. Dormir toujours.

– A part toi et ton père, quelqu'un d'autre a vu?

– Non.

– Bijan, quand les voitures ont été emmenées sur le camion, est-ce que Mr. Gordon et sa femme étaient là ?

– Mr. Gordon seulement. Très colère pour voitures.

– En colère ?

– Toujours, pour voitures. Une fois Bijan lancer ballon basket sur Rolls-Royce. Mr. Gordon très colère. Beaucoup crier. Toujours colère. Pour voitures. Crier aux hommes rouges : « 'Tention, 'béciles! ». Toujours colère.

– Les hommes rouges... répéta Milo. Les hommes qui ont emmené les voitures étaient habillés en rouge ?

– Sûr. Comme mineurs. Mais rouge.

– Des combinaisons de travail, murmura Milo en prenant des notes.

– Deux hommes. Gros camion.

– Très bien, Bijan. Tu nous aides beaucoup. Dis-moi, après que les voitures ont été emmenées, que s'est-il passé ?

– Mr. Gordon aller maison. Sortir avec Madame et Rosie.

– Qui est Rosie ?

– La bonne, répondis-je.

– Sûr, approuva l'enfant. Rosie porter Vuittons.

– Les valises, d'accord.

– Sûr. Et sac long. Pas Vuitton. Gucci, peut-être.

– D'accord. Et après ?

– Taxi arriver.

– Te souviens-tu de la couleur du taxi ?

– Sûr. Taxi bleu.

– Beverly Hills Cab Company, dit Milo en inscrivant ce nom sur son carnet.

– Tous monter dans taxi, ajouta Bijan.

– Tous les trois ?

– Sûr. Vuittons et peut-être Gucci dans coffre. Bijan faire au revoir, eux pas faire au revoir Bijan.

Milo dédicaça une des Nike du garçon et lui offrit une carte de visite.

Nous le saluâmes de la main avant de partir et le laissâmes qui montait et redescendait la rue déserte.

Je retrouvai les embouteillages en longeant Sunset Park à l'est. Dans les espaces verts les touristes déambulaient autour des fontaines ou profitaient de l'ombre des arbres.

– Samedi, fis-je. Ils ont décampé un jour après que le meurtre des Kruse a été découvert. Ils en savaient assez pour avoir peur, Milo.

– Probable. Je vais appeler la compagnie de taxis et essayer de trouver qui a transporté les voitures. Peut-être pourrai-je remettre la main sur eux de cette façon. Je vais aussi vérifier au bureau de poste, au cas où ils auraient donné une adresse pour faire suivre le courrier. Improbable, mais il ne faut jamais rien négliger. Et je contacterai le père du gosse aussi, bien que je doute qu'il ait remarqué autant que ce bon vieux Bijan.

Quand nous arrivâmes chez moi, nous étions tous deux d'humeur assez morose.

– Saloperie d'affaire, maugréa Milo. Il y a trop de gens qui sont morts, et depuis trop longtemps.

– Vidal est toujours en vie, répondis-je. Et il m'a eu l'air en pleine forme, pour tout dire.

– Vidal, dit Milo sans aménité dans le ton. Quel surnom lui a donné Crotty? « Billy le Mac »? De là à être président de Magna. Une rude ascension.

– Le tout est de savoir jouer du piolet, fis-je remarquer. Avec en plus quelques personnes sur qui marcher...

J'avais prévu pour le lundi matin de retourner à la bibliothèque universitaire et d'entreprendre des recherches plus poussées sur Billy Vidal et l'affaire de drogue de Linda Lanier. Mais le facteur arriva à huit heures vingt avec un paquet pour moi. A l'intérieur se trouvait un livre relié de cuir vert de la taille d'un dictionnaire. Une note scotchée à la couverture disait : « Voilà. J'ai tenu ma part du marché. J'espère que vous tiendrez la vôtre. M.B. »

Je m'installai avec le livre dans mon bureau, lut la page de garde :

LE PARTENAIRE MUET. CRISES IDENTITAIRES ET DYSFONCTIONS DE L'EGO DANS UN CAS DE PERSONNALITÉ MULTIPLE SE CACHANT DERRIÈRE UNE PSEUDO-GÉMELLITÉ. RAMIFICATIONS CLINIQUES ET RECHERCHES.

par
Sharon Jean Ransom

Thèse présentée pour l'obtention du niveau de Docteur en Psychologie.
Juin 1981

Je tournai à la page des dédicaces :

« A Shirlee et Jasper, qui représentent pour moi plus qu'ils ne peuvent l'imaginer, et à Paul qui m'a guidée adroitement des ténèbres à la lumière. »

Jasper ? Un ami ? Un amant ? Une autre victime ?

Dans la section des remerciements, Sharon réitérait ceux adressés à Kruse, y ajoutant de brefs compliments pour les autres membres de son comité : les professeurs Sandra J. Romansky et Milton F. Frazier.

Je n'avais jamais entendu parler de Romansky, mais il y avait une source d'informations plus proche et tout à fait identifiée.

Il était pourtant difficile de croire que le Rat avait accepté de siéger à un comité, lui qui en dehors de l'expérimentation méprisait tout ce qui pouvait être même vaguement appliqué à un patient. Il considérait que la psychologie clinique était « le ventre mou de la science comportementale ».

Il était directeur du département pendant mes études et je me rappelais combien il imposait la « règle du Rat » : une année au moins de recherches sur les animaux pour tous les étudiants de troisième cycle avant de pouvoir poser leur candidature pour le diplôme. L'université avait voté contre ce projet, mais il avait réussi à faire accepter que toute recherche pour l'obtention du doctorat comprenne des expérimentations – avec groupes de contrôle et manipulation des variables. Les études de cas étaient formellement interdites.

Pourtant c'était exactement ce que cette thèse semblait être.

Mon regard se posa distraitement sur les dernières lignes de la page :

« Et ma profonde gratitude à Alex.
Même absent, il continue de m'inspirer. »

Je tournai la page avec une telle brusquerie que je faillis l'arracher. Je me plongeai dans la lecture du document qui avait valu à Sharon le droit de se faire appeler docteur.

Le premier chapitre était d'une lenteur fastidieuse. C'était un interminable passage en revue des principaux écrits sur le développement identitaire et la psychologie des jumeaux, constellé de renvois à des notes en bas de page, de références et du jargon dont avait parlé Maura Bannon.

Le chapitre second décrivait la psychothérapie d'une patiente que Sharon nommait d'une simple lettre, J., une jeune femme qu'elle avait suivie sept ans et dont « la pathologie unique et les processus d'idéation possèdent des caractéristiques structurelles, fonctionnelles et interactives qui défient les limites de nombreux diagnostics jusqu'ici définis comme cloisonnés, et manifestent une valeur heuristique et pédagogique significative pour l'étude du développement identitaire, le trouble des frontières de l'ego et l'utilisation de techniques hypnotiques et hypnagogiques de régression dans le traitement des désordres idiopathiques de la personnalité ».

En d'autres termes, les problèmes de J. étaient tellement inhabituels qu'ils pouvaient renseigner de manière inédite les thérapeutes sur le fonctionnement de l'esprit humain.

J. était une femme approchant la trentaine, issue d'un milieu aisé. Éduquée et intelligente, elle était venue en Californie pour sa carrière – dans un domaine professionnel non précisé – et s'était présentée à Sharon pour suivre un traitement à cause d'un amour-propre très bas, d'une tendance à la dépression, à l'insomnie et d'un sentiment de « vide intérieur ».

Mais le plus gênant était ce que J. appelait ses « heures perdues ». Elle se réveillait parfois comme d'un long sommeil pour se retrouver seule, dans les endroits les plus inattendus : errant dans les rues, assise dans sa voiture arrêtée au bord d'une route, dans le lit d'une chambre de motel minable, assise au comptoir d'un café crasseux.

Des tickets de car et des reçus de location de voiture dans son sac lui apprenaient qu'apparemment elle s'était rendue elle-même dans ces endroits, mais elle n'en gardait aucun souvenir. Aucun souvenir non plus de ce qu'elle avait pu faire durant des périodes de trois ou même quatre jours. Comme si des morceaux de sa vie lui avaient été volés.

Sharon diagnostiquait correctement ces passages à vide sous le vocable « états de fugue ». Comme l'amnésie ou l'hystérie, la fugue est une réaction de dissociation, une cassure du psychisme pour rompre avec l'anxiété et les conflits. Un patient sujet à la dissociation, s'il est confronté à un monde plein de stress, s'auto-éjecte de ce monde et se réfugie dans un nombre infini d'échappatoires.

Quand J. vint voir Sharon, ses états de fugue étaient devenus tellement fréquents – presque un par mois – qu'elle développait une crainte de quitter son appartement et prenait des barbituriques pour se calmer les nerfs.

Sharon lui fit raconter en détails son enfance pour cerner de possibles traumatismes infantiles. Mais J. insista sur le fait qu'elle avait eu une enfance de rêve. Tout le confort possible, des parents aimants et agréables qui l'avaient chérie jusqu'au jour où ils avaient tous deux péri dans un accident automobile.

Tout avait été merveilleux pour elle, ne cessait-elle de répéter. Il n'y avait aucune raison rationnelle pour qu'elle ait ces problèmes. La thérapie serait certainement courte, une sorte de petit réglage psychique afin qu'elle aille de nouveau parfaitement bien.

Sharon notait que ce type de négation extrême était compatible avec le schéma de la dissociation. Elle jugea malavisé de l'expliquer à J. et suggéra une psychothérapie de six mois, pour commencer. Devant le refus de J. de s'engager pour une période aussi longue, Sharon proposa trois mois et obtint son accord.

J. ne se présenta pas à leur premier rendez-vous, ni au suivant. Sharon tenta de la joindre mais le numéro qu'elle avait donné n'était plus en service. Pendant les trois mois suivants elle n'eut aucune nouvelle de J. et en conclut que la jeune femme avait changé d'avis. Mais un soir, après que Sharon en eut fini avec son dernier patient, J. fit irruption dans son cabinet, en larmes et engourdie par les tranquillisants, pour l'implorer de la voir.

Il fallut quelques minutes à Sharon pour la calmer et apprendre ce qui s'était passé : convaincue qu'un changement de cadre était ce qu'il lui fallait vraiment, J. avait pris un avion pour Rome, avait fait des courses sur la Via Veneto, avait dîné dans des restaurants excellents et avait profité d'un séjour parfait jusqu'à ce qu'elle se réveille plusieurs jours plus tard dans une ruelle sale de Venise, ses vêtements déchirés, à demi nue, couverte d'ecchymoses et le visage et le corps tachés de traînées de sperme. Elle en déduisit qu'elle s'était fait violer bien qu'elle n'en gardât aucun souvenir. Après s'être nettoyée et changée, elle avait pris le premier avion pour les États-Unis et était venue directement de l'aéroport au cabinet de Sharon.

Elle se rendait maintenant compte de l'erreur qu'elle avait commise et comprenait qu'elle avait besoin d'aide. Elle s'en remettait à Sharon.

Malgré cet éclair de lucidité, le traitement ne se déroula pas sans à-coups. J. était ambivalente envers la psychothérapie, et elle alternait un comportement proche de l'adoration pour Sharon avec une attitude verbalement insultante. Après deux ans de traitement, il devint évident que cette ambivalence représentait « un élément fondamental de sa personnalité ». J. présentait deux visages distincts : celui, vulnérable, de l'orpheline implorant de l'aide qui couvrait Sharon de cadeaux et de compliments; et celui rongé par la rage de la jeune femme aux propos orduriers qui accusait Sharon de seulement vouloir établir son emprise sur elle.

La bonne patiente et la mauvaise patiente. J. développa une facilité, une aisance graduelle pour passer de l'une à l'autre, et au bout de la seconde année ces changements se produisaient plusieurs fois par séance.

Sharon remit en question son diagnostic initial et en considéra un autre : le syndrome de personnalité multiple, cette dissociation ultime, très rare dans la réalité. J. n'avait jamais montré deux personnalités distinctes, et ses changements ressemblaient plus à l'expression d'un état latent de syndrome de personnalité multiple.

Sharon consulta son directeur de thèse, le très estimé professeur Kruse, lequel suggéra l'emploi de l'hypnose comme outil de diagnostic. Mais J. refusa net, affirmant qu'elle se sentait beaucoup mieux, plus sûre d'elle, qu'elle n'avait fait aucune rechute et qu'elle ne prenait plus de barbituriques. Sharon la félicita mais confia ses doutes à Kruse. Il conseilla d'attendre.

Quinze jours plus tard J. mit fin à sa thérapie. Cinq semaines s'écoulèrent puis elle revint voir Sharon. Elle avait perdu une dizaine de kilos, reprenait des barbituriques et avait plongé dans un état de fugue de sept jours qui s'était terminé dans le désert de Mojave où elle avait repris conscience. Elle était nue, sa voiture en panne d'essence, son sac disparu, et elle tenait dans la main un flacon vide ayant contenu des pilules. Le moindre de ses progrès semblait avoir été totalement balayé. Sharon avait vu sa position démontrée mais elle s'était contentée d'exprimer une « profonde tristesse devant la régression de J. ».

Sharon proposa de nouveau l'hypnose, et J. accepta. La patiente se révéla un excellent sujet, ce qui n'avait rien d'étonnant puisque l'hypnose elle-même est une dissociation. Les résultats furent spectaculaires et presque instantanés.

J. souffrait bien du syndrome de personnalité multiple. Sous hypnose deux personnalités distinctes se manifestaient : J. et Jana, jumelles identiques physiquement mais opposées psychologiquement.

La personnalité « J. » était bien élevée, soignée, avec une tendance à la passivité. Elle se souciait d'autrui et, malgré ses absences inexpliquées dues aux états de fugue, elle réussissait à se comporter très bien dans une profession publique. Elle avait une vision conservatrice du sexe et des relations amoureuses – elle croyait à l'amour éternel, au mariage, à la famille, à la fidélité conjugale absolue – mais admettait avoir été sexuellement très active quand elle s'était trouvée avec un homme pour qui elle éprouvait des sentiments profonds. Néanmoins leur relation avait pris fin à cause d'une intrusion de son alter ego.

« Jana » était aussi extravertie que J. se montrait réservée. Elle aimait les perruques colorées, les vêtements suggestifs et un maquillage outrancier. Elle ne voyait rien de mal à prendre de la drogue et appréciait l'alcool, en particulier les... daïquiris à la fraise. Elle se vantait d'être parfois une « vraie salope » qui adorait se « faire des mecs ». Elle raconta même une soirée durant laquelle, droguée, elle aurait fait l'amour avec dix hommes à la suite. Les hommes, disait-elle en riant, étaient faibles, des singes primitifs qu'on tenait par le sexe et à qui on pouvait faire exécuter ce qu'on désirait.

Aucune des « jumelles » n'était consciente de l'existence de l'autre. Selon Sharon, elles se livraient une véritable bataille rangée pour commander l'ego de sa patiente. Et malgré le goût du drame de Jana, c'était la discrète J. qui semblait gagner.

J. occupait quatre-vingt-quinze pour cent de la personnalité consciente de la patiente et lui servait d'identité publique. Mais les cinq pour cent que Jana s'appropriait constituaient la cause de tous les problèmes de la patiente.

D'après Sharon, Jana apparaissait pendant les périodes de stress intense, quand le système de défense de la patiente était affaibli. Les fugues constituaient de brèves périodes durant lesquelles Jana prenait les commandes et agissait d'une façon que J. ne pouvait concilier avec son image personnelle de « jeune fille comme il faut ».

Graduellement, sous hypnose, Jana se manifesta de plus en plus souvent et se mit à décrire ce qui s'était produit pendant les heures perdues.

Les fugues étaient précédées d'une irrépressible envie de fuite physique, une pression presque sensuelle pour partir sur-le-champ. Alors Jana mettait une perruque et une « tenue de fête », sautait dans sa voiture et roulait au hasard, quand ce n'était pas vers l'aéroport pour prendre un avion quelconque.

C'est ainsi qu'elle s'était retrouvée à San Francisco pour une orgie de sexe et de drogue qui avait duré trois jours et s'était terminée avec des Hell's Angels dans Golden Gate Park. Une autre fois elle avait frôlé l'overdose dans une disco de Manhattan. Jana relata également le souvenir de cette vidéo pornographique où elle s'était laissé filmer, quelque part en Floride. D'après ses propres termes, Jana avait « baisé et sucé comme une reine du porno ».

Ces « parties » avaient toujours pour conclusion un glissement dans l'inconscience induit par la drogue. Jana disparaissait et c'est J. qui se réveillait, ignorant tout de ce que son « partenaire » avait fait.

Pour Sharon, cette capacité à se scinder en deux personnalités représentait la clef du problème de sa patiente, et c'est sur ce point qu'elle décida de faire porter ses efforts thérapeutiques. L'ego de J. devait être intégré par Jana, ces deux partenaires tirés l'un vers l'autre jusqu'à la confrontation, cela afin d'atteindre un rapprochement qui devait amener la fusion dans une identité entière.

Sharon reconnaissait les risques de traumatisme que comportait sa méthode, et la rareté des repères médicaux dont elle disposait. Très peu de thérapeutes étaient parvenus à redonner une unité à une personnalité multiple, et le pronostic de réussite était faible. Mais Kruse l'encouragea à poursuivre dans cette voie et approuva sa théorie selon laquelle ces personnalités étaient équivalentes à des jumeaux et en conséquence partageaient une essence commune, ce qui rendait la fusion possible.

Durant les séances d'hypnose Sharon se mit à parler à J. d'anecdotes rapportées par Jana, de simples détails géographiques de ses escapades, le nom d'une ville ou d'un motel par exemple.

Si J. toléra bien ces allusions et ne montra aucun signe de nervosité, elle ne réagit pas aux détails en rapport avec Jana et désobéit aux suggestions de Sharon pour un souvenir posthypnotique. La séance suivante se déroula selon le même schéma, avec la même absence de résultat. La troisième également. Séance après séance, les tentatives de Sharon se heurtaient à un mur infranchissable. Malgré sa grande suggestibilité, J. se montrait totalement indocile et refusait tout ce qui concernait Jana. Elle paraissait déterminée à ce que les jumelles ne se rencontrent jamais.

Devant une telle résistance, Sharon reconsidéra sa théorie et en prit une autre en compte : peut-être la gémellité des personnalités n'aidait pas à leur fusion, au contraire. J. et Jana pouvaient être physiquement identiques mais avoir des identités psychologiques opposées, ce qui exacerbait leur rivalité.

Sharon modifia sa façon de procéder en conséquence et, sans arrêter les séances d'hypnose, elle se cantonna dans un rôle d'écoute amicale, bavardant avec sa patiente sur des sujets en apparence anodins : les sœurs entre elles, les jumelles, les sosies... Elle entraînait J. dans des discussions dépassionnées : existe-t-il un lien spécial entre les jumeaux ? Quelle est la meilleure façon d'élever des enfants jumeaux ?

Ce stade dura plusieurs mois. La patiente devenait de plus en plus sensible à l'hypnose, à un point tel qu'elle développa une insensibilité épidermique totale à la brûlure d'une allumette. J. calquait son rythme respiratoire sur celui de Sharon. Elle semblait prête à une suggestion directe, mais Sharon s'y refusa et continua simplement leur discussion.

Puis, durant la cinquante-quatrième séance, la patiente se glissa spontanément dans le rôle de Jana et se mit à décrire une soirée d'orgie dans une villa de Venise où alcool et drogue circulaient en quantité parmi les invités surexcités.

Tout d'abord Sharon crut à la relation d'une orgie de plus. Jana détaillait chaque scène avec délectation. Mais un changement d'attitude survint en plein récit.

– Ma sœur est là, dit Jana, stupéfaite. Elle est dans ce coin, là, assise dans ce fauteuil très laid.

Sharon : Que ressent-elle ?

Jana : Elle est terrifiée. Morte de trouille. Des mecs lui sucent les nichons. Ils sont nus, très poilus. De vrais singes. Ils se frottent à elle. Ils lui mettent leur truc.

Sharon : Leur truc ?

Jana : Leur truc. Leur putain de truc. Ils lui font mal et ça les fait rire... Et il y a la caméra.

Sharon : Où est la caméra ?

Jana : Là, de l'autre côté de la pièce. Je... Oh, c'est moi qui tiens la caméra. Je veux tout voir. Toutes les lampes sont allumées. Mais elle n'aime pas ça... Je la filme quand même. Je ne peux pas m'arrêter...

Jana continua de décrire la scène et sa voix s'enroua, chevrota. Elle définit J. : Elle est exactement comme... Elle a l'air exactement comme moi, mais en plus innocente. Ils s'occupent vraiment d'elle. Je sens...

Sharon : Oui ?

Jana : Non, rien.

Sharon : Qu'avez-vous senti, Jana, quand vous avez vu ce qui arrivait à votre sœur ?

Jana : Rien... Un silence : Douleur.

Sharon : Une douleur importante ?

Jana : Assez... Expression de colère : Mais c'était de sa faute, à cette conne. Si elle n'en voulait pas de ça, elle n'avait qu'à ne pas venir, non ?

Sharon : Avait-elle le choix, Jana ?

Silence.

Jana : Qu'est-ce que vous voulez dire ?

Sharon : J. avait-elle la liberté de venir ou de ne pas venir ?

Long silence.

Sharon : Jana ?

Jana : Ouais, j'ai entendu... Je veux dire, je ne la connais vraiment pas bien. On est exactement pareilles, mais il y a quelque chose chez elle qui... je ne sais pas. C'est comme si nous étions plus que des sœurs. Je ne sais pas quel mot conviendrait, peut-être part... Non, laissez tomber.

Une pause.

Sharon : Des partenaires ?

Jana, agressive : J'ai dit « laissez tomber ? », okay ? Assez de ces conneries ! Parlons plutôt de trucs marrants, comme ce que j'ai fait à cette putain de partouze.

Sharon : D'accord. Qu'avez-vous fait ?

Un long silence, puis Jana, désorientée :

Jana : Je... Je ne me souviens plus... Bah, c'était sûrement emmerdant, de toute façon. Toutes les soirées où elle peut aller sont emmerdantes.

Une porte avait été entrouverte, mais Sharon réprima son envie de pousser plus loin et laissa J. divaguer. Elle attendit que toute colère ait quitté sa patiente pour mettre fin à la séance. Pour la première fois en plus de trois ans de thérapie, J. avait laissé les jumelles coexister. Et elle avait offert un nouvel indice : le mot « partenaire » semblait posséder une très forte charge émotionnelle. Sharon décida de poursuivre dans cette voie et employa ce terme durant la séance d'hypnose suivante.

J. : Quoi, Docteur ? Qu'avez-vous dit ?

Sharon : Des partenaires. J'ai émis l'hypothèse que vous et Jana êtes plus que des sœurs, ou même des jumelles. Peut-être des partenaires. Des partenaires psychologiques.

J. resta songeuse un temps, puis sourit.

Sharon : Quelque chose de drôle, J. ?

J. : Rien... Je suppose que vous avez raison. En général, vous avez raison.

Sharon : Mais est-ce que cela vous paraît plausible, J. ?

J. : Je suppose, oui. Bien que, comme partenaire, elle serait plutôt silencieuse. Nous ne conversons jamais. Elle refuse de me parler. Une pause, et son sourire s'accentua : Des partenaires muets, alors. Mais dans quoi serions-nous partenaires ?

Sharon : Dans la vie.

J., amusée : Oui, peut-être.

Sharon : Désirez-vous que nous discutions un peu du sujet des partenaires muets ?

J. : Je ne sais pas... Non, peut-être pas. Elle est tellement vulgaire et déplaisante, je préfère ne pas la fréquenter. Changeons de sujet, je vous prie.

J. ne se présenta pas à la séance suivante, ni à celle d'après. Quand elle réapparut deux mois s'étaient écoulés et elle semblait calme, sûre d'elle. Elle affirma que tout allait bien pour elle et qu'elle ne venait que pour un petit contrôle.

Sharon reprit l'hypnothérapie et ses efforts pour que les « partenaires » se rencontrent. Cinq mois de frustration passèrent. Sharon se mit à douter, mais Kruse lui conseilla de ne pas abandonner.

Un mois encore sans résultat, puis J. disparut de nouveau. Cinq semaines plus tard elle fit irruption dans le cabinet de Sharon alors que celle-ci était en consultation avec une autre patiente. J. injuria cette dernière, lui dit que ses problèmes n'avaient aucune importance et lui ordonna de partir immédiatement.

Sharon ne put empêcher sa patiente de sortir en sanglotant. Elle dit alors à J. de ne jamais réitérer ce genre d'esclandre. J. céda aussitôt la place à Jana qui accusa Sharon de la manipuler pour tout lui extorquer d'elle-même. Après l'avoir menacée de poursuite judiciaire, Jana sortit du cabinet en claquant la porte.

Elle ne revint jamais.

Fin du traitement, place aux cogitations du thérapeute.

Cent pages de réflexions anodines avec pour conclusion que sa tentative de réconcilier J. et Jana était vouée à l'échec car les deux partenaires étaient « des ennemis psychiques irréductibles. Le triomphe de l'une aurait nécessité la mort de l'autre. Une mort psychologique, mais tellement dévastatrice et décisive qu'elle aurait pu avoir des répercussions physiques graves ».

Au lieu de rechercher l'intégration, écrivait Sharon, elle aurait dû travailler à fortifier l'identité positive de J. pour résorber l'identité destructrice et visiblement déséquilibrée de Jana.

« Il n'y avait place dans le psychisme de cette jeune femme pour aucun type de partenaire, encore moins ces partenaires muets et opposés qui représentent la cassure de sa personnalité. La nature de l'identité humaine est telle que l'existence est, doit être un processus solitaire. Solitude certes, mais enrichie par la force et la satisfaction qu'apportent une volonté et un ego pleinement intégrés.

Solitaires nous naissons. Solitaires nous mourons. »

Une étude de cas très spéciale. Si ce cas avait jamais existé...

Je connaissais J. J'avais fait l'amour avec elle, j'avais dansé avec elle sur une terrasse.

Je connaissais Jana aussi. Je l'avais vue jeter son daïquiri-fraise dans un feu de cheminée, se dépouiller d'une robe rouge sang et faire de moi ce qu'elle voulait.

Un chapitre entier de sa thèse sur la psychologie des jumeaux. Et pas une seule fois Sharon n'avait reconnu par écrit qu'elle-même avait une jumelle. Son partenaire muet.

Rejet ? Tromperie ?

Autobiographie.

Elle avait fouillé dans son propre psychisme tourmenté, avait créé de toutes pièces un cas d'étude et s'en était servi pour sa thèse de doctorat.

Une thérapie d'avant-garde ?

Comme les films pornos amateurs...

Kruse avait été son directeur de thèse...

Je trouvais cette histoire passablement empuantie par l'empreinte constante de Kruse.

Et Shirlee ? Le véritable partenaire muet. Sharon l'avait-elle abandonnée pour un monde de ténèbres et de silence ?

Et qui était ce Jasper?

Et ma profonde gratitude à Alex. Même absent, il continue de m'inspirer.

C'était la J. passive, posée, sans excès. Avec une vision surannée des relations sexuelles et de l'amour... bien qu'elle ait été sexuellement très active avec un homme à qui elle tenait beaucoup... Mais cette liaison avait pris fin avec l'intrusion de Jana.

Je soupesai la thèse. Un peu plus de quatre cents pages d'un pseudo-travail universitaire. Quatre cents pages de mensonges.

Comment une telle thèse avait-elle pu être acceptée?

Je pensai connaître un moyen de le savoir.

26

Avant de partir pour l'université, j'appelai Olivia à son bureau. Le système informatique était toujours en panne, mais elle s'était renseignée auprès de ses connaissances avec un certain succès. La clinique où j'avais vu Shirlee s'appelait Resthaven Terrace et avait fermé depuis six mois. Quant à Elmo, Castlemaine de son nom, il travaillait maintenant à King Solomon Gardens, un établissement sur Edinburgh Street. Resthaven Terrace avait appartenu à Chroni-Care, une corporation qui possédait nombre d'autres cliniques dans tout le pays. La gestion de Resthaven Terrace avait toujours été largement déficitaire, mais la compagnie propriétaire, dont le siège se trouvait « quelque part du côté d'El Segundo », n'avait jamais cherché à faire de profits.

Je remerciai Olivia et téléphonai à mon agent en Bourse, Lou Cestare. Il me confirma ce que je subodorai : Chroni-Care était une filiale de Magna Corporation.

Je contactai ensuite King Solomon Gardens. Oui, me dit la réceptionniste, Elmo Castlemaine faisait bien partie de leur personnel, mais il était pour l'instant occupé avec un malade et ne pouvait venir répondre au téléphone. Je lui laissai donc un message le priant de me rappeler au sujet de Shirlee Ransom.

J'arrivai au bureau de Milton Frazier à quatorze heures précises. Aucune feuille d'horaires ne figurant sur la porte, je frappai et entrai quand je ne reçus pas de réponse. Le Rat était bien là, penché sur son bureau encombré de papiers, la barbe en bataille, ses lunettes de lecture luisant dans la clarté relative causée par les stores partiellement baissés.

A mon « Bonjour, Professeur », il réagit sans lever la tête par un rictus et un geste de la main qui pouvait signifier « Mais entrez donc ! » aussi bien que « Fichez-moi le camp d'ici ! ».

Une chaise faisait face à son bureau. Je m'y assis et attendis. A l'aide d'un marqueur jaune Frazier surlignait des passages de feuillets dactylographiés. Son bureau était envahi de piles de manuscrits. Je jetai un coup d'œil à un titre. Celui d'un chapitre de manuel, à l'évidence.

Frazier ne paraissait pas remarquer ma présence. Je patientai encore quelques feuillets avant de rompre le silence :

— Alex Delaware. Classe 74.

Il se redressa d'un mouvement sec, me contempla fixement et lissa de ses pouces les revers de son veston en tweed. Sa cravate était une horreur peinte à la main et juste assez ancienne pour être revenue à la mode. Il m'étudia un moment.

— Mmh. Delaware ? Ça ne me dit rien.

Il mentait, bien sûr. Il replongea vers ses feuillets.

— Si vous venez pour un poste, il faudra que vous repassiez, je ne vois personne sans rendez-vous. Et je suis très pris : dernière limite pour rendre ce manuscrit à l'éditeur.

— Un nouvel ouvrage ?

— Non. Édition revue et corrigée des *Paradigmes*.

Un coup de marqueur, un autre feuillet.

Paradigmes de la science des vertébrés. Depuis trente ans son opus majeur.

— Dixième édition, ajouta-t-il sans lever le nez.

— Félicitations.

— Oui, eh bien je suppose que c'est mérité. Bien que je me demande à quoi ça servira. Les psychologues diplômés après 1960 ne savent pas ce qu'est un plan de recherche correct.

— Quand le niveau baisse aussi dramatiquement, c'est bien triste, en effet, approuvai-je aimablement. Des choses étranges ne tardent pas à se produire...

Il releva la tête et me considéra une seconde, l'air ennuyé, mais attentif.

— Des choses étranges comme un m'as-tu-vu sans qualification promu à la direction d'un département universitaire, par exemple.

Le marqueur resta suspendu à deux centimètres de la

feuille. Frazier me fixa d'un regard autoritaire pour me faire baisser les yeux, mais il clignait trop des paupières.

— A la lumière des derniers événements, voilà une remarque tout à fait déplacée.

— Ce qui ne change pas les faits.

— Qu'avez-vous exactement en tête, Docteur ?

— La façon dont Kruse a triché avec toutes les règles.

— Voilà qui est d'un mauvais goût extrême! Quel intérêt avez-vous dans tout cela ?

— Disons l'intérêt d'un ancien élève.

— Tout ce que vous pouviez reprocher au Pr Kruse est devenu caduc avec son tragique décès. Maintenant, si votre intérêt est sincère, vous n'importunerez pas plus longtemps les membres de ce département. Ce drame horrible a bouleversé les choses en profondeur.

— Ça, je veux bien le croire. En particulier pour les membres de l'université qui comptaient sur les subsides de Blalock... La mort de Kruse risque fort de tarir à jamais cette manne...

Il posa le marqueur et s'efforça de maîtriser le tremblement de sa main.

— Avec ce coup du sort, ajoutai-je d'un ton badin, je comprends pourquoi vous préparez la dixième édition de vos *Paradigmes*...

Il se renversa dans son fauteuil en tentant de paraître sûr de lui et légitimement outré, mais son attitude trahissait son malaise.

— Ne soyez pas grossier, jeune homme !

— Allons donc. Ce qui est grossier, comme procédé, c'est de faire paraître des petites annonces à destination de ceux qui veulent arrêter de fumer. Mais ça coûte cher, les petites annonces... Sans parler du prix de la brochure, les cassettes... Combien Kruse vous a-t-il donné ? Dix mille ? Quinze mille dollars ? Bah, pour lui une telle somme ne représentait pas plus que ce qu'il dépensait pour sa garde-robe d'été. D'ailleurs il a peut-être prélevé cette somme sur les fonds alloués par Blalock... Mais pour vous, c'était un don du ciel...

Frazier resta silencieux.

— Et c'est bien sûr lui qui vous a suggéré de passer votre annonce dans le magazine où il faisait paraître sa chronique.

Frazier gardait un mutisme atterré. Il pâlissait à vue d'œil.

— Ajoutons à cela les généreuses donations de Blalock pour vos recherches académiques, et on peut dire que la situation était des plus satisfaisantes pour vous deux. Pour vous, plus besoin de lécher les bottes ou de justifier vos dépenses pour avoir des subsides. Et pour lui, c'était la respectabilité universitaire instantanée. Pour éviter les jalousies et les rumeurs, je parierais qu'il a pareillement arrosé vos collègues... De cette façon vous autres membres de l'Université, les garants de la rigueur, vous pouviez faire vos propres recherches en toute quiétude. Pourtant je suis certain que quelques-uns de vos collègues seraient surpris – choqués, peut-être ? – d'apprendre combien vous avez touché en plus de Kruse... Ce pourrait être le sujet d'une réunion collégiale passionnante, vous ne croyez pas, professeur ?

– Non, dit-il d'une voix faible. Il n'y a rien dont je puisse avoir honte. Mon régime pour fumeurs est basé sur des principes comportementaux établis, et l'obtention de crédits privés est une tradition de longue date et tout à fait honorable. Étant donné l'état de notre économie, c'est certainement la méthode de l'avenir.

– Arrêtez, Frazier. L'avenir ne vous a jamais intéressé. C'est Kruse qui vous a poussé.

– Pourquoi faites-vous cela, Delaware ? Pourquoi ces attaques contre le département ?

– Je ne parle pas du département mais de deux personnes seulement. Vous et Kruse.

Ses lèvres esquissèrent diverses réponses mais quand il parla enfin sa voix manquait d'assurance :

– Vous ne trouverez rien d'irrégulier ici. Tout a toujours été fait dans les règles, suivant les procédures en vigueur.

– Ah ! J'ai passé la matinée à lire un document fascinant, Frazier : « LE PARTENAIRE MUET. CRISES IDENTITAIRES ET DYSFONCTIONS DE L'EGO DANS UN CAS DE PERSONNALITÉ MULTIPLE... », etc. Ça ne vous dit rien ?

Il paraissait sincèrement déconcerté.

– Thèse de doctorat de Sharon Ransom, expliquai-je. Soumise au département et approuvée. Par vous. Une étude de cas et non un exemple de recherches empiriques. Ce qui constituait une violation de toutes les règles que vous avez fait adopter. Pourtant vous avez signé l'acceptation. Comment s'est-elle débrouillée, Frazier ? Par Kruse, n'est-ce pas ? Combien vous a-t-il offert pour que vous tombiez aussi bas ?

– Parfois, chevrota-t-il, certaines concessions sont faites.

– C'est au-delà de la concession, Frazier : c'est tout simplement de la fraude. Du trafic d'influences...

– Je ne comprends pas ce que...

– Elle a écrit sur elle-même. Sur sa propre psychopathologie qu'elle a camouflée en étude de cas et qu'elle a présentée comme un travail de recherche. D'après vous, que penserait le conseil universitaire de cela ? Et je ne parle pas de ce qu'en feraient *Time* ou *Newsweek*...

Le peu d'assurance de façade qu'il affichait encore fut balayé par cette menace, et son teint devint franchement maladif.

– Doux Jésus, marmonna-t-il. N'allez pas plus loin, Delaware. Je ne savais pas. C'est une aberration, mais je vous promets que la chose ne se reproduira jamais...

– Et pour cause : Kruse est mort.

– Laissez les morts en paix, Delaware, de grâce !

– Je veux juste connaître la vérité, Frazier, répondis-je d'une voix douce. Dites-la-moi et l'affaire en restera là.

– Quoi ? Que voulez-vous savoir ?

– Le lien entre Kruse et Ransom.

– Je ne suis pas au courant. C'est la vérité, je vous le jure. Je sais seulement qu'elle était sa protégée.

Je me souvins alors que Kruse avait filmé Sharon très peu de temps après son arrivée.

– Il l'a amenée avec lui, n'est-ce pas ? Il a appuyé sa candidature ?

– Oui, mais...

– D'où l'a-t-il fait venir ?

– D'où il venait lui-même, je suppose.

– C'est-à-dire ?

– De Floride.

– Palm Beach ?

Il acquiesça.

– Et elle venait de Palm Beach aussi ?

– Je n'en ai aucune idée...

– Nous pourrions le savoir en consultant son dossier.

Il décrocha son téléphone, appela le département et donna quelques ordres. Une minute s'écoula puis il écouta la réponse et se rembrunit.

– Vous en êtes bien certain ? Vérifiez encore.

– Un silence, puis : Très bien. Merci. – Il raccrocha, me regarda : Son dossier a disparu.

– Comme c'est commode...

– Delaware...

301

– Appelez le service des inscriptions.

– Ils n'auront que la copie de son dossier de scolarité.

– Justement. Les dossiers de scolarité mentionnent les établissements précédents.

Il ne put qu'approuver et appela un autre numéro, attendit. Puis il nota quelque chose dans la marge d'une feuille et raccrocha.

– Elle ne venait pas de Floride mais de Long Island. Un établissement nommé Forsythe Teachers College.

Je notai ce renseignement.

– Au fait, ajouta-t-il, ses notes étaient absolument excellentes. Des A dans toutes les matières. Une scolarité exemplaire. Elle pouvait très bien être prise ici sans l'appui de Kruse.

– Que savez-vous d'autre sur elle?

– Je n'avais aucun rapport avec elle. C'est Kruse qui lui portait un intérêt personnel.

– C'est-à-dire?

– Je ne sais pas, mais il a appuyé son inscription ici. Les notes qu'elle présentait étaient parfaites et son appui n'était qu'un facteur de plus en faveur de son admission. Ça n'a rien d'inhabituel. Les membres de l'université ont toujours été autorisés à appuyer certaines candidatures.

– Mais quel poids avait Kruse auprès des autres?

Un long silence.

– Je suis sûr que vous connaissez la réponse.

– Dites-la quand même.

Il s'éclaircit la gorge, comme s'il allait cracher, et prononça à mi-voix un unique mot :

– L'argent.

– L'argent de Blalock?

– Et le sien. Kruse était issu d'un milieu fortuné, il fréquentait les mêmes cercles sociaux que Mrs. Blalock et les siens. Vous savez combien ces contacts sont rares dans les milieux universitaires, en particulier pour les universités publiques. Kruse était plus qu'un simple consultant associé.

– Il constituait donc le lien entre les notables et les étudiants.

– C'est exact. Il n'y a rien de honteux à cela, reconnaissez-le.

Je me souvins que Larry m'avait parlé de Kruse soignant l'un des enfants de Blalock.

– Ce rapport social avec Mrs. Blalock était-il le seul?

– Pour autant que je le sache, oui. Je vous en prie, Delaware, n'allez pas exagérer toute cette histoire et l'impliquer, elle. Le département était financièrement très gêné. Kruse a amené des fonds substantiels et a promis d'utiliser ses relations pour obtenir de Mrs. Blalock une importante dotation. Et il a tenu parole. En retour nous lui avons offert un poste non rétribué.

– Non rétribué en termes de salaire. Mais il a eu des facilités d'utilisation de laboratoire. Pour ses recherches sur la pornographie. Bel exemple de rigueur académique...

Frazier accusa le coup.

– Ce n'était pas aussi simple, Delaware. Le département ne l'a pas accepté aussi facilement. Il lui a fallu attendre des mois avant d'obtenir ce poste. Le conseil supérieur en a débattu longuement, il y a eu des oppositions farouches, dont la mienne n'était pas la moindre. Kruse manquait sérieusement de références académiques. Sa chronique dans ce magazine était positivement révoltante. Mais...

– Mais, en fin de compte, les notions d'intérêt financier ont prévalu.

– Quand j'ai eu vent de ses... recherches, dit-il en se tordant les poils de la barbe d'une main nerveuse, j'ai compris que l'accepter avait été une erreur de jugement, mais il était impossible de revenir en arrière sans créer une publicité très nocive...

– Et vous l'avez donc promu à la tête du département.

De plus en plus embarrassé, il fixa ses feuillets sans répondre.

– Revenons à la thèse de Ransom, dis-je. Comment a-t-elle pu passer malgré les règles du département?

– Kruse est venu me voir en me demandant de lever la règle de l'expérimentation pour une de ses étudiantes. Quand il m'a dit qu'elle comptait soumettre une étude de cas, j'ai immédiatement refusé. Il a insisté en mettant en avant l'excellence de ses notes, et en affirmant que le cas qu'elle voulait présenter était unique, et susceptible de retombées majeures.

– Majeures dans quel sens?

– Dans le sens d'une publication possible en revue. Malgré tout je n'ai pas cédé. Il a continué à me harceler. Chaque jour il m'appelait, il m'interrompait dans mon travail pour plaider la cause de Ransom. Finalement, j'ai cédé.

– Quand vous avez lu la thèse, quelle a été votre réaction?

303

– J'ai pensé que c'était sans intérêt. Une nullité. – Avec une certaine véhémence, comme s'il voulait me convaincre de son innocence, il ajouta : Mais croyez-moi, Delaware, je n'ai fait que parcourir sa thèse, sans plus !

Je descendis au service administratif du département et vérifiai que le dossier de Ransom manquait. Puis j'appelai Long Island pour avoir le numéro du Forsythe College. L'administration de l'établissement me confirma la présence chez eux d'une Sharon Jean Ransom, de 1972 à 1975. Ils n'avaient jamais entendu parler de Paul Peter Kruse.

Je contactai mon service de répondeur pour savoir si j'avais des messages. Rien d'Olivia ni d'Elmo Castlemaine. Mais le Dr Small et l'inspecteur Sturgis avaient appelé, ce dernier pour dire qu'il me rappellerait plus tard.

Je téléphonai à Ada Small, qui décrocha aussitôt.

– Alex ? Merci de rappeler aussi vite. Cette jeune femme que vous m'avez envoyée, Carmen Seeber, vous vous souvenez ? Elle est venue à deux séances mais pas à la troisième. Je l'ai appelée chez elle plusieurs fois et j'ai fini par l'avoir. J'ai essayé de la convaincre de revenir me voir mais elle est restée sur la défensive et m'a assuré qu'elle allait très bien et qu'elle n'avait plus besoin de thérapie.

– Elle va très bien, en effet, mais avec un drogué notoire qui lui prend probablement jusqu'au dernier dollar qu'elle gagne.

– Comment savez-vous cela ?

– Par la police.

– Je vois. Eh bien, merci quand même de me l'avoir envoyée. Désolée que ça n'ait pas marché.

– C'est moi qui devrais être désolé. Vous m'avez fait une faveur, Ada.

– J'essaierai de la rappeler la semaine prochaine, dit-elle. Dites-moi, Alex, et vous, comment allez-vous ?

Je répondis un peu trop vite :

– Impeccable. Pourquoi ?

– Excusez-moi si je suis à côté de la plaque, mais les dernières fois que nous avons discuté, vous m'avez paru tendu, nerveux.

– Je suis juste un peu fatigué, Ada, mais ça va bien. Ne vous faites pas de souci.

Après les formules de politesse je raccrochai et sortis sur le campus, direction la bibliothèque universitaire. A l'index des périodiques je ne trouvai rien sur William Houck Vidal sinon des citations dans des articles financiers antérieurs à l'affaire du *Milliardaire fou*. Mais je tombai sur un article du *Time* relatant son audition devant la commission d'enquête du Sénat. Vidal venait de faire sa première apparition à la barre des témoins et le magazine faisait son historique.

Une photo le montrait avec quelques rides en moins et une épaisse chevelure blonde. Un sourire éclatant – cette denture parfaite dont se souvenait Crotty – et un regard assuré. Vidal était décrit comme une « personnalité en vue qui grâce à son savoir-faire et ses contacts avait gagné une position enviable de consultant dans l'industrie cinématographique ». D'après les milieux bien informés de Hollywood, c'est Vidal qui aurait persuadé Leland Belding d'investir dans le cinéma.

Les deux hommes avaient fréquenté Stanford. Étudiant de seconde année, Vidal avait été président d'un club auquel Belding avait également appartenu. Mais leurs rapports semblaient n'avoir été qu'amicaux. Le futur milliardaire avait fui la plupart des structures organisées et n'avait jamais postulé la moindre fonction au sein du club.

Leur relation de travail s'était cimentée en 1941. Vidal avait servi d'intermédiaire dans une opération entre Belding et Blalock Industries qui fournissait pour un prix très bas de l'acier à Magna Corporation. C'est Vidal qui avait présenté Leland Belding à Henry Abbot Blalock. Il était tout désigné pour ce rôle puisque Blalock était son beau-frère. Il avait en effet épousé la sœur de Vidal, Hope Estes Vidal.

Billy Vidal et Hope Blalock étaient donc frère et sœur. Cela expliquait la présence du premier lors de la réception en l'honneur de Kruse, mais pas la relation qu'il pouvait avoir avec Sharon. Ni le sujet dont ils avaient débattu sous mes yeux...

Je cherchai d'autres articles parlant des Blalock. Je ne trouvai rien sur Hope, et seulement quelques références financières à Henry Abbot. Il avait fait fortune dans l'acier et les chemins de fer ainsi que dans l'immobilier. Comme Leland Belding, tout lui appartenait et il n'avait jamais proposé l'actionnariat de son capital. A l'inverse de Belding, il n'avait jamais fait la une des journaux.

Il était mort en 1953 d'une crise cardiaque alors qu'il se trouvait dans un safari au Kenya. Il laissait une veuve inconsolable, Hope Estes Vidal. Nulle part il n'était fait mention d'enfants. Mais celui que Kruse avait traité ? La veuve s'était-elle remariée ? Je continuai à fouiller l'index, finis par dénicher un seul article, paru six mois après la mort de Blalock : il rapportait la vente de Blalock Industries à Magna Corporation pour un montant indéterminé mais qu'on disait très intéressant pour l'acheteur. L'article notait le déclin de Blalock Industries et l'attribuait à une incapacité d'adaptation aux changements des réalités industrielles, en particulier à l'importance croissante des échanges commerciaux intercontinentaux par avion.

L'implication était claire : les avions de Belding avaient aidé à rendre démodés les trains de Blalock. Ensuite Magna avait racheté Blalock Industries pour une bouchée de pain. Une bouchée de pain qui devait rester assez substantielle, à en juger par la résidence et le train de vie de Hope Blalock. Je me demandai si le frère Billy avait joué de nouveau le rôle d'intermédiaire, pour s'assurer que les intérêts de sa sœur étaient bien protégés.

Une autre heure de recherche n'apporta rien. Il me vint alors à l'esprit un autre domaine d'investigations et je cherchai dans l'index des références d'articles de journaux en rapport avec la mort de Linda Lanier lors de l'assaut donné par les agents des Stups.

Ce fut plus fastidieux que je ne m'y attendais. De tous les journaux locaux seul le *Los Angeles Times* figurait dans l'index, et uniquement depuis 1972. Le *New York Times* était archivé depuis 1851, mais son index ne contenait rien sur Linda Lanier.

Je retournai au deuxième niveau pour consulter la section Presse : des rangées de tiroirs pleins de microfilms et des cabines pour les visionner. Je montrai ma carte universitaire, remplis une fiche et pris les rouleaux de microfilms correspondant à mes recherches.

Ellston Crotty avait daté la tuerie de Linda et de son frère en 1953. Si Linda était la mère de Sharon, elle était nécessairement encore vivante à la date de naissance de Sharon, soit le 15 mai, ce qui réduisait mon champ d'investigation. Je commençai donc par le printemps 53 en commençant par le *Times*. Je gardai les bobines du *Herald*, du *Mirror* et du *Daily News* en réserve.

Il me fallut plus d'une heure pour trouver. Le 9 août. Peu porté sur les histoires criminelles, le *Times* reléguait la relation de l'affaire en page intérieure dans la section deux, mais les autres journaux en avaient fait leur une avec photo à l'appui des agents des Stups et des cadavres ensanglantés des « trafiquants ».

Les articles corroboraient les dires de Crotty, sans avoir son cynisme. Linda Lanier-Eulalee Johnson et son frère Cable Johnson, deux gros trafiquants d'héroïne, avaient ouvert le feu sur des inspecteurs de la brigade des Stupéfiants venus les interpeller. Les agents avaient riposté et tué les deux trafiquants. En une seule opération coup-de-poing, les inspecteurs Royal Hummel et Victor DeGranzfeld avaient mis fin à un des gangs de trafiquants les plus dangereux dans l'histoire de Los Angeles.

Les photos des deux inspecteurs les montraient accroupis devant un tas de pochettes contenant la drogue, un sourire triomphant aux lèvres. Hummel était large d'épaules et lourd, vêtu d'un costume clair et d'un chapeau de paille. Il me sembla reconnaître quelque chose de Cyril Trapp dans la ligne dure de la mâchoire et les lèvres minces. DeGranzfeld était ventru, moustachu, avec de petits yeux porcins. Il portait un costume croisé et un Stetson noir. Son sourire paraissait plus contraint que celui de son collègue.

Je n'eus pas à étudier longtemps la photographie de Linda Lanier-Eulalee Johnson pour reconnaître la blonde incendiaire qui séduisait le Dr Donald Neurath sur un certain film. Le cliché venait d'un studio connu et montrait un trois-quarts très professionnel de son visage. Le genre de photo que les actrices incluent dans leur press-book.

Le visage de Sharon, avec une perruque blonde.

Cable Johnson était moins bien servi. Sa photo venait visiblement d'un fichier de police. L'air agressif, mal rasé, les cheveux gras, il posait sur l'objectif un regard de défi où se lisait la malice plutôt que l'intelligence. Le genre de personne qui se débrouille très bien dans le court terme mais qui est toujours prise en défaut à la longue à cause d'une trop haute opinion de ses capacités.

Son casier judiciaire était qualifié de « très fourni », mais on n'y trouvait en fait que des délits mineurs : extorsions auprès de petits bookmakers de Los Angeles Est, vols, ivresse sur la voie publique, bagarres. Une litanie triste mais sans relief, bien loin de fonder les affirmations des journaux qui le présentaient avec sa sœur comme deux « gros trafiquants et revendeurs de drogue espérant inonder la ville de leur marchandise mortelle ».

Des sources de police anonymes affirmaient que les Johnson étaient en relation étroite avec « la pègre mexicaine ». Ils avaient grandi dans une ville frontalière du Texas, Port Wallace, connue pour être un point de passage des chargements de drogue, et n'étaient à l'évidence venus à Los Angeles que dans le but de revendre de l'héroïne aux écoliers de Brentwood, Pasadena et Beverly Hills.

Pour avoir une couverture ils avaient réussi à se faire embaucher dans des studios de cinéma – aucun nom cité –, Linda comme actrice sous contrat, Cable comme chef-accessoiriste. Ce qui leur donnait l'opportunité de « trafiquer dans les milieux du cinéma, une frange de la population réputée pour s'adonner aux drogues et aux comportements les plus anticonformistes ». Tous deux étaient connus pour participer aux réunions des organisations gauchistes où venaient des communistes avérés.

La drogue et le bolchevisme, les démons principaux de ces années cinquante. De quoi faire passer l'assassinat d'une jeune femme pour un acte admirable.

Je visionnai quelques microfilms supplémentaires mais ne trouvai rien liant Linda Lanier à Leland Belding, et pas un mot sur les parties fines qu'il organisait et où elle officiait. Et rien sur d'éventuels enfants. Jumeaux ou non.

27

De vieilles histoires et de vieux rapports, mais je n'avançai toujours pas dans ma compréhension de Sharon, comment elle avait vécu et pourquoi elle était morte, comme beaucoup d'autres.

A dix heures et demie Milo téléphona et ajouta à la confusion :

– Ce salopard de Trapp n'a pas perdu de temps pour me submerger de boulot. Je dois réorganiser le fichier des homicides. Une vraie corvée. Bon, j'ai fait un peu l'école buissonnière et je me suis renseigné pour ton affaire. Ta copine Ransom faisait une sérieuse allergie à la vérité. Pas d'acte de naissance à son nom pour New York, pas de Ransom à Manhattan – ni sur Park Avenue ni dans aucun autre coin un tant soit peu huppé –, du moins pas depuis les années quarante. Idem pour Long Island. Southampton est une très petite communauté. Les flics de là-bas m'ont dit qu'il n'y avait aucun Ransom enregistré dans leur secteur, et qu'aucun Ransom n'a jamais habité les grandes propriétés.

– Elle a suivi des études là-bas.

– A Forsythe ? Pas là, mais juste à côté. Comment sais-tu ça ?

– Par le dossier de l'université. Et toi ?

– Fichier de la Sécurité sociale. Elle s'est inscrite en 71 et a donné l'établissement de Forsythe pour adresse. C'est la première fois qu'elle apparaît par écrit. Comme si elle n'existait pas avant.

— Si tu as des contacts à Palm Beach, en Floride, essaie de voir, Milo. Kruse était établi là-bas jusqu'en 75. Quand il est venu s'installer à Los Angeles, il l'a amenée avec lui.

— Uh-huh, j'ai une longueur d'avance sur toi. Sur lui j'ai trouvé un tas de documents. Né à New York, sur Park Avenue en fait. Gros appartement qu'il a revendu en 68. Le transfert immobilier s'est fait sur une adresse à Palm Beach, j'ai donc appelé là-bas. Les collègues de ces coins pour richards ne sont pas très communicatifs, ils protègent leurs résidents. Je leur ai dit que Ransom avait été victime d'un vol, que nous avions récupéré ses affaires et que nous voulions les lui redonner. Ils ont cherché dans leurs fichiers. *Nada.* Rien, pas une trace. Donc Kruse l'a dénichée ailleurs. Quant à Kruse, justement, ce n'était pas le psychothérapeute très en vogue que tu m'as décrit. J'ai interrogé mon contact aux Impôts. Son cabinet ne lui rapportait que trente mille dollars par an. A cent dollars l'heure, ça ne correspond qu'à cinq ou six heures par semaine. Pas vraiment débordée, ta star du divan. Le reste, un demi-million annuel, provenait des dividendes d'investissements : des actions, des placements sûrs, des propriétés et une petite entreprise nommée Creative Image Associates.

— Des films pornos.

— Il est enregistré comme « producteur et réalisateur de supports éducatifs ». Lui et sa femme sont les seuls actionnaires. L'entreprise a été déclarée déficitaire pendant cinq ans, avant de fermer.

— Quelles années ?

— Attends, j'ai noté ça... 74 à 79.

Les quatre premières années de Sharon en troisième cycle universitaire.

— En résumé, Alex, Kruse était un fils de riches qui vivait sur son héritage et boursicotait. Quant à Ransom, c'est la dame fantôme. Elle aurait aussi bien pu tomber du ciel en 71.

— Il y a une autre possibilité. J'ai fouillé dans les vieux journaux sur l'affaire de trafic de drogue Lanier-Johnson. Linda et son frère venaient d'une ville frontalière du Texas nommée Port Wallace. Ils ont peut-être gardé des traces là-bas.

— Peut-être, dit-il. Rien dans les journaux que Crotty ne nous aurait pas dit ?

— En addition à l'affaire de drogue, ils font allusion à la

menace communiste pour faire bonne mesure. Les Johnson auraient été des familiers des réunions où se retrouvaient les « éléments subversifs ». A l'époque, avec le maccarthysme, ça a dû faire passer la tuerie comme une lettre à la poste auprès du public. En tout cas Hummel et DeGranzfeld ont été traités comme des héros.

– Oncle Hummel... railla-t-il. J'ai appelé à Las Vegas. Il est toujours vivant et travaille toujours pour Magna. Directeur de la sécurité du Casbah et de deux autres casinos détenus par la compagnie. Il vit dans une très belle maison, dans le quartier le plus chic de la ville. Le salaire du péché, hein ?

– Autre chose, Milo : Billy Vidal et Hope Blalock sont frère et sœur. Vidal arrangeait des affaires entre Blalock et Belding. Après la mort de Blalock, Magna a racheté ses entreprises à bas prix. Et à la mort de Belding, Vidal est devenu directeur de Magna. Mrs. Blalock finançait les activités de Kruse, sous le prétexte qu'il avait traité avec succès un de ses enfants. Mais il semble qu'elle n'ait pas eu d'enfants...

– Bon sang, grogna Milo, tu n'as jamais l'impression que nous jouons le jeu de quelqu'un d'autre suivant les règles de quelqu'un d'autre sur le terrain de quelqu'un d'autre, Alex ?

Avant de raccrocher il promit de faire des recherches du côté de Port Wallace et me conseilla de regarder où je mettais les pieds.

J'aurais voulu téléphoner à Olivia mais il était près de vingt-trois heures et elle devait être couchée. J'attendis donc le lendemain neuf heures pour l'appeler à son bureau où l'on m'apprit que Mrs. Brickerman était partie à Sacramento pour la matinée.

J'essayai de joindre Elmo Castlemaine à King Solomon Gardens. Il était encore occupé avec un malade. Je décidai d'aller le voir. Je pris la Seville et descendis dans Fairfax, jusqu'à Edinburgh Street.

L'établissement était une des dizaines de constructions carrées qui bordaient une rue sans arbres. King Solomon Gardens n'avait aucun jardin, et pour toute verdure un palmier à la gauche de la double porte d'entrée vitrée. La bâtisse était blanche, et une rampe moquettée de bleu remplaçait l'escalier d'accès. Des dalles de ciment peintes d'un vert hospitalier au lieu de ce qui aurait dû être une pelouse. Des chaises pliantes y étaient disséminées, occupées par des personnes âgées abritées du soleil par des visières, certaines emmitouflées dans des couvertures, d'autres s'éventant ou jouant aux cartes, ou bien regardant dans le vide fixement.

Je trouvai une place pour me garer un peu plus bas dans la rue et remontai à pied vers l'établissement quand je repérai un Noir de l'autre côté de la rue, qui poussait une chaise roulante occupée par une vieille femme. Les ans avaient un peu épaissi sa silhouette, mais j'identifiai Elmo. Je traversai la rue et le rejoignit.

– Monsieur Castlemaine ?

Il s'arrêta et me regarda. La vieille femme dans le fauteuil roulant ne marqua aucune réaction. Elle portait un pull et une couverture recouvrait ses jambes. Sa chevelure très fine était clairsemée, et la brise découvrait des plaques de peau nue et grise. Elle semblait dormir les yeux ouverts.

– C'est bien moi, répondit Elmo de cette même voix haut perchée. Qui êtes-vous ?

– Alex Delaware. Je vous ai laissé un message, hier. Nous nous sommes rencontrés une fois, il y a six ans. C'était à Resthaven Terrace, j'étais venu avec Sharon Ransom pour voir sa sœur Shirlee...

Il se remit à pousser le fauteuil roulant vers l'entrée de l'établissement, et je l'accompagnai. Nous traversâmes la pelouse en ciment et Elmo échangea quelques formules de politesse avec plusieurs des pensionnaires assis là. En arrivant au bas de la rampe d'accès, il se tourna vers moi.

– Attendez-moi ici. Je reviens dès que j'ai fini avec Mrs. Lipschitz.

Je restai donc au-dehors et patientai une dizaine de minutes. Enfin Elmo ressortit.

– Que diriez-vous d'une tasse de café ? proposai-je.

– Merci, mais je ne bois pas de café. Marchons un peu.

Nous nous éloignâmes sur Edinburgh Street, le long de pelouses desséchées et de porches humides.

– Je ne me souviens pas de vous, dit-il après un moment. Je me rappelle bien la fois où le Dr Ransom est venue avec un homme, parce que cela ne s'est produit qu'une seule fois. – Il me détailla du regard : Mais non, je ne peux pas dire que je me souviens de vous.

– J'étais différent à l'époque. J'avais la barbe, et les cheveux plus longs.

– C'est bien possible, fit-il avec un haussement d'épaules. Qu'est-ce que je peux pour vous, Monsieur ?

312

Il paraissait indifférent. Je compris qu'il n'était pas au courant du suicide de Sharon. Je devais le lui apprendre.

– Le Dr Ransom est morte.

Il s'arrêta net, plaqua ses deux mains le long de son visage.

– Morte ? Quand ?

– Il y a une semaine.

– Mais... comment ?

– Suicide, monsieur Castlemaine. C'était dans tous les journaux.

– Je ne lis jamais les journaux. J'apprends assez de mauvaises nouvelles comme ça, rien qu'en me levant tous les jours... Oh ! non... Une femme si gentille, si jolie. Je ne peux pas le croire.

Je gardai le silence tandis qu'il secouait la tête d'un air accablé.

– Mais qu'est-ce qui l'a poussée assez bas pour qu'elle fasse quelque chose d'aussi horrible ?

– C'est ce que je m'efforce de découvrir.

Elmo braqua sur moi un regard larmoyant.

– Vous étiez son fiancé ?

– Il y a des années, oui. Mais nous ne nous étions pas revus depuis longtemps. Et récemment nous nous sommes rencontrés par hasard à une réception. Elle m'a dit que quelque chose la tracassait beaucoup. Mais je n'ai jamais su de quoi il s'agissait. Deux jours plus tard elle se suicidait.

– Oh ! Seigneur, c'est horrible...

– Je suis désolé.

– Comment s'est-elle suicidée ?

– Barbituriques. Et elle s'est tiré une balle dans la tête.

– Oh ! mon Dieu... Ça n'a pas de sens, quelqu'un comme elle, belle et riche, faire quelque chose d'aussi affreux. Toute la journée je les pousse dans leur fauteuil roulant. Ils s'éteignent petit à petit et n'arrivent plus à faire quoi que ce soit seuls. Et pourtant ils s'accrochent à la vie, même s'ils n'ont plus que des souvenirs. Et quelqu'un comme le Dr Ransom qui rejette tout...

Nous nous remîmes à marcher d'un pas lent.

– Ça n'a pas de sens, répéta-t-il à mi-voix.

– Je sais. Je pensais que peut-être vous pourriez m'aider à trouver un sens à son geste, justement.

– Moi ? Comment ?

– En me disant ce que vous savez d'elle.

– Ce que je sais... Ce n'est pas grand-chose. C'était une

femme très gentille, toujours joyeuse, toujours aimable avec moi. Elle était vraiment dévouée pour sa sœur, et croyez-moi c'est quelque chose qu'on ne voit pas souvent. Certains proches commencent avec des déclarations très nobles, parce qu'ils se culpabilisent de placer un être cher loin d'eux. Ils jurent qu'ils viendront lui rendre visite régulièrement, qu'ils s'occuperont de tout. Mais après quelque temps, comme ils ne reçoivent rien en retour, ils se lassent et ils viennent de moins en moins souvent. Beaucoup ne viennent plus du tout, après quelques mois. Mais pas le Dr Ransom. Elle était toujours là pour cette pauvre Shirlee. Toutes les semaines, le mercredi après-midi, elle venait de deux à cinq heures. Parfois elle venait deux ou trois fois dans une même semaine. Et elle ne se contentait pas de rester assise à côté de sa sœur. Elle la nourrissait, la nettoyait, elle s'occupait d'elle sans jamais rien recevoir en retour.

– Shirlee avait-elle d'autres visites ?

– Aucune, à part la fois où le Dr Ransom était venue avec vous. Le Dr Ransom est le meilleur parent que j'aie vu. Elle donnait sans jamais rien attendre en retour. Je l'ai vue faire jusqu'au jour où je suis parti.

– Quand êtes-vous parti ?

– Il y a huit mois.

– Pourquoi ?

– Parce qu'ils allaient se séparer de moi. C'est le Dr Ransom qui m'a prévenu que la clinique allait fermer. Elle m'a dit qu'elle appréciait beaucoup la façon dont je m'étais occupé tout ce temps de sa sœur, qu'elle était désolée de ne pouvoir me prendre avec elle mais que Shirlee continuerait à être bien traitée. Elle m'a dit que j'avais été très important pour elle, et pour me le prouver elle m'a donné quinze cents dollars en liquide. Elle était comme ça, Ms. Ransom. Ça n'a pas de sens qu'elle ait fait ça...

– Elle savait donc que Resthaven devait fermer...

– Et elle ne se trompait pas. Deux semaines plus tard tous les membres du personnel ont reçu une lettre de fin de contrat. L'établissement était en faillite, nous ne le savions pas.

– Avez-vous une idée de l'endroit où le Dr Ransom a emmené Shirlee ?

– Non, mais croyez-moi, c'est forcément un endroit très bien. Elle aimait sa sœur, elle la traitait comme une reine... – Il s'arrêta, et son visage se fit grave : – Mais si elle est morte, qui va s'occuper de cette pauvre Shirlee ?

– Je ne sais pas. Je n'ai aucune idée de l'endroit où elle peut se trouver. Personne ne le sait.

– Oh, mon Dieu...

– Mais je suis sûr qu'on s'occupe bien d'elle. La famille de Sharon était fortunée. Elle parlait d'eux ?

– A moi jamais.

– Mais vous savez qu'elle était riche.

– C'est elle qui payait toutes les factures de Resthaven pour sa sœur. C'était marqué dans le dossier : *adresser toutes les factures au Dr Ransom.*

– Qu'y avait-il d'autre dans ce dossier ?

– Tous les résultats des diverses thérapies entreprises. Pendant un moment le Dr Ransom avait fait venir un thérapeute du langage, et même un spécialiste du braille. Mais ça n'a rien donné...

– Le dossier de Shirlee contenait-il l'historique de la malade ?

– Juste quelques antécédents médicaux et un résumé de tous ses problèmes écrit par le Dr Ransom.

– Le Dr Ransom vous a-t-elle jamais parlé de l'accident ?

Elmo eut l'air surpris.

– Quel accident ?

– La noyade qui a provoqué l'état de Shirlee.

– Je ne comprends pas.

– Elle s'est noyée quand elle n'était encore qu'une toute petite fille. Le Dr Ransom m'a raconté cet épisode et m'a expliqué que c'était ce qui avait causé les lésions cérébrales de Shirlee.

– Eh bien je ne sais rien de tout cela. Le Dr Ransom m'a dit que Shirlee était née comme ça.

– Née aveugle, sourde et infirme ?

– Oui. Multiples infirmités congénitales. Dieu sait que je l'ai lu assez souvent dans le dossier de Shirlee. Et c'est le Dr Ransom qui l'avait écrit. – Il secoua la tête, une expression désolée sur ses traits doux : La pauvre est née comme ça, elle n'a jamais connu un autre état.

Il était près de midi. Je me rendis à une station-service proche et appelai le bureau d'Olivia de la cabine téléphonique. Mrs. Brickerman, m'apprit-on, était revenue de Sacramento mais n'était pas encore repassée à son bureau. J'essayai son numéro personnel. A la dixième sonnerie j'allais abandonner quand elle décrocha.

– Alex! s'exclama-t-elle, hors d'haleine. J'arrive tout juste de l'aéroport. J'ai passé la matinée avec des assistants du Sénat pour essayer de leur soutirer un peu plus d'argent. Quelle engeance! Si l'un d'eux a jamais eu une idée, il l'a vendue il y a longtemps. Et pour pas cher!

– Je ne veux pas vous importuner avec ça, mais je me demandais si...

– Si le système informatique était remis en marche? Oui, depuis ce matin. Et j'ai même fait les recherches que vous m'aviez demandées. Résultat : néant, je suis désolée. Il y a bien quelqu'un nommé Shirlee Ransom dans les dossiers de Medi-Cal. Mais la date de naissance est 1922, et non 53.

– Vous avez son adresse?

– Non. Vous m'avez dit de chercher pour 1953, je ne croyais pas que vous seriez intéressé par quelqu'un d'aussi nettement plus âgé. Vous voulez que je redemande?

– Eh bien, si ça ne vous dérange pas...

– D'accord, je vais le faire. Il faut que j'appelle mon assistante au bureau. Ça prendra un petit moment. Où puis-je vous rappeler?

– Je vous téléphone d'une cabine, là. Sur Melrose, près de Fairfax.

– Hein? Vous êtes à deux minutes de chez moi. Rejoignez-moi, et vous me verrez jouer aux détectives de l'an 2000!

La maison des Brickerman était petite, fraîchement repeinte en blanc, avec un toit de tuiles ocre. Des rangées de pétunias bordaient l'allée qu'occupait l'énorme Chrysler New Yorker d'Olivia.

Elle avait laissé la porte ouverte. Albert Brickerman se trouvait dans le salon, en robe de chambre et pantoufles, assis devant un jeu d'échecs. Il grogna en réponse à mon salut. Dans la cuisine Olivia se faisait des œufs brouillés. Elle portait un chemisier blanc froissé et une jupe ample. Ses cheveux frisés et teintés au henné couronnaient un visage jovial aux joues pleines et roses. Elle avait passé le cap des soixante ans mais sa peau avait la douceur de celle d'une jeune fille. Elle m'accueillit en me serrant dans ses bras, m'écrasant contre son opulente poitrine de matrone.

– Alors, comment me trouvez-vous?

– Mûre pour le conseil d'administration.

Elle rit et baissa le feu sous les œufs.

– Si mon socialiste de père me voyait maintenant... A mon

âge, devoir m'exhiber dans ce monde de jeunes gens dynamiques et performants...

– Il suffit de vous répéter que vous travaillez à l'intérieur du système pour le changer.

– Oh, bien sûr.

Elle me désigna la table de la cuisine, y disposa les œufs dans deux assiettes, ajouta des toasts, des tomates en rondelles et deux tasses de café fumant.

– Je me donne encore un an, deux au maximum. Ensuite je tire ma révérence à toutes ces incohérences et je me mets à voyager sérieusement. Le Prince Albert n'acceptera jamais de bouger, mais j'ai une amie qui a perdu son mari l'année dernière. Nous avons fait notre itinéraire : Hawaï, l'Europe, Israël. Tout le tralala.

– Joli projet.

– Joli projet, mais vous aimeriez savoir ce que dit l'ordinateur, pas vrai ?

– Quand vous voudrez.

– Je vais appeler maintenant. Il faudra un petit bout de temps pour que Monica se connecte au système central.

Elle téléphona à son assistante et lui donna les instructions nécessaires. Plus elle raccrocha.

– Croisons les doigts. Et en attendant, mangeons.

Nous étions tous deux affamés et nous nous régalâmes en silence. Je reprenais des œufs quand le téléphone sonna.

Olivia donna ses instructions avec une patience remarquable. Enfin, après trois minutes, elle prit un stylo et se mit à écrire sur un carnet. Je me levai pour lire par-dessus son épaule :

Ransom, Shirlee. Née le 01/01/1922.
Rural Route 4, Willow Glen. CA. 92399.

– Demandez pour un Jasper Johnson, lui murmurai-je.

Elle me jeta un coup d'œil surpris mais répéta ma demande à son assistante. Une minute plus tard elle inscrivait :

Ransom, Jasper. Né le 25/12/1920.
Même adresse.

– Merci encore, Monica, dit-elle. Il vous reste beaucoup à faire ? Non, alors partez tôt. A demain.

Elle raccrocha et me considéra en souriant.

– Alors ? Deux Ransom pour le prix d'un, jeune homme !

Elle relut ses notes et désigna les dates de naissance de la pointe de son stylo.

– Noël et le Jour de l'An. Amusant. Combien de chances pour que ce soit vrai ? Qui sont ces gens ?

– Je ne le sais pas. Willow Glen... Vous avez une carte de l'État ?

– Inutile, répondit-elle. Je connais le coin, j'y suis passée. C'est le comté de San Bernardino, près de Yucaipa. La cambrousse. Quand ils étaient petits j'emmenais les gamins cueillir des pommes par là-bas.

– Des pommes ?

– Des pommes, oui. Des fruits ronds et rouges. Pourquoi cet étonnement ?

– Je ne savais pas qu'on faisait pousser des pommes par là.

– On le faisait dans le temps. Mais une année nous y sommes allés et il n'y avait plus rien. Les arbres étaient mourants, personne ne s'en occupait plus. C'est la cambrousse, Alex. Il n'y a rien, là-bas. A part Miss Bonne-Année et Mr. Joyeux-Noël.

28

Au loin, les monts de San Bernardino passèrent d'un marron brut à un gris lavande tandis que les sommets les plus hauts se couronnaient d'une brume perlée. La chaleur montait en vagues de la plaine et adoucissait la masse hérissée des sapins qui couvraient les flancs de montagne.

Willow Glen Road se matérialisa sur la gauche de la route, au milieu de nulle part, un virage sec signalé par une pancarte annonçant des ventes de produits frais. Le ruban sombre de la route partait en serpentant vers la montagne qu'il escaladait paresseusement. L'air se fit plus frais, plus propre.

Quinze kilomètres plus loin quelques vergers de pommiers apparurent. De petites parcelles bien entretenues et clôturées, au fond desquelles on apercevait des maisons à charpente de bois. Les arbres étaient chargés de fruits guère plus gros que des cerises. La récolte n'aurait pas lieu avant deux bons mois. Tandis que la route continuait de grimper, des vergers abandonnés commencèrent à dominer le paysage : de longues rangées d'arbres morts ou à demi pourris.

L'asphalte de la route cessa au niveau de deux poteaux reliés par une chaîne à laquelle pendait une pancarte disant WILLOW GLEN. Pop. 432.

J'arrêtai la voiture et regardai au-delà de la pancarte. Le village de Willow Glen semblait constitué en tout et pour tout d'un petit centre commercial très rustique ombragé par des

319

saules et des sapins et précédé d'un parking désert. La route continuait plus loin et s'enfonçait entre les arbres. Je garai la Seville sur le parking et sortis dans l'air chaud et sec.

La première chose qui attira mon regard fut un gros lama noir et blanc qui mâchonnait de la paille dans un enclos. Derrière s'élevait une petite construction peinte en rouge, avec des finitions blanches. Au-dessus de la porte était gravé ZOO DE WILLOW GLEN. Je cherchai une habitation humaine mais n'en vit pas.

Il y avait plusieurs autres petites maisons en bois reliées entre elles par des allées couvertes de planches. Toutes étaient fermées. Au-dessus des portes étaient accrochées diverses enseignes : CHEZ HUGH, LE PARADIS DE LA SCULPTURE SUR BOIS ; À LA FORÊT ENCHANTÉE, ANTIQUITÉS ; CADEAUX ET SOUVENIRS.

Le sol était couvert d'un épais tapis d'aiguilles de pin et de feuilles de saule. Je m'aventurai plus avant. Une tache de blanc derrière le rideau de branches m'attira, et j'arrivai devant une cabane en bois, aux fenêtres colorées et décorées de pommes vertes, rouges et jaunes. La porte était ouverte. J'entrai.

A l'intérieur tout était d'une impeccable propreté, les tables et les bancs de pique-nique, le grand ventilateur du plafond qui brassait l'air tiède sentant le miel, le comptoir avec les trois tabourets hauts devant, les plantes suspendues, la vieille caisse enregistreuse au cuivre brillant. Derrière le comptoir était assise une jeune femme qui buvait une tasse de café en lisant un livre de biologie. Une porte ouvrait derrière elle, qui dévoilait une cuisine en inox.

Je m'assis sur un tabouret. Elle leva les yeux de son livre. Elle pouvait avoir dix-neuf ou vingt ans, avec un nez retroussé, des cheveux blonds bouclés et de grands yeux sombres. Elle portait une chemise blanche et des jeans noirs, était mince de corps quoique assez large de hanches. Un badge vert en forme de pomme accroché à sa chemise indiquait WENDY.

— Bonjour, dit-elle avec un sourire accueillant. Qu'est-ce que je vous sers ?

Je désignai sa tasse de café.

— La même chose, pour commencer. Noir et sans sucre.

— Bien sûr. Désirez-vous consulter le menu ?

— Oui, merci.

Elle me tendit une carte plastifiée. Le choix me surprit. Je m'attendais à des hamburgers et des frites, or il était proposé une douzaine d'entrées, certaines assez complexes, flanquées

320

d'initiales correspondant au vin conseillé : C pour chardonnay, R pour riesling, etc. Au dos du menu se trouvait la carte des vins, parmi lesquels figuraient plusieurs crus français et californiens de qualité.

Elle me servit le café.

– Vous désirez manger quelque chose ?

– Un « déjeuner du ramasseur de pommes ».

– Tout de suite.

Elle me tourna le dos, fouilla dans le réfrigérateur et dans divers tiroirs et placards, posa devant moi une nappe individuelle, des couverts, un plat de pommes parfaitement coupées en tranches, une belle part de fromage orné de menthe fraîche.

– Et voilà, dit-elle en ajoutant un petit pain complet et une portion de beurre présentée sous la forme d'une fleur. Le fromage de chèvre est vraiment très bon. Il est fait par une famille de Basques qui habitent près de Loma Linda.

Elle attendit. Les œufs brouillés d'Olivia m'avaient rassasié, mais je me forçai.

– Excellent.

– Merci. J'étudie la présentation culinaire, à l'école. Un jour je veux avoir mon propre restaurant. Je travaille ici en complément de mes études.

Je désignai son livre de biologie.

– Université d'été ?

– Les examens de dernière année. Ce n'est pas mon fort. Un autre café ?

– Avec plaisir. C'est calme, aujourd'hui, on dirait.

– C'est tous les jours comme ça. Pendant la saison de récolte, de septembre à janvier, il y a bien quelques touristes qui passent le week-end. Mais ce n'est plus ce que c'était il y a quelques années. Avant, on venait de toute la région pour acheter des paniers de pommes. Et puis les gens de la ville ont acheté des pommeraies mais les ont laissées à l'abandon.

– Oui, j'ai vu beaucoup de pommiers morts sur la route en venant.

– C'est triste, n'est-ce pas ? Tous ces avocats et ces médecins de Los Angeles et de San Diego ont acheté des vergers pour avoir des déductions fiscales, et ensuite ils les ont laissés mourir. Avec ma famille on essaie de faire renaître le village, mais c'est dur. On vend du miel par correspondance, ça commence à bien marcher.

– Le panneau à l'entrée du village dit : population 432. Où sont tous les autres ?

– Le nombre est sans doute exagéré, mais il y a quelques familles de producteurs. Les autres travaillent à Yucaipa. Et tout le monde est de l'autre côté du village. Il faut que vous rouliez encore plus loin.

– Derrière tous les arbres ?

Elle eut un rire léger.

– Oui. C'est difficile à voir, n'est-ce pas ? Ça trompe les gens... C'est bon ?

Je m'obligeai à reprendre une bouchée.

– Délicieux, Wendy... vous avez indéniablement de l'avenir dans la restauration.

– Merci, Monsieur. Si ce n'est pas indiscret, qu'est-ce qui vous amène dans les parages ?

– Je cherche quelqu'un.

– Qui ?

– Shirlee et Jasper Ransom.

– Que leur voulez-vous ?

– Ils sont apparentés à une connaissance.

– Apparentés comment ?

– Je n'en suis pas sûr. Peut-être ses parents.

– Ça ne doit pas être un ami *très* proche, commenta-t-elle.

Je posai ma cuillère.

– C'est un peu compliqué, Wendy. Savez-vous où je peux les trouver ?

Elle hésita, détourna la tête. Quand ses yeux rencontrèrent de nouveau les miens la suspicion y brillait.

– Que se passe-t-il ? demandai-je.

– Rien. Mais j'aime bien les gens qui disent la vérité.

– Qu'est-ce qui vous fait penser que ce n'est pas mon cas ?

– Vous venez ici en parlant de Shirlee et Jasper qui seraient peut-être des parents de quelqu'un que vous connaissez ? Vous faites tout ce trajet juste pour leur envoyer le bonjour ?

– C'est exact.

– Si vous saviez qui... – Elle s'interrompit : Je ne veux pas être peu charitable. Disons que je ne savais pas qu'ils avaient de la famille. Pas depuis cinq ans que je vis ici. Ni des visiteurs.

Elle consulta sa montre et pianota des doigts sur le bord du comptoir.

– Vous avez fini, Monsieur ? Je dois fermer pour étudier.

Je repoussai mon assiette.

– Où est Rural Route 4 ?

Avec un haussement d'épaules elle alla à l'autre bout du

322

comptoir et se plongea dans son livre. Je descendis de mon tabouret.

– L'addition, s'il vous plaît.

– Cinq dollars pile.

Je lui donnai la somme. Elle prit le billet du bout des doigts, comme pour éviter tout contact avec moi.

– Qu'y a-t-il, Wendy ? Pourquoi cette attitude ?

– Je sais qui vous êtes.

– Ah ? Et qui suis-je, d'après vous ?

– Un type d'une de ces banques. Vous cherchez à saisir le reste du village ou à faire revendre aux autres propriétaires pour construire une résidence de vacances quelconque.

– Vous êtes sans doute douée pour la restauration, Wendy, mais certainement pas pour être détective. Je n'ai rien à voir avec aucune banque. Je m'appelle Alex Delaware et je suis psychologue à Los Angeles. Voyez vous-même.

Je sortis de mon portefeuille mon permis de conduire, mon diplôme de psychologie, ma carte d'université.

Elle feignit l'ennui mais étudia les documents d'un regard vif.

– Bon, d'accord. Et alors ? Mais si vous êtes bien celui que vous dites, pourquoi êtes-vous venu ici ?

– Une vieille amie, psychologue elle aussi, est décédée récemment. Elle s'appelait Sharon Ransom. Elle n'a aucun proche, mais certains indices laissent à penser qu'elle serait apparentée à Shirlee et Jasper Ransom. J'ai trouvé leur adresse et j'ai pensé qu'ils voudraient peut-être discuter.

– Comment Sharon est-elle décédée ?

– Elle s'est suicidée.

Toute couleur quitta instantanément son visage.

– Quel âge avait-elle ?

– Trente-quatre ans.

Elle regarda ailleurs, s'occupa les mains en débarrassant mon assiette et mes couverts.

– Sharon Ransom, répétai-je. Vous avez déjà entendu parler d'elle ?

– Jamais. Jamais entendu dire que Shirlee et Jasper avaient eu des enfants, point final. Vous faites erreur, Monsieur.

– Peut-être, répondis-je calmement. Merci pour le plat.

Alors que je sortais elle me lança :

– Rural Route 4 traverse tout Willow Glen. Après l'école, continuez sur à peu près un kilomètre et demi. Tournez sur la droite au vieux pressoir abandonné et continuez tout droit. Mais vous perdez votre temps.

Je suivis ses indications et traversai le village, d'autres vergers à l'abandon, des maisons disséminées sur de petits terrains, une école en pierre au centre d'une cour ombragée de grands chênes qui marquaient la limite d'une forêt, laquelle grimpait à flanc de montagne. Des boîtes à lettres ponctuaient le bord de la route : RILEY, LEIDECKER, BROWARD, SUTCLIFFE...

La végétation formait un double mur irrégulier le long de la route. Je dépassai le pressoir abandonné sans le voir et dus rebrousser chemin. Je ne vis aucune route, aucun chemin sur la droite. Je me rappelait la méfiance de Wendy et me demandai si elle ne m'avait pas fourvoyé.

Sans couper le moteur je descendis de voiture. Il était quatre heures de l'après-midi mais le soleil tapait toujours dur et en quelques secondes je transpirai abondamment. Les lieux étaient silencieux. M'abritant les yeux d'une main en visière, je scrutai les alentours. Je finis par repérer une ouverture dans les buissons et l'amorce d'un chemin qui longeait la masse rouillée du pressoir en ruine. J'hésitai un moment à partir à pied, mais je ne savais pas à quelle distance se trouvait mon but. Je remontai donc dans la Seville et l'engageai sur le chemin.

En cahotant la voiture suivit le tracé envahi d'herbes et de buissons, qui bientôt se tranforma en une sente poussiéreuse débouchant sur un grand champ ouvert. De l'autre côté se dressait un boqueteau de saules pleureurs. Entre la cascade de branches entremêlées je discernai un éclat métallique. D'autres constructions rouillées.

Shirlee et Jasper Ransom ne semblaient pas du genre hospitalier.

Wendy avait jugé très improbable qu'ils aient eu des enfants, mais elle s'était interrompue sans expliquer pour quelle raison.

Elle ne voulait pas se montrer « peu charitable ».

Ou bien elle avait peur ?

Peut-être Sharon leur avait-elle échappé pour de très bonnes raisons et avait inventé cette enfance parfaite pour refouler des souvenirs trop horribles à affronter ?

Je craignis soudain de découvrir en Jasper et Shirlee deux êtres de cauchemar : deux mutants édentés, monstrueux et vêtus de loques qui m'accueilleraient à coups de fusil et lâcheraient sur moi des molosses.

J'arrêtai la voiture et tendis l'oreille pour détecter un aboiement quelconque. Silence. Je refrénai les débordements de mon imagination et remis les gaz.

En arrivant aux saules pleureurs je dus m'arrêter définitivement. Il n'y avait pas place pour laisser passer la Seville. Je coupai le moteur et sortis. Je traversai le boqueteau d'arbres d'un pas prudent. Je perçus un bruit d'eau courante, et une voix qui chantonnait. Puis je vis l'habitat de Shirlee et Jasper Ransom.

Deux cabanes sur un petit terrain boueux, faites de planches irrégulières et d'un toit en tôle ondulée. Les fenêtres étaient garnies de feuilles de papier sulfurisé en place de vitres. Entre les deux cabanes se trouvaient des toilettes extérieures en bois. A une corde à linge tendue entre les toilettes et l'angle d'une cabane étaient pendus des vêtements aux couleurs passées. Derrière les cabinets je vis un réservoir d'eau posé sur un bâti métallique, et à côté un petit générateur électrique.

La moitié du terrain était plantée de pommiers. Une douzaine de jeunes plants étaient liés à des tuteurs. Une femme était occupée à les arroser avec un tuyau branché sur le réservoir d'eau. Le jet éclaboussait le sol et formait de petites mares boueuses.

La femme ne m'avait pas entendu arriver. Je lui donnai une soixantaine d'années. Râblée et très petite – elle ne devait pas dépasser le mètre cinquante –, elle avait des traits terreux et des cheveux gris coupés au carré. Elle plissait les yeux en se concentrant sur sa tâche, bouche entrouverte, ce qui accentuait la mollesse de sa mâchoire inférieure. Quelques poils raides jaillissaient de son menton. Elle portait une blouse d'un tissu imprimé bleu qui ressemblait à un drap. Le bas n'avait pas d'ourlet. Ses jambes épaisses étaient pâles, poilues. Elle serrait l'extrémité du tuyau d'arrosage de ses deux mains, comme s'il s'agissait d'un serpent vivant.

– Bonjour, dis-je.

Elle se retourna et me considéra longuement en plissant les yeux. Le jet éclaboussait maintenant un des arbustes, mais elle ne paraissait pas s'en rendre compte.

Elle me sourit. Un sourire candide. Puis elle eut un geste de la main hésitant, comme un enfant qui saluerait un étranger.

– Bonjour, répétai-je.

– B-jour.

Son élocution était très imparfaite.

Je m'approchai.

— Mrs. Ransom?

Elle me regarda sans comprendre.

— Shirlee?

Plusieurs hochements de tête rapides.

— C'est moi. Shirlee.

Dans son excitation elle lâcha le tuyau qui se mit à se tortiller sur le sol. Elle se pencha, voulut le saisir et reçut un jet d'eau en plein visage. Avec un cri de surprise elle bondit en arrière en levant les bras au ciel. Je ramassai le tuyau boueux, le nettoyai et le lui rendis, jet tourné vers le bas.

— Merci.

Elle s'essuya le visage contre l'épaule de sa blouse. Je sortis mon mouchoir et le lui donnai.

— Merci, M'sieu.

— Shirlee, je m'appelle Alex. Je suis un ami de Sharon.

Je me raidis en prévoyant un épanchement de chagrin, mais je ne provoquai qu'un nouveau sourire, plus lumineux encore.

— Jolie Sharon.

Le cœur serré, je me forçai à répondre :

— Oui, elle est jolie.

— Ma Sharon... Lettre... Voulez voir?

— Oui.

Elle baissa les yeux sur le tuyau, parut se perdre dans une intense réflexion.

— Attendez.

Lentement, avec des gestes précautionneux, elle recula jusqu'au réservoir d'eau, ferma le robinet et enroula le tuyau sur le sol. Le tout lui prit un temps considérable, mais quand elle eut fini elle se tourna vers moi avec une fierté non dissimulée.

— Très bien, dis-je. Jolis arbres.

— Jolis, oui. Pommes. Mizz Leiderk a donné les bébés-arbres. A moi et à Jasper.

— C'est vous qui les avez plantés?

Un gloussement amusé.

— Non. Gab-iel.

— Gabriel?

— Oui. Nous soignons bien les bébés-arbres.

— J'en suis sûr, Shirlee.

— Oui.

— Je peux voir cette lettre de Sharon?

326

– Ah, oui.

Je la suivis dans une des cabanes. Les murs étaient de pierre sèche striés par l'humidité, le sol couvert de contreplaqué. Au plafond, on voyait les poutres nues soutenant le toit. Une cloison en aggloméré séparait l'intérieur en deux compartiments. D'un côté se trouvaient un petit réfrigérateur, des plaques électriques, une vieille machine à laver. Des paquets de lessive et d'insecticide étaient rangés près du réfrigérateur.

De l'autre côté se trouvait une chambre au plafond bas et au sol couvert d'un tapis extérieur orange. Un lit à montant en fer forgé peint en blanc occupait presque tout l'espace, impeccablement fait avec une couverture de l'armée. Contre un mur était adossé un chauffage électrique. Le soleil passait à travers le papier sulfurisé des fenêtres. Un balai était rangé dans un coin. Il avait bien servi : l'intérieur était d'une propreté scrupuleuse.

Le seul autre meuble était une commode basse en pin naturel. Dessus était posée une boîte plate emplie de crayons de couleur usés au maximum pour la plupart et une pile de feuilles de mauvais papier maintenues par une pierre. Sur la première feuille se trouvait le dessin d'une pomme. Un dessin primitif. Enfantin.

– C'est vous qui avez dessiné ça, Shirlee ?
– Jasp. Dessine bien.
– Oui, il dessine bien. Où est-il ?

Elle désigna les toilettes extérieures.

– Je vois.
– Dessine bien.

J'acquiesçai en souriant.

– La lettre, Shirlee ?
– Oh. – Son sourire s'agrandit, et elle se tapota le côté du crâne de son poing fermé : J'ai oublié.

Nous retournâmes dans la chambre. Elle ouvrit le tiroir supérieur de la commode, qui était empli de piles nettes de vêtements aux couleurs fanées semblables à ceux étendus sur la corde à linge. Elle glissa une main sous une pile et sortit une enveloppe qu'elle me donna.

Marquée d'empreintes de doigts, elle avait été envoyée de Long Island, dans l'État de New York, en 1971. L'adresse était inscrite en lettres bâtons :

MR. ET MRS. JASPER RANSOM
RURAL ROUTE 4
WILLOW GLEN — CALIFORNIA 92399

A l'intérieur se trouvait une unique feuille de papier à lettres blanche. L'en-tête disait :

FORSYTHE TEACHERS COLLEGE FOR WOMEN
WOODBURN MANOR
LONG ISLAND — N.Y. 11946

Le même lettrage majuscule avait été utilisé pour le texte :

CHERS PAPA ET MAMAN,

JE SUIS ARRIVÉE A L'ÉCOLE. LE VOYAGE EN AVION ÉTAIT TRÈS BIEN. ICI TOUT LE MONDE EST TRÈS GENTIL AVEC MOI. J'AIME BIEN ICI, MAIS VOUS ME MANQUEZ BEAUCOUP.

N'OUBLIEZ PAS DE RÉPARER LES FENÊTRES AVANT LES PLUIES. ELLES RISQUENT D'ARRIVER BIENTÔT, FAITES ATTENTION. SOUVE-NEZ-VOUS, VOUS ÉTIEZ TREMPÉS L'ANNÉE DERNIÈRE. SI VOUS AVEZ BESOIN D'AIDE, MRS. LEIDECKER VOUS AIDERA. ELLE A DIT QU'ELLE S'OCCUPERAIT QUE TOUT AILLE BIEN POUR VOUS.

PAPA. MERCI POUR LES TRÈS BEAUX DESSINS, JE LES AI REGARDÉS QUAND J'ÉTAIS DANS L'AVION. D'AUTRES PASSAGERS LES ONT VUS ET LES ONT TROUVÉS TRÈS BEAUX. ON EN MANGERAIT. CONTINUE A DESSINER ET ENVOIE-MOI D'AUTRES DESSINS. MRS. LEIDECKER T'AIDERA A ME LES ENVOYER.

VOUS ME MANQUEZ BEAUCOUP. C'ÉTAIT DIFFICILE DE PARTIR. MAIS JE VEUX ÊTRE PROFESSEUR ET JE SAIS QUE VOUS LE VOULEZ AUSSI. C'EST UNE BONNE ÉCOLE. QUAND JE SERAI PROFESSEUR JE REVIEN-DRAI POUR FAIRE LA CLASSE A WILLOW GLEN. JE PROMETS DE VOUS ÉCRIRE ENCORE. PRENEZ SOIN DE VOUS.

JE VOUS EMBRASSE.
SHARON
(VOTRE PETITE FILLE UNIQUE.)

Je reglissai le feuillet dans l'enveloppe. Shirlee Ransom m'observait en souriant. Il me fallut plusieurs secondes avant d'être capable de parler.

— C'est une gentille lettre, Shirlee. Une belle lettre.
— Oui.
Je lui tendis l'enveloppe.

– Vous en avez d'autres ?

Elle secoua la tête avec une moue mécontente.

– On avait. Beaucoup. Grosses pluies sont venues, et pfff... – Elle balaya l'air de la main : Poupées. Jouets. Lettres... – Elle pointa un index noueux vers les fenêtres et leurs carreaux en papier sulfurisé : La pluie a tout pris.

– Pourquoi ne mettez-vous pas des vitres en verre ?

Shirlee eut un rire espiègle.

– Mizz Leiderk dit : « En verre, Shirlee. Verre c'est bien, résistant. Essayez. » Jasp dit « non, non ». Jasp aime bien le vent.

– Mrs. Leidecker a l'air d'être une bonne amie.

– Oui.

– Était-elle... Est-elle l'amie de Sharon aussi ?

– Profseur, dit Shirlee en se tapotant le front d'un doigt. Intelligente. Très.

– Sharon voulait être professeur aussi, dis-je. Elle est allée dans une école de l'État de New York pour devenir professeur.

Hochement de tête.

– Feu-sythe Clège.

– Forsythe College ?

– Oui. Très loin.

– Et quand elle a été professeur, est-elle revenue ici, à Willow Glen ?

– Non. Trop intelligente. Calfeunie.

– Californie ?

– Oui. Très loin.

– Elle vous a écrit, de Californie ?

Le regard de Shirlee se troubla, et je regrettai ma question.

– Oui.

– Quand vous a-t-elle écrit, la dernière fois ?

Elle se mordilla un doigt, tordit ses lèvres en réfléchissant.

– Noël.

– Noël dernier ?

– Oui, fit-elle, mais sans conviction.

Elle parlait d'une lettre vieille de seize ans comme si elle était arrivée la veille, croyait la Californie une contrée lointaine. Je me demandai si elle savait lire.

Quelque chose d'autre retint mon attention sur la commode. Dépassant à la base de la pile de dessins, un coin de pochette en simili-cuir bleu. Je la dégageai et me retrouvai avec en main un livret d'épargne d'une banque de Yucaipa. Shirlee ne parut pas s'offusquer de mon geste. Avec pourtant l'impression de me comporter en voleur, j'ouvris le livret.

Plusieurs années de transactions suivant un schéma immuable y étaient notées : un dépôt de cinq cents dollars en liquide était effectué sur le compte le premier de chaque mois. Les retraits étaient occasionnels. La somme globale atteignait un peu plus de soixante-dix-huit mille dollars et était déposée en fidéicommis dont Shirlee et Jasper Ransom étaient bénéficiaires. La curatrice du compte avait pour nom Helen A. Leidecker.

– Argent, dit Shirlee avec fierté.

Je replaçai le livret où je l'avais trouvé.

– Shirlee, où est née Sharon ?

Regard d'incompréhension.

– Vous lui avez donné naissance ? Sharon est sortie de votre ventre ?

Elle gloussa à cette idée. Je perçus des pas qui approchaient et me retournai.

Un homme entra dans la cabane. En m'apercevant il remonta son pantalon et alla se poster à côté de sa femme, l'air dérouté.

Il n'était guère plus grand qu'elle et devait avoir sensiblement le même âge. Son crâne se dégarnissait sérieusement, son visage n'avait pour ainsi dire pas de menton et ses deux yeux bleus étaient très doux. Un nez épais retombait sur une lèvre supérieure proéminente. Il gardait la bouche entrouverte et j'aperçus quelques chicots jaunâtres. Ses épaules étaient tellement étroites et voûtées qu'on aurait pu croire ses bras directement rattachés à son cou. Il portait un T-shirt beaucoup trop large pour lui, un pantalon de toile gris retenu à la taille par une ficelle et des baskets montantes. Je notai que le pantalon avait été repassé.

– Ooh, Jasp, dit Shirlee en gloussant.

Il semblait décontenancé, ne bougea pas. Elle remonta sa braguette et lui tapota la joue de la main. Il rougit violemment, regarda ses pieds.

– Bonjour, lui dis-je en tendant la main. Je m'appelle Alex.

Il m'ignora. Ses baskets paraissaient accaparer toute son attention.

– Monsieur Ransom... Jasper...

– Entend pas, intervint Shirlee. Entend rien. Pis cause pas.

Je réussis à croiser son regard et articulai « Bonjour ». Aucune réaction. J'offris de nouveau ma main. Il jeta des coups d'œil apeurés aux quatre coins de la pièce. Je me tournai alors vers Shirlee.

330

– Vous pouvez lui dire que je suis un ami de Sharon ?

Elle se gratta le menton, sembla réfléchir puis lui hurla en plein visage :

– Il connaît Sharon : Sha-ron ! Sha-ron !

Les yeux de Jasper s'agrandirent, évitèrent les miens.

– Shirlee, dites-lui que j'aime ses dessins.

– Dessins ! cria Shirlee en mimant un crayon qu'elle aurait tenu en main. Il aime les dessins ! Des-sins !

Il se renfrogna. Elle désigna la pile de dessins sur la commode, puis pointa le doigt sur moi.

– Dessins !

Je souris à Jasper, prononçai lentement :

– Très jolis.

Il émit enfin un son bas et guttural. J'avais déjà entendu la même chose, des années auparavant. A Resthaven.

– Des-sins ! cria encore Shirlee.

– Ça va, Shirlee, lui dis-je. Merci.

Mais elle suivait maintenant sa propre idée.

– Dessins ! Allez ! Allez ! fit-elle en appliquant une claque autoritaire sur les fesses plates de Jasper qui sortit en trottinant. Jasper va chercher dessins.

– Très bien. Shirlee, nous parlions de Sharon et de sa naissance. Je vous demandais si elle était sortie de votre ventre.

– Idiot ! rétorqua-t-elle en tirant le tissu de sa blouse sur la légère rondeur de son ventre. Pas de bébé là.

– Alors comment est-elle devenue votre fille unique ?

Le visage de Shirlee s'illumina de malice.

– Cadeau.

– Sharon était un cadeau ?

– Oui.

– De qui ?

Elle secoua la tête.

– Qui vous l'a donnée en cadeau ?

Le mouvement de tête s'accentua.

– Pourquoi vous ne pouvez pas me le dire ?

– Peux pas !

– Pourquoi, Shirlee ?

– Peux pas ! Secret !

– Qui vous a dit de garder ce secret ?

– Peux pas ! Secret ! Se-cret !

Un peu de bave marquait les coins de sa bouche et elle paraissait prête à fondre en larmes.

– D'accord, dis-je. C'est bien de garder un secret, si vous avez promis.

– Secret.

– Je comprends, Shirlee.

Elle renifla, sourit, prit un air étonné.

– Oh-oh, arroser...

Et elle sortit.

Je la suivis dans la cour. Jasper émergeait de l'autre cabane et se dirigeait vers nous, les mains serrant de nombreux dessins. En me voyant il les agita joyeusement. Je m'approchai de lui et il me les tendit. Des pommes, encore.

– Bravo, Jasper. Très jolis.

– Arroser, dit Shirlee en regardant le tuyau.

Jasper avait laissé la porte de l'autre cabane ouverte et j'y entrai.

Une seule pièce, moquettée de rouge, avec un lit à baldaquin en son centre, couvert d'une courtepointe bordée de dentelle. Le tissu était taché de marques verdâtres, visiblement pourri. J'effleurai un morceau de dentelle qui s'effrita sous mes doigts. La tête de lit et le cadre du baldaquin étaient oxydés et dégageaient une odeur aigre. Accroché de guingois, un poster sous verre des Beatles décorait le mur. Un agrandissement de la pochette de l'album *Rubber Soul*. En face du lit se trouvait une commode couverte de dentelle mitée, de fioles de parfum et de figurines en verre. Je voulus prendre une des bouteilles, mais elle était collée à la dentelle. Des fourmis s'égaillèrent entre les fioles.

Les tiroirs s'étaient gauchis et furent difficiles à ouvrir. Le premier ne contenait que quelques insectes. De même pour les autres.

Un son venu de la porte me fit me retourner. Shirlee et Jasper étaient immobiles, se tenant par la main comme des enfants apeurés par une tempête.

– Sa chambre, dis-je. Exactement comme elle l'a laissée, n'est-ce pas ?

Shirlee acquiesça. Jasper la regarda faire, puis l'imita.

J'essayai de me représenter Sharon lorsqu'elle vivait ici, avec eux. Quand ils l'élevaient. Je me souvins de ses propos, de ces parents qui buvaient leur martini dans le solarium...

Je souris pour cacher ma tristesse. Ils firent de même, mais pour dissimuler une anxiété servile. Ils attendaient mon ordre suivant. J'aurais voulu leur poser une foule de questions, mais je savais que j'avais eu d'eux toutes les réponses qu'ils me donneraient jamais. Je lisais la peur dans leurs yeux, et je me mis à chercher des paroles rassurantes.

Avant que j'aie pu les trouver, une masse humaine bloqua la porte derrière eux.

Ce n'était guère plus qu'un enfant. Il avait dix-huit ans au maximum, et son visage était encore poupin. Mais il était énorme. Plus de deux mètres et au moins cent trente kilos, dont une bonne vingtaine de graisse. Il avait la peau rose, le cou plus épais encore que sa face lunaire surmontée d'une brosse de cheveux blonds. Il tentait sans succès de se laisser pousser une moustache sur sa bouche étroite. Au-dessus de ses joues rebondies ses petits yeux me surveillaient d'un regard vengeur. Il portait des jeans délavés et une chemise à carreaux extra-large aux manches retroussées sur des avant-bras épais comme mes cuisses.

— Vous êtes qui ?

Sa voix était nasale et n'avait pas encore totalement mué.

— Je m'appelle Alex Delaware. Je suis un ami de Sharon Ransom.

— Elle n'habite plus ici.

— Je sais. Je suis venu de...

— Il vous ennuie ? demanda-t-il à Shirlee.

Elle grimaça.

— B-jour, Gab-iel.

L'adolescent répéta sa question avec la patience de l'habitude.

— Il aime dessins de Jasp, dit Shirlee.

— Gabriel, dis-je, je ne suis pas venu ici pour...

— Je me moque de ce que vous êtes venu faire ici, coupa-t-il. Ces personnes sont... spéciales. Et elles ont droit à des attentions spéciales.

Il posa délicatement un battoir énorme sur l'épaule de chacun des Ransom.

— Votre mère est Mrs. Leidecker ? demandai-je.

— Et alors ?

— J'aimerais lui parler.

Il roula des épaules et ses yeux s'étrécirent. S'il n'y avait eu son gabarit, l'attitude aurait été comique : un gamin jouant à la terreur.

— Qu'est-ce que ma mère a à voir avec vous ?

— Elle a été le professeur de Sharon. Moi j'étais un ami de

Sharon. Il y a certains sujets dont j'aimerais discuter avec elle. Des sujets qu'il vaudrait mieux ne pas aborder dans la compagnie présente. Je suis sûr que vous me comprenez.

Son expression disait qu'il me comprenait très bien.

Il recula d'un demi-pas.

– Maman n'a pas besoin d'être ennuyée.

– Je n'ai pas l'intention de l'ennuyer. Uniquement de lui parler.

Il réfléchit un instant, puis prit sa décision.

– D'accord, M'sieu. Je vais vous conduire jusqu'à elle. Mais je serai là tout le temps, alors pas de bêtises.

Il s'écarta complètement de la porte, et la lumière du jour réapparut.

– Allez, vous deux, fit-il à l'adresse des Ransom, vous devriez retourner arroser les arbres, pour que chacun ait sa dose.

Ils levèrent les yeux vers lui. Jasper lui tendit un dessin.

– Super, Jasp. Merci. Je l'ajouterai à ma collection.

Il avait parlé en détachant chaque syllabe. Puis l'enfant-homme se pencha et tapota affectueusement le crâne de l'homme-enfant. Shirlee lui prit l'autre main avec ferveur, et il déposa un baiser sur son front.

– Prenez soin de vous, compris ? Et continuez de bien arroser ces arbres, pour que nous puissions récolter bientôt de belles pommes, d'accord ? Et ne parlez pas aux étrangers.

Shirlee acquiesça gravement, puis battit des mains et gloussa de plaisir. Jasper se contenta de sourire et de lui offrir un autre dessin.

– Merci. Continue à dessiner comme ça, Rembrandt... – Puis, se tournant vers moi : Allons-y.

Nous nous étions éloignés de quelques mètres quand Jasper nous rattrapa en poussant des grognements. Nous nous arrêtâmes et il me donna un dessin, pour aussitôt baisser la tête, embarrassé.

D'une main je relevai son menton et articulai « Merci » devant ses yeux clairs. Son sourire me prouva qu'il avait compris. Je lui tendis la main et cette fois il la saisit mollement.

– Venez, Monsieur, fit Gabriel.

Je relâchai la main du petit homme et suivis Gabriel à travers le rideau formé par les saules pleureurs. Derrière nous, main dans la main, Shirlee et Jasper nous regardaient comme si nous étions des explorateurs partant pour quelque univers inconnu que jamais ils ne pouvaient espérer voir.

29

Il avait garé une grosse Triumph retapée derrière la Seville. Deux casques pendaient au guidon, l'un rouge et l'autre étoilé. Il coiffa le rouge, enfourcha sa moto et la fit démarrer d'un coup de kick.

– Qui vous a dit que j'étais ici ? demandai-je. Wendy ?

Pour toute réponse il fit rugir son moteur, effectua un demi-tour sur place et partit en roue arrière. Je sautai dans la Seville et fis de mon mieux pour ne pas me laisser distancer. Je le perdis de vue au pressoir mais le repérai une seconde plus tard qui filait en direction du village. J'accélérai et le rattrapai. Nous passâmes la boîte à lettres portant son nom de famille et continuâmes jusqu'à l'école. Là il freina, mit son clignotant à droite, remonta l'allée et contourna la cour de récréation pour stopper devant l'escalier du bâtiment.

Il en gravissait les marches quatre à quatre quand je garai la Seville derrière la Triumph. Je remarquai un panneau en bois près de la porte de l'école :

ÉCOLE DE WILLOW GLEN
CONSTRUITE EN 1938
anciennement sur les terres
du ranch Blalock

335

Le lettrage rustique était gravé au feu dans le bois, comme une autre pancarte que j'avais vue à La Mar Road, une route privée de Holmby Hills.

Gabriel s'engouffra dans l'école et je me hâtai derrière lui. Je poussai la porte et pénétrai dans une salle de classe spacieuse qui sentait la peinture à l'eau et le crayon taillé. Sur les murs peints de couleurs vives étaient accrochés des posters rappelant les mesures d'hygiène et de sécurité ainsi que des dessins d'enfants, mais aucun de pomme. Près du triple tableau noir le drapeau américain jouxtait une horloge qui indiquait 4 : 40. Devant trônait le bureau professoral, en face de trois rangées de pupitres à l'ancienne mode, avec tablette étroite creusée d'un trou pour l'encrier. Derrière le bureau était assise une femme blonde. Gabriel était penché auprès d'elle et lui murmurait à l'oreille quand j'entrai. Il se releva et me fusilla du regard. La femme leva les yeux vers moi.

Je lui donnai la quarantaine. Elle avait les épaules larges, les cheveux blonds ondulés coupés court et portait un chemisier blanc à manches courtes découvrant des bras bronzés et des mains aux ongles longs.

Gabriel lui glissa encore quelque chose.

— Bonjour, dis-je en avançant.

Elle se leva. Elle était de grande taille, et sans doute plus âgée qu'il n'y paraissait au premier regard. Le chemisier blanc était passé dans une jupe de lin marron. Elle avait une poitrine lourde et une taille fine qui accentuait par contraste sa carrure. Ses traits étaient plaisants, mis en valeur par un maquillage habile et discret. Ses lèvres étaient pleines, ses yeux lumineux. Un visage ouvert et volontaire.

— Bonjour, dit-elle avec une froideur affichée. Que puis-je pour vous ?

— Je voulais vous parler de Sharon Ransom. Je suis Alex Delaware.

En entendant mon nom elle changea d'attitude et une petite exclamation de surprise lui échappa.

— M'man ? s'inquiéta aussitôt son fils en lui prenant le bras.

— Tout va bien, chéri. Retourne à la maison et laisse-moi parler avec ce monsieur.

— Pas question, M'man. On ne le connaît pas.

— J'ai dit tout va bien, Gaby.

— M'man...

— Gabriel, quand je dis que tout va bien c'est que tout va

bien. Maintenant tu vas me faire le plaisir de rentrer à la maison. Sans rouspéter.

Il grogna sa désapprobation, me lança un regard meurtrier.

– Allez, Gaby, dit-elle.

Il ôta enfin sa main du bras de sa mère et sortit d'un pas lourd, en marmonnant. Elle se leva et alla voir à la fenêtre. Le moteur de la Triumph rugit, puis le grondement s'éloigna rapidement. Elle se retourna alors et vint vers moi en me tendant la main.

– Helen Leidecker. Pardonnez-moi de ne pas vous avoir reçu correctement. Gaby venait juste de me dire qu'un étranger de la ville fouinait du côté de chez les Ransom et voulait me voir, sans autre précision...

– Je comprends.

– Depuis la mort de son père au printemps dernier, Gaby est devenu très protecteur. C'est le dernier de mes cinq fils. Tous les autres sont mariés et partis faire leur vie. Inconsciemment je dois vouloir le garder immature... – Elle m'indiqua un des pupitres d'écoliers : Si vous voulez vous asseoir...

Je réussis à me coincer sur un des sièges.

– Ça me rappelle quelques vieux souvenirs, dis-je.

– Vraiment ? Vous avez fréquenté une école comme celle-ci ?

– Il y avait plus d'une classe, mais la disposition et le mobilier étaient semblables, oui.

– Où était-ce, docteur Delaware ?

Elle m'avait appelé docteur. Pourtant je ne lui avais pas révélé ma profession.

– Dans le Missouri.

– Ah ! moi je suis originaire de New York, Long Island. Les Hampton, mais pas du côté des riches propriétaires : du côté des domestiques. N'empêche, si quelqu'un m'avait prédit que je finirais dans un petit hameau endormi comme Willow Glen, je lui aurais sans doute ri au nez...

Elle alla se rasseoir à son bureau.

– Au fait, dit-elle avec un sourire aimable qui la rajeunit instantanément de dix ans, si vous avez soif il y a un frigo dans le couloir, mais j'ai bien peur qu'il n'y ait que du lait, du lait chocolaté ou de l'orangeade.

– Non, merci. J'ai très bien déjeuné.

– Wendy est une très bonne cuisinière, n'est-ce pas ?

– Et une très bonne sentinelle aussi.

– Comme je l'ai dit, docteur Delaware, Willow Glen est un petit hameau endormi. Tout le monde sait tout sur tout le monde.

– Y compris sur Shirlee et Jasper Ransom ?

– En particulier sur eux. Ils ont droit à des attentions particulières.

– Surtout maintenant, enchaînai-je.

Son visage se décomposa et elle ouvrit un tiroir pour y prendre un mouchoir. Quand elle se fut tamponné les yeux, ceux-ci étaient agrandis par le chagrin.

– Ils ne lisent pas les journaux, dit-elle. Ils sont à peine capables de déchiffrer l'alphabet. Comment vais-je leur annoncer ?

A cette question-là je n'avais pas de réponse à proposer. J'étais las de chercher des réponses.

– Ils n'ont pas d'autre famille ?

– Non. Elle était tout ce qu'ils avaient. Et moi. Je suis un peu devenue leur mère. Il faudra que je trouve un moyen... Elle s'essuya de nouveau les yeux : Excusez-moi, je vous prie. Je suis aussi remuée que le jour où j'ai lu la nouvelle dans le journal. Quelle horreur ! Je n'arrive toujours pas à y croire. Elle qui était si jolie, si pleine de vie... Et c'est moi qui l'ai élevée. Et maintenant elle est partie, disparue. Comme si elle n'avait jamais existé. Quel gaspillage atroce... Quand j'y pense je lui en veux presque, à elle ! C'est injuste, je le sais. C'était sa vie. Elle n'a jamais demandé ce que je lui ai donné. Jamais... Oh, je ne sais plus !

Elle détourna la tête. Son maquillage avait commencé à couler.

– C'était sa vie, c'est vrai, dis-je. Mais elle a laissé beaucoup de gens dans l'affliction.

– C'est plus que de l'affliction. Cela je l'ai déjà vécu. Mais là c'est pire. Je croyais la connaître comme ma fille, et pendant toutes ces années elle a dû endurer une telle souffrance. Je n'avais pas idée... Jamais elle n'en a parlé.

– Personne ne s'en doutait, dis-je. Elle ne se livrait jamais vraiment.

Elle leva les mains, les laissa retomber sur le bureau comme deux poids morts.

– Que peut-il y avoir eu de si terrible pour qu'elle abandonne tout espoir ?

– Je ne sais pas. Et c'est pourquoi je suis venu, ici, madame Leidecker.

338

– Helen.

– Alex.

– Alex, répéta-t-elle. Alex Delaware. Comme c'est curieux de vous rencontrer maintenant. D'une certaine façon j'ai l'impression de déjà vous connaître. Elle m'a tout dit de vous. Combien elle vous aimait. Elle voyait en vous le seul véritable amour de son existence, même si elle savait que jamais cela ne serait possible à cause de votre sœur. Malgré cela elle vous admirait profondément pour le dévouement que vous montrez pour votre Joan.

Elle dut prendre ma stupéfaction pour du chagrin et m'adressa un regard plein de sympathie.

– Joan... bredouillai-je.

– Pauvre être. Comment va-t-elle?

– Toujours pareil.

Elle acquiesça tristement.

– Sharon savait que son état ne s'améliorerait jamais. Et bien que votre engagement envers Joan ait signifié que vous ne pourriez jamais vous engager complètement avec quelqu'un d'autre, elle vous admirait pour cela. Je crois même que cela intensifiait l'amour qu'elle vous portait. Elle parlait de vous comme d'un saint. Ce genre de loyauté familiale est si rare de nos jours, disait-elle.

– Je suis loin d'être un saint...

– Mais vous êtes un homme bon. Et le vieux cliché est toujours aussi valable : ils sont rares... Mr. Leidecker était lui aussi un homme bon. Taciturne et entêté, mais un cœur en or. Gaby a hérité de cette bonté. J'espère seulement que la perte de son père ne le durcira pas trop.

Elle se leva, marcha jusqu'au tableau et donna plusieurs coups de chiffon. L'effort parut l'exténuer et elle revint s'asseoir lourdement.

– Ça a été une année de deuils, dit-elle. Pauvres Shirlee et Jasper. Je redoute de le leur dire. C'est ma faute. J'ai changé leur existence, et maintenant ce changement se transforme en tragédie.

– Il n'y a aucune raison de vous en accuser...

– Je vous en prie, dit-elle gentiment. Je sais que ce n'est pas rationnel, mais je ne peux pas m'empêcher de réagir de la sorte. Si je n'avais pas influencé leur existence, tout aurait été différent.

– Mais pas nécessairement mieux.

– Qui sait ? dit-elle, les yeux luisants de larmes. Qui sait...
Elle jeta un coup d'œil à la pendule murale.

– Je suis restée cloîtrée ici tout l'après-midi à noter ces copies, dit-elle. Un peu de marche me ferait le plus grand bien.

– À moi aussi.

Alors que nous descendions les marches de l'école, je désignai la pancarte de bois.

– Le ranch Blalock. Ils n'étaient pas dans la navigation, ou quelque chose d'approchant ?

– Aciéries et industrie ferroviaire. Ça n'a jamais vraiment été un ranch, en fait. Dans les années vingt, ils étaient en compétition avec la Southern Pacific pour installer les lignes de chemin de fer reliant la Californie au reste du pays. Ils avaient acheté des morceaux des comtés de San Bernardino et Riverside, parfois des villages entiers d'un coup. Ils ont payé le prix fort pour racheter Willow Glen aux fermiers et aux producteurs de pommes qui étaient installés là depuis la guerre de Sécession. Résultat : une énorme étendue de terrain qu'ils ont baptisée « ranch ». Mais ils n'y ont jamais élevé ou fait pousser quoi que ce soit. Ils se sont contentés de clôturer les terres et de poster des gardes. Et tout ça pour rien. La ligne de chemin de fer n'a jamais été construite, à cause de la Dépression. Après la Seconde Guerre mondiale, ils ont revendu quelques parcelles au privé. Mais beaucoup de grands terrains ont été rachetés par une autre corporation.

– Laquelle ?

– Une firme d'aviation, celle que détenait ce milliardaire fou, là, Belding... Magna Corporation.

Nous entrâmes dans la cour de récréation et la traversâmes en diagonale, passâmes les premiers arbres de la forêt.

– Magna possède encore beaucoup de terres par ici ?

– Une grande partie. Mais ils ne veulent pas vendre, ce qui bloque une expansion d'ensemble du coin.

– Et qui possède le terrain sur lequel vivent Jasper et Shirlee ?

– Magna.

– Tout le monde le sait ?

– Mr. Leidecker me l'a appris, et il n'écoutait guère les ragots.

– Comment sont-ils arrivés ici tous les deux ?

– Personne ne sait au juste. D'après Mr. Leidecker – à l'époque je n'habitais pas encore ici – ils sont entrés dans le

340

grand magasin pour acheter des provisions, en 1956, quand il y avait encore un grand magasin ici. Quand les gens ont essayé d'engager la conversation, Jasper a fait bonjour de la main en grognant tandis que Shirlee gloussait. Ils étaient attardés, c'était évident. Des enfants qui n'auraient jamais grandi. La théorie la plus répandue est qu'ils se sont sauvés d'une institution spécialisée, qu'ils ont peut-être erré après avoir pris un car et ont fini par échouer ici, par hasard. Les gens les aident quand ils sont dans le besoin, mais en général personne ne se préoccupe beaucoup d'eux. Ils sont inoffensifs.

— Quelqu'un se préoccupe d'eux, fis-je remarquer. Quelqu'un qui leur envoie cinq cents dollars par mois.

Elle me lança un regard coupable.

— Je vous demande pardon.

— J'ai vu le livret. Sur la commode.

— Sur la commode ? Mais que puis-je faire d'eux ? Je leur ai dit mille fois de garder ce livret caché, ou qu'ils m'en laissent la garde. Mais ils croient que ce livret est une sorte de symbole de liberté et ils ne veulent pas s'en séparer. Ils peuvent se montrer très entêtés quand ils le veulent. Jasper surtout. Vous avez vu les fenêtres ? C'est lui. Il ne veut pas de vitres. Et la pauvre Shirlee gèle en hiver. Avec Gaby, nous amenons des couvertures tous les hivers, mais au début du printemps elles sont toutes moisies. Le froid ne semble pas gêner Jasper. Il faut lui dire de rentrer quand il pleut... – Elle secoua la tête avec consternation : Mais laisser le livret sur leur commode... Ce n'est pas que les gens d'ici soient malhonnêtes, mais quand même... Ça fait beaucoup d'argent, surtout pour deux innocents sans défense.

— Qui envoie cet argent ? demandai-je.

— Je n'ai jamais réussi à le savoir. L'argent arrive le premier de chaque mois, dans une enveloppe blanche avec l'adresse dactylographiée, sans mention d'expéditeur. C'est posté du bureau central de Los Angeles. Shirlee n'a pas de notion claire du temps, et elle n'a pas pu me dire depuis combien de temps ils recevaient ce versement mensuel, mais il y avait l'ancien facteur, Ernest Halverson, qui a pris sa retraite en 1964. Il m'a dit se souvenir de ces enveloppes depuis 1956 ou 57. Mais quand je l'ai interrogé il avait déjà eu deux attaques cardiaques et sa mémoire n'était plus très bonne. Et les autres anciens sont morts ou partis depuis longtemps.

— Ça a toujours été cinq cents dollars ?

341

– Non. Trois cents, puis quatre cents. C'est passé à cinq cents quand Sharon est entrée à l'université.

– Un bienfaiteur plein d'attentions, dis-je. Mais comment faisaient-ils pour gérer tout cet argent ?

– Ils ne le géraient pas du tout. Ils vivaient comme des animaux jusqu'à ce que nous nous occupions d'eux. Toutes les deux semaines ils arrivaient en ville avec deux ou trois billets de vingt dollars pour acheter des provisions, mais ils n'avaient aucune idée de la valeur des choses ou de la monnaie qu'on devait leur rendre. Heureusement ici les gens sont honnêtes. Personne n'a jamais tiré avantage d'eux.

– Mais on ne s'étonnait pas de la provenance de cet argent ?

– Je suis sûre que si, mais à Willow Glen on n'espionne pas. Et personne ne s'est rendu compte de la fortune qu'ils détenaient, jusqu'à ces inondations. Des milliers de dollars fourrés sous le matelas du lit, ou simplement dans un tiroir. Jasper avait dessiné sur beaucoup de billets ou en avait fait des avions.

– Quel âge avait Sharon à l'époque ?

– Presque sept ans. C'était en 1960. Je me souviens de l'année parce que cet hiver-là il y a eu des pluies beaucoup plus abondantes que de coutume. A l'origine ces cabanes avaient été bâties pour stocker les pommes, et nous savions qu'elles seraient inondées. Alors nous y sommes allés, Mr. Leidecker et moi. C'était un vrai désastre. L'eau et la boue avaient envahi leur cabane, et Shirlee et Jasper restaient immobiles et terrorisés avec de l'eau jusqu'aux genoux. Nous avons découvert Sharon dans l'autre cabane, debout sur son lit et enveloppée dans sa couverture, qui tremblait et criait quelque chose à propos d'une soupe verte. Je n'ai pas compris ce qu'elle voulait dire. Je l'ai prise dans mes bras pour la réchauffer, mais elle continuait de crier... Quand je suis ressortie avec elle j'ai vu Mr. Leidecker qui désignait du doigt les billets qui étaient emportés par la boue. Nous sommes parvenus à en récupérer une bonne partie, que nous avons ensuite fait sécher au-dessus de notre cheminée. Dès la fin des pluies, j'ai emmené Jasper et Shirlee à Yucaipa et j'ai ouvert le compte. J'ai signé pour tout, gardé un peu de liquide pour les dépenses courantes et placé le reste pour eux. J'ai réussi à leur apprendre les bases du calcul, comment gérer un budget simple, rendre la monnaie. Quand ils ont appris quelque chose, en général ils le retiennent bien. Mais ils ne comprendront jamais ce qu'ils possèdent. Ça représente une jolie somme, et ajoutée à Medi-Cal et à la Sécurité sociale, ça pourrait leur permettre de vivre confortablement jusqu'à la fin de leurs jours.

– Quel âge ont-ils ?

– Je ne le sais pas, parce qu'eux ne le savent pas non plus. Ils n'ont aucun papier d'identité et ne se souviennent même pas de leur date anniversaire. Les services gouvernementaux n'ont jamais entendu parler d'eux. Quand nous les avons inscrits à la Sécurité sociale et à Medi-Cal, nous avons estimé leur âge et nous leur avons inventé une date de naissance.

Miss Bonne-Année et Mr. Joyeux-Noël...

– Et pour celle de Sharon ?

– Nous avons décidé toutes les deux, quand elle avait dix ans. Le 4 juillet. Sa Déclaration d'indépendance. Pour l'année, 1953, d'après les calculs d'un médecin qui a étudié l'état de ses dents, son poids, sa taille, son squelette aux rayons X.

L'anniversaire que j'avais célébré avec Sharon était un 15 mai. Le 15 mai 1975. Une autre fiction ? J'aurais aimé savoir ce que celle-là symbolisait...

– Existe-t-il une possibilité que Sharon soit l'enfant biologique de Shirlee et Jasper ? m'enquis-je.

– C'est très improbable. Je les ai fait examiner tous les deux par un médecin. D'après lui, Shirlee était assurément stérile. Donc toujours la même question : d'où est venue Sharon ? Pendant un temps j'ai vécu avec la hantise que ce soit une enfant kidnappée. J'ai fouillé les archives des journaux de la région. Deux cas seulement correspondaient, et en poussant mes recherches j'ai appris que les deux enfants avaient été retrouvés morts. Ses origines restent donc inconnues. Et quand vous en parlez à Shirlee, elle rit et vous dit que Sharon lui a été donnée, c'est tout.

– Oui, elle m'a dit que c'était un secret.

– Elle adore jouer aux secrets. Ce ne sont vraiment que des enfants.

– Quelle théorie prévaut quant aux origines de Sharon, alors ?

– Aucune... Non, Alex, je n'ai aucune idée sur le sujet.

– Mais elle a dû s'interroger, n'est-ce pas ?

– C'est ce qu'on aurait pu attendre d'elle, en effet. Pourtant elle n'a jamais fait de recherches dans ce sens. Même durant son adolescence. Elle se savait différente de Jasper et Shirlee mais elle les aimait et elle acceptait les choses telles qu'elles étaient. La seule tension que je lui ai vue date de l'été précédant son départ pour le Forsythe College. C'était très dur pour elle. Elle était à la fois très excitée, effrayée et elle se culpabilisait terriblement de les abandonner. Elle savait qu'elle faisait un pas décisif et qu'elle ne serait jamais plus la même ensuite.

Elle s'arrêta, se baissa et ramassa une magnifique feuille de chêne qu'elle fit tourner entre ses doigts. Entre les feuillages des arbres, le ciel pur et sombre était piqueté d'étoiles brillantes. Nous avions décrit un arc de cercle, et les fenêtres colorées de l'école luisaient non loin de nous.

– Quand Sharon vous a-t-elle rendu visite pour la dernière fois ?

– En 1974. Elle avait réussi ses examens et allait déménager pour Los Angeles. J'ai organisé une petite soirée en son honneur chez moi. Sharon est arrivée resplendissante, avec des cadeaux pour chacun d'entre nous. Un échiquier pour Shirlee et une boîte de crayons de couleur pour Jasper. Elle leur a aussi donné une photo d'elle en diplômée, avec la toge et le chapeau plat.

– Je ne l'ai pas vue, dans leur cabane.

– Non, ils ont réussi à l'égarer. C'est comme l'argent. Ils n'ont jamais su ce qu'ils avaient, et ils ne le savent toujours pas.

– Shirlee m'a montré une lettre de Sharon. Elle écrivait souvent ?

– Pas régulièrement, mais ils ne lisent quasiment pas, souvenez-vous. En revanche elle me téléphonait souvent pour prendre de leurs nouvelles. Elle leur était très attachée. – Elle laissa tomber la feuille de chêne : Pour elle c'était très dur, il faut que vous le compreniez. Elle a vraiment dû se battre contre elle-même pour partir d'ici. Et la culpabilité qu'elle en a éprouvée a été énorme. Je lui ai répété cent fois qu'elle n'avait que cette solution. Quelle autre alternative ? S'enterrer ici pour jouer les gardes-malades ? – Elle s'interrompit brusquement, gênée par ses propos : Pardonnez-moi. Je n'avais pas réfléchi...

– Joan, dis-je.

– Je trouve votre dévouement admirable.

Je haussai les épaules, réellement gêné.

– J'assume mes choix, répondis-je.

– C'est ce que Sharon disait de vous. Et c'est ce que je voulais qu'elle fasse aussi. Ses propres choix...

– Quand vous a-t-elle parlé de Joan ?

– Environ six mois après la soirée pour ses examens. C'était sa première année à l'université. Elle avait appelé pour prendre

344

des nouvelles de Shirlee et Jasper, mais elle avait l'air troublé. Je lui ai demandé si elle ne voulait pas qu'on se voie, et à ma surprise elle a accepté. Nous avons arrangé un déjeuner ensemble à Redlands. Elle avait l'allure d'une femme parfaitement sûre d'elle, mais triste, si triste... Elle m'a dit avoir rencontré l'homme de ses rêves, et elle a passé beaucoup de temps à parler de vos qualités. Et puis elle m'a dit pour Joan, et que ça ne marcherait jamais à cause d'elle...

— Vous a-t-elle dit ce qui a causé les problèmes de Joan ?

— La noyade ? Oh, oui. Quelle horreur... Et vous, petit garçon, qui avez assisté à tout sans pouvoir rien faire.... – Elle toucha mon bras dans un geste naturel de réconfort : Elle comprenait, Alex. Elle ne vous en voulait pas.

— C'est tout ce qui la troublait ?

— C'est tout ce dont elle m'a parlé, en tout cas.

— Quand l'avez-vous revue, ensuite ?

Elle se mordilla la lèvre.

— Jamais plus. Cette fois-là a été la dernière. Elle a continué à appeler. Mais de moins en moins souvent. Et puis, six mois plus tard, les appels ont cessé. Mais nous recevions toujours une carte pour Noël... – Elle réussit un faible sourire. Nous marchâmes en silence quelques pas : Je comprenais. Je l'avais peut-être aidée à finir son ancienne existence, mais j'en faisais toujours partie, et elle avait besoin d'une rupture totale. Des années plus tard, quand elle a eu son diplôme, elle m'a envoyé une invitation pour la cérémonie de remise. Elle avait réussi et elle se sentait enfin assez forte pour reprendre contact... Mais sa lettre est arrivée le lendemain de la date de la remise des diplômes. Le courrier, dans ces zones rurales...

Le courrier fonctionnait pourtant très bien quand il s'agissait du versement mensuel aux Ransom. Je ne fis pas de commentaire.

— Toutes ces années, dit-elle. Je croyais la connaître, et maintenant je me rends compte que je me faisais des idées. Je ne savais presque rien d'elle...

Nous dirigeâmes nos pas vers les fenêtres éclairées.

— Comment avez-vous rencontré Sharon, au fait ? dis-je.

— C'était en 1957, peu après mon mariage, quand Mr. Leidecker m'a ramenée ici... – Une expression rêveuse envahit son visage : Trente ans, déjà...

— Partir d'une grande ville pour s'installer à Willow Glen, ça a dû pas mal changer votre vie...

– Oh oui... Après mes études j'ai enseigné dans un établissement privé dans l'Upper East Side de Manhattan : des enfants de riches. Je donnais aussi des cours du soir de rattrapage, bénévolement. C'est là que j'ai rencontré Mr. Leidecker. Il m'a parlé de Willow Glen. Dans sa bouche, la région était un véritable paradis. Sa famille y était installée depuis la ruée vers l'or. Deux mois après notre rencontre nous étions mariés... – Nous atteignîmes l'école et elle leva des yeux embués vers le ciel : Mon mari était un homme taciturne, mais il savait raconter une histoire. Il jouait très bien de la guitare et chantait merveilleusement... Oui, nous avions une bonne vie ensemble...

– Ça en a tout l'air.

– Et c'était vrai. J'ai fini par aimer cet endroit. Les gens ici sont solides et honnêtes. Les enfants font preuve d'une innocence presque touchante, plus encore à l'époque que maintenant, avec la télévision par câble... Bien sûr, j'ai regretté l'effervescence intellectuelle de New York. Willow Glen est un désert culturel. Je suis abonnée à quatre bibliothèques par correspondance et vingt mensuels, mais croyez-moi, ça ne compense pas...

Nous étions arrivés en bas des marches de l'école. Elle considéra le bâtiment en souriant.

– Les gens ici n'étaient pas gênés par ce manque de possibilités culturelles, mais Sharon était différente. Elle avait un esprit vorace, elle adorait apprendre...

– Étonnant si l'on considère le foyer où elle vivait, fis-je remarquer.

– Oui, c'est très étonnant. En particulier quand je me rappelle la première fois que je l'ai vue. La façon dont elle s'est épanouie tient vraiment du miracle. Je me sens fière d'avoir eu le privilège de l'y aider. Quelle que soit la tournure qu'à prise sa vie ensuite...

Elle étouffa un sanglot, gravit rapidement les marches et pénétra dans l'école. Je la suivis. Elle rangea son bureau avec des gestes rapides.

– Comment l'avez-vous rencontrée ? répétai-je doucement, après un moment.

– C'était juste après mon arrivée ici. Mes élèves n'arrêtaient pas de parler d'une famille d' « attardés » – le terme était d'eux, pas de moi – qui vivait derrière le pressoir en ruine. Deux adultes et une fillette. J'ai voulu en avoir le cœur net et je me suis rendue sur les lieux. C'était exactement ce que m'avaient décrit les enfants : deux cabanes insalubres, sans plomberie, électricité ou chauffage au gaz. Shirlee et Jasper étaient là, au milieu de leur terrain boueux, qui me souriaient. Ils m'ont suivie sans protester quand je suis entrée dans leurs cabanes. Je m'attendais au chaos, mais à ma grande surprise tout à l'intérieur était d'une étonnante propreté, lavé au savon, leurs quelques vêtements bien pliés, les lits impeccablement faits. Et ils ont toujours été d'une hygiène scrupuleuse, bien qu'ils aient négligé leurs dents. Comme si quelqu'un leur avait inculqué les bases de l'hygiène, ce qui soutient l'hypothèse d'un séjour dans une institution spécialisée. Malheureusement ils n'avaient aucun rudiment de la façon d'éduquer une enfant. Sharon était crasseuse, ses cheveux collés en paquets par la boue. La première fois que je l'ai vue elle était accroupie dans un arbre et m'observait. Shirlee l'a appelée mais elle n'a pas obéi. Visiblement, ils n'avaient aucune autorité parentale sur elle.

– Shirlee l'a appelée par son prénom, « Sharon » ?

– Oui. Mais elle n'a pas réagi. J'ai fait semblant de l'ignorer et au bout d'une minute elle est descendue de son perchoir, en restant à distance de moi. Elle était curieuse et paraissait contente de voir un nouveau visage. Et puis j'ai vu qu'elle tenait quelque chose dans sa main : un pot de mayonnaise. Elle s'est accroupie et a plongé deux doigts dedans, qu'elle a ensuite fourrés dans sa bouche. Les mouches volaient autour du pot ouvert, sur son visage. Je me suis approchée et je lui ai pris le pot des mains. Elle a protesté en grognant, mais pas trop. Elle sentait très mauvais, mais il y avait ces yeux qui brillaient d'intelligence. Je l'ai assise sur un tronc et je lui ai dit : « La mayonnaise se mange avec du thon ou du jambon. » Shirlee s'est mise à rire, et Sharon l'a imitée. Puis elle s'est tue, m'a regardée droit dans les yeux et m'a dit : « Moi je préfère comme ça », d'une voix claire, nette. J'en suis restée stupéfaite. Ça a été le début de tout. J'ai très vite vu qu'elle avait une bonne coordination des mouvements, qu'elle était très vive. J'ai demandé à Jasper et Shirlee si je pouvais leur prendre Sharon quelques heures, et ils ont accepté sans hésitation. Ils ne m'avaient pourtant jamais vue auparavant, mais ils n'avaient pas de lien parental avec la fillette, même s'ils appréciaient visiblement sa présence...

– Comment Sharon a-t-elle réagi à cette séparation ?

– Elle n'était pas enchantée mais elle n'a pas résisté. Elle m'a laissée la prendre par la main, et elle est montée dans la voiture comme si elle avait déjà vécu cette expérience. Chez moi je l'ai lavée, je lui ai passé une vieille chemise de Mr. Leidecker et je lui ai préparé un bon repas chaud, qu'elle a dévoré. Le premier contact était établi. Mais le plus bizarre était son expression. Elle pouvait débiter une phrase entière très bien construite, assez complexe, ou se retrouver incapable de décrire quelque chose de très simple. Elle avait des manques énormes dans ses connaissances primaires du monde. Dès qu'elle ne trouvait plus ses mots elle se mettait à grogner de rage, comme Jasper.

— De cet état jusqu'au doctorat... murmurai-je.

— Je vous ai dit que c'était un miracle. Elle a appris à une vitesse phénoménale. Quatre mois pour maîtriser une expression orale correcte, trois pour savoir lire. Plus je passais de temps avec elle et plus la réalité devenait évidente : non seulement elle n'était pas retardée, mais elle était douée. Très douée, même... Tout ça pour rien...

Helen Leidecker inspira profondément pour maîtriser son trouble et leva les yeux vers la pendule murale.

— Excusez-moi mais il faut que je parte. Gaby m'a amenée ce matin en moto. Il a acheté un casque pour moi avec ses économies, je ne pouvais pas refuser... et le pauvre doit soupçonner Dieu sait quoi, à l'heure qu'il est.

— Je vous déposerai avec plaisir, proposai-je.

Elle n'hésita qu'une seconde.

— D'accord. Laissez-moi deux minutes pour fermer l'école.

30

Sa maison était vaste et surmontée d'un toit pointu, un peu en retrait de la route, derrière un verger florissant. La moto de Gabriel était garée près du porche d'entrée, à côté d'une vieille camionnette Chevrolet et d'une Honda Accord. Elle me précéda jusqu'à une porte latérale et nous entrâmes dans la cuisine. Gaby s'y trouvait attablé, nous tournant le dos et décortiquant des épis de maïs tout en écoutant du rap beuglé par un radio-cassette à peine moins gros que la Honda. Les épis étaient empilés avec soin. Il travaillait lentement mais régulièrement, en dodelinant de la tête au rythme de la musique.

Elle lui baisa le front et il lui lança un regard de chien battu quémandant une caresse. Puis il me vit et le chien battu devint chien de garde.

Elle baissa le volume sonore du poste à cassettes.

— Qu'est-ce qu'il veut encore, lui ? gronda-t-il.

— Ne sois pas impoli, Gabriel ! Ton père t'a mieux éduqué que ça !

À la mention de son père il parut redevenir un petit garçon boudeur. Sa mère se tourna vers lui.

— Le Dr Delaware est invité. Vous resterez pour le repas, Docteur ?

— Ce sera avec plaisir. Merci beaucoup.

J'avais surtout faim de révélations, mais cela ne changeait rien pour Gabriel. Il grommela quelque chose d'assurément hostile, mais la musique restait assez forte pour noyer ses propos.

– Débarrasse la table et mets le couvert, Gabriel. Peut-être qu'un bon repas restaurera tes bonnes manières.

– J'ai déjà mangé, M'man. – Il étendit ses bras sur le tas d'épis de maïs décortiqués : Regarde tout ce que j'ai fait... Je peux arrêter pour ce soir ?

Elle croisa les bras sur sa poitrine, prit un air sévère.

– D'accord. Tu finiras demain. Et tes devoirs ?

– Je les ai faits.

– Intégralement ?

– Oui.

– Parfait. Alors tu es libéré sur parole.

Il se leva et me jeta un regard qui me conseillait d'éviter une rencontre sans témoin, puis se dirigea vers la porte.

– Euh... M'man ? fit-il en se retournant.

– Quoi donc ?

– Je peux aller au ciné avec Russell et Brad ce soir ?

– Voir quel film ?

– *Top Gun.*

– Et qui conduira ?

– Brad.

– D'accord, tant que ce n'est pas Russell dans sa Jeep trafiquée. Un accident suffit. Suis-je assez claire, jeune homme ?

– Oui M'dame.

– Très bien. Ne trahis pas ma confiance, Gaby. Et retour à la maison pour onze heures, compris ?

– Merci.

Il sortit de la cuisine, tellement content qu'il en oublia de me fusiller du regard.

La salle à manger était spacieuse et sombre, et l'odeur de lavande imprégnait les murs tapissés. Les meubles assez anciens étaient en noyer noir. Des doubles rideaux épais masquaient les fenêtres, et des portraits de famille affadis par les ans emplissaient les espaces vides sur les murs, histoire illustrée du clan Leidecker à divers stades de son développement. Helen avait naguère été une très jolie femme dont le sourire rehaussait le charme. Un sourire qui ne serait sans doute jamais ressuscité. Ses quatre fils aînés étaient des échalas aux cheveux en broussaille qui ressemblaient à leur mère. Leur père était un homme à la barbe blonde et au torse de lutteur qui préfigurait Gabriel. Sharon n'apparaissait sur aucune photo.

En l'aidant à dresser la table je remarquai un étui à guitare posé sur le sol, près du dressoir.

– Celle de Mr. Leidecker, expliqua-t-elle. Je lui ai dit mille fois de la ranger, mais elle finissait toujours ici. Il jouait tellement bien, ça n'avait pas beaucoup d'importance. A présent je la laisse là. Parfois j'ai l'impression que la musique est ce qui me manque le plus.

Elle semblait tellement misérable, je lui avouai que je jouais.

– Vraiment ? Alors, allez-y, ne vous gênez pas.

J'ouvris l'étui. A l'intérieur, dans son écrin de velours bleu se trouvait une Gibson L-5 des années trente en parfait état, les incrustations intactes, le bois comme récemment verni, le dorage du cordier et des barrettes luisant. Il émanait de l'étui cette odeur de chat mouillé que les vieux instruments acquièrent. Je pris la guitare, fis vibrer les cordes à vide puis les accordai.

– Venez donc ici, que je puisse vous écouter, dit-elle de la cuisine où elle était allée.

Je m'assis donc à la table de la cuisine et enchaînai quelques accords de jazz tandis qu'elle préparait le poulet, les pommes de terre, le maïs, les haricots et des limonades fraîches. L'instrument donnait un son chaud et plein. J'entamai *La Mer* avec quelques arrangements coulés à la Django Reinhardt.

– C'est très joli, m'assura-t-elle.

Mais je voyais bien que le jazz, même de ce style, n'était pas sa musique préférée. Je passai alors au picking et entamai au hasard une mélodie de country en do majeur. Son visage s'illumina aussitôt.

Elle apporta les plats, qui étaient plus que consistants, dans la salle à manger. Je délaissai la guitare et elle me plaça à la tête de la table, se mit à ma droite et me sourit nerveusement.

J'étais assis à la place d'un disparu, et je sentis qu'elle attendait quelque chose de moi, quelque protocole que jamais je ne pourrais maîtriser.

Elle picora dans son assiette en me surveillant. Je me forçai à manger. J'ingurgitai autant que le voulait bien mon estomac, en la complimentant entre deux bouchées, puis j'attendis qu'elle ôte les assiettes et apporte une tourte aux pommes avant de lui demander :

– La photo du diplôme que les Ransom ont perdue... Sharon vous en avait donné une aussi ?

– Oh, ça... fit-elle, et ses épaules s'affaissèrent en même temps qu'une soudaine humidité emplissait ses yeux.

J'eus l'impression d'avoir repoussé un survivant à demi noyé dans les eaux glacées. Avant que j'aie pu dire quoi que ce soit, elle avait quitté la table et disparu dans le couloir. Elle revint presque immédiatement avec une photo de vingt-cinq centimètres sur trente dans un cadre marron qu'elle me tendit du même geste qu'elle aurait eu pour me donner une relique sacrée. Puis elle surveilla ma réaction.

Radieuse, en costume universitaire pourpre, Sharon souriait à l'objectif et au monde. Elle avait les cheveux un peu plus longs que dans mon souvenir et le visage souriant. Le type même de la jeune universitaire américaine regardant l'avenir avec un optimisme conquérant.

En bas, dans le coin gauche, trois courtes lignes étaient imprimées en lettrage doré :

FORSYTHE TEACHERS COLLEGE FOR WOMEN
PROMOTION 74
LONG ISLAND — N. Y.

— Votre alma mater? demandai-je en lui rendant la photo.
— Oui, dit-elle en plaquant le cadre contre sa poitrine et en s'asseyant. Elle a toujours voulu enseigner. Je savais que Forsythe était l'endroit qu'il lui fallait. Rigoureux et assez en retrait pour amortir le choc de son ouverture au monde. Les années soixante-dix étaient une période agitée, et elle avait mené jusqu'alors une existence très protégée. Elle a adoré cet établissement et a eu immédiatement des notes excellentes. C'était une fille brillante, Alex. Bien sûr, au départ certaines choses ne se sont pas faites toutes seules. J'ai dû la forcer à prendre des habitudes d'hygiène strictes, par exemple. Un bon entraînement pour l'éducation de mes garçons. Mais pour tout ce qui avait rapport avec l'intellect, elle l'absorbait comme une éponge.

— Comme s'entendaient vos fils avec elle?
— Il n'y avait pas de rivalité. Elle était tendre avec eux, aimante, comme une grande sœur merveilleuse. Et elle ne représentait pas un danger pour eux parce que tous les soirs elle rentrait dormir chez elle. Au début, c'est quelque chose que j'ai mal vécu, je l'avoue. Je voulais tant l'adopter, lui faire mener une existence plus normale... Mais à leur façon Jasper et Shirlee l'aimaient beaucoup, et elle le leur rendait bien. Casser ce lien aurait été une erreur, envers eux comme envers elle.

– Elle n'a donc jamais passé une nuit chez vous ?

– Non. Je la renvoyais chez elle. C'était mieux ainsi.

Des années plus tard, avec moi, elle-même se renvoyait chez elle. *J'ai du mal à dormir ailleurs que dans mon lit...*

– Elle était heureuse de sa vie, Alex. Elle s'épanouissait chaque jour un peu plus. C'est pour ça que je n'ai pas prévenu les autorités. Une assistante sociale serait arrivée, aurait jeté un coup d'œil à Jasper et Shirlee et les aurait envoyés dans une institution pour le restant de leurs jours, et Sharon aurait été placée d'office chez des parents adoptifs. Elle a évité cela, et ma méthode était bien meilleure.

– D'après son diplôme, il semble bien, en effet.

– C'était un plaisir de lui enseigner quelque chose. Jusqu'à ses sept ans je lui ai donné des leçons particulières sur un rythme intensif. Ensuite je l'ai incorporée dans l'école. Elle a très vite dépassé le niveau de sa classe. En revanche son développement social était en retard. Elle était très réservée avec les enfants de son âge, peut-être parce qu'elle avait pris l'habitude de jouer avec Eric et Michael, mes deux premiers fils, qui à l'époque étaient encore en bas âge.

– Comment se comportaient les autres enfants avec elle ?

– Au début comme si elle était quelqu'un de très étrange. Il y a eu beaucoup de petites phrases cruelles, mais j'y ai très vite mis un terme. Elle n'est jamais devenue réellement sociable ni populaire dans l'école, mais elle a appris à se mêler aux autres quand c'était nécessaire pour elle. En grandissant les garçons ont commencé à remarquer son apparence physique, mais elle ne se souciait pas de ce genre de choses. Tout ce qu'elle voulait, c'était avoir de bonnes notes. Elle désirait devenir professeur. Elle était toujours la première de sa classe. Ça n'avait rien à voir avec moi, car quand elle est allée au collège à Yucaipa ses notes étaient tout aussi excellentes, dans les meilleures de tout l'établissement. Elle aurait été acceptée n'importe où, et elle n'avait pas besoin de ma recommandation pour entrer à Forsythe. En fait elle a obtenu une prise en charge complète de ses études.

– Quand a-t-elle changé d'avis sur la profession qu'elle voulait embrasser ?

– Au début de sa dernière année. Elle s'était spécialisée en psychologie. Connaissant son passé, rien d'étonnant à ce qu'elle se soit intéressée à la nature humaine. Mais elle n'avait jamais parlé de devenir psychologue jusqu'à ce jour où elle s'est

353

rendue à une journée d'orientation à la Long Island University. Il y avait là des représentants de diverses professions qui se tenaient derrière des tables et proposaient des brochures et renseignaient les étudiants. C'est là qu'elle a rencontré un psychologue, un professeur qui lui a fait très forte impression. Et apparemment elle a eu le même effet sur lui, car il lui a affirmé qu'elle ferait une excellente psychologue. Il en était même tellement certain qu'il a proposé de la parrainer. Il se rendait à Los Angeles et il lui garantissait son entrée en troisième cycle si elle le désirait. Inutile de vous dire qu'elle était aux anges de s'imaginer docteur en psychologie.

– Quel était le nom de ce professeur ?

– Elle ne me l'a jamais dit.

– Vous ne le lui avez jamais demandé ?

– Sharon était quelqu'un de très réservée, elle me disait ce qu'elle voulait bien me dire. J'ai très vite appris que la pire des manières d'obtenir quelque chose d'elle était de le lui demander. Un peu de tourte ?

– Ce serait avec grand plaisir, mais je crois que je ne pourrai plus avaler une bouchée.

– Eh bien, je vais en prendre un peu, moi. J'ai vraiment besoin de quelque chose de sucré, de doux.

Je n'appris rien de plus durant la demi-heure qui suivit et qui fut consacrée aux albums de photos et aux anecdotes familiales. Sharon figurait sur certains des clichés. Mince et souriante, une enfant magnifique, une adolescente charmante, attentionnée avec les fils de Mrs. Leidecker. Quand je faisais un commentaire louangeur, Helen gardait le silence.

Vers neuf heures une gêne curieuse s'était installée entre nous et, pareils à deux adolescents qui vont trop loin lors de leur premier rendez-vous, nous faisions marche arrière avec une certaine gaucherie. Quand je la remerciai de m'avoir reçu, je sentis qu'elle était impatiente de me voir partir. Je quittai Willow Glen cinq minutes plus tard et je repris la Route 10 quarante-cinq minutes après.

La circulation était en grande partie composée de poids lourds et de semis chargés de foin ou de troncs d'arbres. Assez vite une lassitude insidieuse m'enveloppa. Je mis de la musique mais elle parut accentuer ma fatigue. Je m'arrêtai non loin de Fontana, dans un centre Shell ouvert en continu.

Le relais routier de la station alignait des présentoirs à la peinture grise éraflée chargés de produits divers. Au fond de la salle se trouvaient quelques box tapissés de vinyle rouge. L'endroit baignait dans un silence lourd. Deux camionneurs aux épaules de lutteurs et un voyageur aux traits tirés étaient assis au comptoir. J'allai m'asseoir dans le box le plus reculé, pour profiter d'une illusion d'intimité. Une serveuse maigre à la joue marquée d'une tache de vin m'emplit une tasse de café industriel, et moi je laissai mon esprit s'emplir d'une tempête de questions.

Sharon, la Reine du Mensonge. Sortie littéralement de la boue pour devenir « quelqu'un » suivant le rêve de son pygmalion Helen Leidecker.

Ce rêve était sans doute une revanche que prenait Mrs. Leidecker sur l'existence qu'elle avait abandonnée en venant s'installer à Willow Glen. Mais il avait produit une remarquable transmutation, faisant d'une enfant sauvage un exemple de réussite scolaire.

Pourtant Helen n'avait jamais eu en main toutes les pièces du puzzle Sharon. Elle n'avait aucune idée de ce qui s'était passé durant les quatre premières années de sa protégée. Les années de formation, quand le mortier de l'identité se crée, quand les fondations de la personnalité sont établies et consolidées.

Je pensai une fois encore à cette nuit où je l'avais découverte avec la photo de son partenaire muet. Nue. Revenue aux jours précédant sa découverte par Helen.

La crise d'un gamin de deux ans s'imposait sans cesse à mon esprit.

Traumatisme infantile. Un blocage mental de l'horreur.

Quelle horreur avait vécue Sharon ?

Qui l'avait élevée durant les trois premières années de son existence, ce trou entre Linda Lanier et Helen Leidecker ?

Pas les Ransom. Ils étaient incapables de l'avoir habituée aux automobiles ou à ces phrases qu'elle connaissait.

Je les revis tous deux, nous regardant partir, Gaby et moi... Une lettre était leur unique souvenir du rôle qu'ils avaient joué auprès d'elle.

Votre petite fille unique.

Elle avait utilisé la même expression pour évoquer d'autres parents. Des parents fortunés qui n'avaient jamais existé, pas plus à Manhattan, Palm Beach, Long Island que L.A.

Des Martinis dans le solarium.

Du papier sulfurisé aux fenêtres.

Entre les deux, un abysse galactique, l'impossible gouffre qui sépare un rêve enchanté de la triste réalité.

Elle avait essayé de combler ce gouffre par des mensonges et des demi-vérités, en se fabriquant une identité avec les fragments de vie d'autres personnes.

S'était-elle perdue elle-même en agissant ainsi ?

Sa souffrance et sa honte avaient dû être terribles. Pour la première fois depuis sa mort, je me sentis réellement triste pour ce qu'elle avait vécu.

Des fragments.

Un morceau de Park Avenue volé à Kruse.

Une histoire de parents morts dans un accident de voiture prise dans la biographie de Leland Belding.

Un comportement réservé et un amour de l'érudition venus de Helen Leidecker. Laquelle avait dû lui raconter la vie des riches familles des Hampton, et la faire rêver du luxe des privilégiés. Elle avait amassé des images mentales comme des morceaux d'un coquillage brisé, des images qui lui avaient permis de me dépeindre une enfance entourée de chauffeurs et de nounous, et deux petites filles dans une piscine couverte...

Shirlee. Joan.

Sharon Jean.

De l'histoire de la sœur jumelle noyée, elle avait donné une version à Helen, une autre à moi. Mentant à ceux qu'elle aimait visiblement, avec une aisance totale.

Une pseudo-gémellité. Problèmes identitaires. Deux petites filles mangeant une glace. Des doubles inversés.

Une fausse personnalité multiple.

Elmo Castlemaine était certain que « Shirlee » était née infirme, ce qui lui interdisait d'être une des enfants sur la photo. Mais il se basait sur les dires de Sharon.

Ou bien il mentait. Il n'y avait aucune raison de mettre sa parole en doute, mais je commençais à être allergique à toute confiance envers autrui.

D'ailleurs la femme invalide était-elle vraiment sa jumelle ? Une parente à un degré quelconque ? Elle et Sharon partageaient les mêmes traits physiques généraux, et j'avais immédiatement accepté qu'elles soient sœurs. Accepté ce que Sharon m'avait dit de Shirlee, tout simplement parce que je n'avais alors aucune raison de réagir autrement.

Shirlee. Si c'était bien son prénom.

Shirlee, avec deux E. Sharon avait insisté sur les deux E. Nommée d'après sa mère adoptive.

Encore un symbole.

Joan.

Une autre énigme.

« Toutes ces années, avait dit Helen, je croyais la connaître et maintenant je me rends compte que je me faisais des idées. Je ne savais presque rien d'elle. »

Bienvenu au club, Helen...

Je savais que la façon dont Sharon avait vécu et était morte avait été programmée par un événement qui s'était produit avant que Helen ne la découvre en train de se régaler de mayonnaise dans la boue.

Les premières années...

Je bus mon café en explorant mentalement des directions non encore défrichées. Mes pensées revinrent à Darren Burkhalter, la tête de son père projetée sur la banquette arrière comme un ballon sanglant...

Les premières années...

Mal avait remporté une autre victoire : il pourrait s'acheter une Mercedes neuve, et Darren grandirait comme un enfant riche. Mais tout l'argent du monde ne pourrait effacer cette image qui s'était imprimée dans son esprit de deux ans.

Je songeai à tous les enfants que j'avais traités. De petits corps lancés dans la tourmente de la vie sans défense, au hasard. Le commentaire d'un patient me revint en mémoire, l'adieu amer d'un homme naguère confiant en l'avenir qui venait d'enterrer son enfant unique : « Si Dieu existe, Doc, Il a un sens de l'humour foutrement tordu. »

Quelle plaisanterie sinistre avait dominé les premières années de Sharon ?

Une fille provinciale nommée Linda Lanier constituait la moitié de l'équation biologique. Qui avait fourni les vingt-trois autres chromosomes ?

Un traîneur de savates de Hollywood ou un partenaire sexuel d'un soir ? Un obstétricien pratiquant discrètement des avortements ? Un milliardaire ?

Assis dans mon coin, je réfléchis à ces énigmes un long moment. Je revenais toujours à Leland Belding. Sharon avait grandi sur des terres appartenant à Magna. Elle avait vécu dans une maison appartenant à Magna. Sa mère avait fait l'amour avec Belding...

Des Martinis dans le solarium de Belding?

Mais si Belding était bien son père, pourquoi l'avait-il abandonnée? Pourquoi l'avoir confiée aux Ransom en échange du droit de squatter un de ses terrains et d'une enveloppe mensuelle bourrée de billets?

Et vingt ans plus tard, elle avait une maison, une voiture. Une réunion?

Avait-il finalement décidé de la reconnaître? D'en faire son héritière? Mais il était supposé mort depuis déjà six ans...

Et l'autre héritière? La deuxième mangeuse de glace sur la photo?

Double abandon? Deux terrains boueux?

Je résumai le peu que j'avais appris sur le compte de Belding : il était obsédé par les machines, la précision. Un ermite. Un être froid.

Assez froid pour faire éliminer la mère de ses enfants?

L'hypothèse était répugnante. La cuillère m'échappa des doigts et claqua sur le Formica de la table.

— Ça va? s'enquit la serveuse en apparaissant avec la cafetière.

Je levai les yeux vers elle, me forçai à un sourire peu convaincant.

— Oui, bien sûr, fis-je.

Son expression m'informa qu'elle avait déjà entendu ce mensonge plus d'une fois. Elle tendit la cafetière.

— Une autre tasse?

— Non, merci.

Je payai et sortis. Je n'eus aucune difficulté à rester éveillé jusqu'à Los Angeles.

31

Je rentrai chez moi peu après minuit. L'adrénaline et les énigmes m'avaient électrifié. Milo se couchant rarement avant une heure, je risquai un appel chez lui. C'est Rick qui répondit, avec cette voix endormie mais toujours curieusement attentive des médecins habitués à des années d'urgences nocturnes.

— Docteur Silverman.

— Rick, c'est Alex.

— Alex... Oh, quelle heure est-il?

— Minuit dix. Désolé de vous réveiller.

— Pas grave... – Bâillement : Euh... Quelle heure avez-vous dit, Alex?

— Minuit dix, Rick.

Un soupir.

— Je suis rentré il y a tout juste une heure, Alex. Double horaire. Et je n'ai que quelques heures avant le prochain. J'ai dû m'assoupir.

— Ça semble une bonne raison pour être fatigué, Rick. Retournez donc vous coucher.

— Oh non. Une douche et un bon petit déjeuner, voilà ce qu'il me faut. Milo n'est pas là. Ils l'ont mis en permanence de nuit.

— Il n'a pourtant pas fait ça depuis un bout de temps...

— Et il n'aurait pas dû le faire aussi vite, à cause de son

359

ancienneté. Mais ce porc de Trapp a changé les règles du jeu hier.

– Quel salopard...

– Oh, je ne m'en fais pas pour Milo. Il rendra la monnaie. Il ne tenait pas en place et il avait ce regard, vous savez, moitié carnassier, moitié carnassier.

– Je vois très bien. Okay, je vais essayer de le joindre au poste. Au cas où, voulez-vous lui laisser le message de me rappeler ?

– Bien sûr.

– Bonne nuit, Rick.

– Bonne journée, Alex.

Je téléphonai donc au département de police de L.A. Ouest. L'inspecteur de permanence qui répondit était encore plus endormi que Rick. Non, son collègue l'inspecteur Sturgis n'était pas là et non, il n'avait aucune idée de l'heure de son retour.

Je me glissai dans mon lit et finis par somnoler. Je me réveillai vers sept heures en me demandant quels progrès Trapp avait pu faire au sujet du massacre Kruse. Quand je sortis sur la terrasse pour prendre les journaux et le courrier, Milo se trouvait là, occupé à lire la section Sports, affalé dans une chaise longue.

En me voyant il inspira profondément et laissa son regard courir sur le panorama.

– Ah, la belle vie...

– Et la vie à la permanence de nuit ?

– Un rêve, grogna-t-il en se levant. – Il s'étira lentement : Qui t'a dit ?

– Rick. J'ai voulu appeler hier soir et je l'ai réveillé. On dirait que Trapp a rouvert les hostilités avec toi, non ?

Il grogna de nouveau, de mépris cette fois. Nous rentrâmes dans la cuisine où il se prépara un plein bol de corn-flakes avec du lait. Il le vida avant de prendre sa respiration.

– Ouais, fit-il avec un soupir de satisfaction. C'est vraiment la joie de bosser à la permanence nocturne. On écope de toute la paperasse négligée par les gars de la journée. Pas mal d'agressions et d'overdoses. Vers la fin du service, tout le monde parle et bouge au ralenti, les bons comme les mauvais. On dirait que toute cette putain de ville est sous calmants. J'ai eu droit à deux cadavres, décédés accidentellement. Mais au moins j'ai pu examiner des corps d'hétéros. – Il eut un sourire amer : Nous pourrissons tous de la même manière. C'est laid.

Il prit un carton de jus d'orange dans le réfrigérateur, m'en servit un verre et garda le reste.

— Et à quoi dois-je le plaisir de ta visite, au fait?

— Je viens au rapport. Je rentrais chez moi en écoutant le scanner quand j'ai entendu quelque chose d'intéressant sur la fréquence de Beverly Hills : un cambriolage sur North Crescent Drive.

Il récita l'adresse.

— La maison des Fontaine, dis-je.

— Exact. J'ai fait le détour pour jeter un œil. Et devine qui était l'inspecteur sur les lieux? Notre vieux copain Dickie Cash. Je suppose qu'il n'a pas encore réussi à fourguer son scénario. Je l'ai embobiné en lui disant que ce cambriolage avait peut-être un rapport avec un homicide sur Brentwood, et il m'a sorti tous les détails. L'effraction s'est produite aux premières heures de la matinée. Du boulot de pro : il y avait un système de sécurité sophistiqué et seuls certains fils ont été sectionnés. La compagnie de surveillance n'a jamais été alertée. Ça n'a été découvert que parce que quelqu'un du voisinage a remarqué une porte ouverte donnant sur l'allée de la maison. Notre jeune ami qui a joué Chames Bond, certainement. L'inventaire des biens volés est typique du coin : quelques objets précieux en porcelaine ou en argent, deux postes TV grand écran, une chaîne stéréo. Mais on a laissé derrière des pièces plus faciles à emporter : les bijoux, de l'argenterie, des fourrures. Tout ça est facile à fourguer... Pour une effraction aussi spécialisée, le butin était un peu maigre. Même Dickie était intrigué, mais comme les victimes sont absentes et n'ont pas laissé de coordonnées où les joindre, il n'avait pas l'intention de beaucoup se remuer...

— Et le musée au sous-sol?

Milo se passa une large main sur le visage.

— Dickie ne connaît l'existence d'aucun musée, et j'ai oublié de lui en parler. Il m'a montré l'ascenseur mais il n'avait ni clef ni code d'accès. Ils ne l'ont pas communiqué non plus à la compagnie de surveillance. Mais s'ils arrivent à descendre, je te parie à dix contre un qu'ils découvriront un sacré bordel.

— On s'occupe des derniers détails, dis-je.

— Reste à savoir qui est ce « on »...

— Et les Fontaine, on sait où ils sont partis?

— Aux Bahamas. Le père de Bijan n'a pas été très coopératif, et les gars de Beverly Hills Cab avaient juste noté une prise en charge jusqu'à l'aéroport. C'est par le transport de voitures que je les ai pistés. Passagers de première classe, de L.A. à Miami, puis Nassau. Ils sont allés un peu plus loin ensuite, mais l'agent de la compagnie n'a pas pu ou voulu me dire où, et je n'avais aucun moyen de le forcer à parler. A mon avis, ils sont sur une des petites îles voisines, avec de mauvaises liaisons téléphoniques, à boire des cocktails au rhum avec le patron des banques locales à côté desquelles les établissements suisses sont très indiscrets. Le genre d'environnement où quelqu'un qui a les moyens peut rester à l'aise longtemps si nécessaire.

Il vida le carton de jus d'orange et le posa sur la table.

— Et toi, où étais-tu passé ? Et pourquoi m'as-tu appelé hier soir ?

Je lui résumai ce que j'avais appris à Willow Glen.

— Bizarre, fit-il. Vraiment bizarre. Mais il n'y a aucun crime suggéré là-dedans. A moins qu'elle ait été effectivement kidnappée quand elle était enfant. Quelque chose m'a échappé ?

Dépité, je secouai la tête négativement.

— Hélas non. Mais je voudrais te soumettre quelques petits scénarios...

— Vas-y, soumets, dit-il en se préparant un nouveau bol de corn-flakes.

— Disons que Sharon et sa sœur jumelle sont le résultat d'une aventure entre Leland Belding et Linda Lanier. Une de ses entraîneuses qui l'aurait accroché. D'après Crotty, elle avait droit d'entrée dans son bureau. Linda aurait gardé la grossesse secrète par peur que Belding l'oblige à avorter.

— Comment aurait-il pu le savoir ?

— Peut-être savait-elle qu'il n'aimait pas les enfants, ou bien elle devinait que Belding ne voudrait pas d'héritiers non prévus. Ça se tient, jusqu'alors ?

— Mmh. Continue.

— Crotty a vu Lanier et Donald Neurath ensemble, en amoureux. Et si Neurath avait été son médecin en plus de son amant ? Ils se rencontrent sur un plan strictement professionnel, mais les choses vont plus loin...

— C'est le thème du film, fit Milo en s'asseyant et en posant sa cuillère près du bol plein. — Il eut une petite moue dubitative : Elle commence comme entraîneuse pour Belding et ça va plus loin. Elle commence comme patiente de Neurath et ça va plus loin...

— Elle était très belle, souviens-toi. Mieux que ça : c'était

362

une experte en séduction. Elle devait bien avoir quelque chose de spécial pour que Belding la remarque parmi les filles qu'il engageait dans ses soirées. Étant son gynécologue, Neurath aurait été un des premiers à savoir qu'elle était enceinte, peut-être même le premier. S'il était très amoureux d'elle, apprendre qu'elle portait l'enfant d'un autre a pu le rendre très jaloux. S'il a proposé l'avortement et qu'elle a refusé ? Il a pu alors menacer de tout dire à Belding. Linda se retrouve dos au mur. Elle en parle à son frère, et il monte l'idée du film porno pour river son clou à Neurath. Donnant donnant. Cable travaille aux studios de cinéma, il a accès à tout le matériel nécessaire...

Milo rumina cette hypothèse un long moment avant d'apporter sa pierre à l'édifice :

— Et Cable ne tarde pas à tirer un profit de la chose, en faisant une copie du film qu'il revend à un collectionneur.

J'acquiesçai.

— Gordon Fontaine ou quelqu'un d'autre qui le revendra par la suite à Fontaine. Des années plus tard Kruse verra le film et la ressemblance avec Sharon, ce qui éveillera sa curiosité. Mais revenons à Linda. Quand sa grossesse devient visible elle quitte la ville pour donner naissance à des jumelles, quelque part entre le printemps et l'été 53. Maintenant elle pense ne pas courir de risque à mettre Belding au courant. Avorter un fœtus est une chose, rejeter deux adorables bébés en est une autre. Son frère Cable la pousse peut-être, parce que lui voit le profit à tirer de la situation. Linda rend visite à Belding, lui présente les bébés, formule sa demande : il fait d'elle une femme honnête ou bien il lui donne assez d'argent pour que les gamines, l'oncle Cable et leur mère vivent correctement jusqu'à la fin de leurs jours.

Milo me lança un regard sombre.

— Ça ressemble diantrement à ces arnaques bancales que les demi-sels essaient de monter. Le genre d'histoire idiote que l'on reconstitue après avoir retrouvé les cadavres des maîtres chanteurs.

— C'était idiot. Mais les Johnson étaient de petits joueurs. Ils ont gravement sous-estimé la menace qu'ils faisaient peser sur Belding, et son manque de compassion. Sa fortune était menacée par ces deux héritières. Or Belding n'était pas partageur. Et il n'aurait certainement pas toléré qu'un écart sexuel vienne ruiner son œuvre et le hanter. Donc il feint de jouer le jeu et

d'accepter les conditions des Johnson. Il les installe luxueusement sur Fountain, avec voiture, fourrures, bijoux, ticket
d'entrée direct pour la Grande Vie. Il n'émet qu'une requête
en retour : que l'existence des jumelles reste secrète jusqu'à ce
qu'il juge le moment propice pour une annonce publique.
Ainsi il se ménage un délai. Les Johnson plongent dans le
piège et profitent de leur nouveau luxe en restant muets.
Jusqu'au jour de leur mort. Et les jumelles restent un secret à
jamais.

— Un plan très froid, commenta Milo.

— Mais ça cadrerait avec ce que nous savons, non ? Hummel
et DeGranzfeld sont aux ordres de Belding. Inspecteurs des
Stups, ils sont dans la position idéale pour monter une fausse
prise de drogue. Belding peut leur fournir les fonds nécessaires
et ils savent où trouver la marchandise qu'il leur faut. Ils
laissent leurs collègues en uniforme dehors, vont très tranquillement sonner chez les Johnson et les descendent de sang-
froid. Ensuite ils maquillent la scène. Mais si Belding s'est
débarrassé des maîtres chanteurs, il reste encore les jumelles. Il
retombe dans ses habitudes et achète leur disparition en
confiant Sharon aux Ransom pour cinq cents dollars par mois,
ce qui n'est rien en comparaison des exigences des Johnson. Et
il fait de même avec un autre couple, pour la sœur de Sharon.

J'eus la vision d'autres cabanes dans la boue, mais sans Helen
Leidecker. L'autre jumelle finissant infirme, à moins que...

— Il aurait piégé la mère de ses enfants pour la faire supprimer avant de vendre les enfants ? dit Milo d'un ton écœuré.
Très très froid, le bonhomme.

— C'était un type très froid, Milo, un misanthrope qui préférait les machines aux humains. Il ne s'est jamais marié, n'a
jamais développé d'attachements normaux avec autrui, et a fini
en ermite.

— D'après cette fausse biographie...

— D'après tout le monde. Seaman Cross n'a fait que broder
sur la réalité. Et des bébés sont abandonnés tous les jours, avec
beaucoup moins de raisons.

— Mais pourquoi les Ransom ? objecta Milo. Quel rapport
entre un milliardaire et des gens comme eux ?

— Aucun, peut-être. Belding n'a pas fait les choses directement, il ne s'est probablement jamais sali les mains. Mais il
avait un intermédiaire, Billy Vidal par exemple, qui s'en est
chargé. Après tout, c'était la spécialité de Vidal : procurer à

Belding ce qu'il désirait. Où a-t-il déniché les Ransom ? C'est une autre question. Mais leur attardement mental est un atout et non un handicap. Ils sont passifs, obéissants, dépourvus de curiosité et d'idées de chantage. Ils ne sortent pas de leur trou, sont entêtés et très forts pour garder un secret. Ou l'oublier. J'en ai eu la preuve hier. Pour couronner le tout ils sont anonymes : ni l'un ni l'autre ne connaissent leur date de naissance, et aucun organisme gouvernemental n'en a la trace jusqu'en 1971, date à laquelle Helen Leidecker les a déclarés à la Sécurité sociale et à Medi-Cal. Sans elle, je n'aurais jamais retrouvé leur trace.

— Et si Ransom n'avait pas appelé la femme infirme Shirlee.

— Oui. Je ne prétends pas comprendre pourquoi. Le comportement de Sharon était plein de symboles étranges. En tout cas, confier une enfant à Jasper et Shirlee revenait à supprimer l'identité de cette enfant. Peut-être Belding pensait qu'elle ne survivrait pas. Mais Helen Leidecker a découvert Sharon, s'en est occupée, l'a éduquée, puis envoyée dans le monde.

— A Kruse.

— Kruse a sans doute rencontré Sharon par hasard, mais c'était un prédateur, un monstre d'égocentrisme qui recherchait le pouvoir personnel, toujours à l'affût de nouveaux disciples. Peut-être a-t-il été attiré par le physique de Sharon, à moins qu'il ait déjà vu le film de Linda Lanier auparavant et qu'il ait été frappé par leur ressemblance. Toujours est-il qu'il a lancé son opération de charme, qu'il l'a fait parler d'elle et s'est rendu compte de sa discrétion sur son enfance. Ça n'a pu que l'intriguer. Ils formaient un couple idéal dominant-dominée : elle n'avait aucune racine stable, et lui ne rêvait que de pouvoir sur autrui.

Le visage de Milo s'assombrit un peu plus. Il se leva et alla chercher une bière, qu'il entama aussitôt.

— Il l'a prise sous son aile, Milo, poursuivis-je. Il l'a convaincue qu'elle ferait une très bonne psychologue, les notes qu'elle avait rendaient l'affirmation plausible, et il l'a amenée avec lui en Californie, l'a fait entrer à l'université et a pris la place de directeur de thèse. Il supervisait ses études, ce qui implique toujours un peu de thérapie. Mais lui a beaucoup poussé cet aspect. Il l'a manipulée par le biais de l'hypnose. Comme beaucoup de gens à l'identité confuse, Sharon était très réceptive à l'hypnose. Kruse a usé de son rôle dominant pour accroître les prédispositions de Sharon. Il l'a fait régresser, a découvert chez elle des souvenirs d'enfance qui l'ont intrigué encore plus, en particulier un traumatisme de la prime enfance dont elle-même était inconsciente, peut-être en rapport avec Belding. Alors Kruse s'est mis à fouiner...

– Et à faire des films, grogna Milo.

– Exact. Une version moderne du film tourné par sa mère. Kruse lui a sans doute présenté ce tournage comme une partie de sa thérapie, une façon de la rattacher à ses racines, de la reconnecter à l'amour maternel. En fait il affermissait son contrôle sur elle en modelant son psychisme. Avec l'hypnose il pouvait suggérer l'amnésie de certains faits, la garder ignorante d'autres au niveau conscient. A la fin il en savait certainement plus sur elle qu'elle-même. Il lui donnait en pâture des bribes de son subconscient pour la garder dépendante, en insécurité permanente. Ensuite, quand il a estimé le moment venu, il l'a lâchée sur Belding.

– Le grand jeu...

– Et je crois savoir quand cela s'est produit, Milo : durant l'été 1975. Elle a disparu sans explication pendant deux mois. Quand je l'ai revue elle avait une voiture de sport, une maison et un train de vie très confortable pour une étudiante sans travail. Tout d'abord j'ai pensé que Kruse l'avait retenue. Elle m'a raconté cette histoire d'héritage. Nous savons maintenant qu'elle est fausse. Mais d'une certaine façon il y a peut-être une parcelle de vrai dans ce qu'elle a dit. Elle a réclamé ce qui lui était dû de par sa naissance, mais elle en a été mentalement bouleversée, et ses problèmes identitaires s'en sont trouvés encore accentués. Quand je l'ai découverte en train de regarder fixement la photo des jumelles, elle était dans une sorte de transe, au bord de la catatonie. Et quand elle s'est rendu compte de ma présence elle a eu une réaction extrême. J'ai alors eu la certitude que tout était fini entre nous. Et puis elle m'a téléphoné, m'a demandé de venir la rejoindre et s'est comportée avec moi comme une véritable nymphomane... Des années plus tard elle a fait la même chose avec ses patients, des patients que Kruse lui avait confiés. Elle n'a jamais eu le droit d'exercer. Elle était son assistante et travaillait dans des locaux qu'il louait pour elle...

Je sentais la colère monter en moi à mesure que j'assemblais les faits.

– Kruse était en position de l'aider, mais ce salopard s'est contenté de jouer avec sa tête. Au lieu de la traiter il l'a poussée à décrire son propre cas dans une fausse étude dont elle s'est servie pour sa thèse. Probablement l'idée qu'il se faisait d'une bonne blague : un pied de nez aux règles universitaires...

— Il y a un petit problème, coupa Milo. En 75 Belding était mort depuis longtemps.

— Peut-être pas.

— Cross a admis avoir menti.

— Milo, je ne sais pas ce qui est vrai et ce qui ne l'est pas. Mais même avec Belding mort à l'époque, Magna Corporation existait toujours. Ce qui faisait encore beaucoup d'argent à ponctionner. Disons que Kruse s'est attaqué à Magna. Par Billy Vidal.

— Alors pourquoi l'ont-ils laissé faire douze années durant ? Pourquoi l'avoir épargné ?

— C'est une question que j'ai tournée et retournée dans ma tête, et pour l'instant je n'ai pas de réponse. La seule hypothèse valable, c'est que Kruse ait su également quelque chose sur la sœur de Vidal, quelque chose qu'ils ne voulaient surtout pas ébruiter. C'est elle qui a facilité son professorat et l'a propulsé à la direction du département de psycho. Par gratitude, d'après ce que j'ai appris : il aurait traité un de ses enfants avec succès. Mais la notice nécrologique de son ami ne fait mention d'aucun enfant. Bien sûr elle s'est peut-être remariée... J'allais vérifier ce point quand je me suis intéressé à Willow Glen.

— Peut-être que Vidal a utilisé sa sœur comme couverture, alors que l'argent venait vraiment de Magna, dit Milo, songeur.

— Peut-être, mais ça n'explique pas pourquoi ils l'ont laissé faire pendant aussi longtemps...

Milo se leva, fit le tour de la cuisine d'un pas d'automate, but un peu de bière.

— Alors, dis-je, ton avis ?

— Mon avis, c'est que tu tiens quelque chose. J'ai aussi dans l'idée qu'on risque de n'avoir jamais le fin mot de toute cette histoire. Des gens enterrés depuis trente ans... Et tout dépend de Belding, s'il est ou non le père. Comment diable le savoir ?

— Aucune idée.

Il arpenta encore la cuisine un moment, rebut une gorgée de bière.

— Revenons aux faits. Pourquoi Ransom s'est-elle suicidée ?

— Peut-être par chagrin après la mort de Kruse. Ou alors ce n'était pas un suicide. Il n'y a pas de preuve, évidemment... Ce n'est qu'une hypothèse de plus.

– Et le massacre des Kruse ? Rasmussen n'est pas vraiment le tueur idéal...

– La seule raison qui en fasse un coupable possible est le fait qu'il ait parlé d'actes terribles qu'il aurait commis dans la période où les Kruse ont été assassinés.

– Il n'y a pas que cela, remarqua-t-il. Il avait un passé d'homme violent. Il avait quand même tué son père...

– Ça n'est pas une preuve, mon vieux. Connaissant le passé de Rasmussen, « des actes terribles » pouvaient signifier à peu près n'importe quoi.

– Bon sang, on n'avance pas...

– Il y a quelqu'un qui pourrait nous faire avancer.

– Vidal ?

– Oui. Lui est en vie et bien portant, à El Segundo.

– Bien sûr, railla Milo. On entre en dansant dans son bureau et on annonce à sa secrétaire qu'on veut parler à son patron, une petite causette amicale à propos d'abandon d'enfants, de chantage, de droits à l'héritage, plus quelques meurtres.

Je levai les mains au ciel puis allai prendre une bière pour moi.

– Ne te vexe pas, me lança-t-il. Je ne veux pas démolir ta théorie, j'essaie juste de rester dans la logique des choses.

– Je sais, je sais. Mais c'est foutrement frustrant de ne pas comprendre...

– La façon dont elle est morte ou ce qu'elle a fait de son vivant ?

– Les deux, inspecteur Freud.

D'un doigt il dessina un visage souriant sur la buée de son verre.

– Autre chose. Quel âge avaient les jumelles sur la photo ?

– Trois ans, à peu près.

– Donc elles ne pouvaient pas avoir été séparées à la naissance, Alex. Ce qui signifie que quelqu'un d'autre s'est occupé des deux, ou qu'elles ont été confiées aux Ransom toutes les deux. Dans ce cas que serait-il arrivé à la sœur ?

– Helen Leidecker n'a jamais mentionné une autre fille vivant à Willow Glen.

– Mais tu lui as posé la question ?

– Non.

– Tu ne lui as pas montré la photo ?

– Non. Je n'y ai pas pensé.

Il garda un silence que j'estimai accusateur.

– D'accord, dis-je avec une pointe de mauvaise humeur. Je suis recalé à l'examen d'interrogatoire simple.

– Du calme, fit Milo. J'essaie de me faire une vision claire des choses.

– Si tu y arrives, je suis d'accord pour en profiter. Bon sang, Milo, cette photo n'est peut-être même pas une photo de Sharon et de sa sœur. Je finis par ne plus savoir ce qui est réel.

Il me laissa bougonner un moment, puis me dit :

– Je suppose que si je te suggérais de tout laisser tomber, tu trouverais ça stupide ?

Je préférai ne pas répondre.

– Avant de t'accuser, Alex, pourquoi ne pas passer un coup de fil à cette chère dame Leidecker ? Demande-lui à propos de la photo, et si sa réaction te paraît bizarre tu pourras en déduire qu'elle n'a peut-être pas été aussi franche que tu le croyais. Dans ce cas ça pourrait signifier une couverture de plus. Par exemple si la jumelle avait été blessée dans des circonstances gênantes et qu'elle cherchait à protéger quelqu'un.

– Qui ? Les Ransom ? Je ne les imagine pas maltraitant un enfant.

– Mais ils auraient pu faire preuve de négligence. Tu as dit toi-même qu'ils ne paraissaient pas très attentionnés. S'ils avaient eu le dos tourné au moment où une des jumelles avait un accident ?

– Un début de noyade, par exemple ?

– Par exemple.

La tête me tournait. Malgré toutes mes cogitations je n'étais toujours sûr de rien. Je m'efforçai de ne pas perdre courage.

– As-tu vérifié les déclarations de naissance à Port Wallace ? lui demandai-je.

– Pas encore. Lanier a en effet très bien pu revenir dans son bled de naissance pour accoucher. C'est le genre de comportement usuel. Pourquoi n'essaierais-tu pas de les appeler, toi ? Commence par la Chambre de commerce et vois quels hôpitaux fonctionnaient en 53. Avec un peu de chance et quelques mensonges, tu le sauras vite. Fais-toi passer pour un bureaucrate quelconque. Ils feront tout leur possible pour se débarrasser de toi. Et si ça ne donne rien, vois avec les registres du comté.

– Appeler Helen. Appeler Port Wallace. D'autres missions, chef ?

– Eh, puisque tu veux jouer au détective, je t'apprends à

développer tes talents pour la partie la plus fastidieuse de l'enquête.

– La plus sûre aussi ?

Il se renfrogna.

– Dans le mille, Alex, fit-il d'une voix plus dure. Rappelle-toi à quoi les Kruse et leur domestique ressemblaient. Et rappelle-toi à quelle vitesse les Fontaine ont déguerpi pour les îles Noix-de-Coco. Si seulement un dixième de ta théorie est exact, nous avons affaire à des gens qui ont le bras très long.

Avec le pouce et l'index il fit un cercle puis détendit l'index comme pour envoyer une pichenette.

– Pouf. La vie est si fragile... C'est un truc que j'ai appris dès mon entrée dans la police. Reste chez toi et garde les portes bien fermées. Et n'accepte pas de bonbons des inconnus.

Il alla rincer son bol dans l'évier, le posa sur l'égouttoir puis se dirigea vers la porte avec un geste de la main pour me saluer.

– Et où vas-tu, toi ?

– Une piste intéressante à suivre.

– La piste qui t'a empêché d'appeler Port Wallace ? Toujours sur le dos de Trapp ?

Il se retourna et me lança un regard aigu.

– Rick m'a assuré que tu allais avoir sa peau, expliquai-je.

– Rick devrait se cantonner à découper les gens en morceaux pour un salaire princier, grogna-t-il. Ouais, j'ai trouvé la faille dans la cuirasse de mon chef adoré. En plus de toutes ses autres qualités, il a un penchant pour les femmes mineures.

– Mineures comment ?

– Les auxiliaires de police. Quand il était en poste au secteur de Hollywood, il s'occupait beaucoup des jeunes employées des services auxiliaires, et en particulier des plus jolies...

– Comment as-tu découvert ça ?

– Source classique : une ex-employée mécontente. D'origine hispanique, entrée deux ans après moi dans la police. Trapp a rendu sa vie tellement misérable qu'elle a préféré résilier son contrat pour cause de stress. Il y a quelques années je l'avais croisée par hasard en ville, et nous avions parlé un peu. Elle détestait vraiment Trapp. Je suis allée lui rendre une petite visite récemment. Maintenant elle est mariée avec un comptable et elle a un gosse rondouillard et une jolie maison à deux niveaux à Simi Valley. Mais même après ces années, le nom de Trapp la rend haineuse. Il la pelotait et faisait un tas de réflexions racistes sur ces Mexicaines qui perdent leur virginité avant leur accent, ce genre de choses. Sans parler des offres de promotion si elle écartait les cuisses...

– Pourquoi n'a-t-elle pas signalé la chose à l'époque ?

– La peur. L'intimidation. Dans le temps on ne croyait pas trop au harcèlement sexuel, tu sais. Si elle avait porté plainte elle aurait dû affronter le service des affaires internes, peut-être même la presse, et elle partait perdante. Mais maintenant elle a conscience de ce que lui a infligé Trapp et elle lui en veut à mort. Mais elle n'en avait parlé à personne, et elle m'a fait promettre de ne pas l'impliquer dans quoi que ce soit. Résultat je sais des choses contre Trapp mais je ne peux pas m'en servir. Mais si j'arrive à avoir d'autres témoignages, ce fumier est cuit.

Il marcha jusqu'à la porte, l'ouvrit, se retourna vers moi.

– Et c'est exactement le but que je cherche à atteindre, mon ami. Ça va chauffer.

– Alors bonne chance.

– Ouais. Et toi, gaffe à tes fesses.

– Toi aussi, Sturgis. Les tiennes ne sont pas ignifugées non plus.

J'obtins le numéro de Helen Leidecker par les renseignements de San Bernardino, mais elle ne décrocha pas à mon appel. Frustré mais soulagé de ne pas avoir eu à tester son intégrité, je localisai Port Wallace dans un atlas. La ville se trouvait à l'extrême sud du Texas, un peu à l'ouest de Laredo. Une minuscule tache noire sur la rive du Rio Grande.

J'appelai les renseignements de la région et apprit qu'il n'y avait pas de chambre de commerce à Port Wallace. Je me rabattis donc sur le bureau de poste local dont je notai le numéro. Là aussi mon appel resta sans réponse. Il était pourtant huit heures ici, donc dix heures là-bas. Peut-être avaient-ils des horaires plus confortables dans ce coin du Texas. Je retéléphonai quand même, par acquit de conscience, mais sans plus de succès. Pour l'instant, je ne pouvais faire plus pour mes missions.

Mais il me restait encore beaucoup à faire.

Dans les archives de la bibliothèque je ne trouvai qu'une seule mention de Neurath Donald. Il avait écrit en 1951 un ouvrage sur la fertilité publié par l'université et dont il y avait un exemplaire à la bibliothèque de la section biomédicale, de l'autre côté du campus. La date et le sujet correspondaient, même s'il était difficile de concilier les images d'un avorteur et de l'auteur d'un livre aussi savant. Néanmoins j'allai jusqu'au bâtiment de la Bio-Med, consultai l'*Index Medicus* et trouvai deux autres articles de lui sur le même sujet, l'un en 1951, l'autre en 1952. L'adresse donnée se trouvait à Los Angeles. Le Registre médical régional était illustré de photographies de ses abonnés. Je pris l'édition de 1950 et cherchai à N.

Son visage me sauta aux yeux. Les mêmes cheveux gominés, la moustache fine et l'expression fermée, comme si la vie avait été dure avec lui.

Son cabinet se trouvait sur Wilshire, comme l'avait dit Crotty. Études brillantes, membre de l'association américaine des médecins, quelques cours à l'école de médecine.

Les deux visages du Dr N.

Une autre identité multiple.

Je recherchai ses écrits dans les rayonnages de la Bio-Med. Le plus ancien était le livre, en réalité une collaboration d'un seul chapitre dans un ouvrage collégial traitant des problèmes de fertilité humaine; le neuvième et dernier chapitre.

Ses recherches portaient sur le traitement de la stérilité par des injections d'hormones sexuelles pour stimuler l'ovulation. Une idée révolutionnaire à cette époque où la fertilité humaine restait un mystère médical. Neurath décrivait les traitements précédemment tentés et qui avaient échoué : les biopsies endométriques, les élargissements chirurgicaux des veines pelviennes, l'implantation de métal radioactif dans l'utérus et même les psychanalyses de longue durée combinées à des tranquillisants pour vaincre « l'anxiété qui bloque l'ovulation à cause d'une identification interne conflictuelle mère-fille ».

D'autres chercheurs avaient certes établi un rapport entre les hormones sexuelles et l'ovulation depuis les années trente, mais les expérimentations avaient été limitées aux animaux.

Neurath avait franchi le pas. Il avait injecté à six femmes stériles des hormones prélevées sur les ovaires et l'hypophyse de cadavres féminins, selon un cycle d'ovulation lié aux variations de température et de pression sanguine de chacun de ses cobayes. Après plusieurs mois de ce traitement, trois des femmes étaient tombées enceinte. Deux avaient fait des fausses couches, la troisième avait eu une grossesse normale et donné naissance à terme à un bébé parfaitement sain.

Bien que prenant la précaution de définir ses découvertes comme préliminaires et nécessitant des études de contrôle sur une plus vaste échelle, Neurath concluait que ces méthodes de manipulation hormonale représentaient un grand espoir pour les couples sans enfants.

L'article de 1951 était une version abrégée du neuvième chapitre du livre. Celui de 1952 la réponse à une lettre de plusieurs médecins commentant l'article de 1951. Ses distingués collègues rappelaient avec beaucoup de hauteur que la science médicale était encore très ignorante des effets des hormones gonadotropes sur la santé humaine en général, et qu'en conséquence Neurath faisait peut-être courir des dangers inconnus à ses patientes.

Il répondait à cette attaque en règle par quatre courts paragraphes secs qui pouvaient se résumer en une phrase : la fin justifie les moyens. Mais il n'avait rien publié d'autre.

Fertilité et avortement.

Neurath donnait la vie. Neurath la prenait...

Le pouvoir à un point maladif. L'amour du pouvoir semblait être le moteur profond de tant de vies qui avaient croisé celle de Sharon...

J'avais très envie de discuter avec le Dr Donald Neurath. Je consultai l'annuaire médical de l'année, mais il ne s'y trouvait pas. Je remontai année après année. La dernière où il apparaissait était 1953.

Une année très chargée.

Je me plongeai alors dans le *Journal de l'Association médicale américaine* et lut toutes les notices nécrologiques. Celle de Neurath se trouvait dans l'édition du 1er juin 1954. Il était décédé en août de l'année précédente, à l'âge de quarante-six ans, de causes indéterminées alors qu'il était en vacances au Mexique.

Mort le même mois de la même année que Linda Lanier et son frère Cable.

Les effets des hormones gonadotropes...

Il était bien en avance sur son époque.

Les pièces du puzzle commençaient à trouver leur place. Un autre aspect d'un vieux problème. Improbable, mais qui aurait expliqué bien des choses. Je pensai alors à une autre partie du puzzle qui attendait toujours une solution. Je quittai Bio-Med et traversai le campus vers le nord au trot, plus léger que je ne m'étais senti depuis bien longtemps.

La salle des Collections spéciales se trouvait au sous-sol de la bibliothèque de recherche. Le bibliothécaire ne mit pas trois minutes à me donner ce que je désirais, et j'allai m'installer à une des tables de lecture en bois sombre, dans la grande salle silencieuse. Deux autres personnes seulement l'occupaient, une femme vêtue d'une robe en batik examinant une vieille carte à l'aide d'une loupe, et un homme replet dans son blouson de toile bleu et ses pantalons beiges qui était partagé entre l'examen de gravures d'Audubon et le pianotage de données sur son ordinateur portable.

En comparaison mon matériel était bien plus modeste : une pile de petits volumes reliés de toile bleue. Une sélection du *Bottin mondain* de Los Angeles. Sur du papier bible et en caractères minuscules y figuraient par ordre alphabétique les country-clubs, galas de charité, sociétés généalogiques, mais aussi et surtout les gens-qui-comptent, avec leur adresse, numéro de téléphone et détails biographiques opportuns. L'autoglorification de ceux qui se croient des êtres à part.

· Je trouvai ce que je cherchais sans difficulté, notai les noms et arrangeai les pièces du puzzle. L'ensemble commençait à prendre forme, même si ce n'était toujours que de la théorie.

Je sortis de la bibliothèque et me rendis à la première cabine téléphonique libre. Toujours pas de réponse de Helen Leidecker, mais une voix mâle traînante me renseigna de Port Wallace. Je me fis passer pour un employé d'un hypothétique service fédéral des enregistrements, ce qui stimula comme prévu l'esprit de collaboration de mon interlocuteur.

Le seul établissement hospitalier de la région existant en 1953 ne conservait aucun registre. Tenu par des baptistes naturopathes, il avait surtout soigné des Mexicains. L'employé du service des postes me demanda le nom de la personne sur laquelle je cherchais des renseignements. Si elle était née ici, dit-il, les chances qu'il la connaisse n'étaient pas négligeables : Port Wallace était un tout petit milieu.

— Le nom de famille est Johnson, le prénom de la mère Eulalee. Mais elle s'est peut-être inscrite sous le nom de Linda Lanier.

Un rire éclata à l'autre bout du fil.

— Eula Johnson ? Pour un accouchement en 1953 ? Ahah, pas besoin de faire des mystères, ici c'est connu de tout le monde. Pas besoin d'enregistrement officiel pour cet accouchement-là, il est resté célèbre !

– Ah, et pour quelle raison ?

Il rit de nouveau et me l'expliqua, puis ajouta :

– La seule question est donc : de quelle personne parlez-vous ?

– Je ne sais pas, répondis-je avant de raccrocher.

Mais je savais où trouver la réponse.

32

C'étaient le même muret couvert de lierre, la même odeur mentholée dans l'air, la même longue allée après le signe en bois. Mais cette fois j'arrivais en voiture, comme toute personne normale à Los Angeles. Pourtant le silence, la solitude et l'idée de ce que j'allais faire me donnaient l'impression d'être un intrus.

J'arrêtai la Seville devant les grilles et utilisai le téléphone pour appeler la maison. Pas de réponse. J'essayai de nouveau. Une voix à l'accent anglais répondit :

— Résidence Blalock.

— Mrs. Blalock, je vous prie.

— Qui dois-je annoncer, Monsieur ?

— Le docteur Alex Delaware.

Un court silence, puis :

— Elle vous attend, docteur Delaware ?

— Non, mais elle acceptera de me voir, Ramey. A moins qu'elle ne préfère que j'aille parler à la presse ?

— Ce ne sera pas nécessaire, Monsieur. Un moment, je vous prie.

Quelques secondes plus tard la grille s'ouvrit électriquement. Je me remis au volant et engageai la voiture sur l'allée dallée.

Le soleil dorait certains pans de toiture de la propriété. Sans les tentes et les parasols, les jardins paraissaient encore plus vastes. Les fontaines dispersaient dans l'air des jets cristallins qui se dissipaient en retombant dans des bassins miroitants.

J'arrêtai la Seville au pied de l'escalier de pierres blanches que je gravis jusqu'au palier gardé par deux grandes statues de lions couchés mais gueule ouverte. Un des deux battants de la porte d'entrée monumentale était ouvert. Ramey se tenait là, le visage rose, dans sa tenue noire et blanche de majordome.

– Par ici, Monsieur.

Pas la moindre émotion, aucune trace de reconnaissance sur son visage fermé. Je passai devant lui et pris la direction qu'il indiquait.

Larry avait dit que le hall d'entrée était assez grand pour qu'on y fasse du patin à roulettes. J'y aurais bien vu un terrain de hockey avec les gradins. Haut de trois étages, surchargé de marbre blanc, de moulures dorées, avec en fond un double escalier de marbre blanc royal. Un lustre digne d'une salle de concert pendait du plafond au coffrage décoré à la feuille d'or. Le sol était une autre étendue de marbre blanc incrusté de diamants de granite noir poli. Des portraits lourdement encadrés représentant des individus à l'air dyspeptique étaient accrochés entre les colonnes drapées d'immenses tentures de velours rubis aux embrasses en fil mordoré.

Ramey vira à droite avec la précision silencieuse d'une limousine sur jambes et me précéda dans une longue galerie de portraits baignant dans le demi-jour. A l'autre bout il ouvrit les battants d'une double porte, dévoilant un vaste solarium au plafond formé d'une verrière aux reflets iridescents. Un des murs était de glace biseautée, les trois autres des baies vitrées qui laissaient errer le regard sur des pelouses infinies ponctuées d'arbres tordus. Le sol de la pièce était de dalles de malachite et de granite assemblées selon un motif qui aurait impressionné Escher lui-même. Des palmiers et d'autres plantes d'apparence robuste débordaient d'énormes pots en porcelaine. Le mobilier était composé de sièges confortables en osier marron avec des coussins vert foncé et de tables basses vitrées.

Hope Blalock était assise sur un canapé en osier. A portée de main se trouvait un petit bar roulant comportant un assortiment de bouteilles et une carafe en cristal taillé opaque de buée.

Portant une robe noire en soie et des chaussures noires, sans maquillage ni bijoux, elle semblait bien moins robuste que ses plantes. Ses cheveux étaient ramenés en un chignon bas qui luisait comme une boule de bois sombre poli et qu'elle caressait d'un geste absent. Elle occupait un coin du canapé et son poids marquait à peine le coussin, comme si elle défiait les lois de la gravité.

Elle ignora totalement mon arrivée et continua de contempler les jardins par un des murs vitrés. A la main elle tenait un verre à cocktail à demi empli d'un liquide clair où flottait une olive.

— Madame, dit le majordome.

— Merci, Ramey.

Elle avait une voix de gorge légèrement métallique. D'un geste elle congédia son domestique et me désigna un fauteuil.

Je m'assis en face d'elle et nos regards se rencontrèrent. Son visage avait la couleur de spaghettis trop cuits et était sillonné d'un très fin réseau de rides. Ses yeux aux iris d'un bleu vif auraient pu être jolis s'ils n'avaient été bordés de cils inexistants et profondément enfoncés sous des arcades sourcilières trop marquées. Des lignes dures abaissaient les coins de sa bouche. Un halo de dépression de femme ayant mal vécu sa ménopause encerclait son visage.

Je baissai les yeux vers sa boisson.

— Martini ? dis-je au hasard.

Elle eut une moue brève et effleura la carafe d'un doigt.

— C'est Martini-vodka, dit-elle. Une goutte ?

— Oui, merci.

Elle me servit. Le mélange était fort et très sec. Elle attendit que j'en aie bu une gorgée pour m'imiter, mais avec plus d'insistance.

— Joli solarium, dis-je. Vous en avez un dans chacune de vos propriétés ?

— Quelle sorte de docteur êtes-vous donc ?

— Psychologue.

J'aurais aussi bien pu dire sorcier vaudou.

— Mais bien sûr... Et que voulez-vous ?

— Je voudrais la confirmation de certaines théories que j'ai à propos de votre histoire familiale.

Les commissures de ses lèvres se plissèrent un peu plus et blanchirent.

— Mon histoire familiale ? Quel intérêt présente-t-elle pour vous ?

— Je reviens de Willow Glen.

Elle posa son verre d'un geste imprécis qui fit crisser le pied sur la table basse.

– Willow Glen... Il me semble que nous possédions des terres par là, mais plus maintenant. Je ne vois pas...

– Là-bas j'ai fait la connaissance de Shirlee et Jasper Ransom.

Ses yeux s'agrandirent puis elle les ferma brusquement avant de les rouvrir. Elle cligna lourdement des paupières avant de me regarder de nouveau, comme si elle pouvait ainsi me faire disparaître.

– Je suis sûre de ne pas comprendre de quoi vous parlez.

– Alors pourquoi avoir accepté de me recevoir ?

– Le moindre de deux maux. Vous avez menacé d'aller voir la presse. Les gens de notre rang sont constamment l'objet de ce genre de menaces. Il est de notre intérêt de savoir quelles rumeurs infondées circulent.

– Infondées ?

– Et infamantes.

Je me renfonçai dans mon fauteuil, croisai les jambes et bus posément une gorgée de Martini-vodka.

– Ça a dû être très dur pour vous de la dissimuler toutes ces années. A Palm Beach. A Rome. Ici...

Ses lèvres formèrent un O éphémère puis se crispèrent sur une réplique cinglante, mais elle se reprit au dernier instant, secoua la tête et me gratifia d'un geste de la main et d'un regard qui me cataloguaient explicitement dans les choses que la bonne avait oublié de nettoyer.

– Les psychologues... dit-elle d'une voix basse. Les gardiens des secrets. – Un rire rauque : Combien voulez-vous, Docteur ?

– Votre argent ne m'intéresse pas.

Un nouvel éclat de rire, plus bruyant.

– Oh, mais tout le monde est intéressé par mon argent. Je suis comme une grande outre pleine de sang à laquelle se collent des sangsues. La seule question est de savoir quelle quantité de sang veut chaque sangsue...

– Difficile de voir des sangsues en Shirlee et Jasper, rétorquai-je. Quoique, avec le temps, je suppose que vous avez réussi l'exploit de transformer les faits jusqu'à vous croire victime. Je me levai et inspectai les plants en pot. De la soie. Toutes les plantes étaient fausses.

– En fait, dis-je, ils s'en sont tous les deux plutôt bien tirés, bien mieux que vous ne vous y attendiez. Combien de temps leur donniez-vous, à vivre dans la boue ?

Elle ne répondit pas.

– Du liquide dans une enveloppe, tous les mois, pour des gens qui ne savent même pas comment compter leur monnaie. Une parcelle de terrain boueux, deux cabanes, et vivez heureux ? Très généreux, pas de doute. Comme cet autre cadeau que vous leur avez fait. Ou plutôt dont vous vous êtes défaite. Comme on se défait de vêtements usagés en les donnant à un organisme de charité.

Elle bondit sur ses pieds et brandit un poing qui tremblait tant qu'elle dut l'immobiliser de son autre main.

– Mais qui êtes-vous ? Et que voulez-vous donc ?

– Je suis un vieil ami de Sharon Ransom. Également connue sous le nom de Jewel Rae Johnson. Et de Sharon Jean Blalock. Faites votre choix.

Elle retomba mollement sur le canapé.

– Oh, mon Dieu...

– Un ami proche, poursuivis-je. Assez proche pour me soucier d'elle et pour vouloir comprendre les pourquoi et les comment.

Elle se prit la tête dans les mains.

– Ça n'est pas vrai. Ça ne peut pas recommencer encore une fois...

– Ça ne recommence pas. Je ne suis pas Kruse. Je ne cherche pas à tirer profit de vos problèmes, madame Blalock. Tout ce que je veux, c'est la vérité. Depuis le début. – Je pris la carafe et emplis son verre : Je vais commencer, vous comblerez les blancs...

– Non, non... dit-elle faiblement. Vous n'avez pas le droit. Je ne suis pas assez forte...

– La vérité, dis-je.

Elle releva brusquement la tête.

– La vérité ! Et après ?

– Après, rien. Je disparaîtrai.

– Oh, bien sûr, fit-elle d'un ton venimeux. Bien sûr vous disparaîtrez. Comme votre maître. Les poches vides... Et vous pensez que je vais croire à ce conte de fées ?

Je me levai et me penchai vers elle en la fixant d'un regard dur.

– Personne n'a été mon maître, dis-je. Pas plus Kruse que quiconque... Maintenant laissez-moi vous narrer un conte de fées, justement. Il était une fois une jeune femme qui avait la beauté et la richesse. Une véritable princesse. Et comme une princesse de conte de fées elle avait tout sauf la chose qu'elle désirait le plus au monde...

380

Mrs. Blalock cligna de nouveau des yeux, lentement. Quand ses paupières se soulevèrent quelque chose s'était éteint dans son regard. Elle tint son verre à deux mains pour l'approcher de ses lèvres et quand elle le reposa il était vide. Je le remplis.

— La princesse pria et pria, continuai-je, mais rien n'y faisait. Un jour enfin ses prières furent exaucées, comme par magie. Pourtant les choses ne se déroulèrent pas comme elle l'avait rêvé, et elle dut faire des arrangements avec une réalité qu'elle ne pouvait pas maîtriser...

— Il vous a tout dit, balbutia-t-elle. Le monstre... Il m'avait promis... Qu'il soit maudit à jamais!

— Personne ne m'a rien dit. J'ai lu l'information. La notice nécrologique de votre mari en 1953 ne mentionne aucun enfant, ni aucune des notices vous concernant dans le *Bottin mondain*. Jusqu'à l'année suivante. Alors figurent deux entrées : Sharon Jean et Sherry Marie.

Elle crispa ses mains sur sa poitrine.

— Oh, mon Dieu...

— Ne pas avoir d'enfant devait être très frustrant pour un homme tel que votre mari...

— Lui! Quel homme, mais sa semence était stérile! — Elle but une longue gorgée d'alcool : Ça ne l'a pas empêché de m'accuser.

— Pourquoi n'avez-vous pas choisi l'adoption?

— Henry ne voulait pas en entendre parler! Il lui fallait un héritier de sang! Un vrai Blalock, rien de moins!

— Sa disparition vous en a donné l'opportunité, et votre frère Billy ne l'a pas ratée. Quand il est venu vous voir quelques mois après les funérailles et qu'il vous a dit ce qu'il avait pour vous, vous avez cru vos prières exaucées. Le timing était parfait. Vous pouviez laisser croire au monde entier que ce cher Henry avait finalement donné une postérité à sa lignée, et en beauté : non pas un mais deux adorables bébés de sexe féminin.

— Elles étaient vraiment adorables, dit-elle d'un ton rêveur. Si petites et fragiles, mais déjà si jolies. Mes petites filles à moi.

— Vous leur avez donné des prénoms différents.

— D'autres prénoms. Pour une autre vie.

— Où votre frère a-t-il dit les avoir eues?

— Il n'a rien dit. Il a simplement dit que leur mère avait eu des problèmes et ne pouvait plus s'occuper d'elles.

Des problèmes. Des problèmes définitifs...

— Vous n'avez pas cherché à savoir?

– Absolument pas. Billy a dit que moins j'en saurais – moins tout le monde en saurait – mieux ce serait. De cette façon, quand elles grandiraient et qu'elles commenceraient à poser des questions, je pourrais dire en toute honnêteté que je ne savais pas. Je suis sûre que vous n'êtes pas d'accord, Docteur... Vous prêchez sans doute la communication à outrance, chacun doit raconter ses malheurs à tout le monde. Je ne vois pas que notre société s'en porte mieux...

Contente de cette pique, elle vida son verre. Je le remplis avant qu'elle l'ait reposé, et j'attendis qu'elle ait ingurgité la moitié de cette nouvelle dose.

– Quand les choses se sont-elles dégradées?

– Dégradées?

– Entre les deux enfants?

Elle ferma les yeux, appuya sa nuque contre le coussin du canapé.

– Au début, tout se passait merveilleusement bien... Exactement comme dans un rêve devenu réalité. Jolies comme des porcelaines, avec leurs grands yeux bleus, leur chevelure noire et leurs joues roses... On aurait dit une paire de poupées. Je leur avais fait confectionner une garde-robe délicieuse, la même pour chacune...

Elle but un peu d'alcool, laissa retomber mollement sa main. Quelques gouttes de Martini-vodka giclèrent sur le sol. Elle ne bougea pas.

– Quand ont commencé les premiers problèmes entre elles, madame Blalock?

Elle rouvrit les yeux, me coula un regard lointain.

– Tôt... Je ne sais plus quand exactement...

Je la fixai des yeux.

– Oh! – Elle agita mollement un poing dans ma direction : C'était il y a si longtemps! Comment voulez-vous que je me rappelle? Elles avaient sept, huit mois... Je ne sais plus! Elles commençaient à ramper et à attraper tout... Quel âge ont les bébés quand ils font ça?

– Sept ou huit mois semble une bonne approximation. Racontez-moi.

– Qu'y a-t-il à raconter? Elles étaient identiques mais très différentes. Le conflit était inévitable.

– Différentes de quelle façon?

– Sherry était active, dominatrice, forte, de caractère comme de corps. Elle savait ce qu'elle voulait et s'entêtait jusqu'à l'obtenir.

382

Elle sourit. C'était un sourire de satisfaction. Étrange.

– Et Sharon?

– Elle était fragile. Distante. Elle pouvait rester assise dans un coin et jouer avec un seul jouet des heures durant. Elle ne réclamait jamais. On ne pouvait jamais savoir ce qu'elle pensait. Elles s'étaient réparti les rôles et elles les tenaient sans se poser de question. Sherry commandait et Sharon suivait. S'il y avait un jouet ou une friandise qu'elles voulaient toutes les deux, Sherry arrivait, bousculait Sharon et prenait la chose pour elle seule. Au tout début Sharon a essayé de résister, mais elle n'a jamais battu sa sœur et elle a vite compris : d'une façon ou d'une autre, Sherry triomphait toujours.

De nouveau cet étrange sourire. Ce même sourire que j'avais vu cent fois sur le visage de parents dépassés par des enfants extrêmement agressifs :

Elle est d'une agressivité de tigre! Sourire.

Elle a rossé la petite voisine, la pauvre... Sourire.

Mon fils est une vraie terreur. Il finira mal s'il continue comme ça. Sourire.

L'attitude du parent légitimant la violence de l'enfant, lui donnant carte blanche pour frapper, cogner, blesser mais surtout gagner.

Le genre de rapport parent-enfant qui pour un thérapeute signifie un traitement long et difficile.

– Cette pauvre Sharon se faisait vraiment rosser, disait doucement Mrs. Blalock.

– Et qu'avez-vous fait à ce propos?

– Que pouvais-je faire? J'ai essayé de les raisonner. J'ai dit à Sharon de ne pas se laisser faire par sa sœur, et j'ai précisé à Sherry que battre sa sœur n'était pas une façon de se comporter pour une jeune dame comme elle. Mais dès que j'avais le dos tourné elles recommençaient. Je crois que c'était une sorte de jeu entre elles.

Elle ne se trompait sans doute pas, mais elle avait beaucoup mésestimé les joueuses.

– Leur caractère était prédéterminé, je n'y pouvais rien, de toute façon. A la fin la nature triomphe toujours. C'est pourquoi votre profession est aussi inutile...

– Y avait-il des aspects positifs dans leur relation?

– Oh, je pense qu'elles s'aimaient beaucoup mutuellement, en fait. Quand elles ne se chamaillaient pas elles s'embrassaient et se caressaient. Elles avaient leur langage commun que personne d'autre ne comprenait, et malgré leur rivalité elles étaient inséparables. Mais Sherry commandait toujours. A deux ans c'était un vrai petit chef. Elle disait à Sharon où se mettre, ce qu'elle devait faire. Et si Sharon osait désobéir sa sœur la corrigeait de belle façon... – Ce sourire, encore : J'ai essayé de les séparer, je leur ai interdit de jouer ensemble, je leur ai même imposé une nounou pour chacune..

– Comment réagissaient-elles à la séparation ?

– Sherry piquait des colères terribles, elle cassait tout ce qu'elle pouvait. Sharon restait dans son coin, pelotonnée, comme en transe. Elles finissaient toujours par trouver le moyen de se réunir. Séparées elles donnaient l'impression d'être incomplètes...

– Partenaires muets, dis-je.

Elle ne marqua aucune réaction.

– J'ai toujours été une intruse pour elles. Ce n'était pas une situation viable, pour aucune de nous trois. Elles me rendaient folle. Et ce n'était pas bon pour Sherry de frapper sa sœur. Elle en souffrait beaucoup elle aussi. Plus que Sharon, peut-être. Des os se ressoudent, mais un esprit ne cicatrise jamais complètement.

– Sharon a eu des os brisés par la faute de sa sœur ?

– Bien sûr que non ! s'exclama-t-elle comme si elle parlait à un idiot. C'était une image. Sherry n'a jamais fait plus que des bleus à sa sœur.

– Jusqu'à la tentative de noyade...

Le verre dans sa main se mit à trembler. Je le remplis une nouvelle fois, la surveillai tandis qu'elle buvait une bonne rasade. Je gardai la carafe prête.

– Quel âge avaient-elles quand c'est arrivé ?

– Un peu plus de trois ans. Notre premier été ailleurs qu'ici.

– Où étiez-vous ?

– Ma propriété de Southampton.

The Shoals. Premier nom d'une liste de résidences dans le *Bottin mondain* : The Shoals – Southampton ; Skylark – Holmby Hills ; Le Dauphin – Palm Beach ; un appartement sans nom à Rome. Les véritables enfants de Mrs. Blalock.

Elle vida son verre que je remplis aussitôt, avec un sourire aimable. Elle me contempla d'un regard trouble où passa une lueur de gratitude. Elle but un peu, frissonna, but encore.

– La noyade, dis-je. Comment cela s'est-il produit ?

– C'était le dernier jour des vacances. Le début de l'automne. J'étais dans le solarium, à profiter de la nature...

Elle approcha le verre de ses lèvres, avala ce qui restait de Martini-vodka d'un trait.

– Où se trouvaient les enfants?

Ses doigts blanchirent sur le cristal du verre.

– Ah, où se trouvaient les enfants! Elles jouaient sur la plage, bien sûr, comme les petites filles qu'elles étaient, avec une nounou que j'avais fait venir spécialement de Liverpool. Je lui avais donné d'anciennes robes, une chambre confortable. Elle avait des recommandations, la garce! Mais elle flirtait avec tout ce qui portait un pantalon. Ce jour-là elle faisait de l'œil au gardien, elle ne surveillait plus les enfants. Sherry et Sharon se sont glissées dans la piscine qui aurait dû être fermée et ne l'était pas. Oh, ce jour-là des têtes ont roulé, oui!

Elle étouffa mal un rot et prit un air mortifié. Je fis semblant de n'avoir rien remarqué.

– C'est alors que cela s'est produit?

– Oui. Quand cette incapable de nounou a fini par remarquer leur absence, elle a entendu un rire qui venait de l'intérieur de la piscine. Quand elle y est entrée Sherry était au bord du bassin et riait aux éclats en montrant l'eau. La nounou a demandé où était passée Sharon, et Sherry a montré le bassin.

Alors la nounou s'est approchée et a vu un bras qui dépassait de l'eau. Elle a sauté dans le bassin et a réussi à en ressortir Sharon. Elles étaient toutes deux gluantes à cause de l'eau sale. Bien fait pour cette garce de nounou...

– Et Sherry riait?

Sa main laissa échapper le verre qui roula sur ses jambes et tomba au sol. Il se brisa en mille éclats brillants qu'elle contempla d'un regard hébété.

– Oui, elle riait, dit-elle avec détachement. Elle s'amusait beaucoup.

– Et Sharon était sérieusement blessée?

– Pas du tout, sauf dans son amour-propre. Elle avait avalé de cette eau sale, et quand je suis arrivée elle la vomissait à longs traits. C'était un spectacle répugnant.

– Quand avez-vous compris que ce n'était pas un accident?

– Tout de suite. Sherry est venue vers moi et m'a dit : « C'est moi, je l'ai poussée », comme si elle en était fière. J'ai cru qu'elle disait ça pour cacher sa frayeur, mais elle a insisté et a piqué une véritable colère en voyant que je ne la croyais pas!...

– Elle secoua la tête avec ce sourire fier et rêveur à la fois : Plus tard, quand elle a été remise, Sharon a confirmé ce qu'avait dit

385

sa sœur. Et elle portait un double bleu dans le dos, là où Sherry l'avait frappée de ses petits poings pour la faire tomber dans le bassin...

Elle regardait le liquide maculant le sol avec une tristesse évidente. Je pris un autre verre sur la desserte, y versai une dose réduite d'alcool et le lui tendis. Elle le prit, fronça les sourcils devant le peu d'alcool mais le but jusqu'à la dernière goutte.

— Elle aurait recommencé, reprit-elle. C'est alors que j'ai compris que c'était... sérieux. Elles ne pouvaient pas... Il fallait... les séparer. Pour toujours.

— C'est alors que votre frère Billy est entré en scène.

— Billy s'est toujours occupé de moi.

— Pourquoi les Ransom ?

— Ils travaillaient pour nous. Pour Billy.

— Où ?

— A Palm Beach. Ils faisaient les lits, nettoyaient.

— D'où venaient-ils, à l'origine ?

— D'un endroit près des Everglades. Une de nos connaissances, un médecin très bien, employait des simples d'esprit et leur apprenait un travail honnête, pour en faire de bons citoyens. Correctement entraînés, ils font les meilleurs ouvriers, vous savez... Ce médecin et Henry jouaient au golf ensemble, et Henry mettait un point d'honneur à employer les idiots de Freddy – le médecin – pour le jardinage et les menus travaux. Il estimait que cela faisait partie de ce qu'il appelait « nos devoirs civiques ».

— Et vous les avez encore plus aidés quand vous leur avez confié Sharon, dis-je.

Le sarcasme lui échappa complètement, et elle le prit pour un compliment.

— Oui ! Je savais qu'ils ne pouvaient pas avoir d'enfant. Shirlee avait été stérilisée. Freddy les faisait tous stériliser, pour leur propre bien. Billy m'expliqua que nous leur ferions le plus beau cadeau qu'ils pouvaient espérer tout en réglant notre problème.

— Tout le monde y gagnait...

— Oui. Exactement.

— Mais pourquoi fallait-il que ce soit Sharon ? Pourquoi ne pas la garder auprès de vous et envoyer Sherry suivre un traitement approprié ?

Sa réponse me sembla avoir été soigneusement préparée.

– Sherry avait beaucoup plus besoin de ma présence. C'était celle des deux qui était la plus fragile, en fait. Et le temps m'a prouvé que j'avais raison.

Ses dires corroboraient ce que j'avais trouvé dans le *Bottin mondain* : de 1954 à 1957, deux descendantes. Dans les éditions suivantes, une seule. Mes hypothèses se vérifiaient une à une, et les pièces du puzzle s'emboîtaient parfaitement. Mais j'en étais révolté, comme de voir un diagnostic de maladie incurable s'avérer. Je desserrai un peu ma cravate et tentai de décontracter mes mâchoires.

– Qu'avez-vous dit à vos amis ?

Pas de réponse.

– Qu'elle était morte ?

– Pneumonie. Pas de funérailles publiques, évidemment. Personne n'a su...

J'essayai de plaquer sur mon visage le masque du thérapeute en exercice. Je me répétai qu'elle était une patiente, que je me devais d'être compréhensif, de ne pas porter de jugement...

Malgré tous mes efforts, l'horreur et la bassesse de cette histoire me faisaient bouillir de colère. Une femme faible et dépendante, honteuse de sa faiblesse, qui projetait sa haine d'elle-même sur l'enfant qu'elle jugeait faible, tandis qu'elle voyait dans les penchants vicieux de sa sœur jumelle la manifestation d'une force de caractère, qu'elle l'enviait, qu'elle la nourrissait...

D'une façon ou d'une autre, Sherry triomphait toujours...

Mrs. Blalock renversa la tête en arrière, le verre vide collé aux lèvres. La rage me consumait, j'en tremblais presque.

En dépit du brouillard dont l'alcool ouatait ses perceptions, elle se rendit compte de mon état. Son sourire bienheureux disparut. Je me ressaisis et tendis la carafe pour la servir. Elle leva le bras comme pour se protéger d'un coup.

Je lui adressai un sourire apaisant, avançai doucement la carafe. Elle me présenta son verre, que j'emplis généreusement.

– Qu'espériez-vous accomplir ? demandai-je d'un ton calme.

– La paix, dit-elle dans un murmure. La stabilité. Pour tout le monde.

– Y êtes-vous parvenue ?

Pas de réponse.

– Rien d'étonnant, dis-je. Les jumelles s'aimaient, elles avaient besoin l'une de l'autre. En les séparant vous avez détruit le monde qu'elles partageaient. Sherry ne pouvait que devenir pire. Bien pire...

Elle baissa les yeux sur son verre.

— Non, elle a fini par oublier.

— Comment avez-vous fait? Pour Sharon?

— Sharon connaissait Shirlee et Jasper. Ils avaient déjà joué avec elle, elle les aimait bien. Elle était contente de partir avec eux.

— Partir où?

— Faire des courses.

— Des courses qui ne se sont jamais terminées!

Elle leva de nouveau un bras pour se protéger.

— Elle était contente! Elle ne recevait plus de coups de sa sœur!

— Et sa sœur, justement? Quelle explication avez-vous donnée à Sherry?

— Je lui ai dit que Sharon... était...

Elle noya le reste de sa réponse dans son verre.

— Vous lui avez dit que Sharon était morte?

— Qu'elle avait eu un accident et qu'elle ne reviendrait pas.

— Quel genre d'accident.

— Un accident, c'est tout.

— A l'âge qu'elle avait, Sherry a cru qu'elle avait noyé sa sœur. Qu'elle l'avait tuée!

— Non, c'est impossible! Ridicule! Elle avait revu Sharon après : la séparation a eu lieu des jours plus tard!

— A cet âge une différence de quelques jours ne subsiste pas. Et Sherry a réclamé sa sœur, n'est-ce pas?

— Pendant quelque temps, oui. Ensuite elle a oublié.

— Et ses cauchemars ont cessé, eux aussi.

Son expression m'informa que mes années d'études n'avaient pas été vaines.

— Non, pour les cauchemars... Si vous savez tout, pourquoi m'infliger cette épreuve?

— Il y a autre chose que je sais : après que Sharon fut partie, Sherry a été terrifiée, parce que la crainte de la séparation est la première peur à cet âge. Et cette peur n'a fait qu'empirer. Elle l'a traduite par une agressivité croissante, qu'elle a tournée vers vous. Vrai?

Une autre bonne déduction.

— Oui! s'exclama-t-elle, avec une fougue masochiste. Elle avait des crises de colère terribles, elle cassait tout. Elle refusait

388

que je la touche, elle me crachait dessus et essayait de me griffer et de me donner des coups de pied. Un jour elle est entrée dans ma chambre et a délibérément fait tomber un vase Tang que j'adorais. Quand j'ai voulu la gronder elle a saisi des ciseaux de manucure et me les a plantés dans le bras!

– Qu'avez-vous fait pour résoudre ce nouveau... problème?

– J'ai beaucoup réfléchi à ses origines, ses... gènes. J'en ai parlé à Billy. Il m'a dit que ses ascendants n'étaient pas... le meilleur choix. Mais j'ai refusé de me laisser décourager et j'ai décidé que je me dévouerais à améliorer le caractère de Sherry. J'ai pensé à un changement de milieu. Nous sommes partis à Palm Beach. Là-bas c'est plus... calme, il y a de très jolies baies vitrées, beaucoup de clarté... J'ai cru que l'ambiance, le rythme de la mer la calmeraient.

– Et puis c'est à quelques milliers de kilomètres de Willow Glen, dis-je.

– Non! ça n'avait rien à voir. Sharon était sortie de sa vie.

– Vraiment?

Elle me regarda fixement, se mit à pleurer mais sans verser de larmes. Un puits sec.

– J'ai fait de mon mieux, dit-elle enfin d'une voix étranglée. Je l'ai envoyée dans la meilleure école privée pour enfants de son âge. Mais elle ne s'entendait pas avec les autres élèves, les autres parents ont commencé à se plaindre de son attitude. J'ai décidé qu'elle avait besoin que je m'occupe plus d'elle encore. Nous sommes parties en Europe.

Quelques milliers de kilomètres de plus.

– A votre appartement de Rome.

– Oui. En chemin nous avons visité l'Europe. Londres, Paris, Monte-Carlo, Gstaad, Vienne... Je lui ai acheté une garde-robe adorable et une ligne de bagages comme les miens, mais à sa taille. Elle était ravissante, et elle raffolait de ses toilettes.

– Comment s'est passé ce voyage?

Elle ne répondit pas.

– Et pendant tout ce temps, vous n'avez pas eu idée de réunir Sherry et sa sœur?

– Je... J'y ai pensé, mais je ne savais pas comment faire. Et je ne pensais pas que ce serait la meilleure solution...

– Avez-vous pensé à Sharon? A la vie qu'elle menait?

– Billy me donnait de ses nouvelles. Elle allait bien. Les deux retardés étaient gentils.

– Ils sont toujours gentils. Mais vous pensiez qu'ils sauraient s'occuper d'elle? Qu'elle survivrait?

– Bien sûr! Pour qui me prenez-vous? Elle était en pleine santé! Pour elle, c'était la meilleure solution!

– Jusqu'à la semaine dernière.

– Je... Je ne suis pas au courant de ce qui s'est passé.

– Non, je n'en doute pas. Revenons à Sherry. Comment se comportait-elle en classe?

– En trois ans elle est passée par dix écoles différentes. Ensuite nous avons embauché des précepteurs.

– Quand l'avez-vous emmenée voir Kruse pour la première fois?

Elle contempla son verre vide un long moment. Je lui accordai une dose légère. Elle la vida aussitôt.

– Elle avait dix ans, dit-elle. Je connaissais Kruse parce qu'il était de son milieu. Ma famille connaissait la sienne depuis des générations. Il possédait une jolie propriété non loin de la mienne, avec un cabinet au rez-de-chaussée muni d'une entrée privée. J'ai pensé qu'il saurait se montrer discret...

Elle éclata d'un rire strident d'ivrogne.

– Ce jour-là je n'ai pas fait preuve de beaucoup de... prescience, vous ne trouvez pas?

– Parlez-moi du traitement.

– Quatre séances par semaine. Cent vingt-cinq dollars la séance. Paiement par dix séances, d'avance.

– Quel diagnostic vous a-t-il donné?

– Aucun. Il n'en a jamais donné aucun.

– Mais les buts du traitement? La méthode?

– Non, rien de tout ça. Il disait seulement qu'elle souffrait de sérieux problèmes – des problèmes caractériels – et qu'elle avait besoin d'une thérapie intensive. Quand je voulais des précisions il me répondait que tout ce qui se passait entre eux relevait de la plus extrême confidentialité. Interdiction de m'immiscer dans leurs rapports. Ça me déplaisait, mais c'était lui le médecin. Je pensais qu'il savait ce qu'il faisait. Je suis restée complètement en dehors. C'est même Ramey qui conduisait Sherry à ses séances.

– Kruse l'a aidée?

– Au début. Elle revenait des séances plus calme. A moitié endormie, en fait. Maintenant je sais qu'il l'hypnotisait. Mais ce calme ne durait pas. Une ou deux heures après la Sherry habituelle était de retour, avec ses grossièretés et ses colères. Sauf quand elle désirait obtenir quelque chose. Alors elle pouvait se montrer la plus charmante fillette du monde. Elle savait manipuler les gens, et il lui apprenait à mieux utiliser ce don... Tout ce temps je croyais qu'il l'aidait, alors qu'il la pervertissait un peu plus.

— Lui avez-vous jamais parlé de Sharon ?

— Il ne me laissait pas lui parler.

— S'il l'avait permis, l'auriez-vous fait ?

— Non. C'était... le passé.

— Pourtant vous avez fini par lui parler d'elle ?

— Seulement beaucoup plus tard, quand Sherry avait quatorze ou quinze ans. Il m'a appelée tard un soir, pour me prendre par surprise. Il aimait ce petit jeu. Tout d'un coup il avait complètement changé de ton. Il fallait absolument que je sois impliquée dans le processus concernant Sherry. Et il fallait qu'il m'évalue. En cinq ans il n'était arrivé à rien et d'un coup il voulait que je m'allonge sur son divan ! Je ne voulais pas. J'avais compris que toute la faute était dans les gènes de Sherry, et que sa personnalité ne changerait jamais. Il a insisté mais je n'ai pas cédé. — Un sourire de fierté : Et puis la situation a empiré...

— C'est-à-dire ?

— Elle s'est mise à faire des... bêtises d'adolescente. Elle disparaissait brusquement, parfois plusieurs jours d'affilée. J'envoyais Ramey à sa recherche, mais il la retrouvait rarement. Et puis elle réapparaissait d'on ne sait où, en général en pleine nuit, sale, échevelée, en pleurs, en jurant qu'elle ne recommencerait plus... Jusqu'à la fois suivante.

— Vous disait-elle où elle était allée ?

— Oh, le lendemain matin elle s'en vantait et me racontait des histoires horribles pour me faire souffrir. Elle me disait qu'elle avait traversé le fleuve pour aller dans la partie de la ville habitée par les gens de couleur... Je ne savais jamais ce que je devais croire, je n'ai jamais voulu rien croire. Plus tard, quand elle en a eu l'âge, elle prenait une de mes voitures et disparaissait. Des semaines plus tard les factures de cartes bancaires arrivaient, et je découvrais où elle s'était rendue : en Georgie, en Louisiane, dans de petites villes inconnues. Ce qu'elle y faisait, Dieu seul le sait. J'ai fini par lui interdire mes voitures quand elle a accidenté celle que je préférais, une très jolie Bentley couleur lilas que Henry m'avait offerte pour nos dix ans de mariage. Elle l'avait conduite sur une plage à marée basse et l'avait laissée là. Mais elle arrivait toujours à trouver un jeu de clefs et elle me volait une voiture...

D'une façon ou d'une autre, Sherry triomphait toujours...

Cette fois, elle n'eut pas cet écœurant sourire de contentement.

Je me rappelai ce que Del m'avait dit à propos de traces de piqûres.

— Quand a-t-elle commencé à se droguer ? demandai-je.

— Vers treize ans. Paul lui avait prescrit des tranquillisants.

— Et les drogues qu'elle achetait ailleurs ? Dans la rue ?

— Je ne sais pas. Sans doute. Pourquoi pas ? Rien ne pouvait l'arrêter quand elle voulait quelque chose.

— Pendant cette période, Kruse la voyait souvent ?

— Quand elle voulait bien aller aux séances. Mais lui me les facturait toutes, qu'elle soit là ou pas. Toujours quatre séances par semaine.

— L'avez-vous jamais questionné ? Lui avez-vous jamais demandé pourquoi ses années de traitement n'avaient pas amélioré l'état de Sherry ?

— Il... Il était difficile à approcher. Le jour où j'ai abordé le sujet, il s'est mis en colère, il a dit qu'elle était irrémédiablement déséquilibrée, qu'elle ne serait jamais normale, qu'elle aurait besoin d'un traitement toute sa vie pour que son état n'empire pas. Et il a ajouté que c'était ma faute, que j'avais attendu trop longtemps pour la lui confier... Puis il a recommencé à me presser de venir pour une « évaluation ». Sherry devenait de pire en pire. J'ai fini par accepter ce que me demandait Kruse...

— Et ?

— Le questionnaire idiot habituel. Il voulait tout savoir de mon enfance, de mes rapports avec mes parents, du pourquoi de mon mariage avec Henry. Il parlait d'une voix monotone et agitait doucement des objets brillants. Oh, mais je n'étais pas dupe ! Je savais qu'il essayait de m'hypnotiser, et j'ai résisté. Mais finalement j'ai laissé échapper qu'il perdait son temps, que je ne voyais pas le rapport avec Sherry et que de toute façon elle n'était pas de moi mais d'une catin aux gènes malsains. Il a cessé de parler et m'a regardée avec un air très étrange... Je me suis sentie proche de défaillir ! En voulant lui résister je lui avais dit ce qu'il voulait entendre pour me saigner à blanc !

— Vous ne lui aviez pas dit qu'elle était adoptée ?

– Je ne l'avais jamais dit à personne !

– Comment a-t-il réagi ?

– Il m'a prise par les épaules et m'a secouée en m'accusant d'avoir gaspillé son temps toutes ces années et gravement déséquilibré Sherry. Il m'a dit que j'étais un monstre d'égoïsme, que mon goût du secret était la cause de l'état de Sherry. J'ai fondu en larmes et j'ai voulu sortir mais il a bloqué la porte en continuant de m'accuser. Alors j'ai menacé de crier. Il a ri et m'a mise au défi. Si je le faisais, demain tout Palm Beach serait au courant. Sherry apprendrait la vérité. De sa propre bouche. Alors j'ai cédé. Je savais que ce serait le coup final entre Sherry et moi. Je l'ai supplié de ne rien lui dire. Il a souri et a dit qu'il garderait peut-être le silence, si j'étais totalement franche avec lui... Alors... Alors je lui ai tout dit...

– C'est-à-dire ?

– Qu'on ne connaissait pas l'origine du père, que la mère était une catin qui avait voulu être actrice, qu'elle était morte peu après la naissance du bébé.

– Mais vous ne lui avez pas parlé de Sharon ?

– Non, non.

– Vous ne craigniez pas que Sherry lui en parle, elle ?

– Comment aurait-elle pu parler de quelque chose dont elle ne se souvenait plus ? J'en suis sûre parce qu'elle ne mentionnait jamais Sharon, et quand elle piquait une crise elle m'accusait de tout. Mais jamais elle ne parlait de sa sœur.

– Mais Kruse a découvert quand même. Comment ?

– Je n'en sais rien.

Moi j'en avais une idée. A la Long Island University, lors d'une journée d'orientation professionnelle. Il avait cru se trouver en présence de sa patiente mais avait très vite compris qu'il s'agissait de son image inversée...

– Il m'a saignée à blanc des années durant, le monstre, disait Mrs. Blalock. J'espère qu'il rôtit en enfer pour l'éternité...

– Pourquoi votre frère Billy ne s'est-il pas « occupé » de lui pour vous ?

– Je... Je ne sais pas. Je lui en avais parlé. Mais il me disait toujours de prendre patience...

Elle détourna la tête. Je lui servis un autre Martini-vodka mais elle ne le but pas. Elle ferma les yeux et sa respiration se fit plus lente. D'ici peu elle sombrerait dans les brumes de l'alcool. Je cherchais une question incisive, pour la faire réagir, quand la porte du solarium s'ouvrit.

Deux hommes entrèrent dans la salle. Le premier était Cyril Trapp, vêtu d'un polo blanc, de jeans de marque et d'un blouson léger, la tenue banale d'un Californien. Mais la tension sur son visage à la peau abîmée et le revolver à son poing droit étaient beaucoup moins banals.

Le deuxième homme garda les mains dans les poches en jetant un coup d'œil circulaire sur le solarium. Plus âgé, sans doute soixante ans passés, il portait un costume en daim, une chemise en soie marron et une cravate-lacet maintenue par un gros fermoir en topaze, des bottes en lézard et un chapeau de paille. Sa peau était brunie par le soleil. Il devait bien peser vingt kilos de plus que Trapp, mais il avait la même mâchoire dure et les mêmes lèvres fines. Ses yeux se posèrent sur moi. Son regard était celui d'un naturaliste découvrant quelque spécimen d'animal rare mais hideux.

— Monsieur Hummel, dis-je. Comment va, à Las Vegas ?

Trapp répondit à sa place :

— La ferme. — Pointant le revolver sur mon visage, il ajouta : Mains derrière la tête, et tu ne bouges plus.

— Des amis à vous ? dis-je à Hope Blalock.

Elle secoua la tête négativement, les pupilles écarquillées par la peur.

— Nous sommes ici pour vous aider, M'dame, assura Hummel d'une voix de basse aggravée par les cigarettes, l'alcool et l'air du désert.

Ramey apparut, toujours impeccable dans son uniforme de majordome. Il me lança un regard chargé de haine et je sus qui avait appelé ces gorilles.

— Tout va bien, Madame, dit-il à sa maîtresse.

Trapp me contourna, baissa mes mains dans mon dos et je sentis l'acier des menottes qui encerclait mes poignets.

Hummel s'approcha de moi.

— Ferme les yeux, mon gars, dit-il.

J'obéis et il pressa une étoffe dense et élastique autour de mon crâne, bandant mes yeux avec une telle efficacité que je ne pouvais relever les paupières. Des mains puissantes me saisirent sous les aisselles et me soulevèrent. La pointe de mes chaussures touchant à peine le sol, je fus transporté ainsi sur une longue distance de dallage. Enfin j'entendis une porte s'ouvrir devant moi, et je sentis la gifle tiède de l'air du dehors.

33

Ils me fouillèrent, confisquèrent ma montre, mes clefs et mon portefeuille, puis me firent monter dans un véhicule qui sentait le cuir neuf.

– Installe-toi, mon gars, dit Hummel en me calant sur la banquette arrière et en ôtant mes menottes.

Il claqua la portière et je l'entendis monter à l'avant. Le moteur démarra, assourdi, comme si mes oreilles étaient bouchées.

Je relevai trois centimètres du bandeau et inspectai l'intérieur du véhicule : des fenêtres à vitres fumées qui laissaient à peine passer une très faible clarté, une cloison de verre noir qui m'isolait de l'avant. Banquette dure couverte de vinyle gris, tapis de sol en Nylon, toit en toile renforcée. Une conduite intérieure standard, de modèle moyen, Dodge, Ford ou Oldsmobile mais avec une particularité : pas de poignée de porte, pas de ceinture de sécurité ni de cendrier. Pas une pièce de métal.

Je laissai courir mes mains sur les portières en cherchant une clenche cachée. Rien. Je tambourinai sur la vitre de séparation sans obtenir de réponse.

Je me trouvai dans une cellule sur roues.

Le véhicule se mit à bouger. J'ôtai complètement le bandeau. Une bande d'étoffe élastique noire sans aucune marque. Je perçus le crissement du gravier, assourdi comme le grondement du moteur.

En pressant mon visage contre la vitre d'une portière je ne réussis à discerner que mon reflet dans le verre noirci. Et mon reflet ne me plut pas beaucoup.

La voiture prit de la vitesse. Je le sentis comme on sent l'accélération d'un ascenseur, par un creux physique dans l'estomac. J'étais coupé du reste du monde et je n'avais que ma peur pour compagnie. Mauvaise compagnie.

Un virage soudain me fit glisser sur la banquette. Quand la voiture reprit une ligne droite je frappai la portière des deux talons joints, d'une détente des jambes. Aucun résultat. Je recommençai plusieurs fois, sans plus de succès. Les vitres fumées ne cédèrent pas plus à mes assauts. Pas même une vibration.

Je sus alors que je resterais enfermé là aussi longtemps qu'ils le décideraient. Ma poitrine se serra. Les bruits ténus de la route disparurent derrière les battements affolés de mon cœur.

Ils m'avaient volé l'usage de mes sens, et pour ne pas céder à la panique je devais très vite trouver un repère mental. La seule chose qui me restait était le temps. Je n'avais plus de montre, aussi je me mis à compter lentement...

Mille un... Mille deux... Je m'étais installé pour le voyage.

Après environ quarante-cinq minutes la voiture s'arrêta. La portière arrière gauche s'ouvrit. Hummel se pencha à l'intérieur et me regarda. Ses yeux étaient cachés derrière des lunettes à verre miroir, sa main droite tenait un colt 45 à canon long contre sa cuisse. Derrière lui j'aperçus une surface de ciment, des ténèbres imparfaites. L'air sentait les gaz d'échappement.

— Transfert, mon gars. Il va falloir te menotter encore. Tourne-toi.

Aucune remarque sur le fait que j'aie ôté le bandeau. Je cachai celui-ci dans le creux de la banquette et obéit à son injonction. J'espérais que ma docilité le lui ferait oublier. Peine perdue. Dès que mes mains furent menottées le bandeau revint m'aveugler.

— Où allons-nous ?

Ma question était stupide. Mais l'impuissance rend facilement stupide.

Une portière claqua. Un moment plus tard je sentis une eau de toilette masculine, Aramis.

— Allons-y, fit Hummel.

On me saisit sous les aisselles et on me guida. Nos pas éveillaient un écho lugubre, et les odeurs de gaz d'échappement devenaient plus fortes.

Un parking souterrain.

Vingt pas. Un arrêt. Un ronronnement de machinerie. Quelque chose de métallique qui glissait sur un court trajet, juste devant nous.

La porte d'un ascenseur.

Trois pas en avant. Même glissement métallique bref, puis une ascension rapide. Nouvel arrêt. La porte s'ouvrit, on me poussa à l'extérieur de la cabine. En plein air. La chaleur ambiante me saisit, ainsi qu'une odeur d'essence si forte que je la goûtais sur ma langue.

Nous avançâmes sur du ciment, encore. Un sifflement sourd, puissant, qui allait crescendo. L'essence... Non, quelque chose de plus fort. Du carburant pour avion. Le sifflement...

Le rotor d'un hélicoptère.

Ils me traînèrent en avant. Je pensai à Seaman Cross emmené les yeux bandés sur un terrain d'aviation à moins d'une heure de route de L.A. Emporté par la voie des airs jusqu'au dôme secret de Leland Belding. Quelque part en plein désert.

Le rugissement du rotor devint assourdissant au point de m'empêcher de penser. Les turbulences me giflèrent, collant mes vêtements contre mon torse.

— Il y a une marche, mon gars, hurla Hummel dans mon oreille en me soulevant un peu.

Je levai un pied. Une marche. Deux. Trois... Une demi-douzaine. Hummel me dirigeait :

— Encore une marche. Voilà. Stop. Maintenant avance. C'est bon. Courbe-toi en avant, mon gars, fit-il en appuyant sur mes épaules.

Je me penchai pour avancer de deux pas. Il me retint, me poussa dans un siège-baquet, m'y harnacha en quelques gestes rapides. Une porte fut refermée brutalement. Mes oreilles se bouchèrent. Le vrombissement du rotor était un peu atténué, mais toujours très fort. J'entendis le crépitement d'une radio, une autre voix inconnue, devant moi, qui parlait à Hummel d'une voix plate de militaire. Celui-ci répondit d'un ton de commandement, des mots rendus incompréhensibles par le bruit ambiant.

Un instant plus tard nous décollions dans un saut qui me

397

secoua rudement. Puis l'hélicoptère se stabilisa et entama une ascension régulière.

Suspendus dans les airs.

Je songeai de nouveau à Seaman Cross et à son plongeon du haut de la célébrité jusque dans la mort. Des notes inexistantes dans un coffre-fort. Tous les exemplaires de son livre détruits. La prison. Puis le suicide.

Si seulement dix pour cent de ta théorie est exact, nous avons affaire à des gens qui ont le bras très long...

L'hélicoptère continuait de prendre de l'altitude.

D'après mon estimation nous volions depuis plus de deux heures quand la radio crachota dans la cabine de pilotage. L'hélicoptère amorça la descente.

Quelques instants plus tard, nous atterrissions.

– Impec, dit Hummel en ouvrant mon harnais.

Il me prit par le coude, me guida hors de l'hélicoptère et jusqu'au sol. Je titubai une ou deux fois. Hummel me retint d'une poigne ferme, sans ralentir, comme il avait dû le faire avec un millier de saoulards à Las Vegas. Nous marchâmes quatre cents pas. L'air était très chaud et sec. Silencieux.

– Reste ici, commanda-t-il, et j'entendis le claquement des talons de ses bottes qui s'éloignait. Puis plus rien.

Je restai là le temps de compter lentement jusqu'à trois cents. Jusqu'à cinq cents... Jusqu'à huit cents...

Arrivé à mille je commençai à me demander s'il reviendrait. A mille deux cents je le souhaitai ardemment.

J'essayai d'imaginer où je pouvais me trouver. Au bord d'un précipice ? Du mauvais côté d'un champ de tir, dans le rôle de la cible ? Ou simplement abandonné au milieu de nulle part, en déjeuner gratuit pour les charognards et les scorpions ?

La notice nécrologique de Donald Neurath me revint à l'esprit... *Décédé de causes indéterminées, durant des vacances au Mexique...*

Un chuintement électrique frappa mon oreille, venant de quelque part derrière moi.

Un de ces petits véhicules électriques comme on en utilise sur les terrains de golf. Il approchait. Des pas.

– Allez, en voiture, mon gars.

Hummel me fit asseoir dans le véhicule, lequel n'avait pas de toit car le soleil me brûla le front pendant le trajet qui dura une quinzaine de minutes. Il me fit descendre et marcher quelques pas. Nous franchîmes des portes à battants et pénétrâmes dans un bâtiment dont le conditionnement d'air me frigorifia. Trois autres portes, chacune ouverte après une série de déclics métalliques, puis un virage à droite, trente pas de plus et une dernière porte poussée. Nous nous trouvions maintenant dans un lieu sentant le désinfectant.

– Restez calme et personne ne vous fera de mal.

De multiples bruits de pas étouffés. On m'ôta les menottes. Plusieurs paires de mains immobilisèrent mes bras et mes jambes, les palpèrent, effleurèrent ma tête puis la renversèrent en arrière. Des doigts explorèrent ma bouche, soulevèrent ma langue. J'eus un haut-le-cœur.

On me déshabilla. Les mains parcoururent mon corps, fouillèrent ma chevelure, visitèrent mes aisselles, mes orifices avec une efficience toute médicale. Puis on me rhabilla. Le tout n'avait pas pris plus de deux minutes.

On me guida de nouveau. Je passai deux autres portes qu'on déverrouilla devant moi, et je fus installé dans un fauteuil confortable, au cuir odorant.

Mes accompagnateurs me lâchèrent. Une porte se referma derrière moi. Le temps que j'arrache mon bandeau, ils avaient disparu.

La pièce était de grandes dimensions, sombre, les murs couverts de lattage, le plancher de pin décoré de tapis navajos, un lustre fabriqué avec une roue de chariot pendant au bout de chaînes d'un plafond haut, à poutres apparentes. Les fauteuils étaient un assemblage de cuir de buffle tendu sur un bâti de bois de cerf géants. Aux murs, de grandes huiles représentaient des cow-boys au visage fatigué. Quelques bronzes représentant des chevaux sauvages étaient posés çà et là.

Au centre de la pièce trônait un lourd bureau à dessus de cuir. Derrière ce meuble le mur était occupé par une vitrine allant du sol au plafond pleine de fusils de collection à crosse et canon gravés.

Entre le bureau et la vitrine était assis Billy Vidal, l'œil clair et la mâchoire décidée, la chevelure coiffée en une brosse impeccable, le visage couturé de rides mâles. Le hâle prononcé de son visage était fort bien mis en valeur par un pull-over à col montant ivoire sous un pull léger blanc, à col en V. Rien de l'attirail du cow-boy pour le président de Magna Corporation. Il avait adopté la tenue élégante et simple du golfeur de Palm Beach. Ses larges mains soignées étaient posées à plat sur le bureau.

– Docteur Delaware. Merci d'être venu.

Sa voix ne s'accordait pas au reste de sa personne. Le timbre en était rauque, proche du coassement, le débit haché.

Je ne répondis pas.

Ses iris pâles se fixèrent droit sur moi, aimantèrent mon regard un moment.

– Désolé pour les petits inconvénients que vous avez pu subir, fit-il de cette même voix râpeuse. Mais il ne semblait pas y avoir d'autre moyen.

– D'autre moyen pour ?

– Arranger une entrevue, bien sûr.

– Il vous suffisait de me demander, j'aurais accepté.

– Le problème résidait dans le choix du moment approprié. Jusqu'à très récemment, Docteur, je n'étais pas certain qu'il soit sage que nous nous rencontrions. J'ai réfléchi à ce problème depuis que vous avez commencé à poser des questions ici et là ... – Il toussa, se tapota la pomme d'Adam d'un doigt : Mais aujourd'hui vous avez rendu visite à ma sœur, et vous avez ainsi décidé pour moi. Néanmoins il fallait agir vite et bien. C'est pourquoi, une fois de plus, je vous présente mes excuses pour la façon dont vous avez été amené ici. Ce point établi, nous pouvons donc commencer...

Je sentais encore le contact des menottes sur mes poignets, la sensation de vol dans l'hélicoptère, la peur quand j'attendais le retour d'Hummel, debout les yeux bandés dans le désert. J'endiguai de mon mieux la colère qui montait en moi. Elle m'aurait affaibli, et ce n'était pas le moment.

– Commencer quoi ? dis-je en souriant.

– Notre discussion.

– Le sujet ?

– S'il vous plaît, Docteur, ne gaspillez pas un temps précieux par vos coquetteries stylistiques.

– Vous avez si peu de temps ?

– Très peu, en effet.

Un autre regard appuyé. Ses yeux ne cillaient pas mais ils perdirent très vite leur intensité et je sentis qu'il était ailleurs.

– Il y a trente ans, dit-il, j'eus l'opportunité d'assister à un essai d'explosion atomique conduit conjointement par Magna Corporation et l'US Army. Un événement réservé à des invités sévèrement sélectionnés, qui eut lieu dans le désert du Nevada. Nous passâmes une nuit très réussie à Las Vegas avant de nous rendre peu avant l'aube dans le désert. La

400

bombe explosa au moment où l'horizon rosissait : un lever de soleil atomique. Mais quelque chose ne se déroula pas comme prévu. Les vents tournèrent brusquement et nous fûmes tous exposés à la poussière radioactive. L'armée nous assura que les risques de contamination étaient très réduits, et personne ne s'en soucia beaucoup pendant une quinzaine d'années. Jusqu'à l'apparition des premiers cancers. Les trois quarts des spectateurs « privilégiés » de ce matin-là sont aujourd'hui morts. Beaucoup des survivants sont en phase terminale. Ce n'est qu'une question de temps pour moi.

J'étudiai son visage bien nourri, énergique sous le bronzage.

– Vous paraissez pourtant en meilleure forme que moi.

– Ma voix vous donne-t-elle cette même impression ?

Je gardai le silence.

– En fait je suis en bonne forme. Pour le moment. Mon taux de cholestérol est bas, celui des lipides excellent, j'ai un cœur qui fonctionne comme une pompe neuve. On m'a ôté quelques polypes à l'œsophage l'année dernière, et aucun autre n'a été détecté... – De l'index il baissa le col montant et je vis une cicatrice rose pâle assez laide : J'ai la peau délicate. Le cancer reviendra, ce n'est qu'un sursis. Ironiquement, mon traitement est à base de radiations. Mais il ne changera pas grand-chose...

Il remit son col en place, tapota sa pomme d'Adam d'un geste machinal.

– Et Belding ? dis-je. A-t-il été soumis aux radiations ?

Il eut un sourire fugace, sibyllin.

– Leland était protégé. Comme toujours.

Il ouvrit un tiroir du bureau, en sortit un atomiseur qu'il plaça face à sa bouche ouverte. Une pression pulvérisa un jet de substance dans sa gorge. Il déglutit deux fois, reposa l'atomiseur et me sourit.

– Je suis disposé à satisfaire votre curiosité à la condition que vous cessiez vos... investigations. Je sais vos intentions honorables mais vous ne voyez pas les destructions qu'elles pourraient engendrer

– Je ne vois pas ce que je pourrais ajouter aux destructions qui ont déjà eu lieu, rétorquai-je.

– Docteur Delaware, je veux quitter cette terre en sachant que tout ce que je pouvais faire a été fait pour protéger certaines personnes.

– Votre sœur, par exemple ? Sa protection est donc la cause de tout ça ?

– Non, vous vous trompez. Mais vous ne voyez qu'une part de la réalité.

– Et vous allez me la montrer dans son entier ?

– Oui. – Une quinte de toux, puis : Mais vous devez me donner votre parole que vous cesserez vos recherches.

– Pourquoi faire comme si j'avais le choix ? Si je n'accepte pas, vous pouvez toujours me supprimer. Comme vous avez supprimé Seaman Cross, Eulalee et Cable Johnson, Donald Neurath, les Kruse...

Ma tirade parut l'amuser.

– Vous croyez que c'est moi qui ai supprimé ces gens ?

– Vous, Magna, où est la différence ?

– Ah ! le mythe de la multinationale en Satan incarné...

Son rire était faible et chuintant : Non, Docteur, même si moi je désirais vous supprimer, je ne le ferais pas. Il se trouve que vous avez gagné une certaine aura de... grâce aux yeux d'une personne qui nous est chère, à tous deux...

Pas assez chère pour l'empêcher de détruire son identité.

– J'ai vu cette personne vous parler, à la réception. Que voulait-elle de vous ?

Les yeux pâles se fermèrent un instant. Il pressa les doigts sur ses tempes.

– De Holmby Hills à Willow Glen, poursuivis-je. Cinq cents dollars par mois, dans une enveloppe anonyme. Il ne me semble pas, à moi, qu'elle vous ait été aussi chère que vous le dites.

– Cinq cents dollars ? fit-il en rouvrant les yeux. C'est ce que Helen vous a dit ? – Il produisit un autre rire caverneux, qu'il limita à l'approche d'une quinte de toux : Bon, assez de tergiversations. Dites-moi ce que vous croyez savoir. Je corrigerai vos erreurs d'interprétation.

– Traduction : vous voulez savoir quels ennuis je pourrais vous causer, pour agir en conséquence.

– Je comprends que vous puissiez voir les choses sous cet angle, Docteur. Mais vous vous trompez. Je veux seulement prévenir tout ennui que vous pourriez causer en vous informant, ce qui vous montrera l'inutilité d'une démarche négative...

Un silence. Il reprit :

– Si ma proposition ne vous convient pas, je vous ferai reconduire chez vous immédiatement.

402

– Quelles sont mes chances d'arriver en vie?

– Cent pour cent, sauf décision divine.

– Dieu prenant l'apparence terrestre de Magna?

Un autre rire bref.

– Excellent. J'essaierai de me souvenir de celle-là. Alors, Docteur, que décidez-vous?

J'étais à sa merci. En acceptant j'en apprendrais peut-être plus. Et je gagnerais du temps. J'acceptai.

– Très bien, dit-il. Alors faisons-le en gentlemen. Devant un bon repas.

Il appuya sur une touche au bord du bureau. La vitrine d'armes pivota sur un de ses angles, dévoilant un passage dans le mur. Vidal se leva et poussa la porte qui l'obturait. Elle ouvrait sur l'extérieur.

Nous sortîmes dans un long patio couvert, au sol, de briques mexicaines et au toit supporté par des colonnes de bois sombre tourné. Des paniers en osier débordant de plantes vertes étaient accrochés à l'armature du toit. De grosses bougainvillées en pot étaient disposées artistiquement ici et là. Une belle table ronde avait été dressée au centre du patio : deux couverts sur la nappe damassée. Verres de cristal, assiettes en terre cuite, couverts en argent. Une composition de fleurs et d'herbes sèches décorait le centre de la table. Vidal n'avait pas douté un instant de ma « décision ».

Un serveur mexicain surgit de nulle part et recula ma chaise. Je le dépassai sans m'arrêter et sortis du patio, à l'air libre. La position du soleil indiquait l'approche du crépuscule, mais la chaleur était encore celle du plein midi.

Je reculai assez pour embrasser l'intégralité de la bâtisse du regard. Une construction longue et basse de plain-pied, aux murs d'adobe, les fenêtres flanquées de volets du même bois sombre que celui des colonnades. Une allée dallée de pierres plates serpentait dans une pelouse de belle taille. Au-delà il n'y avait que la poussière du désert et un corral vide. Au loin, la monotonie ocre n'était brisée ponctuellement que par un arbre de Joshua isolé.

Et à l'arrière-plan de ce paysage désolé se dressait le mur de granite des montagnes. Majestueuses, avec leurs sommets déchiquetés se découpant parfaitement sur un ciel saphir, elles auraient constitué une carte postale classique. Ou un fond idéal pour un photographe.

Mes yeux redescendirent vers la pelouse, à un endroit bien

précis. Le banc en bois manquait, mais en l'ajoutant, avec deux fillettes jumelles tenant des cornets de glace, l'image était complète.

Vidal m'appela.

Je tournai les talons et regagnai l'ombre du patio.

34

Il mangea avec la voracité retenue d'un cobra bien éduqué. Il coupait toute nourriture solide en morceaux très fins avant de les ingurgiter. Il se régala d'une purée d'avocats pimentée, d'une salade de légumes verts et d'oignons marinés, de tortillas maison, de beurre frais, de steaks d'espadon grillés et de tranches de rôti arrosées d'une sauce piquante. Le chardonnay et le pinot noir qu'il dégusta étaient les produits d'une exploitation vinicole appartenant à Magna et destinés à sa seule consommation, m'informa-t-il.

Une ou deux fois je le vis réprimer une grimace en avalant. Je me demandai quelle part de son plaisir était gustative, quelle autre venait du fait de pouvoir toujours se nourrir par lui-même.

Il reprit du rôti avant de paraître remarquer enfin que je n'avais pas touché à mon assiette.

— Pas à votre goût, Docteur ?

— J'ai plus faim de faits que de plats. Où sommes-nous ? Au Mexique ?

— *Le Mexique est un état d'esprit*, a dit quelqu'un de célèbre, éluda-t-il. Dorothy Parker, non ?

— Pourquoi Sharon s'est-elle suicidée ?

Il baissa sa fourchette.

— Vous commencez par la fin, Docteur. L'ordre chronologique est une bien meilleure méthode.

– Je vous écoute.

Il but un peu de vin, grimaça, toussa, recommença à manger. Je dus attendre qu'il ait fini, y compris un dessert de tranches de cactus qu'il mit un temps infini à savourer. Enfin le serveur mexicain et deux femmes vinrent débarrasser la table et apporter du café parfumé à l'anis. Vidal les remercia d'un geste. J'estimai avoir assez patienté.

– L'ordre chronologique, dis-je. Si vous commenciez par Eulalee et Cable Johnson ?

Il approuva d'un hochement de tête, demanda :

– Que savez-vous d'eux ?

– Elle était une des entraîneuses employées par Belding dans ses soirées, lui un escroc de bas étage. Une paire sans envergure qui essayaient de faire leur trou à Hollywood. Pas exactement les deux gros trafiquants de drogue qu'on en a faits.

– Linda – je l'ai toujours appelée Linda – était une créature exquise. Un diamant brut, au magnétisme physique exceptionnel. A cette époque nous étions entourés de beautés, mais elle était à part, aussi parce qu'elle était différente des autres, moins cynique, plus souple.

– Passive ?

– Je suppose que selon votre formation c'est un défaut. J'y voyais une nature accommodante. J'ai pensé qu'elle était la femme qu'il fallait pour aider Leland.

– L'aider à quoi ?

– A devenir un homme. Leland ne comprenait rien aux femmes. Dès qu'une d'elles l'approchait, il se tétanisait. Il devenait... impuissant. Il était trop intelligent pour ne pas voir l'ironie de la chose : cette fortune, ce pouvoir, « le plus beau parti du pays », et à quarante ans il était toujours vierge. Ce n'était pas quelqu'un de physique, mais il était humain et sa frustration dans ce domaine commençait à interférer avec son travail. Je savais que jamais il ne résoudrait seul ce problème. J'ai estimé qu'il me revenait de l'aider à trouver un... guide pour lui. J'ai expliqué la situation à Linda, elle a accepté, j'ai donc arrangé une rencontre privée entre eux. Elle était plus qu'une « entraîneuse », docteur Delaware.

– Des faveurs sexuelles contre une certaine somme. En effet, ça porte un autre nom.

Il refusa de s'offenser et poursuivit du même ton :

– Tout a son prix, Docteur. Elle faisait simplement ce que

406

certains aides sexuels font maintenant, mais avec trente ans d'avance.

– Mais dites-moi, vous ne l'avez pas choisie seulement pour sa personnalité ?

– Elle était belle, attirante. Stimulante sexuellement.

– Ce n'est pas ce que je voulais dire...

Il but une gorgée de café en me surveillant de ses yeux pâles.

– A quoi faisiez-vous donc allusion, alors ? dit-il.

– A sa stérilité. Vous l'avez choisie parce que vous la pensiez incapable d'enfanter.

– Vous êtes quelqu'un de très malin, dit-il avant de terminer son café. Leland était un homme très susceptible, qui s'effarouchait très aisément. Ça faisait partie de son problème. Ne pas avoir à se soucier de précautions était un des points en faveur de Linda. Mais un point mineur, et qui aurait pu être réglé.

– Pourquoi pensiez-vous qu'elle était stérile ?

– Nous avions fait des tests sur toutes les filles, des examens physiques complets. Ils nous avaient révélé que Linda avait été enceinte plusieurs fois dans sa jeunesse mais qu'elle avait toujours fait des fausses couches peu après la conception. Nos spécialistes ont dit qu'il s'agissait d'un désordre hormonal et l'ont déclarée incapable d'enfanter.

– Comment s'est-elle comportée avec Belding ?

– Elle a été merveilleuse. Après quelques séances il était un autre homme.

– Et que ressentait-il pour elle ?

– Leland Belding ne ressentait pas, Docteur. Il était aussi proche d'une machine qu'un humain peut l'être. Leland la recevait dans son bureau. Quand ils en avaient fini il prenait une douche, se changeait et reprenait son travail, tandis qu'elle allait vaquer à ses occupations ailleurs. J'ai connu Leland Belding mieux que quiconque, ce qui n'était pas beaucoup, et je n'ai jamais eu l'impression de comprendre sa façon de penser. Mais à mon avis il la voyait comme une autre de ses machines. Une des plus efficaces. Pour lui, ce n'était pas péjoratif.

– Et elle ?

Il y eut un silence. Un silence hésitant, une lueur de souffrance dans les prunelles décolorées.

– Sans aucun doute elle était impressionnée par sa fortune et son pouvoir. Les femmes sont attirées par le pouvoir, elles pardonnent tout sauf l'impuissance. Or elle voyait aussi son

407

impuissance. J'imagine donc qu'elle le voyait avec un mélange de crainte et de pitié, comme un médecin peut regarder un patient atteint d'une maladie rare.

Il avait gardé un ton très théorique, mais la souffrance rôdait derrière son regard. Je compris alors que Linda Lanier avait été plus pour lui qu'une fille de harem sous contrat, et qu'il valait mieux que je n'insiste pas.

– Leurs rapports étaient purement sexuels. En conformité avec l'arrangement de départ.

– Tout allait donc très bien. Jusqu'à l'apparition du petit frère, Cable...

Son calme de façade s'estompa un peu plus.

– Cable Johnson était un être répugnant. Lorsqu'il était adolescent, il vendait sa sœur aux garçons du coin. Elle n'avait que quatorze ou quinze ans, à l'époque. C'est ainsi qu'elle est tombée enceinte plusieurs fois.

– Comment se fait-il que vous n'ayez pas mesuré le risque qu'il représentait quand vous avez conclu l'arrangement avec Linda ?

– Je l'avais mesuré, et je l'avais neutralisé, du moins le croyais-je. Quand j'ai employé Linda, son frère se trouvait au pénitencier, pour récidive. Il n'avait pas dix dollars sur les cent de sa caution. J'ai payé cette caution, je lui ai donné un emploi à Magnafilm pour un salaire princier. Cet idiot n'avait pas même besoin de venir aux studios, il recevait son chèque tous les mois. En contrepartie, il devait rester à l'écart de sa sœur. Un arrangement généreux, n'est-ce pas ?

– Mais ridicule en comparaison d'une partie de la fortune de Belding...

– Le fou... siffla-t-il. Il n'avait pas une chance d'extorquer un dollar, mais il n'a pas pu résister à une tentative d'extorsion.

– Avec l'aide de Donald Neurath, obstétricien et spécialiste de la fertilité.

– Mon Dieu, vous feriez un enquêteur de première classe, Docteur.

– Neurath était-il partie prenante dans la tentative d'extorsion ?

– Il a toujours juré le contraire. D'après lui, ils s'étaient présentés comme un couple marié, pauvre et sans enfants. Neurath m'a juré qu'il ne les avait pas crus et avait refusé d'administrer son traitement à Linda, mais son frère l'a convaincu, d'une façon ou d'une autre.

– Vous savez comment, dis-je. Cable a échangé le film porno contre le traitement hormonal... – Devant le silence approbateur de Vidal, je continuai : Mais Neurath en savait trop. Il fallait que vous le supprimiez. C'est arrivé quelque part au Mexique... Pas très loin d'ici, je parierais...

– Allons, Docteur, vous perdriez votre mise. Je n'ai jamais supprimé personne. Donald Neurath est venu ici de son propre chef, pour proposer des informations. Il était endetté et espérait éponger ainsi ses dettes. J'ai refusé. Sur le chemin du retour, sa voiture est tombée en panne... C'est du moins ce qu'on m'a dit. Il est mort d'insolation. Le désert ne pardonne pas. En tant que médecin, il aurait dû prendre ses précautions.

– C'est sa visite qui vous a renseigné sur sa collusion avec Cable ?

– Non. Linda était venue me voir pour me dire qu'elle ne pouvait plus honorer l'arrangement avec Leland. Elle m'a montré un certificat de Neurath indiquant qu'elle souffrait d'une infection vaginale. Tout d'abord je n'ai rien soupçonné. Les choses paraissaient en règle. Je lui ai donné dix mille dollars et lui ai souhaité bonne chance. Plus tard, bien sûr, j'ai fait la relation.

– Comment Belding a-t-il réagi à la fin de ses rapports avec Linda ?

– Il n'a pas réagi. A ce moment il avait déjà gagné une nouvelle confiance avec les femmes et il la mettait à l'épreuve sur d'autres conquêtes féminines, autant qu'il lui était possible. Il en a même fait étalage.

La transformation de Belding de reclus en play-boy. Les périodes concordaient.

– Ensuite, que s'est-il passé ?

– A peu près un an plus tard, Cable Johnson m'a appelé. Il m'a dit que dans l'intérêt de Belding je devais le rencontrer. Nous nous sommes retrouvés dans un hôtel minable. Il était saoul et très arrogant. C'est là qu'il m'a dit que Linda avait donné naissance à des enfants dont le père était Leland. Il l'avait emmenée au Texas pour l'accouchement, mais maintenant ils étaient de retour et le moment était venu de « faire affaire », comme il me l'a dit... – Vidal emplit sa tasse et but une gorgée : Oh, il croyait être très malin et avoir tout prévu. Il me prenait par l'épaule en répétant que maintenant il faisait partie de la famille... Et puis il est sorti de la chambre et est revenu deux minutes plus tard avec Linda et les bébés.

– Trois bébés, glissai-je.

Il acquiesça.

Des triplées. Tous ces bricolages hormonaux avaient eu pour résultat d'augmenter les probabilités de naissance multiple. Un savoir commun à l'époque actuelle, mais Neurath avait été en avance sur son temps, plus qu'il ne le croyait...

– Le seul motif de célébrité de Port Wallace, Texas, dis-je. Jewel Rae, Jana Sue. Et la pauvre Joan Dixie, née sourde, aveugle, paralysée.

– Oui, c'est pathétique, dit-il en fermant les yeux avec une expression douloureuse. Apparemment dû à un endommagement du cerveau. L'établissement où Cable avait emmené sa sœur était tellement primitif... Joan a failli mourir à la naissance. C'est un miracle qu'elle ait survécu...

– Une vision très dure à supporter pour quelqu'un d'aussi facilement effarouché que Belding, raillai-je avec amertume.

– Toutes trois le dégoûtaient. Il avait toujours méprisé les enfants. L'idée de triplées l'aurait rendu malade, je le connaissais. Il avait passé sa vie à chercher la perfection dans ses machines. Je savais qu'il prendrait comme une insulte d'avoir engendré un être tel que Joan. Je voulais lui cacher l'existence des triplées, arranger les choses sans l'en avertir. Mais Cable n'était pas de cet avis. Il voulait toucher les dividendes de sa machination tout de suite. Il a envoyé Linda voir Leland avec les bébés. Elle avait gardé une clef de son bureau. Elle s'y est rendue un soir qu'il travaillait tard... – Il secoua la tête d'un air désolé : Pauvre fille qui croyait que la vue des bébés enflammerait sa fibre paternelle. Il lui a dit ce qu'elle voulait entendre, mais dès qu'elle a été repartie il m'a téléphoné et m'a dit de venir sur-le-champ, pour « régler un problème ». Il ne voulait pas de mon avis : sa décision était déjà prise. Il exigeait d'être débarrassé des Johnson. Définitivement. Et il me donnait le rôle d'exterminateur.

– Les bébés devaient être supprimés ?

Il acquiesça.

– Mettre toutes ces horreurs sur le dos d'un homme mort, c'est commode, commentai-je. Mais quelqu'un a bien dû exécuter les ordres...

Il vida sa tasse, toussota, sortit le pulvérisateur de sa poche et aspergea sa gorge.

– J'ai sauvé les enfants, dit-il d'un ton neutre. J'étais le seul à le pouvoir. J'étais le seul à avoir assez l'estime de Leland pour

410

me permettre de désobéir. Je lui ai dit que l'infanticide était absolument hors de question. Si la chose se savait, il serait ruiné, Magna serait ruinée.

– Un argument pragmatique.

– Le seul qu'il comprenait. En fait Magna était son seul véritable enfant. Je lui ai proposé de faire adopter les petites de façon qu'on ne puisse jamais prouver leur parenté. Pour sa tranquillité d'esprit il lui suffisait de rédiger un testament excluant tout legs de parenté, connue ou non. D'abord il a refusé, mais je n'ai pas cédé. J'avais toujours exécuté ses ordres sans discuter, mais cette fois je ne le ferais pas. Et si ces bébés venaient à mourir, je ne pouvais garantir de garder le silence. Était-il prêt à me supprimer moi aussi ? Ma position l'a choqué. Il est entré dans une colère terrible, mais finalement il a accepté mon plan. Je crois qu'il respectait mon point de vue, même s'il ne le partageait pas.

– Un plan habile, qui incluait un prix de consolation pour votre propre sœur...

– C'était peu après le décès de Henry, en effet. Elle s'était enfoncée dans une profonde dépression. J'ai pensé que les bébés seraient le remède miracle. Et ce n'est pas une femme très imaginative. Je savais qu'elle ne chercherait jamais à savoir d'où venaient les enfants.

– Joan faisait partie de ce « cadeau » ?

– Non. Hope n'aurait pas su gérer son cas. Magna a acheté un sanatorium dans le Connecticut, où Joan a été placée. Elle y a reçu les meilleurs soins. Par la suite nous avons fait l'acquisition d'autres établissements de ce type.

– De nouveaux noms, une nouvelle vie... Sauf pour les Johnson. Est-ce vous ou Belding qui a eu l'idée de la drogue pour maquiller leur élimination ?

– Les choses... n'ont pas suivi le plan prévu.

– Je suis sûr que Linda et Cable seraient rassérénés de l'apprendre.

Il voulut parler, n'y parvint pas. Il sortit le pulvérisateur, s'humecta la gorge, attendit en produisant de petits bruits secs.

– Linda... Linda ne présentait aucun danger. Elle ne devait pas être là. Elle devait être en courses à ce moment, mais sa voiture n'a pas démarré, et elle est rentrée pour appeler un taxi. Quand... Quand cela s'est produit son frère s'est servi d'elle comme bouclier. Elle a été abattue par accident...

– Rien du tout. Elle n'aurait pas laissé prendre ses enfants.

Elle devait mourir. Ou vous le saviez depuis le début ou bien vous avez préféré ne pas voir ce point quand vous avez organisé le faux raid antidrogue. Tout ce luxe, l'appartement sur Fountain, les voitures, les bijoux, n'avait pour but que de leur faire croire à tous les deux que Belding avait accepté le marché. Mais ils étaient condamnés dès l'instant où elle était entrée dans le bureau de Belding avec les bébés.

— Vous vous trompez, docteur Delaware. J'avais tout arrangé.

— Admettons. Alors quelqu'un d'autre a changé votre arrangement.

Il s'agrippa au bord de la table et une lueur brûlante passa dans ses yeux tandis qu'il pâlissait brusquement.

— Non, coassa-t-il. C'était une erreur. Son salopard de frère s'est abrité derrière elle, comme il l'avait toujours fait.

— Peut-être. Mais Hummel et DeGranzfeld auraient éliminé Linda de toute façon, sur ordre de Belding. Votre patron était assez content de leur boulot pour leur offrir ensuite des places de choix à Las Vegas, souvenez-vous...

Il ne dit rien pendant un très long laps de temps, comme s'il venait d'avoir une soudaine révélation. Son regard décoloré me transperçait sans me voir. Il était revenu en pensée à une autre époque.

— C'est absurde, murmura-t-il enfin.

— Êtes-vous le père ? demandai-je.

Un autre long silence.

— Je ne sais pas... Leland et moi avons le même groupe sanguin, O positif. Comme trente-neuf pour cent des gens de ce pays.

— De nos jours, il existe des tests très précis.

— Quel intérêt ? rétorqua-t-il, et sa voix s'enroua brusquement avant de se briser. Je les ai sauvées. Placées dans un foyer où elles étaient heureuses. C'était suffisant.

— Pas Sharon. Elle a fini nue, dans la boue, à manger de la mayonnaise avec ses doigts. Un autre plan qui a mal tourné ?

Il ferma les yeux, eut une grimace de douleur. Il paraissait vieillir de seconde en seconde.

— C'était pour leur bien. Sherry était une enfant terrifiante, je l'ai compris dès qu'elle a commencé à marcher. Quand elle a voulu noyer Sharon, j'ai décidé qu'il fallait les séparer. Mais Leland ne devait rien en savoir. Il avait déjà oublié leur existence. Je savais qu'il regarderait ce changement dans les plans comme un échec et qu'il insisterait pour appliquer sa solution.

– Que lui avez-vous dit?

– Que Sharon s'était accidentellement noyée. Il s'en est contenté.

Sa lèvre inférieure se mit à trembler et il plaça une main devant sa bouche pour dissimuler cette perte de contrôle.

– Pourquoi avoir banni Sharon? Pourquoi pas Sherry?

– Sherry était celle qui avait besoin d'être surveillée. Elle était instable, dangereuse. La laisser sans surveillance représentait un risque trop grand.

– Ce n'est pas la seule raison, insistai-je.

– Non... Hope la voulait. Elle se sentait plus proche de Sherry, plus attachée à elle.

– Vous avez donc puni la victime, dis-je, en la faisant passer d'une propriété luxueuse à une cabane dans un champ de boue, avec deux attardés mentaux pour compagnie.

– C'étaient des gens très bien. – Il toussota et reprit, d'une voix moins forte : Des gens bien, oui. Ils avaient travaillé pour moi, je les savais de confiance. Et l'arrangement était temporaire, en attendant que je trouve une meilleure solution.

– Un arrangement pour la priver de son identité.

– Pour son propre bien! grinça-t-il d'un ton agressif. Jamais je n'aurais fait quelque chose contre elle.

Une nouvelle quinte de toux le secoua. Il plaça un mouchoir en soie sur sa bouche, y cracha quelque chose.

– Excusez-moi, dit-il d'une voix plus normale, puis : Sharon avait le visage de sa mère.

– Tout comme Sherry.

– Non, non. Sherry avait les traits, pas le visage...

Brusquement il parut désemparé, un homme qui a traversé la vie en première classe pour s'apercevoir qu'elle ne mène nulle part.

En arrivant ici je le détestais, mais en le voyant ainsi j'eus presque envie de le consoler. Puis je pensai à tous ces cadavres, et l'envie de consolation me passa. Je revins à la charge :

– Votre arrangement temporaire est devenu permanent.

– Oui, c'est vrai. Pendant que je cherchais une autre solution Jasper et Shirlee accomplissaient un travail étonnant. Et puis Helen a découvert Sharon, en a fait sa protégée, l'a magnifiquement éduquée. J'ai décidé que c'était mieux ainsi. J'ai contacté Helen et nous avons conclu un marché.

– Vous avez payé Helen Leidecker?

– Pas avec de l'argent. Elle et son mari étaient trop fiers

413

pour accepter cela. Mais il y avait d'autres choses que je pouvais pour eux. Assurer les études de leurs enfants, garantir leur tranquillité à Willow Glen, ainsi que celle des habitants du village. Magna a payé les pertes d'exploitation et acheté les surplus agricoles des propriétaires alentour.

Pour éviter tout changement dans la région et que Shirlee, Jasper et Sharon restent hors de vue de tout nouvel arrivant.

– Que sait Helen, au juste ?

– Le minimum. Pour son propre bien.

– Et que vont devenir les Ransom ?

– Rien ne changera, dit-il. Ils continueront de mener cette existence simple qui semble leur convenir. Avez-vous lu la souffrance sur leurs visages, Docteur ? Non. Ils ne veulent rien de plus que ce qu'ils ont. Helen s'occupe d'eux. Avant son arrivée, je tenais ce rôle.

Il se permit un petit sourire de contentement assez déroutant après son trouble récent. Le président de Magna reprenait très vite le dessus.

– D'accord, vous êtes Mère Teresa, fis-je, sardonique. Alors comment expliquez-vous toutes ces morts ?

– Certaines personnes méritent de mourir, rétorqua-t-il.

– On dirait une citation de Leland Belding.

Il ne répondit pas, mais son visage reprit une rigidité de Grand Commandeur.

– Et Sharon ? dis-je. Méritait-elle de mourir pour avoir seulement voulu savoir qui elle était vraiment ?

Il se leva d'un seul mouvement et posa sur moi un regard insondable. Billy Vidal, l'Homme-Aux-Commandes.

– Venez avec moi.

Nous sortîmes dans le désert et il guida nos pas grâce à une lampe-crayon sur une centaine de mètres, jusqu'au véhicule qui m'avait amené ici, une petite voiture électrique peinte en noir avec un arceau de sécurité, sans toit.

Il s'installa derrière le volant et je pris le second siège. Pour ce trajet, pas de bandeau. Il me faisait confiance ou il m'avait déjà condamné. Un ronronnement électrique, les phares s'allumèrent et il fit démarrer le véhicule.

Nous avancions à une allure surprenante pour une voiture électrique, mais j'étais au pays de la haute technologie, sur le territoire de Magna. Il nous fallut néanmoins une heure pour arriver à destination. Il faisait nuit mais l'air restait empreint d'une chaleur sèche qui semblait irriter la gorge de Vidal, car il toussa souvent. Enfin il arrêta la voiture, sortit une télé-commande de sa poche et appuya sur plusieurs boutons.

Une demi-sphère laiteuse s'illumina devant nous, comme surgie du sol désertique.

Un dôme géodésique, d'une dizaine de mètres de diamètre. La surface en était constituée de panneaux hexagonaux d'une matière évoquant le plastique serti dans des tubulures de métal blanc. Vidal en approcha la voiture et la gara. Des yeux je cherchai le point de communication dont avait parlé Seaman Cross, celui où il se tenait pour écouter et voir Leland Belding. Mais le seul accès à l'intérieur semblait être une simple porte, blanche elle aussi.

— *Le Milliardaire Fou,* murmurai-je.

— Un petit livre stupide, dit Vidal. Leland s'était mis en tête de faire recueillir ses pensées.

— Pourquoi avait-il choisi Cross?

Vidal descendit du véhicule et je l'imitai.

— Je n'en ai pas la moindre idée, répondit-il. Je vous l'ai dit, je ne le comprenais pas complètement, il s'en faut de beau-coup. J'étais à l'étranger quand il a conclu ce marché avec Cross. Plus tard il a changé d'avis et a demandé à Cross de tout oublier en échange d'une grosse somme en liquide. Cross a pris l'argent mais a fait publier quand même son livre. Leland était très mécontent.

— Ce qui vous a contraint à une autre mission...

— Tout s'est passé légalement, par l'intermédiaire des tribu-naux.

— Le cambriolage du coffre-fort de Cross n'est pas un acte très légal, me semble-t-il. Vous avez utilisé les mêmes types que pour le raid de Fountain?

Son expression m'apprit qu'il ne jugeait pas nécessaire de répondre.

— Et le suicide de Cross?

— Cross manquait de caractère, il n'a pas supporté.

— Vous voulez dire que c'était un vrai suicide?

— Absolument.

— S'il ne s'était pas suicidé, vous l'auriez laissé vivre?

Il m'adressa un sourire condescendant.

— Comme je vous l'ai déjà dit, Docteur, je ne supprime pas les gens. Par ailleurs Cross n'était plus une menace. Plus per-sonne ne le croyait.

Nous marchâmes jusqu'au dôme. Vidal avait raison, et

415

l'avertissement valait pour moi : après Cross personne ne me croirait non plus. Ce que je voyais actuellement n'existait pas.

Il mit la main sur la poignée de la porte et l'ouvrit, s'effaçant devant moi. J'entrai donc. La porte se referma dans mon dos. Un instant plus tard je perçus le ronronnement électrique ténu du véhicule qui repartait.

Je jetais des regards curieux autour de moi. Je m'étais attendu à des écrans, des consoles, des claviers, un appareillage électronique digne d'un vaisseau spatial, mais je me trouvais dans une grande pièce aux murs intérieurs de plastique blanc. La décoration aurait pu appartenir à n'importe quelle maison : une moquette bleu clair, des meubles en chêne, un téléviseur, une chaîne stéréo dans un meuble vitré, des bibliothèques de bois clair, dans un coin une cuisine équipée. Des plantes vertes en pots ici et là. Au mur des dessins encadrés.

Des dessins de pommes.

Et trois lits disposés côte à côte, comme une portion de dortoir. Ou d'hôpital, car les deux premiers étaient des lits pour malade avec réglage de l'inclinaison et table chromée escamotable.

Le plus proche était inoccupé. Seul un objet était posé sur l'oreiller. Je m'approchai. C'était une maquette d'avion peinte en noir, un bombardier avec un M argenté sur la carlingue.

Dans le second lit une femme invalide gisait sous une couverture aux couleurs joyeuses. Immobile, bouche entrouverte, avec quelques traces de gris dans son opulente chevelure noire, seul changement depuis ma dernière rencontre avec elle, six ans auparavant.

Du dernier lit émanait une odeur que je connaissais bien. Un parfum printanier qui évoquait l'herbe fraîchement coupée, le savon et l'eau fraîche.

35

Sharon était assise sur le bord du troisième lit, mains posées sur les genoux. Sur ses lèvres flottait un sourire évanescent.

Elle était vêtue d'une longue robe blanche boutonnée devant, sa chevelure bien peignée était sagement séparée par une raie centrale. Pas de maquillage, pas de bijoux. Dans l'éclairage du dôme, ses yeux paraissaient violacés.

Sous mon regard insistant, ses longs doigts s'agitèrent nerveusement. Ses bras étaient toujours aussi doux, et sa poitrine tendait la soie de la robe sans doute coûteuse mais qui pourtant évoquait un uniforme d'infirmière.

– Bonjour, Alex. Viens.

Je m'approchai, m'assis auprès d'elle.

– Revenue comme Lazare.

– Je n'étais jamais partie, répondit-elle.

– Alors quelqu'un est parti à ta place.

Elle acquiesça.

– La robe rouge? Les daïquiri-fraise?

– Elle.

– Celle qui couchait avec tes patients?

Elle bougea un peu, et nos hanches se touchèrent.

– Elle. Pour me faire mal. Peu lui importait de faire mal à d'autres en même temps. Je n'en ai rien su jusqu'aux premières annulations de rendez-vous. Je ne comprenais rien. Tout se passait si bien... C'étaient pour la plupart des cas à court terme,

417

mais tout le monde m'aimait bien. Je les ai appelés. La plupart ont refusé de me parler. Deux épouses m'ont menacée. Elles étaient folles de rage. J'avais l'impression de vivre un cauchemar. Et puis Sherry m'a avoué ce qu'elle avait fait. En riant. Elle était restée avec moi, m'avait subtilisé la clef du cabinet pour en faire un double. Elle s'en servait pour aller fouiller dans mes dossiers et choisir les patients qui lui semblaient « intéressants ». Ensuite elle leur offrait des visites de contrôle et... elle se les « faisait », comme elle disait, avant de les « jeter ». Ce sont ses propres termes. Quand j'ai été assez calme, je lui ai demandé pourquoi. Elle m'a répondu qu'elle préférait être damnée plutôt que de me laisser jouer au docteur et la traiter de haut.

Elle posa sa main sur ma cuisse. Sa paume était moite.

— Je savais qu'elle me détestait, Alex, mais jamais je n'aurais imaginé que c'était à ce point. Quand nous nous sommes retrouvées pour la première fois, elle a agi comme si elle m'adorait.

— Quand était-ce?

— Quand j'étais en deuxième année de licence. En automne.

— Pas en été? m'étonnai-je.

— Non. En automne. En octobre.

— Et ces histoires de famille qui t'ont empêchée de venir à San Francisco?

— Ma thérapie.

— Avec Kruse?

— Oui. C'était une période cruciale, je ne pouvais pas arrêter. Nous affrontions des problèmes de famille, vraiment.

— Où as-tu séjourné?

— Chez lui.

J'étais allé là-bas, à sa recherche justement, et j'avais vu le visage de Kruse changer...

Je vous souhaite le bonsoir...

— C'était très intense, dit-elle. Il voulait tout contrôler.

— Tu n'avais pas de problème pour dormir chez lui?

— Je... Non, il m'aidait. Par la relaxation.

— Hypnose?

— Oui. Il me préparait à la rencontrer. Il pensait que ça nous aiderait, moi comme elle. Mais il avait sous-estimé toute la haine qu'elle gardait en elle.

Elle restait calme, mais la pression de sa main s'était accentuée.

418

— Elle mentait, Alex. Ça lui était facile, elle avait pris des cours de comédie.

Certains fréquentent la scène ou l'écran...

— Intéressant choix de carrière, dis-je.

— Ce n'était pas une carrière, seulement une passade. Comme tout le reste. D'abord elle s'en est servie pour se rapprocher de moi, ensuite contre la cible qu'elle savait la plus chère pour moi : toi, Alex. Et puis, des années plus tard, contre mon travail. Elle savait tout ce que ce travail signifiait pour moi.

— Pourquoi ne pas avoir fini tes études ?

Elle se pinça le lobe de l'oreille.

— Trop de... d'interruptions. Et je n'étais pas prête.

— D'après Paul ?

— D'après lui et d'après moi.

Elle se pressa contre moi. Son contact m'était presque douloureux.

— Tu es le seul homme que j'aie jamais aimé, Alex.

— Et Jasper ? Et Paul ?

A la mention du prénom de Kruse elle tressaillit.

— Je parle d'amour sentimental et physique. Tu es la seule personne qui m'ait pénétrée, Alex...

Je ne dis rien.

— C'est la vérité, Alex. Je sais que tu as eu des soupçons, mais Paul et moi n'avons jamais eu ce genre de rapports. J'étais une de ses patientes, et coucher avec une patiente est comparable à l'inceste, tu le sais. Même après la fin de la thérapie.

Quelque chose dans sa voix me fit reculer.

— D'accord. Mais n'oublions pas Mickey Starbuck, ta co-star dans *Check-up*...

— Tout ce que je sais de lui c'est qu'il était acteur et que Kruse l'avait traité pour cocaïnomanie, en Floride. Et je ne suis jamais allée en Floride.

— Elle ?

Sharon eut un hochement de tête affirmatif.

— Mais qui lui a donné ce rôle ?

— Paul pensait que ça pourrait avoir un effet curatif.

— Une thérapie radicale...

— Il faut remettre les choses dans leur contexte, Alex. Il avait travaillé avec elle pendant des années, sans grand résultat. Il fallait qu'il tente autre chose... — Elle me sourit doucement : Je comprends que tout cela te paraisse étrange, Alex. Il est difficile de résumer tant d'années en quelques minutes, mais je ferai de mon mieux pour tout t'expliquer clairement.

Je souris en retour, sans cacher ma confusion.

— J'apprécie, lui affirmai-je.

— Par quoi veux-tu que je commence ?

— Par le début, ça me semble le plus simple.

·Elle posa sa tête au creux de mon épaule et se mit à parler de cette même voix monocorde qu'elle avait eue des années auparavant quand elle m'avait raconté la « mort » de ses parents.

— C'est bien là le problème. Il n'y a pas vraiment de début. Mes premières années sont floues. On m'en a parlé, mais c'est comme entendre l'histoire de quelqu'un d'autre. C'est ce que Paul essayait de faire, cet été-là. Faire sauter ce blocage.

— Régression ?

— Régression, associations libres, exercices de Gestalt... Toutes les techniques courantes, celles que j'ai utilisées moi-même sur mes patients. Mais ça n'a rien donné. Je n'arrivais à me souvenir de rien. Intellectuellement, je comprenais le processus de défense, je savais que je faisais un blocage mais ça ne m'aidait pas là – elle plaça ma main sur son ventre.

— Jusqu'où es-tu remontée ?

— Jusqu'à la période heureuse. Jasper et Shirlee. Et Helen. Oncle Billy m'a dit que tu l'as rencontrée hier. C'est une personne extraordinaire, tu ne trouves pas ?

— Oui. – Hier. J'avais l'impression de l'avoir vue des siècles plus tôt : Elle sait que tu es toujours vivante ?

Elle grimaça comme si on l'avait mordue, se pinça brutalement le lobe de l'oreille.

— Oncle Billy a dit qu'il se chargerait de ça.

— Je n'en doute pas. De quoi discutais-tu avec lui, à la réception ?

— D'elle. Elle avait recommencé à mettre la pression sur moi. Elle arrivait chez moi à n'importe quelle heure, elle me réveillait en hurlant et en m'injuriant, ou bien elle se glissait dans mon lit pour me caresser. D'autres fois elle arrivait complètement saoule, ou droguée, et elle vomissait n'importe où. Je n'arrêtais pas de changer les serrures, mais elle trouvait toujours le moyen d'entrer. Elle avalait les cachets comme des bonbons...

De vieilles cicatrices entre les orteils.

— Elle se shootait aussi ?

— Elle l'avait fait des années plus tôt. Je ne sais pas, peut-être

420

avait-elle recommencé. Cocaïne, speed-ball... Durant ces années elle a dû avoir une douzaine d'overdoses. Un des médecins d'Oncle Billy restait de permanence au cas où il faudrait lui faire un lavage d'estomac. A l'époque de la réception elle était au plus mal et voulait m'entraîner avec elle. C'est pourquoi j'ai demandé à Oncle Billy de s'occuper d'elle. Même après ce qu'elle m'avait fait subir j'avais du mal à me séparer d'elle. Alors, quand je t'ai vu à la réception, je me suis sentie ragaillardie. Une semaine plus tôt j'étais passée chez Paul et Suzanne écrivait les invitations. J'ai vu ton nom sur la liste et mes sentiments pour toi s'en sont trouvés réveillés...

Elle prit ma main et la fit descendre vers son entrejambe. Je sentis la chaleur lourde, la douceur crissante du mont de Vénus à travers la soie.

– Le destin. Je savais qu'il fallait que je tente de renouer le contact... – Elle déposa un baiser sur ma joue : Et maintenant tu es ici... Bonjour, vous.

– Bonjour.

Je restai assis là et la laissai me couvrir de baisers tandis que ses mains me caressaient. J'endurai ce contact et répondis de même et je sus ce qu'on ressentait avec une prostituée. La transpiration inonda mon front. Je l'essuyai d'un revers de manche.

– Veux-tu un peu d'eau ?

Elle se leva et emplit un verre avec la cruche posée à côté du lit de Shirlee. Je profitai de ce court répit pour me reprendre.

– Paul te traitait-il pour autre chose que ce déblocage de ton passé ?

Elle me tendit le verre, que je pris.

– En fait au début ce n'était pas une véritable thérapie, juste un peu de contrôle clinique, l'habituelle évaluation de la manière dont mes sentiments et ma façon de communiquer pouvaient affecter mon travail. Mais il a très vite vu que j'avais des... problèmes identitaires, très peu d'estime de moi. Je me sentais incomplète. Et coupable.

– Coupable de quoi ? dis-je avant de me désaltérer.

– De tout. D'avoir laissé Jasper et Shirlee, même si malgré l'affection que j'ai pour eux, je n'ai jamais eu l'impression de leur appartenir. Et Helen. Elle m'a élevée, mais ce n'était pas ma mère. Il y a toujours eu un mur invisible entre nous. C'était très troublant.

J'approuvai.

– Au début de mon troisième cycle, c'était très dur. On attendait de moi que j'aide d'autres personnes, et ça me terrifiait. C'est pour ça que j'ai quitté le cours que tu faisais. Je crois qu'au fond de moi j'étais d'accord avec ce que disaient les autres : je puais l'imposture.

– Tout le monde ressent ça, au début, dis-je en posant le verre sur la tablette escamotable. Avant que tu ne rencontres Sherry, avant de connaître son existence, as-tu rêvé que tu avais une jumelle ?

– Tout le temps, quand j'étais petite. Mais j'étais le genre d'enfant à rêver de tout et de n'importe quoi, et par la suite je n'y ai jamais attaché d'importance.

– Y avait-il une image de jumelle récurrente ?

– Oui. Une petite fille de mon âge, exactement pareille à moi mais pleine d'assurance, très populaire. Je l'appelais La Grande Sharon à cause de sa personnalité. Paul disait que je me voyais chétive, insignifiante. La Grande Sharon restait en retrait mais je pouvais toujours compter sur elle pour venir à ma rescousse en cas de besoin. Des années plus tard, en commençant mes études de psycho, j'ai appris que c'était un comportement normal, que beaucoup d'enfants partagent. Mais je l'ai gardé jusqu'à l'adolescence. Cela m'embarrassait, j'avais peur de parler dans mon sommeil et que mes camarades de chambrée croient que j'étais bizarre. Alors j'ai fait un effort conscient pour me débarrasser de La Grande Sharon et grandir enfin. J'ai réussi à la supprimer de mon existence mais sous hypnose Paul l'a fait revenir. J'ai commencé à parler d'elle. Puis à lui parler. Paul disait qu'elle était mon partenaire. Mon *partenaire muet*, qui était toujours là, à l'arrière-plan. Il disait qu'on en a tous un, et que c'est ce que Freud voulait démontrer avec sa théorie du moi, du surmoi et du ça. Paul disait qu'elle était inoffensive, qu'elle représentait juste une autre partie de moi-même. C'était un message très affirmatif.

– Et à l'automne il a décidé de te présenter à tes vrais partenaires muets.

Elle se raidit et ce même regard revint.

– Oui. Le moment était propice.

– Comment a-t-il procédé ?

– Il m'a fait venir dans son bureau sous prétexte de me dire quelque chose d'important. Il m'a conseillé de m'asseoir. Le choc serait peut-être dur, mais important, une expérience qui me ferait mûrir. Ensuite il m'a hypnotisée, m'a suggestionnée pour arriver à une relaxation profonde, un grand calme intérieur. Quand j'ai été vraiment détendue, il m'a annoncé que j'étais une des personnes les plus chanceuses au monde car j'avais réellement un partenaire muet, deux, en fait. Que je faisais partie d'un trio. Des triplées.

Elle se tourna vers moi, prit mes deux mains dans les siennes.

– La Grande Sharon et cette impression d'être incomplète, c'était mon subconscient qui à sa façon m'interdisait d'oublier. Pour Paul, le fait que pendant la thérapie j'aie pu parler à La Grande Sharon était un signe : j'avais atteint le stade où j'étais prête à me reconnaître comme le tiers d'un tout.

– Comment as-tu réagi à cette révélation ?

– Tout d'abord ça a été merveilleux. J'ai été submergée par le bonheur. Et puis ça s'est inversé. Tout est devenu froid et sombre, et je me suis sentie écrasée.

Elle m'enserra dans ses bras.

– C'était irréel, Alex. Horrible. J'étais sûre que j'allais mourir. Et puis j'ai hurlé. Le cri est monté de moi et je ne pouvais rien pour l'arrêter. Paul a essayé de me bâillonner de sa main, mais ça ne donnait rien. Alors il m'a giflée, durement. Ça faisait mal mais en même temps c'était bon, si tu comprends ce que je veux dire. Quelqu'un se souciait de moi.

– Je comprends. Et ensuite ?

– Il m'a tenue jusqu'à ce que je me calme. Alors il m'a allongée sur le sol et il m'a hypnotisée profondément. Puis il m'a dit d'ouvrir les yeux et a sorti d'une de ses poches une photo. La photo de deux petites filles. Moi et une autre. Il m'a dit de regarder au dos, il y avait écrit quelque chose : *S. et S. Partenaires muets.* Il m'a dit que désormais ce serait mon catéchisme, mon mantra de guérison. Et la photo serait mon talisman. Si je doutais ou que je sois perdue, je devais l'utiliser, tomber dedans. Alors il m'a dit de tomber dedans tout de suite, et après il m'a parlé de l'autre petite fille, Sherry. Elle était sa patiente depuis des années, bien avant qu'il ne me rencontre. Quand il m'avait vue pour la première fois il avait cru à un miracle et, depuis, son but était de nous réunir en une unité viable. Une famille.

– Combien de temps t'a-t-il caché son existence ?

– Peu de temps. Il ne pouvait pas me parler d'elle avant qu'elle soit d'accord. Elle était sa patiente, tout était confidentiel.

423

– Mais pour qu'elle soit d'accord, il avait dû lui parler de toi...

Elle fronça les sourcils comme si elle réfléchissait à une charade complexe.

– Non, c'était différent. Nous, nous avions une thérapie de contrôle, il me voyait comme une collègue de travail. Il pensait que je pouvais accepter la situation. Il fallait commencer quelque part, Alex, rompre le cercle.

– Bien sûr. Comment a-t-elle réagi en apprenant ton existence ?

– Dans un premier temps elle n'a pas voulu le croire, même après avoir vu une copie de la photo. Elle a dit que c'était truqué, et il lui a fallu du temps pour accepter le principe de mon existence. Paul m'a expliqué qu'elle avait été élevée sans amour, qu'elle avait des problèmes avec ses liens affectifs. En y repensant, je me rends compte qu'il m'a mise en garde dès le début. Mais j'étais incapable d'imaginer un côté négatif. Pour moi ma vie avait miraculeusement changé. Des triplées. Je n'étais plus seule.

– Deux sur trois, lui rappelai-je.

– Oui, j'y ai pensé aussi et je lui ai demandé de me parler de mon second partenaire muet. Il m'a répondu que nous étions allés assez loin pour cette fois et il a mis fin à la séance. Ensuite je suis rentrée à la maison.

– La maison... Qui te l'a donnée ?

– Paul. Il m'a dit qu'il la louait mais qu'elle était libre et qu'il voulait que j'y habite, parce que j'aurais besoin d'un endroit pour ma nouvelle existence. La maison lui semblait parfaite.

– Idem pour la voiture ?

– Ma petite Alfa... Oui, Paul m'a dit l'avoir achetée pour Suzanne mais qu'elle s'était révélée incapable d'apprendre à conduire. Après ce que j'avais vécu, je méritais de m'amuser un peu et donc il me la donnait. Ce n'est que plus tard que j'ai appris qu'il n'avait fait que servir d'intermédiaire. Mais il a tout lié et, d'une certaine façon, tout venait effectivement de lui.

– Je vois ça... Que s'est-il passé quand tu es rentrée chez toi ?

– J'étais épuisée. Je me suis mise au lit et j'ai dormi comme un bébé. Mais cette nuit-là je me suis réveillée en sueur, transie de froid, paniquée, en proie à une autre crise d'anxiété. Je voulais appeler Paul mais je tremblais trop pour composer son numéro. Finalement j'ai réussi à me calmer en respirant lentement, mais mon état d'esprit avait changé. J'étais très déprimée, je ne voulais plus parler à personne. J'avais l'impression de tomber la tête la première dans un gouffre sans fond. Pendant trois jours, je ne me suis pas habillée, je n'ai pas mangé, pas quitté mon lit. Je restai là, à regarder la photo. C'est le troisième jour que tu m'as découverte ainsi, Alex. Quand je t'ai vu je suis devenue folle. Je suis désolée. J'ai perdu les pédales.

Elle effleura ma joue d'une main.

— C'est oublié depuis longtemps, la rassurai-je. Et après mon départ ?

— Je suis restée dans le même état encore quelque temps. Puis Paul est venu me voir, il m'a lavée, habillée et m'a ramenée chez lui. Pendant une semaine je n'ai rien fait sinon me reposer, me détendre dans ma... dans une chambre là-bas. Alors nous avons eu une autre séance d'hypnose profonde, et il m'a parlé de la séparation.

— Que t'a-t-il dit ?

— Qu'on nous avait proposées à l'adoption peu après notre naissance, puis séparées à l'âge de trois ans parce que Sherry ne cessait de me maltraiter. Il a dit que ce n'était pas la bonne méthode, mais que notre mère adoptive avait elle-même des problèmes et ne pouvait s'occuper de nous deux. Elle préférait Sherry, c'est pourquoi j'avais été écartée.

Elle avait fait un effort visible pour parler d'un ton détaché, mais un éclair dur et glacial était passé dans ses prunelles.

— As-tu jamais rencontré Mrs. Blalock ?

— Non. Même à la réception. Pourquoi l'aurais-je voulu ? Elle n'était qu'un nom pour moi, son visage m'était inconnu. C'était... la mère de quelqu'un d'autre.

Je laissai mon regard errer sur les murs plastifiés du dôme sans rien dire. Ils se posèrent sur la forme immobile dans le lit voisin.

— Quand Paul t'a-t-il révélé l'existence de ton deuxième partenaire ?

— A la troisième séance, mais il ne m'a pas dit grand-chose sinon qu'elle était infirme et placée dans un établissement spécialisé.

— Quelqu'un t'a renseignée un peu plus. Oncle Billy ?

— Oui.

— Quand est-il intervenu ?

— Quand Paul m'a renvoyée une seconde fois chez moi. Une semaine peut-être après... notre séparation. J'allais beaucoup mieux et je commençais à voir les choses avec un certain recul. Il m'a rendu visite et m'a expliqué qu'il était le frère de la femme qui s'était séparée de moi. Il s'en est excusé, m'a dit de ne pas lui en vouloir, qu'elle n'était pas de taille à assumer mon éducation mais que lui avait toujours veillé sur moi. Il s'est présenté à la fois comme un oncle et un émissaire de mon père... Et puis il m'a dit qui était mon père.

– Qu'as-tu ressenti en apprenant que tu étais l'héritière de Leland Belding ?

– Ça ne m'a pas paru aussi étrange que tu pourrais le croire. Bien sûr, j'avais entendu parler de lui, je savais que c'était un génie et qu'il était richissime, et c'était quand même étrange d'avoir un lien avec lui. Mais il était mort, disparu, jamais je ne pourrais avoir de contact avec lui. J'étais plus intéressée par mes liens avec les vivants.

Elle avait éludé la réponse mais je n'insistai pas.

– Comment Oncle Billy t'a-t-il retrouvée ?

– C'est Paul qui l'a retrouvé, lui. Il a dit qu'il voulait me rencontrer depuis des années, mais qu'il avait craint de ne pas savoir comment se comporter et qu'il avait attendu. Maintenant que ce n'était plus un secret, il voulait se renseigner à la source. Je lui ai dit que j'étais au courant de l'existence de Sherry. J'ai bien vu qu'il ne l'appréciait pas beaucoup, mais je ne l'ai pas interrogé sur elle. Je voulais des détails sur mon autre sœur, mes origines. Il m'a tout dit, que nous étions le produit de l'amour entre Mr. Belding et une actrice qu'il avait beaucoup aimée mais qu'il ne pouvait épouser pour des raisons sociales. Qu'elle s'appelait Linda et qu'elle était morte suite à des complications après l'accouchement. Il m'a montré une photo d'elle. Elle était très belle.

– Une actrice... répétai-je sans déclencher de réaction. Tu lui ressembles.

– C'est un beau compliment. Nous étions des rescapées. Une septicémie avait emporté notre mère juste après notre naissance, et nous n'aurions pas dû survivre non plus. Mais Joan s'en était mal tirée, et elle souffrait de multiples carences fonctionnelles. Malgré sa position, Mr. Belding n'était pas en mesure de nous élever. D'après Oncle Billy, il était très timide, il redoutait les gens et faisait même de l'agoraphobie. C'est pourquoi Oncle Billy nous avait fait adopter par sa sœur. Il avait cru qu'elle serait une meilleure mère. C'était avant que lui et Mr. Belding ne se sentent coupables de nous avoir laissées. Je lui ai dit que Paul avait préparé une rencontre avec Sherry. Il m'a dit qu'il savait. Alors je lui ai demandé d'arranger une rencontre entre moi et Joan.

– Donc Paul et lui travaillaient ensemble.

– Ils coopéraient, oui. Oncle Billy a fini par céder et il m'a emmenée voir Joan, dans l'établissement où elle se trouvait, au Connecticut. Dès qu'il m'a vue avec elle il a accepté que je m'en occupe. Pour moi c'était vital, dès que je l'ai vue. Elle faisait partie de ma vie. Magna a acheté Resthaven, et c'est moi qui ai choisi Elmo...

– Et tu as changé son prénom.

– Oui, un nouveau prénom symbolisait une nouvelle vie. Jana et moi avions eu des prénoms commençant par un S, j'ai pensé que Joan devait en avoir un aussi, pour être comme nous.

Elle se leva, alla s'asseoir auprès de sa sœur et lui caressa tendrement la joue du bout des doigts.

– Elle est toujours là pour moi. C'est un vrai réconfort dans ma vie.

– Au contraire de ton autre partenaire.

De nouveau, ce regard froid...

– Oui... – Elle se força à sourire : Alex, je suis épuisée... Je t'en ai dit beaucoup déjà...

– Il y a encore quelques petites choses, si tu veux bien... Un silence.

– Oui, bien sûr, je comprends... Que veux-tu savoir d'autre ?

J'avais encore mille questions, mais son sourire me mit en garde. Plaqué sur ses traits crispés comme un maquillage de clown. Trop grand, trop fixe. Un prodrome, un signal avant-coureur... Je choisis soigneusement ma question :

– A propos de cette histoire sur la mort de tes parents à Majorque. Où l'as-tu prise ?

– Tirée de mon imagination. Pour embellir la réalité. Un côté romantique désespéré.

– D'après ce que tu m'as dit, l'histoire de tes parents était déjà très romantique et désespérée, non ? Pourquoi vouloir l'embellir ?

Elle pâlit brusquement.

– Je... je ne sais pas quoi te répondre, Alex. Quand tu m'as questionnée, cette histoire m'est venue à l'esprit comme ça. Est-ce vraiment important, après tout ce temps ?

– Tu n'as réellement aucune idée de la source de cette version ?

427

– Que veux-tu dire ?

– Elle est identique à la façon dont sont morts les parents de Leland Belding.

Sa pâleur s'accentua encore.

– Non, ce n'est pas possible... – Le sourire figé réapparut : C'est très étrange, oui... Je vois bien pourquoi ça t'étonne... – Elle réfléchit un instant, se pinça le lobe de l'oreille : Jung avait peut-être raison. L'inconscient collectif, une source génétique transmettant des images autant que des caractéristiques physiques... Des souvenirs. Quand tu m'as questionnée, mon inconscient a peut-être puisé là. Je me souvenais de lui, je lui rendais hommage sans le savoir.

– Peut-être. Mais il y a une autre possibilité.

– Laquelle ?

– Que Paul t'en ait parlé sous hypnose, en te commandant de l'oublier consciemment. Mais que ce soit ressorti quand même.

– Non, je... Il ne travaillait pas sur l'amnésie.

– T'en souviendrais-tu, si c'était le cas ?

Elle se leva, serra les poings sans s'en rendre compte.

– Non, Alex. Il n'aurait pas agi ainsi... Et puis, même s'il l'avait fait ? Ce n'aurait été que pour me protéger.

– J'en suis sûr... Excuse-moi.

Elle me considéra un moment, s'approcha. Je pris sa main, la décrispai doucement.

– Après tout, il t'a parlé de la noyade, ce qui était un souvenir émotionnellement très chargé.

– La noyade... Oui, il m'en a parlé.

– Et toi tu m'en as parlé, ainsi qu'à Helen. En déformant la réalité.

– Oui, bien sûr. Vous étiez deux personnes dont je me sentais très proche. Je voulais que vous sachiez.

Elle s'écarta, s'assit à l'autre bout du lit en me tournant à demi le dos. Elle semblait désorientée. J'attendis un instant.

– Si tu t'en sens capable, j'aimerais que tu me racontes ta rencontre avec Sherry...

– Ça s'est passé deux jours après la venue d'Oncle Billy. Paul est passé pour me dire que Sherry était prête.

– Chez lui.

– Oui. Il m'a fait monter dans ma chambre et m'a dit de méditer et de prendre une bonne nuit de sommeil. Le lendemain matin il est venu me chercher. Nous sommes descendus

428

dans le salon. Il avait arrangé de grands coussins partout, la lumière était tamisée. Il m'a dit d'attendre, puis il est sorti de la pièce. Et il est revenu. Avec elle... Quand je l'ai vue j'ai été électrisée. Elle a dû avoir la même réaction, parce que nous sommes restées à nous regarder sans parler pendant un long moment. Elle était exactement comme moi sauf qu'elle avait teint ses cheveux en blond platine et qu'elle portait une robe très sexy. Nous nous sommes mises à sourire à la même seconde, et ensuite à rire et nous nous sommes jetées dans les bras l'une de l'autre. C'était comme embrasser son reflet dans un miroir. Cinq minutes plus tard nous bavardions comme si nous étions les meilleures amies du monde depuis toujours... Elle était drôle, et très douce. Pas du tout arrogante comme Paul me l'avait décrite. Visiblement elle n'était pas très instruite, ce qui m'a étonnée parce qu'elle avait été élevée dans un milieu très aisé. Mais elle était intelligente et très bien éduquée. Son maintien, la façon dont elle croisait les jambes... Elle m'a dit qu'elle voulait être actrice et qu'elle avait déjà tourné dans un film, mais quand je lui ai demandé des détails elle a juste ri et a changé de sujet. Elle voulait tout savoir de l'université, de la psychologie et elle était très fière de savoir que j'allais être diplômée. Nous nous sommes vraiment bien entendues. Nous avons découvert que nous aimions les mêmes choses, que nous utilisions le même dentifrice, le même déodorant, que nous avions les mêmes petites manies...

– Comme ça ? dis-je en me pinçant le lobe de l'oreille.

Elle eut un rire presque naturel.

– Non, ça je crois que ça m'est complètement personnel.

– A-t-elle parlé de sa vie familiale ?

– Pas beaucoup cette première fois. Nous ne voulions parler que de nous, vraiment. Et elle n'était pas encore au courant, pour Joan. Paul m'avait dit qu'elle n'était pas encore prête. Alors nous avons discuté de nous. Nous sommes restées dans le salon toute la journée. C'est quand nous avons abordé le sujet des hommes que j'ai eu le premier soupçon. Elle m'a dit qu'elle s'était fait beaucoup d'hommes, tant qu'elle n'en tenait plus le compte. Elle me sondait, pour voir si j'approuvais ou non sa conduite. Je ne voulais pas la juger, mais je lui ai dit que moi je ne voulais qu'un seul homme. Au début elle a refusé de me croire, puis elle a dit qu'elle espérait que c'était un homme vraiment bien. Alors je lui ai parlé de toi, et à un moment j'ai cru voir dans ses yeux une lueur étrange, une lueur affamée, comme si elle me détestait parce que j'aimais. Mais ça a disparu si vite que j'ai pensé l'avoir imaginé. Si j'avais compris alors j'aurais pu te protéger, Alex. Nous protéger...

– Quand la situation s'est-elle dégradée ?

Ses yeux s'embuèrent instantanément.

– Très vite... mais je ne m'en suis pas rendu compte tout de suite. Nous devions aller faire des courses ensemble, mais elle n'est pas venue au rendez-vous. Quand je suis retournée chez Paul, il m'a dit qu'elle avait fait ses valises et qu'elle avait quitté la ville sans avertir personne. C'était sa façon d'agir, elle ne se contrôlait pas. Paul m'a dit que je ne devais pas m'en faire, que rien n'était de ma faute. Elle est finalement revenue chez moi dans un état terrible, couverte de bleus, sale, à demi comateuse, incapable de se souvenir d'autre chose que du moment où elle s'était retrouvée dans un bar, à Reno. A partir de là, tout s'est enchaîné. Elle apparaissait et disparaissait. États de fugue, abus de drogue.

– Jana. Ta thèse...

Elle sursauta.

– Oui, je l'ai lue. Je voulais comprendre. Te comprendre. Qui a eu l'idée ?

– Ça a commencé comme une plaisanterie. J'avais passé un mois très dur avec elle. Elle avait fait deux overdoses, m'avait horriblement injuriée... J'étais sous pression, je devais trouver un sujet de thèse. Je me suis confiée à Paul, en lui racontant combien elle rendait ma vie difficile, en lui disant que c'était plus difficile d'être sa sœur que son thérapeute. Il a ri et m'a dit qu'être son thérapeute n'avait rien d'une sinécure non plus. Nous avons discuté de la perte de contrôle personnel qui apparaît quand on s'occupe de gens comme elle, ensuite il m'a suggéré de me glisser dans le rôle du thérapeute pour regagner le contrôle sur notre relation. Et de tout mettre par écrit.

– Une autothérapie, en quelque sorte.

– Paul a dit qu'elle me devait bien ça.

– On dirait qu'il lui en voulait pas mal, lui aussi.

– Il se sentait frustré. Toutes ces années à la suivre, et son état s'aggravait. Dans les derniers temps elle était carrément paranoïaque.

– A quel sujet ?

– Sur tout. Lors de sa dernière apparition, quand elle a ruiné ma clientèle, elle était persuadée que je voulais la détruire, que je parlais d'elle à mes patients pour l'humilier.

Elle projetait sa propre souffrance sur moi, elle m'accusait de tout, comme elle l'avait fait des années auparavant.

– Raconte-moi.

– C'est si vieux, Alex...

– J'aimerais quand même que tu m'en parles...

Elle réfléchit un moment, haussa les épaules et me sourit.

– Si c'est important pour toi.

Je lui répondis d'un hochement de tête.

– Elle a fait irruption dans mon cabinet en pleine séance, en hurlant, en pleurant et en me suppliant de l'aider. J'ai appelé Paul. Nous avons tout fait pour la calmer et la persuader de s'accepter. Mais elle ne voulait pas coopérer. Comme elle ne représentait pas un danger immédiat nous ne pouvions rien faire légalement. Elle est repartie en nous injuriant. Ensuite, elle a continué à se droguer, à aller ici et là. De temps en temps j'avais des nouvelles d'elle, un coup de fil en pleine nuit, ou bien une rencontre à l'aéroport, entre deux avions. Nous discutions devant un verre en faisant comme si tout allait bien entre nous. Mais sa haine n'avait pas disparu. Quand elle est revenue à L.A. elle s'est rapprochée de moi et a commencé ses « visites de contrôle ». Mon Dieu, j'aimais ce travail, Alex... Il me manque toujours.

– Qu'est-ce qui a déclenché la crise ?

– La réception en l'honneur de Paul. Elle adorait ce genre de manifestation autant que j'en avais horreur. Mais Paul voulait que ce soit moi qui vienne à celle-ci. Il lui a ordonné de ne pas venir. Elle s'est disputée avec lui, mais il n'a pas cédé. Nous ne pouvions aller toutes les deux à une même réception, et celle-ci était réservée aux psychologues. Aux professionnels. Donc à moi. De plus c'était une occasion spéciale pour lui et il ne voulait pas courir le risque d'un esclandre. Ça l'a mise en rage. Elle a essayé de le frapper avec des ciseaux. C'était la première fois qu'elle l'agressait physiquement. Il l'a maîtrisée, lui a administré une bonne dose de barbituriques et l'a enfermée dans sa chambre. Le samedi soir, après la réception, il l'a laissée sortir. Il m'a dit qu'elle paraissait calme, repentante. Qu'elle semblait avoir pardonné et oublié.

– Comment as-tu fait à la réception ? Quand tu as rencontré les amis de Mrs. Blalock ?

– Pour eux j'étais Sherry, c'était facile de jouer son rôle. Pour tous les psychologues j'étais moi. Les deux groupes ne se mélangeaient pas, et la plupart du temps je suis restée avec Oncle Billy.

431

– Pardonner et oublier, dis-je. Mais elle n'a fait ni l'un ni l'autre.

Sharon me regarda fixement.

– Nous devons vraiment continuer, Alex ? C'est si laid... Elle n'est plus, maintenant. Elle est partie de ma vie, de nos vies. Et j'ai une chance de prendre un nouveau départ.

Elle saisit ma main, l'éleva jusqu'à ses lèvres. Sa langue caressa mes doigts.

– Il est difficile de commencer sans finir d'abord. Il le faut. Pour nous deux.

– Très bien, soupira-t-elle. Alors pour toi. Seulement pour toi. Parce que tu es très important pour moi.

– Merci. Je sais que c'est dur, mais je pense vraiment que c'est préférable.

Elle me serra la main un peu plus fort.

– J'ai reçu ton message le dimanche. J'étais déroutée, mais à ta voix j'ai pensé que ce n'était pas un adieu. Tu étais nerveux, mais tu n'avais pas coupé les ponts.

Je ne commentai pas.

– Je me demandais si je devais te rappeler ou attendre que toi tu rappelles pour convenir d'un autre rendez-vous. J'avais décidé d'attendre, mais j'avais pensé à toi toute la journée. Quand on a frappé à ma porte j'ai cru que c'était toi. Mais c'était elle. Couverte de sang. Elle riait. Je lui ai demandé ce qui s'était passé, si elle avait eu un accident. Et alors elle m'a tout raconté, en riant. L'horreur qu'elle avait commise. Et elle riait !

Sharon éclata en sanglots et se mit à trembler violemment. Elle se prit la tête dans les mains.

– Mais elle n'a pas agi seule, dis-je. Qui l'a aidée ? D.J. Rasmussen ?

Elle me regarda, le visage baigné de larmes, la bouche entrouverte.

– Tu connaissais D.J. ?

– Je l'avais rencontré.

– Rencontré ? Où ?

– Près de chez toi. Nous pensions tous les deux que tu étais morte, et nous étions venus présenter nos derniers hommages, en quelque sorte.

– Oh, mon Dieu ! Ce pauvre D.J... Jusqu'à ce qu'elle me dise ce qu'elle... ce qu'ils avaient fait, j'ignorais qu'il était une de ses... proies.

– C'est le seul avec qui elle avait conservé des rapports. Le plus vulnérable. Et le plus violent.

Elle gémit, se redressa, se leva et se mit à arpenter la pièce lentement, comme une somnambule, puis de plus en plus vite, en se pinçant le lobe de l'oreille si fort que je crus qu'elle allait l'arracher.

– Oui, avec D.J. Elle a ri en me le disant, en m'expliquant comment elle l'avait poussé à la suivre. En utilisant l'alcool, les drogues, son corps. Surtout son corps. Elle riait en me parlant de tout le sang, comment Paul et Suzanne avaient supplié. Et cette pauvre Lourdes. Et elle riait en me disant comment elle les avait ligotés pour regarder D.J. les tuer à coups de batte de base-ball avant de leur tirer une balle dans la nuque. Et tout ce temps lui croyait faire ça pour moi...

Elle se précipita vers moi, tomba à genoux.

– C'est ce qui l'amusait le plus, Alex! Que D.J. n'ait jamais su la vérité. Il croyait avoir fait tout ça pour moi!

Elle agrippa ma chemise des deux mains, m'attira à elle, contre sa poitrine.

– Elle a dit que ça faisait de moi une meurtrière, que nous étions inséparables, une seule personne!

Je l'aidai à se relever puis l'assis sur le bord du lit. Les bras serrés autour de son torse, elle regardait le vide, les yeux fixes. Je la réconfortai de mon mieux.

– Elle n'était pas toi. Tu n'étais pas elle, répétai-je.

Elle finit par se décontracter un peu, passa ses bras autour de mon cou, me couvrit le visage de baisers.

– Merci, Alex. Merci de me dire ça.

Très doucement je me défis de son étreinte et m'écartai un peu.

– Continue, dis-je gentiment. Sors tout.

L'incitation du thérapeute...

– Et puis son rire est devenu hystérique. D'un seul coup elle a cessé de rire, elle m'a regardée, puis a baissé les yeux sur elle, sur ses vêtements pleins de sang et elle a commencé à les arracher avec des gestes paniqués. Elle se rendait compte de ce qu'elle avait fait : en détruisant Paul elle s'était détruite elle-même. Il était tout pour elle, la personne la plus proche d'un père. Elle avait besoin de lui, elle dépendait de lui et maintenant il était mort et c'était sa faute. Elle s'est effondrée là, devant mes yeux, s'est mise à pleurer et à gémir comme un bébé. Elle m'a suppliée de le faire revenir, en disant que j'étais intelligente, que j'étais docteur, que je pouvais le faire... J'aurais pu la calmer, comme je l'avais fait auparavant. Mais je lui ai dit que Paul ne reviendrait jamais et qu'elle était responsable, qu'il était mort. J'ai répété cent fois le mot : il est mort. Mort. Mort... Elle a paru terrifiée. Elle s'est avancée vers moi en tendant les bras, pour que je la réconforte, mais je l'ai repoussée. Elle s'est écroulée en gémissant, et puis elle a fouillé dans son sac et a sorti sa flasque de daïquiri. Elle l'a vidée en sanglotant, ensuite elle a pris les cachets. Elle en a avalé des poignées entières. Elle s'arrêtait de temps en temps pour me défier du regard de l'empêcher de continuer, comme je l'avais déjà fait. Mais cette fois je n'ai pas bougé. Elle s'est traînée dans ma chambre avec son sac. Je l'ai suivie. Elle a sorti autre chose de son sac : un petit pistolet doré. Elle l'a pointé sur moi, et j'ai eu la certitude qu'elle allait me tuer. Pourtant je n'ai pas supplié. Je suis restée calme, je l'ai regardée droit dans les yeux et je lui ai dit de tirer, de répandre un peu plus de sang innocent, qu'ainsi elle s'avilirait un peu plus puisque c'était ce qu'elle voulait. Alors elle a eu une expression étrange, elle a dit : « Je suis désolée, partenaire. » Elle a posé le canon du pistolet sur sa tempe et elle a appuyé sur la détente.

Silence.

– Je suis restée là, à la regarder saigner et mourir. Et puis j'ai téléphoné à Oncle Billy, et il s'est chargé de tout le reste.

J'avais la poitrine dans un étau. Je me rendis compte que je retenais mon souffle et me forçais à respirer normalement.

Sharon restait immobile. Peu à peu son corps s'amollissait. Son regard s'était fait rêveur.

– C'est tout, mon chéri, dit-elle enfin. C'est fini. Et c'est un commencement pour nous deux.

Elle parut se reprendre, se caressa les cheveux d'une main et défit le bouton supérieur de sa robe. Elle se pencha vers moi.

– Mais ça va, maintenant. Je me sens libérée. Purifiée. Prête pour toi, Alex. Prête à tout te donner, à me donner à toi comme jamais encore je ne me suis donnée. J'attends ce moment depuis tellement longtemps... Je croyais que jamais il n'arriverait...

Elle s'approcha de moi. Cette fois c'était à mon tour de me lever pour arpenter la pièce. Elle me suivit, bras tendus, lèvres entrouvertes et prêtes au baiser. Je la maintins à distance de la main.

– Ce n'est pas aussi simple, Sharon.

434

La surprise écarquilla ses yeux.

— Je... Je ne comprends pas.

— Il y a des détails qui n'ont aucun sens.

— Alex, dit-elle, et les larmes noyèrent ses yeux, je t'en prie, ne joue pas avec moi, pas après tout ce que j'ai subi...

Elle voulut me tirer à elle, mais je résistai.

— Oh, Alex, je t'en prie, ne m'inflige pas ça. Je veux te toucher, je veux t'embrasser !

— Sherry qui tue Kruse, fis-je, ça n'a pas de rapport avec la réception. Non. C'était peut-être ce qui a précipité les choses, mais elle avait tout préparé en payant Rasmussen au moins deux semaines auparavant. Des milliers de dollars. Pour qu'il fasse le sale boulot.

Elle hoqueta, inversa ses mouvements et voulut se libérer de mon étreinte, mais je tins bon.

— Non, dit-elle. Non, je ne peux pas croire ça ! Aussi mauvaise qu'elle ait été, c'est impossible.

— C'est vrai, et tu le sais mieux que quiconque.

— Que veux-tu dire ?

Et soudain son visage — ce visage sans défaut — se déforma sous la laideur de la colère. *L'échec par empathie...*

— Je veux dire que tu as tout préparé. Tu as planté les graines, tu as envoyé à ta sœur une thèse vieille de six ans pour confirmer ses pires craintes.

Son regard devint fou.

— Va au diable...

Elle se débattit pour se libérer de mon emprise.

— Tu sais que c'est vrai, Sharon.

— Mais non ça n'est pas vrai ! Elle savait à peine lire, elle n'aimait pas ça. C'était une fille stupide qui détestait les livres ! Et toi tu es stupide de dire des choses pareilles !

— Ce livre-là, elle a fait l'effort de le lire. Parce que tu l'avais préparée à le lire, en usant des mêmes méthodes que Kruse employait sur toi. Manipulations verbales, suggestions hypnotiques. Ce que tu lui suggérais quand elle était sous ton contrôle, puis que tu lui ordonnais d'oublier. A propos de Kruse et toi, de la préférence qu'il avait pour toi... Dès le début c'était un cas-limite, et tu l'as poussée au-delà de la limite. Le plus triste, c'est que toi-même tu as dépassé cette limite...

Elle montra les dents et ses doigts se crispèrent comme des griffes. Elle tenta d'enfoncer ses ongles dans mes mains, mais je parvins à enserrer ses deux poignets dans une seule de mes mains, tandis que de l'autre bras je la contenais.

435

— Laisse-moi, salaud! Oh, tu me fais mal! Salaud, laisse-moi!

— Combien de temps cela t'a-t-il pris, Sharon? Pour la faire craquer, la retourner contre Paul?

— C'est faux! Tu es dingue! Pourquoi aurais-je fais ça?

— Pour tout nettoyer. Pour être libérée. Te débarrasser de quelqu'un dont tu venais de te rendre compte qu'il te manipulait au lieu de t'aider. Qu'est-ce qui t'a fait craquer, toi? Tu les as surpris dans sa chambre, à faire ce qu'ils faisaient sans doute depuis des années? Ou bien elle t'a parlé de lui quand tu l'as hypnotisée. L'inceste. De la pire espèce. Papa la baisait. Mais c'était ton père aussi. Et en la baisant, il te baisait...

— Non! Non, non, non, non! Sale fumier, sale fumier d'enculé de menteur! Barre-toi, sale enculé de merde!

Elle déversait un flot d'injures comme j'avais entendu sa sœur le faire. L'expression sur son visage était celle de la jeune femme à la robe rouge qui me maudissait. Une expression meurtrière.

— D'une pierre deux coups, Sharon, dis-je. Tu retournais Sherry contre Kruse, et ensuite tu attendais qu'elle revienne vers toi. Tu avais tout préparé depuis des mois. Au moins un an, quand tu avais dit à Elmo de se chercher une autre place. Tu savais que Resthaven allait fermer parce que Resthaven était quelque chose qu'Oncle Billy avait arrangé pour Shirlee et que tu allais prendre Shirlee avec toi. Pour l'emmener à ta nouvelle maison. Toi, moi et Shirlee. Le trio était reformé. Un nouveau partenariat...

— Non, non! C'est complètement délirant, tu dis n'importe quoi! Elle dirigeait D.J. Il était dangereux, violent, c'est toi-même qui l'as dit. Deux contre une! J'aurais été folle de courir un tel risque!

Elle réussit à libérer une de ses mains et me griffa. Je sentis une humidité chaude poisser ma main et je la repoussai d'un mouvement brutal. Elle tituba en arrière, heurta le lit et tomba à la renverse dessus. Elle resta là, secouée de sanglots, haletante, articulant des jurons muets.

— D.J. ne représentait aucun danger pour toi, poursuivis-je. Simplement parce qu'il pensait depuis le début que c'était avec toi qu'il s'envoyait en l'air, toi qui l'avais payé pour supprimer Kruse. Sherry ne pouvait pas risquer de lui dire qu'il avait été manipulé, car il aurait pu se retourner contre elle. Elle devait se protéger, en pensant qu'elle finirait par te surprendre. Mais c'est toi qui avais l'avantage. Elle est tombée dans ton piège et tu l'attendais. Avec ton calibre 32 doré.

Elle donna des ruades dans l'air, agita les bras. Une crise. *Traumatisme infantile. Mauvais gènes...*

— Fumier... Fumier d'enculé de merde...

— D'abord tu l'as abattue, dis-je. Ensuite tu as fait couler les pilules dans sa gorge avec de l'alcool. Une autopsie correcte aurait pu démontrer qu'elle avait avalé tout ça après sa mort, mais il n'y aura jamais d'autopsie, parce qu'Oncle Billy s'est occupé de tout. Comme toujours.

— Mensonges! Que des mensonges, espèce d'enculé!

— Je ne crois pas, Sharon. Et maintenant tu as tout. Profites-en bien.

Je m'éloignai d'elle à reculons.

— Tu n'as pas une putain de preuve de ce que tu dis! cracha-t-elle.

— Je sais.

Je tournai les talons et me dirigeai vers la porte.

Le grognement de rage m'avertit. Elle avait saisi le verre dans lequel j'avais bu et se préparait à le lancer. Je me courbai à temps pour éviter le projectile. S'il m'avait atteint, nul doute qu'il aurait fait des dégâts. Il roula sur la moquette, inoffensif.

— Ta main droite. Au moins je sais maintenant quel côté de ton miroir je regardais.

Elle baissa les yeux sur sa main droite qu'elle considéra d'un air hébété, comme si elle l'avait trahie.

Je sortis. Je dus marcher longtemps dans la nuit avant de ne plus entendre ses hurlements.

36

J'entendis le véhicule électrique avant de voir le double pin-
ceau lumineux des phares sur ma gauche. Il me rejoignit en
quelques secondes, s'arrêta devant moi.

– Montez, Docteur, fit la voix grinçante de Vidal.

Je pris place sur le deuxième siège et il vit le sang que l'air
chaud du désert avait séché sur ma main.

– Superficiel, dis-je.

– Vous soignerez ça au retour, fit-il d'un ton détaché.

– Vous avez tout entendu, n'est-ce pas?

– La surveillance permanente est indispensable. Elle a
besoin d'attention, de soins. Vous avez pu le constater vous-
même.

Nous filâmes dans le désert. Les étoiles emplissaient le ciel
d'un piquetis étincelant.

– Quand est mort Belding? dis-je après un moment.

– Il y a des années.

– Combien d'années?

– Avant que les jumelles ne soient réunies. La date exacte
est importante?

– De quoi est-il mort?

– Maladie d'Alzheimer. Avant que les médecins ne trouvent
cette désignation, on disait « sénilité ». Un déclin lent et pas
très joli.

– Ça a dû être dur pour Magna...

438

– Oui, mais d'un autre côté nous avons eu le temps de nous préparer. Il y a eu des signes avant-coureurs, des oublis, des moments d'inattention, mais son comportement avait toujours été excentrique, ce qui nous a, un temps, masqué la vérité. C'est quand il a contacté Cross que j'ai compris que quelque chose n'allait plus. Leland avait toujours détesté les journalistes, et il avait toujours fait une obsession de la protection de son intimité. Un changement d'attitude aussi radical était un signe. En y repensant, je crois qu'il se sentait partir et qu'il voulait être immortalisé...

– Mais ce qu'a décrit Cross, ses cheveux longs, ses ongles taillés en pointe, l'autel, ses défécations devant lui... C'était donc vrai ? De simples symptômes, en fait ?

– Le livre était une imposture, dit seulement Vidal. Un ramassis d'inepties.

Nous roulâmes un moment en silence, avant que je ne revienne à la charge :

– La mort de Belding est tombée à point. Cela lui a épargné ainsi qu'à vous une confrontation avec Sharon et Sherry.

– Il arrive que la nature agisse à bon escient.

– Si elle ne l'avait pas fait, je suis certain que vous auriez trouvé une solution. A présent Belding peut garder son statut de personnage inoffensif. Jamais elle ne saura qu'il voulait la faire éliminer.

– Pensez-vous que de le savoir améliorerait sa... thérapie ? – Devant mon silence, il poursuivit : Mon rôle dans la vie est de résoudre les problèmes, pas de les créer. Dans ce sens, je suis un guérisseur. Tout comme vous.

L'analogie m'offensa moins que je ne l'aurais cru.

– Prendre soin des autres, hein ? fis-je. Belding par exemple, de sa vie sexuelle à son image publique, vous avez tout fait, et quand c'est devenu difficile à gérer, quand il a commencé à baisser mentalement, c'est encore vous qui avez assumé les responsabilités à sa place. Votre sœur, Sherry, Sharon, Willow Glen, Magna... Ça ne vous pèse pas, de temps à autre ?

Je crus le voir sourire dans les ténèbres, et je suis certain qu'il tapota sa pomme d'Adam de l'index, en grimaçant, comme s'il lui était trop douloureux de répondre pour l'instant. Plusieurs kilomètres plus loin, pourtant, c'est lui qui reprit la parole :

– Êtes-vous arrivé à une décision, Docteur ?

– A quel propos ?

– Sur d'éventuelles suites à vos... investigations ?

– J'ai reçu les réponses aux questions que je me posais, si c'est ce que vous voulez dire.

– Ce que je voudrais savoir, c'est si vous continuerez à remuer le passé et ruiner ce qui reste de l'existence d'une jeune femme très malade.

– Une existence bien triste.

– Mais meilleure que toutes les autres alternatives qui se proposaient. On prendra soin d'elle. Elle sera protégée. Et le monde sera protégé d'elle.

– Et quand vous ne serez plus là ?

– Il y a d'autres personnes, dit-il calmement. Des personnes compétentes. La ligne d'action ne variera pas. Tout a été prévu, défini.

Une question me tracassait encore :

– Comment avez-vous fait pour dissuader Sherry de réclamer son héritage légitime ?

– Très simple. Je l'ai emmenée visiter toutes les installations de Magna, notre centre de recherche et de développement, nos filiales technologiques de pointe, et je lui ai dit que je serais heureux de lui céder la place de commandant en chef. Elle pouvait être la nouvelle directrice de cinquante-deux mille employés et de milliers de projets divers. Cette seule perspective l'a terrifiée. Elle serait sortie en courant de mon bureau si je ne lui avais proposé une alternative.

– De l'argent.

– Plus qu'elle n'en pourrait dépenser en plusieurs existences.

– Maintenant qu'elle n'est plus, les paiements n'ont plus de raison d'être, je suppose...

– Docteur, vous manifestez une vue de l'existence naïve à l'extrême. L'argent est le moyen, pas la finalité. Et Magna aurait survécu, survivra, avec ou sans moi, ou qui que ce soit d'autre. Quand les choses atteignent une certaine taille, elles deviennent permanentes. On peut draguer un lac, pas un océan... Mais revenons à vous, Docteur. Vous n'avez toujours pas répondu à ma question.

– Je ne chercherai pas plus avant. Pour quelle raison le ferais-je ?

– Bien. Et votre ami l'inspecteur ?

– C'est un homme réaliste.

– Une bonne chose pour lui.

– Alors, allez-vous me supprimer quand même ? Charger Royal Hummel d'une autre mission ?

440

Il eut un rire enroué.

– Non, bien sûr. C'est amusant cet acharnement à me voir toujours comme Attila le Hun. Non, Docteur, vous ne courez aucun danger. Pour quelle raison le ferais-je ?

– Par exemple parce que je connais vos secrets de famille.

– Un nouveau Seaman Cross ? Un autre livre ?

Son rire reprit, se transforma en une quinte de toux sourde. Le ranch fut bientôt en vue, aussi parfait et irréel qu'un décor de film.

– A propos de Royal Hummel, dit-il, je désire que vous sachiez une chose. Il ne travaillera plus à la sécurité de nos intérêts. Vos commentaires sur la mort de Linda m'ont fait réfléchir. Étrange ce qu'une perspective nouvelle peut entraîner. Royal et Victor étaient des professionnels. Les accidents ne doivent jamais arriver avec des professionnels. Au mieux, ils ont failli. Au pire... Vous m'avez éclairé, Docteur. Pour cela je vous dois beaucoup.

– Ce n'était qu'une théorie, Vidal, répliquai-je. Je ne veux le sang de personne sur ma conscience, pas même celui de Hummel.

– Oh, pour l'amour du ciel, pourriez-vous cesser d'être aussi mélodramatique ? Il n'est pas question de verser le sang. Hummel vient simplement de changer d'emploi. Il nettoiera nos poulaillers. Il y a des tonnes de guano à en ôter chaque jour. Il se fait vieux, sa tension artérielle est trop haute, mais il réussira très bien dans cette branche.

– Et s'il refuse ?

– Oh, il ne refusera pas.

Il dirigea le véhicule vers le corral vide.

– Vous avez donné la photographie du partenaire muet à Kruse, n'est-ce pas ? dis-je encore. C'est ici que les jumelles ont été photographiées.

– Fascinant ce qu'on peut retrouver dans le grenier des gens.

– Pourquoi ? Pourquoi avoir laissé Kruse continuer aussi longtemps ?

– Jusqu'à récemment, je croyais qu'il aidait Sharon. Qu'il les aidait toutes les deux. C'était un homme doué d'un grand charisme, qui savait très bien s'exprimer.

– Mais avant de rencontrer Sharon il rançonnait déjà votre sœur. Vingt ans de chantage, à jouer avec l'esprit des gens...

Il arrêta la petite voiture électrique et se tourna vers moi.

441

Tout son charme avait disparu, et je lus dans ses yeux cette même froideur que j'avais vue dans ceux de Sharon. *Les gènes... L'inconscient collectif...*

— Quoi qu'il en soit, Docteur. Quoi qu'il en soit...

Nous marchâmes jusqu'au patio. Deux hommes nous y attendaient, vêtus de noir et le visage masqué d'une cagoule de ski. Le plus proche tendit un bandeau élastique sombre.

— N'ayez aucune crainte, me dit Vidal. Ils vous l'enlèveront dès que ce sera assez sûr pour vous comme pour moi. Essayez de profiter du voyage.

— Dites-moi pourquoi je ne me sens pas pleinement rassuré...

Il eut un nouveau rire grinçant, et forcé.

— Docteur, cette entrevue a été des plus stimulantes pour moi. Qui sait, peut-être nous rencontrerons-nous un jour... A une autre réception.

— Je ne pense pas. Je déteste les réceptions.

— A dire vrai, je m'en suis lassé moi aussi, railla-t-il, avant de reprendre un ton sérieux : Bien que cela soit donc très improbable, si nos routes venaient à se croiser de nouveau, j'apprécierais beaucoup que vous ne me reconnaissiez pas. Vous pouvez invoquer la confidentialité professionnelle et dire que nous ne nous sommes jamais rencontrés.

— Aucun problème de mon côté.

— Merci, Docteur. Vous vous êtes comporté en gentleman. Y a-t-il une dernière chose que je puisse faire pour vous ?

— Eh bien, j'ai en effet une petite faveur à vous demander. Un... arrangement.

Quand je lui eus expliqué ma requête, il fut pris d'une hilarité si violente qu'elle finit en une quinte de toux interminable. Enfin il sortit de sa poche un mouchoir et s'essuya la bouche. Il rangea le mouchoir en souriant, mais je vis que le tissu était taché de sombre.

— Excellent, Docteur, dit-il d'une voix basse. Les grands esprits se rencontrent. Je vous souhaite un bon voyage de retour.

37

Je fus abandonné sur le campus de l'université. J'ôtai le bandeau et rentrai chez moi à pied. Une fois dans mon appartement, je me rendis compte qu'il m'était insupportable d'y rester. Je jetai quelques affaires dans un sac de voyage et appelai mon service de répondeur pour lui demander de prendre mes messages pendant mes quelques jours d'absence à venir.

– Aucun numéro où faire suivre, Docteur ?

Je n'avais aucun patient ni aucune urgence en souffrance.

– Non, dis-je. Je vous contacterai.

– Très bien. Vous désirez les messages arrivés ?

– Pas vraiment.

– Très bien. Je vous signale néanmoins qu'un monsieur a appelé trois fois et s'est montré grossier parce que je refusais de lui communiquer votre numéro privé.

– Comment s'appelle-t-il ?

– Sanford Moretti. Il a dit qu'il voulait que vous travailliez pour lui sur un cas, ou quelque chose comme ça. Il a affirmé que vous seriez intéressé.

Ma réaction la fit rire.

– Docteur Delaware ! Je ne savais pas que vous usiez de ce genre de langage.

Je pris la Seville et roulai vers l'ouest. Je me retrouvai bientôt sur Ocean Avenue, pas très loin de Santa Monica Pier. La brise marine était inexistante, et l'océan charriait une odeur de poubelle peu ragoûtante. La rue où je m'engageai était bordée de bars aux noms polynésiens et de motels proposant des chambres « à la nuit – à la semaine – au mois ».

Je choisis le Blue Dreams, douze portes marron entourant un parking au revêtement défoncé. L'enseigne au néon promettant des chambres libres était en mauvais état elle aussi, sa lueur plus que discrète. La réception était tenue par un type au teint terreux avec un crucifix pendant de l'oreille. Il me fit l'honneur d'accepter mon argent sans cesser de se délecter d'un filet de poisson frit et en surveillant d'un œil les publicités télévisées. Deux distributeurs encombraient l'entrée, l'un de sucreries, l'autre de préservatifs. Sur la cloison leur faisant face une affiche présentait des extraits du Code pénal de Californie sur le vol et la fraude.

Je pris une chambre dans l'aile sud et payai une semaine d'avance. Dix mètres carrés sentant l'insecticide – au moins je ne serais pas importuné par les moucherons –, une unique fenêtre étroite au verre dépoli qui ouvrait sur un morceau de mur, un mobilier succinct et dépareillé en mauvais bois, un lit au matelas mince, un téléviseur à pièces rivé au plancher. Une pièce de vingt-cinq cents dans la fente du monnayeur donnait droit à une heure d'images colorisées en jaune, et le son n'était pas meilleur.

Je m'allongeai sur le lit et je laissai l'heure de télévision s'écouler. Ensuite j'écoutai les bruits. Tempos de basse du juke-box dans le bar voisin, si fort qu'on avait l'impression que quelqu'un était projeté en rythme contre le mur ; éclats de voix agressifs et conversations excitées en hispano-anglais, rires en conserve du téléviseur de la chambre adjacente, bruit de chasse d'eau, de robinet, claquements de porte, coups de klaxon... Et, en fond, le grondement monotone de l'autoroute.

La chambre était une étuve. J'y restai trois jours entiers, subsistant avec des pizzas et des sodas commandés à un établissement qui promettait les premières chaudes et les seconds froids et qui mentait pour les deux. Mon temps fut surtout occupé à faire ce que j'avais évité depuis si longtemps, ce que j'avais repoussé en chassant l'inadaptation chez autrui. Je m'introspectai, ce qui est un mot bien laid et prétentieux pour une plongée dans les puits de l'esprit.

Pendant trois jours je ressentis la rage, les pleurs, puis une tension si viscérale que je claquais des dents et que je frôlai la crise de tétanie, et enfin une solitude que j'aurais joyeusement anesthésiée par la douleur.

Au matin du quatrième jour, je me sentis placide, vidé, et je me félicitai de ne pas interpréter cet état comme une guérison. L'après-midi je quittai le motel pour honorer mon rendez-vous quotidien : un sprint jusqu'au bout du pâté de maisons pour acheter le journal. Je revins avec la dernière édition pliée sous mon bras.

L'article se trouvait en bas de la première page, à gauche, avec une photographie. Il était signé d'une certaine Maura Bannon et rapportait la condamnation d'un capitaine de la police de Los Angeles après son passage devant le conseil de discipline.

Cyril Leon Trapp, quarante-cinq ans, avait été révoqué et démis de tous ses droits et avantages, pensions et privilèges, selon une décision qui d'après son avocat était en fait un arrangement à l'amiable. Reconnu coupable de détournement de mineures, usage de stupéfiants, abus sexuels et multiples délits dans l'exercice de ses fonctions, il avait en outre été condamné à des dommages et intérêts pour ses victimes dont le nombre dépassait la douzaine. L'avocat de Trapp avait refusé de divulguer les projets de son client, mais dans un bref communiqué il avait déclaré que l'ex-officier de police quitterait certainement la région et qu'ayant toujours manifesté de l'intérêt pour l'élevage de poulets il aurait peut-être maintenant l'opportunité de s'y consacrer.

Je lus l'article deux fois, puis le détachai du journal, en fis un avion en papier et, quand enfin celui-ci voulut bien atterrir dans la cuvette des toilettes, je quittai le motel.

Je retournai directement à mon appartement avec la sensation d'être un nouveau locataire, sinon un homme nouveau. Plein de courage je m'asseyais à mon bureau pour me plonger dans le courrier accumulé quand on frappa à la porte.

J'allai ouvrir. Son badge de police accroché au revers de son veston, Milo entra, non sans m'avoir fusillé d'un regard sombre.

– Où étais-tu passé ?

– En vadrouille.

– En vadrouille où ?

– Pas envie d'en parler pour l'instant.

– Parles-en quand même.

Je restai muet comme une carpe.

– Bon sang ! s'exclama-t-il. Tu étais censé passer quelques coups de fil. Le boulot peinard, tu te souviens ? Au lieu de ça tu t'évanouis dans la nature ! Tu n'apprendras donc jamais !

– Excuse-moi, Môman, plaisantai-je, mais en voyant son expression j'ajoutai aussitôt : j'ai effectué le boulot peinard, Milo. C'est ensuite que je me suis évanoui dans la nature. Il fallait que je m'éclipse un peu. Mais je n'ai jamais couru aucun danger.

Il s'autorisa un juron de beau calibre, frappa du poing gauche dans la paume de sa main droite, essaya de m'impressionner en me toisant méchamment du haut de sa carcasse de lutteur enrobé. Je retournai dans la bibliothèque et il m'y suivit en fouillant dans la poche de son veston. Il en sortit un bout de journal froissé.

– J'ai déjà lu l'article, lui dis-je.

– M'en doutais, gronda-t-il en posant une demi-fesse sur le bord du bureau. Comment, Alex ?

– Pas maintenant.

– Quoi, d'un seul coup c'est cache-cache entre nous ?

– Je ne veux pas parler de tout ça maintenant, c'est tout.

– Adieu, Cyril, fit-il en levant les yeux au plafond. Pour la première fois de ma vie, mon vœu a été exaucé. C'est comme si j'avais ce foutu génie. Le problème c'est que je ne sais pas à quoi il ressemble, le génie, ni qui ou quoi frotter pour le faire apparaître.

– Tu ne peux pas accepter simplement ta chance ?

– J'aime bien provoquer ma chance.

– Fais une exception.

– Tu pourrais, toi ?

– Je l'espère.

– Allons, Alex, que se passe-t-il ? On discute théorie, et l'instant d'après Trapp est dans la merde jusqu'au cou...

– Trapp n'est qu'un détail de tout ça, dis-je. Mais je n'ai pas envie de te raconter le tout aujourd'hui. D'accord ?

Il me décocha encore un regard furibond avant de passer dans la cuisine. Il en revint avec un carton de lait et un croissant vieux d'une semaine dont il engloutit la moitié.

– Ta sentence est ajournée, mon pote, mais un de ces quatre, et c'est bientôt, il faudra qu'on ait une petite conversation tous les deux.

– Je te dirai quand je serai en veine de confidences.

– Va te faire foutre, grogna-t-il. sérieusement, Alex, comment tu vas ?

– Bien.

– Tout bien considéré ?

446

J'acquiesçai.

– Tu as la tête de quelqu'un qui a essayé de considérer un tas de trucs, justement, fit-il.

– Je réglai le système intérieur... Milo, j'apprécie à sa juste valeur ton attention, comme j'apprécie tout ce que tu as fait pour moi. Mais pour l'instant je crois que j'apprécierais surtout un peu de solitude, si tu ne m'en veux pas trop.

– Ouais, sûr, dit-il.

– A bientôt.

Il sortit sans ajouter un mot.

Robin revint le lendemain. Elle portait une robe que je n'avais jamais vue avant et avait l'expression d'une élève de cour préparatoire sur le point de réciter pour la première fois devant toute la classe. J'acceptai son étreinte et lui demandai ce qui l'avait fait revenir.

– Tu n'es pas heureux de me voir, dit-elle.

– Si. Tu m'as pris par surprise, fis-je en transportant sa valise dans le salon.

– Je voulais passer de toute façon, dit-elle en glissant son bras sous le mien. Tu m'as manqué. Hier soir j'avais vraiment envie de te parler et j'ai appelé. Mais ton service de répondeur m'a dit que tu étais parti pour quelques jours sans dire où. J'étais inquiète.

– La période est à la charité, murmurai-je en reculant d'un pas.

Elle me dévisagea comme si elle me voyait pour la première fois.

– Désolé, dis-je, mais à l'instant présent je ne me crois pas capable d'être l'homme que tu voudrais.

– J'ai poussé trop loin...

– Non. Mais j'ai beaucoup réfléchi, ce que j'avais longtemps remis à plus tard.

Ses yeux s'embuèrent et elle se détourna.

– Et merde.

– C'est en rapport avec toi pour une petite partie seulement. Je sais que tu veux t'occuper de moi, je sais que pour toi c'est important. Mais pour l'instant je ne suis pas prêt à ça, je ne l'accepterais pas d'une façon qui te conviendrait.

Elle se laissa tomber sur le canapé. Je m'assis face à elle.

– Je ne parle pas par colère. Il y a des choses que je dois régler seul, pour moi. Il faut que je prenne le temps de le faire.

Elle cligna des yeux plusieurs fois, afficha un sourire si douloureux qu'il aurait pu être gravé dans sa chair.

— Je suis mal placée pour t'en vouloir...

— Non, Robin. N'y vois pas une quelconque revanche. Je n'ai pas de revanche à prendre. En fin de compte, tu m'as rendu service.

— Toujours heureuse de rendre service, dit-elle sans pouvoir retenir plus longtemps deux larmes. Non, je ne veux pas... Tu mérites mieux que ça.

Je lui tendis ma main, mais elle secoua la tête et se mordit la lèvre inférieure.

— Il y a eu un autre homme, murmura-t-elle. Une vieille aventure de l'université. J'ai arrêté tout de suite, mais j'ai été si près... J'ai quand même l'impression de t'avoir trahi.

— Je t'ai trahie aussi.

Elle poussa un gémissement bas et ferma les yeux.

— Qui ?

— Une vieille aventure de l'université.

— Et elle... Tu es toujours...

— Non, ce n'est pas ça. Elle a occupé mon esprit, pas mon corps. A présent elle est partie. Définitivement. Mais ça m'a changé.

Elle se leva, marcha jusqu'à l'autre bout de la pièce, croisa les bras sur sa poitrine et garda le silence un long moment avant de demander, d'une voix tendue :

— Alex, qu'est-ce qui se passe entre nous?

— Je ne sais pas. Un dénouement heureux me plairait bien. Mais j'ai encore du chemin à faire seul avant d'être utile pour toi. Pour n'importe qui.

— Tu me plais comme tu es.

— Tu me plais aussi, répondis-je par un automatisme qui nous fit rire tous deux.

Elle se tourna vers moi. Je lui tendis la main. Elle s'approcha. Nous nous caressâmes, chacun se mit à déshabiller l'autre sans un mot. Puis nous glissâmes sur le canapé et c'est là que nous fîmes l'amour, dans une union compétente et sans accroc née de la pratique.

Quand nous eûmes terminé elle se redressa et dit :

— Ce ne sera pas aussi facile, n'est-ce pas ?

— Non. Rien de ce qui a du prix n'est facile.

Elle s'écarta de moi, se leva et alla se camper devant la fenêtre, nue, sa chevelure bouclée cascadant sur son dos.

– L'atelier est sûrement dans un désordre monstre, dit-elle, avec des mots glissés sous la porte et du travail en retard...

– Vas-y, dis-je doucement. Fais ce que tu dois faire.

Elle se retourna et courut jusqu'à moi, s'allongea sur mon corps pour pleurer sur ma poitrine. Nous restâmes ainsi un long moment, puis l'impatience nous reprit et chacun partit sur son chemin.

Sharon. Kruse. Le Rat. Même Larry. Il y avait assez de problèmes entre nous pour emplir un livre.

De nouveau seul je méditai sur mes problèmes personnels et tout ce qu'il me restait à faire.

Je choisis d'abord une solution commode en prenant un numéro de téléphone dans mon carnet d'adresses.

Je n'attendis que quatre sonneries.

– Allô?

– Madame Burkhalter? Denise? Ici le docteur Delaware.

– Oh, bonjour...

– Si je tombe mal...

– Non, non, pas du tout, c'est juste... Bizarre, je pensais justement à vous. Darren est toujours... euh, souvent en pleurs.

– Ça n'est pas très surprenant.

– C'est-à-dire... Il pleure plus. Beaucoup plus depuis la dernière fois qu'il vous a vu. Et il dort mal et mange mal...

– Votre situation a changé depuis notre dernière entrevue?

– L'argent seulement. Mais je ne l'ai pas encore. Mr. Worthy m'a dit que ça risquait de prendre des mois avant que je ne commence à le toucher. En attendant nous recevons toujours des lettres de la banque et la compagnie d'assurances de mon mari traîne toujours les pieds et... Oh, pourquoi je vous raconte tout ça, moi? Vous ne téléphonez pas pour entendre ces fadaises...

– Je veux entendre tout ce dont vous voudrez bien me parler, Denise.

Un petit silence, puis :

– Je suis vraiment désolée pour la façon dont je vous ai parlé...

– Ce n'est rien. Vous avez traversé beaucoup d'épreuves.

– Ça, c'est bien vrai. Depuis le premier jour... – Sa voix se cassa et elle s'interrompit : Je n'arrête pas de parler d'autre chose alors que c'est mon petit qui m'inquiète. Il crie et il pleure et il veut me frapper, et il n'est plus comme avant avec

449

moi. Et puis cette attente, sans personne à qui le dire. Je ne sais plus quoi faire. Je ne comprends même pas ce qui m'arrive.

Un autre silence. De mon fait cette fois. Un silence thérapeutique. Elle renifla une fois.

— Je suis désolé pour vous, Denise. J'aimerais pouvoir vous débarrasser de cette souffrance.

— Que dois-je faire, Docteur ? Avec Darren ?

— Est-ce qu'il a joué... comme il jouait dans mon bureau ?

— C'est ça qui m'ennuie. Il refuse de le faire. Je lui ai donné des voitures et je lui ai dit ce qu'il devait faire, mais il les a simplement regardées et il s'est mis à pleurer.

— Si vous vous vouliez l'amener ici, je serais très heureux de le revoir, dis-je. Ou si le trajet vous paraît trop long, je peux vous donner l'adresse d'un collègue plus proche de chez vous...

— Non, non, quand je disais ça... Non, vous n'habitez pas trop loin. Et puis je n'ai rien d'autre à faire, alors pourquoi pas conduire, n'est-ce pas ?

— Alors venez. Je peux vous voir demain à la première heure, si cela vous convient.

— Oui, ce serait très bien.

Nous fixâmes le rendez-vous.

— Vous êtes quelqu'un de bien, me dit-elle alors. Vous savez vraiment comment aider quelqu'un.

Cette opinion me donna assez d'élan pour faire mon deuxième appel.

Midi moins cinq. L'heure du déjeuner.

— Docteur Small.

— Bonjour, Ada. Ici Alex. On déjeune sur le pouce ?

— Fromage de ferme et fruit, dit-elle. La bataille contre le surplus pondéral fait rage. Je suis heureuse de vous entendre. J'ai essayé de joindre Carmen Seeber mais sa ligne est en dérangement et je n'en connais pas d'autre.

— Ce n'est pas à propos d'elle, mais de moi.

Elle marqua une pause, elle aussi. Thérapeutique. Ce satané stratagème fonctionna.

— Ça s'est beaucoup accumulé. Je me suis dit que si ça ne vous dérangeait pas que je passe vous voir...

— Je suis toujours heureuse de vous voir, Alex. Vous vous inquiétez de savoir si cela me dérangerait ?

— Pas du tout... Non, c'est faux : je crois que si. Les choses ont changé entre nous. C'est difficile de sortir du rôle de collègue et d'admettre son impuissance...

450

— Vous êtes loin de l'impuissance, Alex. Mais vous êtes assez perspicace pour vous rendre compte que vous n'êtes pas invulnérable.

— Perspicace ? dis-je en riant. Oh non, j'en suis loin...

— Vous avez appelé, n'est-ce pas ? Alex, je comprends ce que vous voulez dire. Changer les rôles peut apparaître comme un pas en arrière. Pas pour moi, je vous l'assure.

— Merci de me parler comme ça, Ada.

— Je le dis parce que c'est vrai. Mais si vous avez des doutes je peux vous diriger vers un collègue...

— Pour recommencer ? Non, je n'y tiens pas.

— Voulez-vous un peu de temps pour réfléchir ?

— Non, mieux vaut que je plonge maintenant avant de m'inventer un prétexte pour me voiler la face.

— D'accord, alors l'affaire est entendue. Laissez-moi regarder mon agenda... Voyons, que diriez-vous de demain, six heures ? Le cabinet sera tranquille et vous ne risquerez pas de rencontrer quelqu'un que vous m'auriez envoyé.

— Six heures, parfait. Merci, Ada. A demain, donc.

— Ce sera avec plaisir, Alex.

— Moi aussi. Au revoir.

— Alex ?

— Oui ?

— C'est une très bonne chose que vous faites là.

Achevé d'imprimer en septembre 1996
sur les presses de l'Imprimerie Bussière
à Saint-Amand (Cher)

POCKET - 12, avenue d'Italie - 75627 Paris Cedex 13
Tél. : 44-16-05-00

— N° d'imp. 1929. —
Dépôt légal : octobre 1996.
Imprimé en France